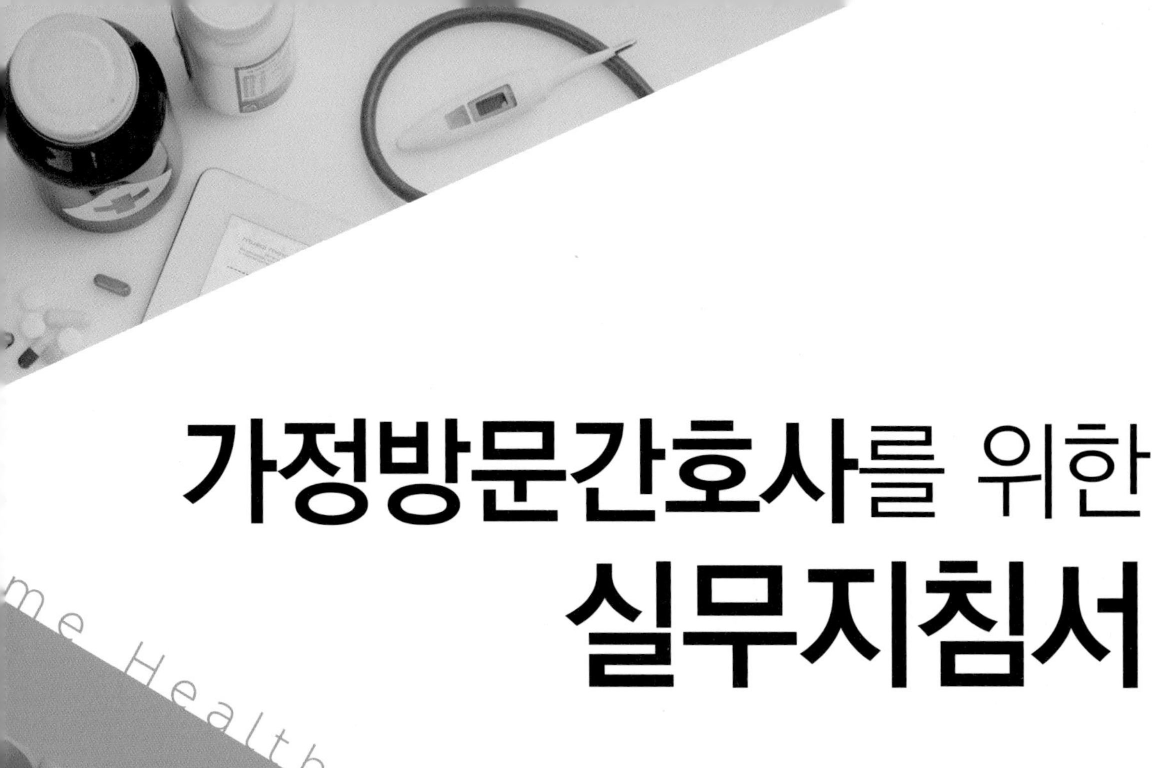

가정방문간호사를 위한 실무지침서

Home Health Care Practice Guidelines

김숙희 · 김순녀 · 김영희 · 류미순 · 백경양
양순진 · 엄재영 · 유수미 · 이미향 · 임민영
조미숙 · 조영이 · 최현주 · 함희정 · 허현숙 지음

군자출판사

가정방문간호사를 위한
실무지침서

첫째판 1쇄 인쇄 | 2022년 04월 29일
첫째판 1쇄 발행 | 2022년 05월 13일
첫째판 2쇄 발행 | 2023년 01월 02일

지 은 이 김숙희, 김순녀, 김영희, 류미순, 백경양, 양순진, 엄재영, 유수미
이미향, 임민영, 조미숙, 조영이, 최현주, 함희정, 허현숙
발 행 인 장주연
출 판 기 획 한인수
책 임 편 집 구경민
표지디자인 이종원
내지디자인 이종원
발 행 처 군자출판사(주)
등록 제 4-139호(1991. 6. 24)
(10881) **파주출판단지** 경기도 파주시 회동길 338(서패동 474-1)
전화 (031) 943-1888 팩스 (031) 955-9545
www.koonja.co.kr

ISBN 979-11-5955-871-9
정 가 40,000원

편집위원

김숙희	남서울대학교
김순녀	강동경희대학교병원
류미순	한양대학교병원
조영이	서울성모병원
허현숙	서울대학교병원

가정방문간호사를 위한 실무지침서 | Home Health Care Practice Guidelines

집필진 (가나다 순)

김숙희	남서울대학교
김순녀	강동경희대학교병원
김영희	삼성서울병원
류미순	한양대학교병원
백경양	인천의료원
양순진	중앙보훈병원
엄재영	분당서울대병원
유수미	경기도의료원수원병원
이미향	이대목동병원
임민영	경희대학교병원
조미숙	은평성모병원
조영이	서울성모병원
최현주	인제대학교일산백병원
함희정	근로복지공단인천병원
허현숙	서울대학교병원

가정방문간호사를 위한 실무지침서 | Home Health Care Practice Guidelines

감수자

우경미	서울대학교 간호대학

추천사

『가정방문간호사를 위한 실무지침서』 발간을 축하드립니다.

선진국을 중심으로 전 세계가 초고령사회로 급속히 전환되고 있습니다. 우리나라도 초고령사회로의 진입에 대한 여러 가지 지표가 나타나고 있으며 일부 농어촌 지역은 이미 초고령사회로 접어 들었습니다. 이와 함께 가정방문 간호가 필요한 대상자들을 위한 질 높은 간호서비스와 함께 간호의 다양성도 요구되고 있습니다.

기출간된 많은 간호 실무지침서들은 병원 중심의 전문적인 의료처치 위주이거나 다양한 지역사회간호의 특성을 담아내지 못하는 아쉬움이 있었습니다. 그러나 이 지침서에서는 건강사정, 영양관리, 만성질환 관리에 도움이 되는 내용과 빠르게 변화하는 의료현장과 기술의 변화에 대응할 수 있는 전문적인 영역까지 다루고 있습니다.

임상 현장과는 다른 환경에서 간호를 하는 데 많은 도움이 될 것으로 기대하며 가정으로 방문하는 간호사들이 활용할 수 있는 필독서로 이 책을 추천합니다.

지침서 발간을 위해 노력해 주신 가정간호사회에 감사의 말씀을 드립니다.

2022년 4월

사단법인 KVN 한국방문간호사회 회장 **박영숙**

머리말

노인 인구와 만성질환자의 증가, 전 세계적인 감염병의 유행으로 보건의료 환경이 변화하고 있습니다. 이에 따라 지역사회에서 지속적으로 건강 문제나 의학적인 관리를 필요로 하는 대상자가 늘어나고 있어 가정으로 방문하는 간호의 수요는 지속적으로 증가하고 있습니다.

가정에 있는 대상자들은 미숙아에서 노인까지 다양하고, 한 개에서 여러 개의 질환을 동시에 가지고 있으며, 사회·경제적인 요인들이 복합적으로 작용하고 있는 하나의 체계입니다. 따라서 건강관리 교육 및 상담 등의 기본 간호와 튜브 교환 및 관리, 인공호흡기 관리 등의 치료적 간호까지 다양하게 제공되어야 합니다.

가정에서 간호행위를 하는 간호사가 효율적인 간호를 수행하기 위해서는 간호의 방향성을 제시해 표준화할 수 있는 지침이 필요합니다. 현재 출판되어 있는 간호 실무지침서는 가정간호제도의 도입에 따른 병원 중심의 치료적인 간호 내용이 주로 구성되어 있습니다. 보건의료제도의 변화에 따라 지역사회 건강관리와 예방에 중점을 두어 재택에서 지내는 기간을 늘리려는 기본적인 간호와 함께 포괄적인 간호의 내용을 포함하는 실무지침서가 필요합니다. 시대적인 흐름을 반영하여 가정간호사회에서는 가정으로 방문하는 간호의 현장에서 간호사들에게 도움이 될 수 있도록 만성질환 관리 등의 건강관리부터 전문 간호에 이르기까지 실무의 지침이 되는 내용으로 구성하여 집필하였습니다.

이 지침서는 총 11장으로 구성하여 가정으로 방문하는 간호사들의 이해를 돕기 위해 장별로 발생 가능한 문제, 대상자 교육내용, 간호 수행 시 필요한 팁까지 포함하여 기술하였습니다. 또한 예비 가정전문간호사에게는 국가고시 출제 분야와 출제 영역을 반영하여 새로운 지식을 익히고 시험에 대비할 수 있도록 구성하였습니다.

이 지침서가 가정으로 방문하는 간호사와 가정전문간호사의 간호 실무 향상 및 새로운 지식 습득에 도움이 될 것으로 기대합니다.

본 지침서 발간을 위해 노력과 마음을 다해 집필에 참여해 주신 집필위원, 편집을 위해 오랜 시간 애써주신 편집위원들의 헌신적인 봉사, 그리고 군자출판사 임직원분들과 도움을 주셨던 모든 분들께 감사의 마음을 전합니다. 이 책이 가정으로 방문해서 이루어지는 간호 실무의 근거기반 지침서로 널리 활용되기를 바랍니다. 감사합니다.

2022년 4월

저자 일동

contents

차례

제 8 장 임종 간호와 사별가족 간호
End-of-life Care and Bereaved family Care

제 9 장 산모 및 신생아 간호 Postpartum Home Care

제 10 장 정서문제 관리 Emotional problem management

건강사정

Health Assessment

I 신체 사정 (Physical Assessment)

가정에 있는 대상자를 간호할 목적으로 자료를 수집하고 분석하는 체계적인 방법으로는 건강사정의 단계가 필요하다. 건강 정보를 수집하고 나이, 성별, 문화, 민족, 신체·정신·사회경제·영적인 면을 고려하여 현재의 건강 문제를 이해한다. 건강사정은 가정에 있는 대상자의 강점, 약점, 건강 문제 및 결손에 대한 자료를 확인하고, 간호계획을 세운 뒤 실시되는 간호 중재를 위한 필요 단계이다.

1_ 건강사정의 구성 요소

건강사정의 구성 요소는 건강력 수집, 신체검진 수행, 필요시 다른 의무 기록의 자료 검토, 결과 기록이 포함된다.

1) 건강력

건강력(health history)은 주관적 자료로서 면담을 통해 수집하게 된다. 여기에는 대상자가 말한 현재 건강 상태, 투약력, 과거 질병과 수술, 가족력, 신체계통 조사(review of systems) 등이 포함된다. 대상자는 건강 문제와 관련된 느낌이나 경험을 보고한다. 이러한 대상자의 보고가 증상(symptom)이며 주관적인 자료이다. 대상자에게서 직접 획득한 주관적인 자료를 일차 정보 자료(primary source data)라고 하고, 가족 등 다른 사람에게 들은 것을 이차 정보 자료(secondary source of data)라고 한다.

2) 신체검진

신체검진은 시진, 촉진, 타진, 청진의 방법을 활용하여 정보를 수집하는 것이다.

3) 자료의 기록

건강사정을 통해 수집한 자료는 반드시 기록(documentation)하여 다른 의료인들도 활용할 수 있도록 해야 한다.

2_ 건강사정의 종류

건강사정을 통해 수집한 정보의 양은 가정간호 상황, 가정에 있는 대상자의 요구, 간호사의 경험 등에 따라 달라진다.

1) 가정간호 상황

간호 상황(context of care)은 건강관리 전달체계 내에서 환경과 관련이 있는 용어이다. 가정환경이나 상황에 따라 다양한 형태가 있다. 가정간호는 다른 기관 내에서의 간호와 다르게 환자마다 각각 다른 가정환경 내에서 간호가 이루어지므로 가정간호 상황, 특히 환경 사정이 굉장히 중요하다. 가정환경 사정의 예로 낙상 위험이나 감염 위험 등의 환경 사정이 있다. 환경 사정에는 보호자의 유무와 보호자의 간호 참여 정도 등도 포함된다.

2) 가정간호 대상자의 요구

간호사에 의해 수행되는 건강사정의 종류는 가정에 있는 대상자의 요구에 따라서도 달라진다. 가정에 있는 대상자의 요구를 판단할 때 나이, 전반적 건강 상태, 현재 문제, 지식 수준, 지지체계 등을 고려해야 한다.

3) 가정으로 방문하는 간호사의 경험

간호사의 경험에 따라 수행하는 사정의 종류도 달라진다. 간호사의 경험이 사정해야 할 일과 자료해석에 영향을 미친다. 이런 전문성은 한 분야에서 특정한 업무를 계속하면서 습득되는 것이다.

건강사정은 문진을 통하여 환자의 건강 문제에 관한 모든 기초 자료를 수집하고, 이 기초자료를 확인하기 위해 시진(inspection), 촉진(palpation), 타진(percussion) 및 청진

(auscultaion)을 실시하는 것을 말한다.

(1) 문진: 대상자와 가족의 면담을 통해 얻은 정보를 기초로 하는 가장 기본이 되는 부분이다. 면담 내용에는 개인력, 주호소, 현병력, 과거력, 가족력, 개인 및 심리사회력 등이 포함된다.
(2) 시진: 시각적 감각으로 환자를 관찰하는 행위를 말하며, 예를 들어 표정, 피부 상태, 비언어적 의사소통 등이 해당된다.
(3) 촉진: 손끝으로 만져 상태를 확인하는 방법으로, 어떤 부위에 대한 질감, 크기, 모양, 특징, 위치를 파악하고 압통이나 동통 부위를 확인하는 것이다.
(4) 타진: 내부 장기의 크기, 경계, 특성을 파악하고 압통을 확인하거나 체강의 체액량을 추정할 때 사용되며 직접타진과 간접타진이 있다.
(5) 청진: 신체 내부의 소리를 듣는 기술이다. 청진기로 심장, 혈관, 내장을 청진할 때는 외부음을 차단해야 한다. 고창음(tympany)은 높고 큰 소리로, 복부에서 들린다(가스팽만음). 공명음(resonance)은 정상 폐조직에서 들리는 반면, 과다공명음(hyper-resonance)은 과팽창된 폐(폐기종)에서 들린다(Table 1-1). 탁음(dullness)은 간에서 들리고, 편평음/절대탁음(flatness)은 뼈와 근육에서 들린다. 공명음에서 탁음으로 옮겨가는 타진음(폐에서 간으로)은 듣기가 더 쉽다.

Table 1-1 타진음

타진 부위	소리	강도	고저	기간	음질
폐	공명음	크다	낮다	길다	속이 빈 소리
뼈와 근육	편평음	약하다	높다	짧다	아주 탁함
간	둔탁음	중간	약간 높다	중간	털썩 떨어지는 소리
위, 장의 가스	고창음	크다	높다	중간	드럼 소리
폐의 공기포획(폐기종)	과다공명음	아주 크다	아주 낮다	길다	폭발하듯 울림

3_ 전반적 시진과 활력 증상

전반적 시진(general inspection)은 외모와 위생 상태, 신체의 구조와 움직임, 정서나 정신 상태, 행동을 시진한다. 활력징후(체온, 심박수, 호흡수, 혈압, 산소포화도), 신장, 체중은 건강의 지표이다(Table 1-2). 통증도 중요한 자료인데, 이는 초기 자료로 수집된다. 종합 사정에서는 다음 사항을 전반적으로 다루고, 초점 사정에서는 증상에 따라 일부만 사용한다.

체온조절은 시상하부에서 이루어진다. 정상 온도는 35.8 ℃~37.3 ℃, 평균은 37 ℃로, 세포대사가 가장 효율적이고 안정적인 심부 온도이다.

Table 1-2 연령별 활력 증상 범위

활력징후	신생아	유아	학령기	청소년	성인
심박수(회/분)					
• 범위	80~180	80~110	60~110	50~90	60~100
• 평균	120	100	85	70	70
호흡수(회/분)	30~60	24~32	18~26	16~20	12~20
혈압(mmHg)					
• 수축기 범위	60~80	90~100	95~110	110~120	110~140
• 이완기 범위	30~	50~65	55~70	60~80	60~90

4_ 피부계

피부는 기능이 연관되어 있는 표피층(epidermis), 진피층(dermis), 피하층(subcutaneous tissue)으로 구성된다. 체모, 손발톱, 분비선(소한선, 대한선, 피지선)이 이에 속한다. 이러한 구조물들은 표피층과 진피층 사이에서 형성된다. 피부는 시진과 촉진을 통해 사정한다.

1) 문진

(1) 건강력(현재 복용 중인 약, 다른 건강질환 유무, 피부나 머리카락의 느낌이나 모양, 직업, 화학물 노출 여부)

(2) 과거력(과거 피부질환, 피부 외상, 감염)

(3) 가족력(부모 또는 자녀의 알러지, 다른 가족의 피부 암이나 자가 면역질환)

(4) 개인 및 심리사회력(피부 건강, 위생, 자외선 차단제, 태양의 노출)

(5) 문제 중심건강력(피부소양증, 발진, 통증, 병변이나 점의 변화, 피부색의 변화, 피부결, 상처, 체모, 손발톱)

2) 시진

(1) 전반적인 피부색과 균질성을 시진한다. 피부는 정상적인 색의 차이가 존재한다.

(2) 두피 표면의 특성, 머리카락 분포, 결, 양, 색깔을 시진한다. 머리가 빠지는 사람인 경우 머리카락의 분포와 양을 파악하고 머리가 부분적으로 빠진 곳이 없는지 시진한다. 부분적으로 빠진 곳이 있다면 모간이 부러졌는지, 모간이 아예 없는지 시진한다. 남자는 유전적 특징이나 남성호르몬의 영향으로 머리가 서서히 대칭적으로 빠질 수 있다.

(3) 얼굴과 몸의 체모 분포, 양, 결을 검사한다. 그리고 손발톱의 모양, 굴곡, 특징, 색, 두께, 위생 상태를 시진한다. 손톱 기저부(손톱 주름 근위부와 조판의 각도)의 각도를 시진한다. 정상적인 손톱 기저부의 각도는 160°이다. 손톱 표면이 매끄러운지 시진한다. 손톱이 패였는지, 홈이 있는지 검사한다. 손톱의 두께도 파악한다. 피부 병소를 시진한다.

3) 촉진

피부결, 온도, 습도, 움직임, 긴장도, 두께를 촉진한다.

(1) 피부의 온도는 손등으로 검사를 한다. 피부는 정상적으로 건조하다. 피부의 운동성과 탄력성은 전완이나 견갑골 아래의 피부를 집어 올리거나 가볍게 꼬집어서 검사한다. 피부의 두께는 연령과 부위별로 다르다. 피부는 성인이 될 때까지 두꺼워지고, 20세가 지나면서 얇아지기 시작한다. 피부는 손바닥, 발바닥이 두껍고 눈꺼풀이 가장 얇다.

(2) 두피는 촉진했을 때 부드러워야 하고, 부스럼이 떨어지거나 붉거나 개방성 병변이 없어야 한다.

(3) 손발톱은 모서리를 시진하여 부드럽고 둥근지 촉진한다. 손톱 표면의 중간 부분은

편평하고 모서리로 갈수록 굴곡이 있다. 피부 병소를 촉진한다.

4) 피부 병소

(1) 1차 병소(primary lesions)

반점(macule), 구진(papule), 팽진(wheals), 결절(nodule), 종양(Tumor), 소낭(vesicle), 수포(bulla), 농포(pustule), 판(plaque) 등

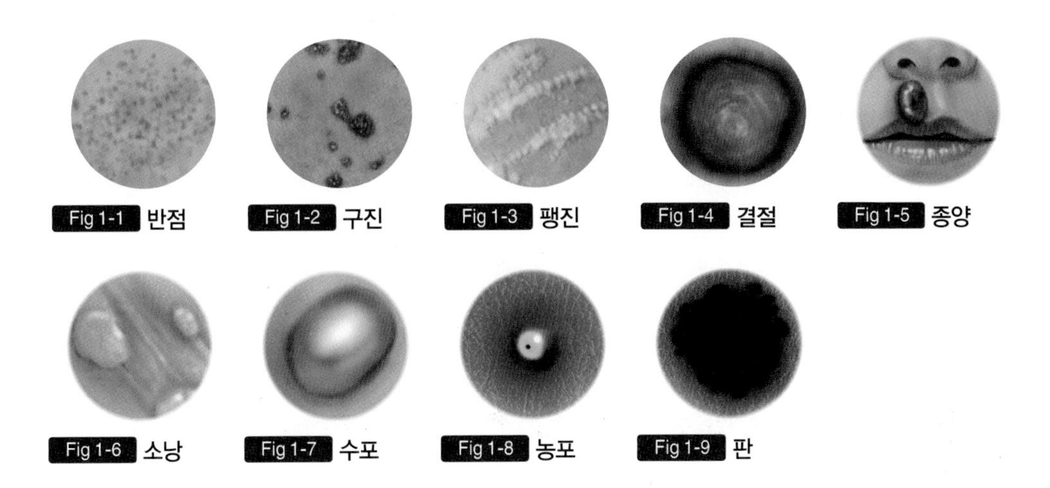

Fig 1-1 반점 Fig 1-2 구진 Fig 1-3 팽진 Fig 1-4 결절 Fig 1-5 종양
Fig 1-6 소낭 Fig 1-7 수포 Fig 1-8 농포 Fig 1-9 판

(2) 2차 병소(secondary lesions)

태선(lichenification), 흉터(scar), 미란(erosion), 딱지(crust), 터진 상처(fissure), 궤양(ulcer), 비늘(scale), 궤사딱지(eschar), 케로이드(keroid) 등

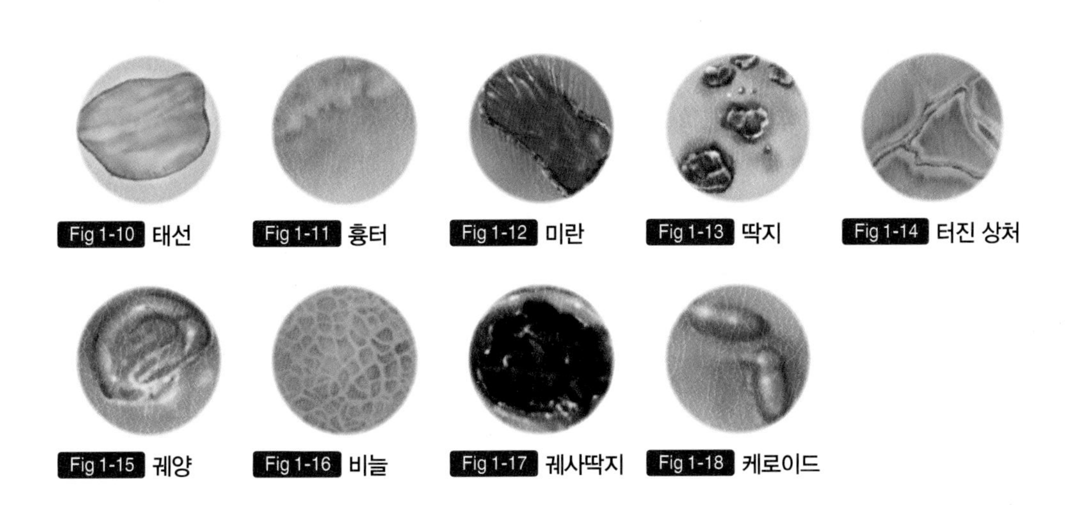

Fig 1-10 태선 Fig 1-11 흉터 Fig 1-12 미란 Fig 1-13 딱지 Fig 1-14 터진 상처
Fig 1-15 궤양 Fig 1-16 비늘 Fig 1-17 궤사딱지 Fig 1-18 케로이드

(3) 혈관성 병소(Vascular lesions)

거미 혈관종(spider angioma), 체리 혈관종(cherry angioma), 거미정맥(spider vein)

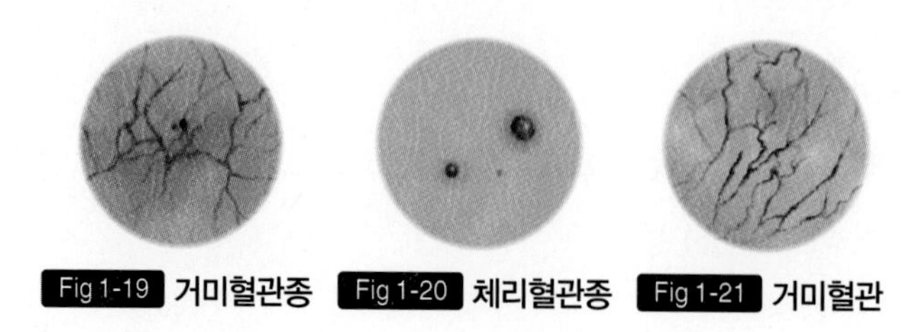

Fig 1-19 거미혈관종 Fig 1-20 체리혈관종 Fig 1-21 거미혈관

(4) 출혈성 병소(hemorrhagic lesions)

자반증(purpura), 점상출혈(petechiae), 반상출혈(ecchymosis), 모세혈관 확장증(telangiectasia)

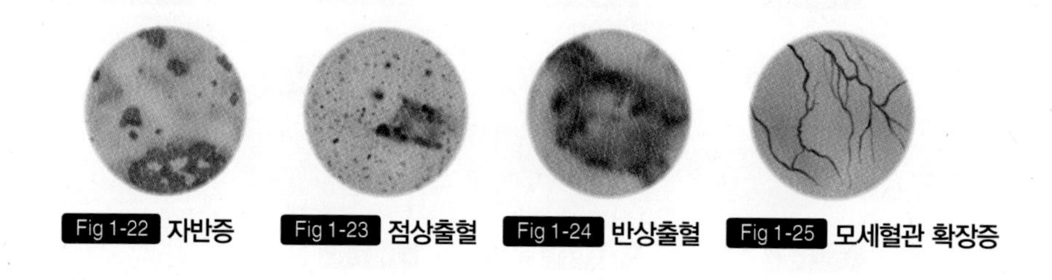

Fig 1-22 자반증 Fig 1-23 점상출혈 Fig 1-24 반상출혈 Fig 1-25 모세혈관 확장증

5) 비정상적인 소견

비정상 소견으로는 청색증, 창백, 황달이 있다. 색소침착저하증(백색증, albinism)이 있으면 전체 피부가 창백한 흰색을 띠며, 전반적으로 색소가 없는 백색증은 유전질환이다. 색소침착과다증은 멜라닌 침착이 과다하여 전반적으로 피부의 색소침착이 과다하게 일어나는 것이다. 주로 내분비계 이상(Addison 질환)이나 간질환에서 나타난다.

악성흑색종, 허리 아래 또는 두피, 유방, 엉덩이에 있는 점(mole)은 거의 비정상이다. 백반증(vitiligo)은 후천적 색소감소 피부질환으로, 자가면역질환으로 생각된다. 백반증은 모든 인종에서 나타나지만, 피부색이 어두운 인종에게서 더 잘 나타난다. 색소침착이 국소적으로 많아지는 현상은 호르몬계 질환(뇌하수체, 부신), 자가면역질환(전신홍반성낭창, lupus), 또는 임신(기미, chloasma)이 원인이다.

5_ 머리와 목

머리와 목은 복합적인 구조로, 두개골은 뇌를 둘러싸고 있다. 목의 구조는 척추 상부의 일부분, 식도, 기관, 갑상선, 동맥, 정맥, 림프절을 포함한다.

두개골(skull)은 뇌와 상부 척수를 보호하는 골 구조이다. 시각, 청각, 후각, 미각 등의 특수 감각기관을 보호한다. 두개골은 6개 뼈(하나의 전두골, 두 개의 두정골, 두 개의 측두골과 하나의 후두골)가 봉합선으로 결합되어 있다. 두개골은 두피(scalp)로 덮여 있고, 두피는 모발로 덮여 있다.

얼굴은 14개의 뼈로 구성된다. 두개골처럼 악관절(mandible)을 제외하고, 이 뼈들은 움직일 수 없게 봉합선으로 결합되어 있다. 악관절은 측두하악관절(temporomandibular joint)로, 측두골과 연결되어 하악을 위로, 아래로, 안으로, 밖으로 그리고 옆에서 옆으로 움직인다. 얼굴근육은 제5뇌신경(삼차신경)과 제7뇌신경(안면신경)이 지배한다.

목안의 구조는 경추, 흉쇄유돌근, 설골, 후두, 기관, 식도, 갑상선, 림프절, 경동맥, 경정맥이 있다(Fig 1-26). 목은 상부 척추(경추)로 구성되어 있으며, 인대, 흉쇄유돌근과 승모근에 의해 지지된다. 이러한 구조는 목의 광범위한 움직임을 가능하게 한다. 목의 근육과 주변 뼈와의 연결은 삼각대(triangles)라고 부르는 해부학적 랜드마크를 만든다. 흉쇄유돌근의 중앙경계선과 아래턱은 전면 삼각형(anterior triangle)을 형성한다. 전면 삼각형은 위쪽의 하악, 바깥쪽의 흉쇄유돌근, 목의 중앙선으로 만들어진다. 이 삼각형 안에는 설골, 갑상연골, 윤상연골, 후두, 기관, 식도, 앞쪽의 경부림프절이 있다. 설골은 U자 모양의 뼈로 하악골의 기저가 되며, 혀를 지지하는 역할을 한다. 후면 삼각형(posterior triangle)은 승모근 및 흉쇄유돌근과 쇄골에 의해 형성되며, 후경부림프절이 있다.

• 후두

목소리 상자로 알려져 있는 후두(larynx)는 인두와 기관 사이에 위치한다. 후두는 공기의 통로로서, 기도 내로 이물질이 흡인되는 것을 방지하고 흉곽 내 압력을 증가시켜 주며 성대의 진동으로 소리를 만들어 내는 역할을 한다. 후두의 가장 큰 구성 요소는 일명 'Adam's apple'로 불리는 갑상연골(thyroid cartilage)로, 목의 전면에 위치한다(Fig 1-26). 갑상연골은 방패 모양으로 목 앞에 융기되어 있으며, 후두 안의 다른 구조물들을 보호한다

(후두개, 성대와 기관의 위쪽면).

• **갑상선**

갑상선(thyroid gland)은 신체 내의 가장 큰 내분비선으로, 세포의 신진대사를 조절하는 두 가지 호르몬인 티록신(T4)과 삼요오드티로닌(T3)을 분비한다. 갑상선호르몬은 육체와 정신의 성장 발달을 돕는다. 갑상선은 내분비선으로, 직접적으로 신체검진을 할 수 있는 곳이다. 갑상선은 목의 앞쪽 부분 후두와 기관 사이에 위치한다. 갑상선은 나비 모양으로 좌우 2개의 엽으로 구성되어 있다. 각 엽은 협부(isthmus)에 의하여 연결되어 있으며, 기관의 윤상연골(cricoid cartilage) 바로 밑에 놓여 있고 흉쇄유돌근에 감싸져 있다.

• **심혈관과 림프 구조**

경동맥과 내경정맥은 깊숙이 흉쇄유돌근 앞에 평행하게 놓여 있다. 경동맥 맥박은 흉쇄유돌근의 안쪽면을 따라 목의 아래쪽 1/3이 되는 지점에서 촉진된다.

1) 문진

건강력으로 현재력(만성질환, 약물, 시력검사, 두통), 과거력(수술, 약물, 두통), 가족력(갑상선 질환, 당뇨, 중증근무력증, 류마티스 관절염), 문제 중심 건강력(두통, 어지럼증과 현훈, 쉰 목소리, 목소리 변화, 목의 혹, 갑상선 장애)을 문진한다.

2) 시진

(1) 머리: 머리의 크기, 모양, 위치, 피부와 두피의 특성을 시진한다.
(2) 얼굴: 크기, 대칭성, 움직임, 피부 특성, 표정 등을 시진한다.
(3) 목: 머리와 기관과 연관하여 목의 시진, 목의 피부 특성, 덩어리의 존재에 대해 시진한다.

3) 촉진

(1) 머리: 머리 모양, 대치성, 압통, 통합성, 촉진하여 불규칙하거나 비정상적인 통증을 호소하는지 관찰한다.

(2) 얼굴과 턱: 뼈 구조, 턱의 움직임과 압통 촉진이 불규칙한지, 통증이나 턱의 딸깍 소리 같은 문제를 호소하는지 관찰한다.

(3) 목: 운동 범위 검진과 흉골 바로 위에 있는 목과 기도를 촉진한다.

(4) 갑상선: 크기와 경동, 압통, 결절 유무를 촉진한다(갑상선기능 항진증, 갑상선기능 저하증).

(5) 목 림프절: 크기, 윤곽, 운동성과 압통을 촉진한다(염증 진행과정이나 악성종양 의심 시).

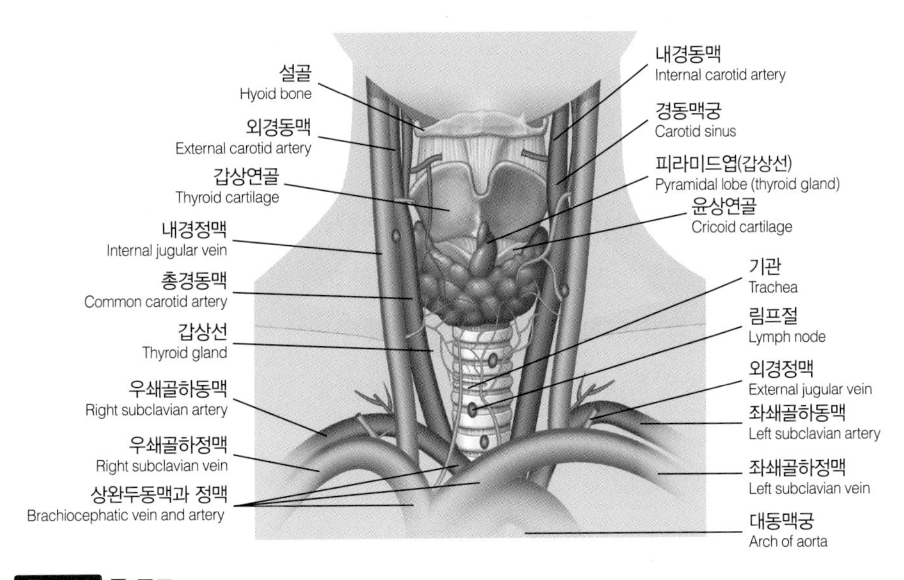

Fig 1-26 목 구조

6_ 눈

눈은 안와(orbit) 안에 위치하며, 시신경(제2뇌신경)을 통해 시각적 자극을 뇌에 전달한다. 안와는 눈을 보호하기 위해 지방조직으로 덮여 있으며, 안검·눈썹·누기 등이 외상, 먼지, 이물질로부터 눈을 보호한다. 외안부(external eye)는 눈썹, 상안검, 하안검, 속눈썹, 결막, 누선으로 구성된다. 안검 사이의 개구부를 안검열(palpebral fissure)이라 부른다(Fig 1-27). 속눈썹은 안검의 가장자리로부터 밖으로 굴곡되어 있어 외부 먼지를 여과한다. 두 개의 얇고 투명한 점막은 결막(conjuntiva)이라 부르며, 안검과 안구에 위치한다. 이 중 안구결막은 안구의 공막 표면을 덮고 있으며, 윤부에서 각막과 연결된다. 안검결막은 안검을 덮고 있고 작은 혈관, 신경, 모낭, 피지선을 포함하고 있다. 피지선 중의 하나인 마이봄선(meibomian gland)은 윤활제 같은 물질을 분비한다. 안검을 윤활시키는 이러한 분비물은 눈물이 과도하게 증발되는 것을 막고, 눈을 감았을 때 공기가 들어오지 않도록 차단하는 역할을 한다. 눈물은 안와의 상외측에 있는 누선(lacrimal gland)에서 분비된다. 이는 결막과 각막이 건조해지지 않도록 보호하며, 미생물의 성장을 억제하고 각막에 매끄러운 표면을 제공한다. 누점(lacrimal punctum)은 내안각의 상부와 하부 근접한 곳에 위치하고 있으며, 안구 표면의 눈물을 누낭(lacrimal sac)을 통해 비루관(nasolacrimal duct)으로 배액한다.

안구는 3개의 층[공막(sclera), 포도막(uvea), 망막(retina)]으로 구성되어 있다(Fig 1-28). 공막은 흔히 눈의 흰자라고 불리며, 바깥층은 질긴 섬유층으로 되어 있다. 눈의 공막은 가장자리라 불리는 연접부에서 안구의 전면에 있는 각막(cornea)과 함께 통합된다. 각막은 홍채(iris)와 동공(pupil)을 덮고 있다. 각막은 투명하고 무혈관성이며, 삼차신경(제5뇌신경)의 안와분지에 의해 감각신경이 풍부하게 분포되어 있다. 각막의 중요한 기능은 빛이 수정체(lens)를 통과하여 망막(retina)으로 전달하도록 하는 것이다.

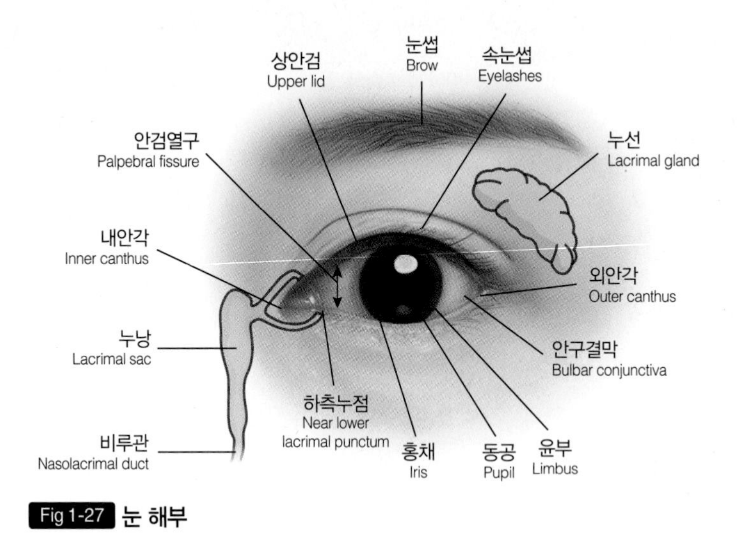

Fig 1-27 눈 해부

중간층에 해당되는 포도막은 뒤쪽으로는 맥락막(choroid), 앞쪽으로는 홍채와 모양체로 구성되어 있다. 맥락막층은 많은 혈관이 분포되어 있으며, 망막에 혈액을 공급한다. 홍채는 동안신경(제3뇌신경)에 의해 동공의 확대와 수축을 조절하는 원형의 근육성 막이다. 홍

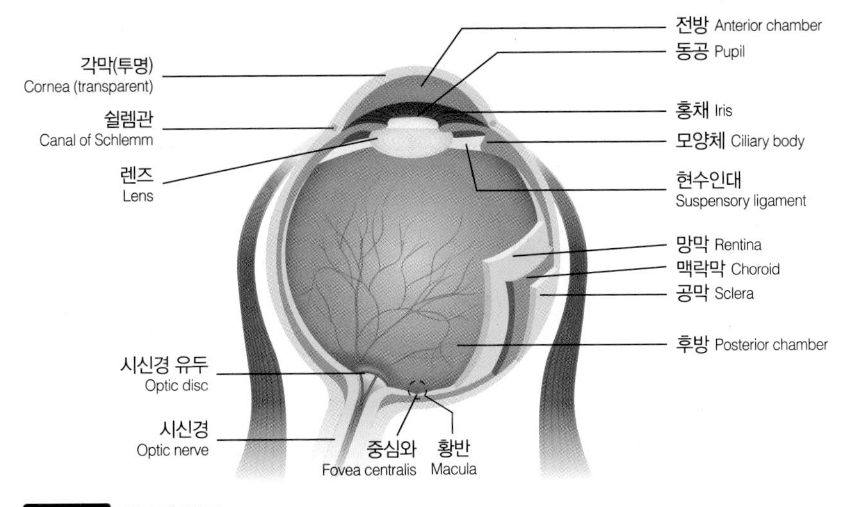

Fig 1-28 안구의 구조

채의 중심 개구부에는 동공이 있으며, 망막에 빛을 전달한다. 모양체(ciliary body)는 맥락막의 두꺼운 부분으로 2가지 기능이 있다. 원근을 조절하기 위해 렌즈의 두께를 조절하고, 투명한 방수(aqueous humor)를 만든다. 방수액은 안압을 유지시키고 수정체와 후각막(posterior cornea)의 대사작용에 도움을 준다. 방수는 각막과 렌즈 사이의 전방(anterior chamber)을 채우고 렌즈와 홍체 사이로 흐르게 된다.

망막은 눈의 가장 안쪽에 있는 층으로, 중추신경계와 연결된다. 이 투명한 층은 간추(rods and cones)라고 불리는 광수용체세포(photo receptor)를 갖고 있고, 표면에 전체적으로 흩어져 분포한다. 광수용체는 다양한 자극에 대한 반응으로 상과 색을 인지하는 세포이다. 간상(rod)세포는 빛의 낮은 파장에 반응하고, 추상(cone)세포는 빛의 높은 파장에 반응한다. 간추세포는 망막 전체에 퍼져 존재하지만, 정확하게 절반씩 분포하는 것은 아니다. 약 4.5 mm 크기로 착색이 되어 있는 황반(macula)은 간상세포와 함께 조밀하게 바깥 부분에 밀집되어 있다. 망막 후면의 황반 중심부에 작은 함몰로 되어 있는 중심와(fovea centralis)는 추상세포가 집중되어 있지만 간상세포는 없다.

망막의 뚫려 있는 부분은 시신경유두(optic disc)로, 시신경(제2뇌신경)의 머리 부분에 해당된다. 시신경유두(맹점)는 시야의 중심에서 약 15° 외측에 위치해 있으며, 간상세포나 원추세포가 없어 맹점(blind spot)이라 불린다. 중심망막동맥과 중심정맥은 시신경유두에서 갈라지고 Fig 1-28 에서 보이는 것처럼 망막 표면에 작은 혈관으로 갈라져 있다.

• **눈의 기능**

시력은 눈의 1차적인 기능으로, 망막에서 간추세포가 다양한 빛 자극에 대한 반응으로 이미지와 색을 지각할 때 발생된다. 렌즈는 조정작용을 통해 다양한 거리에서 발생하는 자극에 지속적으로 적응하게 된다. 렌즈가 이미지에 초점을 맞추면 상이 망막에 맺히며, 이는 시신경, 양쪽의 시삭을 통해 전도된 후 시방사를 통해 후두엽의 시각피질(visual cortex)까지 전도되어 사물을 인식한다(Fig 1-29). 6개의 외안근과 3개의 뇌신경이 눈이 여섯 방향으로 움직일 수 있도록 한다. 내측, 하측, 상측직근과 하사근은 제3뇌신경인 동안신경이 조절하고, 상부 외측, 하부 외측, 내측으로 눈을 움직일 수 있게 한다. 상사근은 아래 내측으로 눈을 움직일 수 있게 하며 제4뇌신경인 활차신경이 조절하고, 외측직근은 눈을 바깥쪽으로 움직일 수 있게 하며 제6뇌신경인 외안신경이 조절한다.

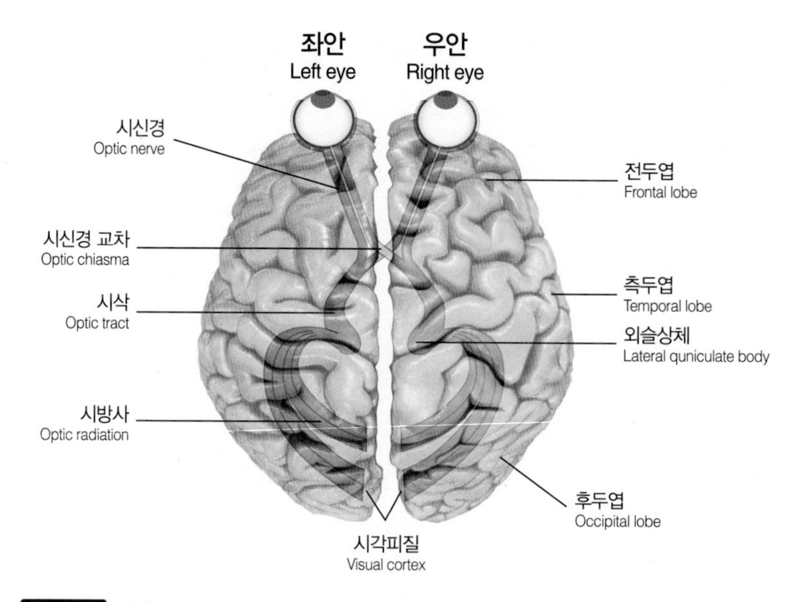

Fig 1-29 시신경 회로

1) 문진

현재력(시력, 당뇨, 고혈압, 약물, 안약, 콘텍트렌즈, 안경), 과거력(상해, 수술), 가족력(백내장, 녹내장, 노안), 개인 및 심리사회력(정기검진, 렌즈 세척), 문제 중심 건강력(시력장애), 통증, 홍반 및 부종 눈물 고임 및 분비물

2) 시진

(1) 눈의 움직임을 사정한다(여섯 방향 응시와 차폐 검사).

(2) 안검 외번하여 시진한다.

(3) 눈의 내부 구조와 안구 전방을 시진한다.

(4) 동공은 크기가 같아야 하고 둥글어야 하며, 빛에 반응하고 원근 조절이 되어야 한다.

3) 촉진

눈, 안검, 누점을 촉진한다.

4) 비정상 소견

노화로 인한 수정체 탄력성 상실을 노안(presbyopia)이라고 한다. 간호사는 보이는데 연필이나 손가락을 볼 수 없다면 주변 시야 상실을 의심해 안과 전문가에게 의뢰한다. 딱지나 눈썹, 속눈썹 상실, 움직임의 비대칭 배열은 비정상이다. 안검이 동공 부분을 덮은 것은 안검하수(ptosis)이다. 안검부종은 손상이나 감염으로 발생한다. 각막 빛반사의 위치가 비대칭으로 나타나면 외안근이 약하다. 누르스름한 공막은 간질환이나 총담관폐쇄로 황달이 있는 것이다. 공막의 발적은 공막의 염증이나 출혈을 의심한다. 안구 진탕증(nystagmus)은 수평, 수직, 회전, 또는 혼합된 방향에서 무의식적인 움직임이다.

5) 건강 문제

(1) 익상편(pterygium)은 결막이 비암성으로 성장한 것이다.

(2) 백내장(cataract)은 렌즈가 불투명하여 빛이 통과되지 못하기 때문에 시신경유두를 시진할 수 없다.

(3) 당뇨성 망막변성(Diabetic retinopathy)은 고혈당으로 인하여 망막 모세혈관 변성이 발생된 것으로, 실명이 된다.

(4) 안구가 단단하고 촉진 시 저항감이 있으면 녹내장(glaucoma)을 의심한다.

7_ 귀

1) 문진

현재력(청각과 기능의 변화, 만성질환, 약물), 과거력(귀 감염, 청력과 균형, 수술, 손상), 가족력(청력 상실, 메니에르병), 개인 및 심리사회력(정기검진, 보청기 사용, 직업적 위험성), 문제중심 건강력(난청, 이명, 현훈, 이통)

2) 시진

외이도의 귀지, 냄새, 부종, 홍반, 분비물, 이물을 시진한다.

3) 청력검사

(1) 속삭임(whispered voice) 검사: 간호사가 대상자의 30~60 cm 앞이나 옆에 서서 손으로 한쪽 귀를 가리게 하고, 간호사의 입을 가린 후 단어를 반복적으로 속삭이는 검사법이다.

(2) 손가락 마찰법(finger-rubbing): 귀에서 7~10 cm 떨어져 간호사의 엄지와 시지를 활발히 움직이는 것이다.

(3) 웨버(Weber) 검사: 음차를 사용하고, 두개골을 따라 내이로 전달되기 때문에 대상자는 양쪽 귀에서 똑같이 들을 수 있다.

* 전도성 난청은 공기전도보다 골전도를 통해 소리가 잘 들리기 때문에 장애가 있는 쪽이 더 잘 들린다.
* 감각성 난청은 정상 귀에서 더 잘 들린다.

(4) 린넨 검사법(Rinne) 검사는 음차를 사용하며, 공기전도는 이도를 통해 더 잘 전달된다.

4) 촉진

외이와 유양돌기 부분을 촉진한다.

5) 비정상 소견

청력 소실, 화농성 분비물은 외이도 감염이나 이물질이 있음을 의미하며, 유양돌기 압통은 유양돌기염을 의미한다. 이동의 홍반과 부종은 외이도염을 의미한다.

과도한 귀지가 있으면 이도 전체를 폐색할 수 있고, 이는 가정에 있는 노인 대상자들에게서 볼 수 있다. 또한 고주파수 청력 상실을 가진 대상자는 손가락 마찰음을 들을 수 없다.

6) 건강 문제

(1) 삼출성 중이염(otitis media with effusion, OME): 중이에 장액이 축적되어 생기는 염증이다.

(2) 전도성 난청(conductive hearing loss): 중이의 전도가 방해되어 나타난다.

(3) 감각신경성 난청(sensorineural hearing loss): 내이나 청신경의 구조 변화와 장애에 의해 발생하는 난청이다.

8_ 코, 부비동, 구강

1) 문진

현재력(만성질환 유무, 약물, 입 냄새), 과거력(수술, 상처), 가족력(계절성 알레르기), 개인 및 심리사회력(양치질 횟수, 틀니, 브리지, 치과 방문, 흡연, 음주), 문제 중심 건강력(코의 분비물, 인후통, 구강병소)

2) 시진

코, 입술, 치아와 잇몸, 볼 점막, 구인두 후면, 구개, 구개수, 후인두와 편도를 시진한다.

3) 촉진

부비동, 치아, 입술의 안쪽, 잇몸, 혀를 촉진한다.

4) 비정상 소견

(1) 볼점막의 아프타성 궤양(aphthous ulcer): 흰색의 둥글거나 타원형의 붉은 색 궤양성 병소이다.

(2) 백반증(leuko-plakia): 떼어지지 않는 흰색 반점, 구강점막의 반점이다.

(3) 흡식 때 콧구멍이 좁아지는 것은 구강호흡을 필요로 하는 만성폐색성 질환과 관련된다. 잡음이 섞이고 숨쉬기가 곤란한 것은 코 막힘과 비도의 외상, 폴립, 알레르기에 의한 것이기도 하다.

(4) 촉진 시 상해나 염증으로 인한 불안정이나 압통과 염증을 관찰한다. 홍반과 부종은 염증의 결과로 발생한다. 부비동 촉진 시 압통은 울혈이나 감염을 의미한다.

(5) 치아가 움직이는 것은 치주질환이나 상해에 의한 것일 수 있다. 촉진 시 잇몸의 압통이나 잇몸이 두터워진 것은 의치가 안 맞거나 병소가 있음을 의미한다.

5) 건강 문제

비출혈(epistaxis)은 코에서 피가 나오는 것을 말한다. 이것은 코의 가장 흔한 문제 중의 하나로, 모든 연령대에서 나타날 수 있다. 알레르기성 비염(allergic rhinitis)이라는 용어는 비강점막의 염증으로 언급된다.

단순포진(herpes simplex, cold sore)은 단순포진 1형 바이러스에 의한 흔한 바이러스성 감염으로 전염성이 매우 강하다. 성인들에게 흔한 문제인 치은염(gingivitis)은 잇몸의 염증이다. 편도염(tonsilitis)은 편도의 염증이다. 주로 베타 용혈성 연쇄상구균(beta hemolytic streptococcus)이나 다른 연쇄상구균에 의한 세균성 감염이다.

칸디다증(candidiasis) 혹은 아구창(thrush)은 전형적으로 칸디다균(Candida albicans)에 의해 유발되는 기회성 구강 감염이다. 이 감염은 AIDS, 방사선치료, 항암제 치료를 받아 만성적으로 쇠약하거나 면역이 떨어진 환자들 또는 항생제 치료를 받은 사람에서 나타난다. 아프타성 궤양(aphthous ulcer, canker sore)은 입안이 허는 것으로, 병인은 알려져 있지 않다. 구강 암(oral cancer)은 입술이나 구강 안, 구인두에 발생할 수 있다.

9_ 호흡기계

12개의 흉추와 12쌍의 늑골 및 흉골로 구성된 흉곽은 대부분의 호흡기관을 보호한다. 모든 늑골들은 후면에서 흉추와 연결된다. 7개의 늑골은 늑연골에 의해 흉골에 붙어 있지만, 제8, 9, 10늑골의 늑연골은 바로 위의 늑골에 붙어 있다. 제11늑골과 제12늑골의 앞쪽 끝은 어떤 곳에도 연결되어 있지 않기 때문에 부유늑골(floating ribs)이라고 부르며, 제11번째 늑골의 끝은 흉곽 측면에, 제12늑골은 흉곽 후면에 위치해 있다(Fig 1-30).

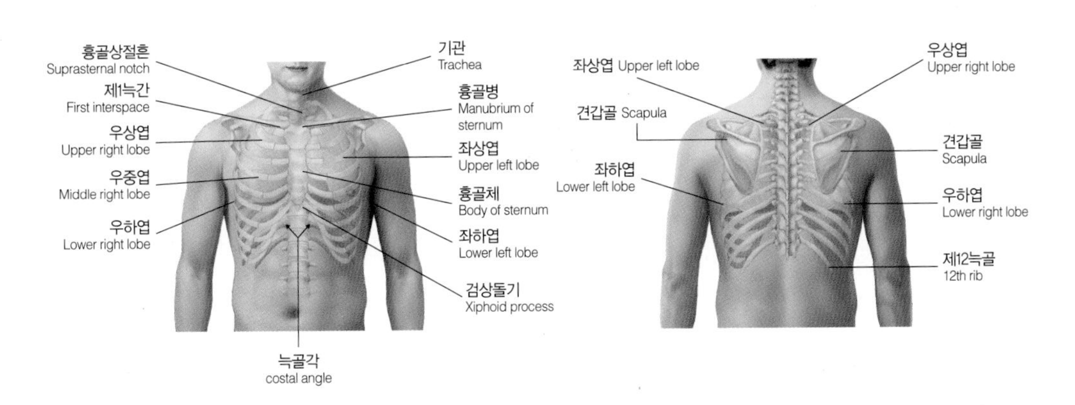

Fig 1-30 **흉곽의 구조**

1) 문진

현재력(만성질환 알레르기 호흡곤란, 호흡기 질환에 대한 약을 복용, 흡입기를 사용, 집에서 산소를 사용), 과거력(과거에 폐나 호흡에 어떤 문제, 천식, 만성기관지염, 기관지확장증, 폐기종, 낭성섬유증, 폐암, 결핵, 폐렴과 같은 호흡기 질환이 있다고 진단, 가슴에 부상을 당한 적이 있음, 흉부 수술, 흡연), 가족력(폐질환을 앓은 가족), 개인 및 심리사회력(담배, 시가, 파이프, 마리화나, 흡연량을 사정), 가정환경, 직업, 환경, 급성호흡기증후군(SARS)이 유행하는 남서 아시아, 카리브해 및 아시아에 노출 가능성이 있는 국가로 여행, 문제 중심 건강력[기침객담의 색깔, 객담의 점도, 객담에서 이상한 냄새, 호흡곤란(짧은 호흡), 호흡 시 흉통]

2) 시진

(1) 호흡곤란이 있는지 시진한다.

(2) 손톱, 피부, 입술 색깔을 시진한다.

(3) 흉곽 전면과 후면을 시진한다.

3) 촉진

(1) 흉부 근육을 촉진한다.

(2) 흉벽을 촉진한다.

(3) 기관을 촉진한다.

4) 청진

흉곽 전면, 후면, 측면을 청진한다(Table 1-3). 호흡음은 깨끗해야 하며 폐포음(vesicular breath sound), 기관지 폐포음(bronchovesicular breath sound)이 들려야 한다. 또한 성음(vocal resonance)을 확인하기 위해 흉곽을 청진한다.

5) 타진

흉곽과 횡경막을 타진한다.

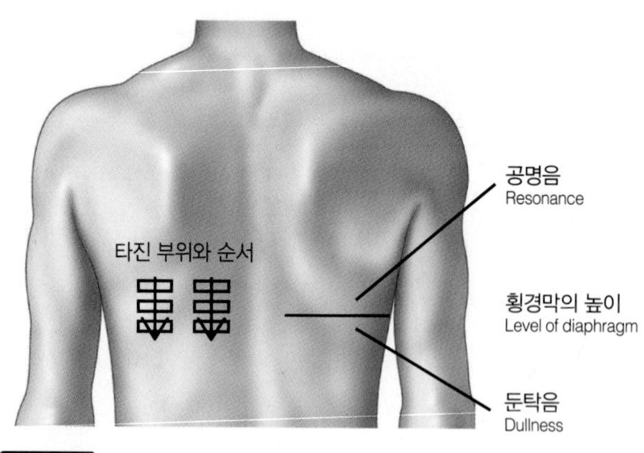

Fig 1-31 시신경 회로

6) 비정상 소견

입술 모으기(pursed-lip) 호흡은 만성폐쇄성폐질환(COPD) 또는 천식 환자에게서 볼 수 있는 호흡으로, 느리게 호흡하기 위한 것이다. 팔로 무릎이나 의자 혹은 침대를 감싸면서 앞으로 기대는 자세, 즉 삼각대 자세(tripod position)는 만성폐쇄성폐질환 또한 천식 환자의 호흡 장애를 의미한다. 삼각대 자세는 부속 근육의 사용을 강화한다. 흡기 시 흉벽이 들어가고 호기 시 나오는 기이한 흉부 움직임(paradoxical chest movement)이 있다면 이는 흉곽에 외상이 있음을 의미한다. 흉곽 퇴축은 늑골 사이에 있는 늑간 근육이 안쪽으로 당겨져 있음을 말하며, 이는 천식 발작이나 폐렴 중에 발생할 수 있는 기도 폐쇄로 나타난다. 손톱, 피부, 입술의 청색증 또는 창백함은 호흡기계나 심혈관계의 문제에 의해 야기된다. 손가락의 노란 변색은 흡연과 관련이 있을 수 있다. 곤봉형 손톱은 낭포성 섬유증이나 만성폐쇄성폐질환(COPD) 환자에서 관찰되며, 이는 만성저산소증과 관련이 있다. 정상 호흡음이라도 들리지 않아야 할 부위에서 들리면 비정상으로 볼 수 있다. 우발음(악설음, 천명음, 수포음)도 비정상적인 호흡음이다(Table 1-4). 무기폐 또는 심한 천식발작이 있는 환자는 허탈된 폐포로 인해 호흡음이 감소하거나 안 들릴 수 있다.

Table 1-3 정상 호흡음의 특징

	기관지음(bronchial)	기관지 폐포음(bronchovesicular)	폐포음(vesicular)
높이	고음	중간음	저음
강도	큼	중간	작음
길이: 흡기와 호기	흡기 < 호기(1:2)	흡기 = 호기(1:1)	흡기 > 호기(2.5:1)
정상 청진 부위	기관	• 전면: 1, 2늑간 사이의 흉골연 • 후면: T4에서 견갑골 사이	폐 가장자리
비정상 청진 부위	폐 가장자리	폐 가장자리 위	해당사항 없음

Table 1-4 비정상 호흡음(우발음)의 특징

종류	특징	임상 예
악설음 (crackles)	흡기 시 미세한 고음의 딱딱거리는 물방울 터지는 소리가 들리고, 때로는 호기에도 들림. 기침에 의해 깨끗해지거나 체위변경으로 변화되지 않음	폐렴, 심부전, 제한적 폐질환에서 나타남
천명음 (wheeze)	고음의 쌕쌕거리는 악기소리 같음. 일반적으로 호기에 더 잘 들리나 흡기에 들릴 수도 있음. 작은 기도에서 들림	천식과 같이 기도의 두께가 증가하는 기도질환에서 나타남

종류	특징	임상 예
수포음 (rhonchi)	저음의 거칠고 큰 소리로, 코골이나 끙끙대는 것처럼 들림. 대개 호기에 들리지만 흡기에 들리기도 함. 기침을 하면 깨끗해짐	기관지염이나 만성폐쇄성폐질환과 같은 기관 또는 기관지 폐색 장애에서 나타남
늑막마찰음 (pleural friction rub)	저음의 거칠게 문지르거나 삐걱거리는 소리로써 두 개의 표면을 서로 마찰하는 것처럼 들림. 호기와 흡기 시 들리며, 하부 앞쪽 측면에서 가장 크게 들림. 기침을 해도 깨끗해지지 않음	늑막염(늑막표면의 염증) 또는 심막염 환자에서 나타남

과다공명음(hyperresonance)은 폐기종과 같이 폐가 지나치게 팽창할 때 들린다. 이 음은 매우 크고 낮은 음조로 들린다. 둔탁음(dullness)은 간에서 들리며 중간 정도의 강도와 음조로 들린다. 이는 폐렴, 늑막삼출, 무기폐를 가진 대상자들에게서 들린다.

7) 건강 문제

급성기관지염(acute bronchitis)은 기관지 점막에 염증이 생긴 상태이다.

폐렴(pneumonia)은 종말세기관지와 폐포에 염증이 생긴 상태이다. 폐기종(emphysema)은 폐포벽이 파괴되어 공기가 들어있는 폐포 공간이 비정상으로 영구히 확장되는 질환이다. 만성기관지염(chronic bronchitis)은 기관과 기관지의 점액세포에서 점액이 과다하게 분비되어 가래가 있는 기침을 1년 중 3개월 이상, 연속 2년 이상 하는 질환이다. 공기가 늑막강으로 들어가면 기흉(pneumothorax)이 생긴다. 혈흉(hemothorax)은 흉곽의 손상으로 인해 늑막강에 혈액이 축적되어 생기지만, 흉곽 수술의 합병증으로도 생길 수 있다. 무기폐(atelectasis)는 종양, 체액, 기흉으로 인한 외부 압력(압박 무기폐) 또는 과소환기로 인한 산소 부족, 분비물로 인한 폐색(흡수 무기폐)으로 인해 폐포가 허탈된 상태를 말한다. 폐암(lung cancer)은 한쪽 또는 양쪽 폐의 미분화(anaplastic) 세포가 급성장하면서 발생한다.

10_ 심혈관계

심혈관계는 산소, 영양분, 기타 물질을 인체조직으로 운반하고 대사 노폐물을 신장과 폐로 보내는 기능을 한다. 이러한 시스템은 혈관을 수축하거나 이완시키고 심박출량을 조절함으로써, 혈액 요구량의 변화를 조절할 수 있다.

심장은 사람 주먹만한 크기이며, 잠시도 쉬지 않고 운동, 온도 변화, 스트레스 등의 내·외적 자극에 반응하여 분당 60~100회 박동한다. 심장은 우심장, 좌심장으로 나뉘고 각각 하나의 심방과 심실을 가지고 있다. 우심장은 상대정맥과 하대정맥에서 혈액을 받아 폐동맥으로 보내 폐순환을 시킨다. 좌심장은 폐정맥에서 혈액을 받아 대동맥으로 보내 전신 순환을 시킨다.

1) 문진

심장 및 말초혈관계의 기능에 영향을 줄 수 있는 대상자의 현재력[당뇨병, 신부전, 만성 저산소증 또는 고혈압 등의 만성질환, 심혈관계에 부작용, 현재 투약 중인 약물, 비처방약(over-the-counter drug), 처방 없이 복용하는 약], 과거력[선천성 심장질환이나 심장 결손, 콜레스테롤 수치나 중성 지방(triglycerides) 수치, 심장수술, 심장과 관련하여 검사를 받은 경험], 가족력(가족이나 친척 중에 당뇨, 심혈관질환, 고지혈증 또는 고혈압이 있는 사람), 개인 및 정신사회력(운동, 성격 유형, 스트레스, 휴식, 평상시 술, 식습관, 카페인, 담배), 문제 중심 건강력[흉통(Table 1-5), 호흡곤란, 기침, 야간 소변(야간 빈뇨), 피로, 어지러움(실신), 팔과 다리의 부종, 다리 통증 및 림프절 비대]

Table 1-5 흉통의 종류

원인	위치	통증 양상	통증 정도	통증 경과 시간	관련 증상	악화 요인	완화 요인
안정형 협심증 (stable angina)	흉골 아래(명치) 또는 흉골 후방·왼쪽 팔, 턱, 견갑골 사이, 그리고 C3와 T10 사이에 있는 상복부로 방사됨	• 압박감 • 작열감 • 둔감 • 찌르는 통증	• 다양함 • 대개 움직이면 악화됨	1분에서 1시간 미만	• 호흡곤란 • 발한 • 심계항진 • 오심 • 쇠약감	• 신체운동 • 정신적 스트레스 • 추위	• 휴식 • 니트로글리세린 • 베타차단제 • 칼슘채널 차단제
불안정형 협심증 (unstable angina), 심근경색 (myocardial infarction)	흉골 아래(명치) 또는 흉골 후방·왼쪽 팔, 턱, 견갑골, 그리고 C3와 T10 사이에 있는 상복부로 방사됨	• 압박감 • 쥐어짜는 • 짓누르는 • 작열감 • 둔한 • 찌르는 듯	10점 중 10점	• 갑자기 시작하거나 서서히 진행함 • 불안정형 협심증은 30~40분 이내, MI는 1시간 ~2, 3일 동안	• 호흡곤란 • 발한 • 심계항진 • 오심 • 쇠약감	운동 중 또는 휴식 시 흉통	• 베타차단제 • 아스피린 • 헤파린 • 산소

원인	위치	통증 양상	통증 정도	통증 경과 시간	관련 증상	악화 요인	완화 요인
코카인 유발 흉통	심근경색과 유사	• 찌르는 듯 • 누르는 듯 • 쥐어짜는 듯	• 심함 • 10점 중 8~10점	천천히 시작해서 수 분에서 몇 시간까지 지속	• 빈맥 • 빈호흡 • 고혈압	코카인 사용 중과 사용 직후	• 니트로글리세린 • 칼슘채널 차단제
승모판 탈출증	• 흉부의 모든 부위에 국소적 또는 여러 부위에서 나타남 • 방사되지 않음	주로 찌르는 듯, '발로 차는 듯'이지만 양상이 다양함	다양함	• 갑자기 시작하고 재발함 • 수 초나 수 일간 지속됨	• 종종 증상 없음 • 좌측으로 누웠을 때 심계항진 • 호흡곤란 • 어지럼증	운동보다 자세와 관련됨	• 자세 변경 • 니트로글리세린 • 진통제
급성심낭염	명치, 뒷목, 승모근	• 찌르는 듯한 • 숨이 막힐 듯한 흉막통 • 자세에 따른 통증	• 중간 • 10점 중 4~6점	몇 시간이나 며칠에 걸쳐 발생하고, 몇 시간에서 몇 주간 지속됨	• 열 • 호흡곤란 • 좌위호흡 • 마찰음	누운 자세	앞으로 숙인 자세
공황장애	흉골 후하방과 배의 국소적 통증	• 조이는 • 모호한 • 퍼지는 • 활동과 관련 없음	움직일 수 없을 정도로	30분 이상 지속	• 과도환기 피로 • 식욕부진 • 정서적 압박	정서적 압박	대상자에 따라 다름
소화성 궤양	양측 아래 가슴(T6에서 T10)으로 방사되는 상복부 통증	• 작열감 • 물어뜯는 듯	• 중간 • 10점 중 4~6점	• 천천히 시작하고 재발함 • 수 시간 지속	• 오심 • 복부 압통	공복 시	• 음식 • 제산제 • 히스타민(H2) 차단제
식도역류	복부 중간에서 검상돌기(C7~T12), 목, 귀, 턱으로 방사됨	• 작열감 • 누르는 듯 • 쥐어짜는	중간에서 심함	저절로 생겨서 수 분이나 수 일간 지속됨	연하곤란	• 맵고 신 음식 • 술 • 누운 자세	• 수분 섭취 • 트림 • 제산제 • 니트로글리세린 • H2 blocker
늑연골염(늑골이나 연골의 염증)	2~4번째 늑연골접합부, 검상돌기에서 명치, 팔, 어깨로 방사	다양함	다양함	천천히 발생하고 수 일간 통증이 지속됨	없음	• 기침 • 심호흡 • 크게 웃기 • 재채기	• 열찜질 • 진통제 • 항염제

[출처: Hill B, Geraci SA: A diagnostic approach to chest pain based on history and ancillary evaluation. Nurse Pract 23:20–45, 1998.]

2) 시진

(1) 전반적인 외양, 피부색, 호흡 양상을 시진한다.

(2) 경정맥을 시진한다. 외경정맥은 우심방 압력에 대한 정보를 제공한다.

(3) 흉부 전면을 시진한다.

3) 촉진

(1) 측두동맥과 경동맥 맥박을 촉진한다.

(2) 상지를 시진 및 촉진한다.

(3) 상지 맥박을 촉진한다.

(4) 심첨 맥박을 촉진한다.

(5) 하지를 시진 및 촉진한다.

(6) 하지 맥박을 촉진한다.

(7) 전흉부를 촉진한다.

(8) 상박활차 림프절을 촉진한다.

(9) 서혜부 림프절을 촉진한다.

4) 청진

혈압을 청진한다(Table 1-6).

Table 1-6 18세 이상 성인의 혈압 분류

분류	수축기압(mmHg)		이완기압(mmHg)
정상	<120		<80
고혈압 전 단계	120~139	또는	80~89
1단계 고혈압	140~159	또는	90~99
2단계 고혈압	>160	또는	>100

5) 검진

(1) 경정맥압 측정: 경정맥압은 우심장의 압력을 측정하는 것이며, 체액 정체나 우심부전이 있을 때 측정한다. 대상자의 머리를 높이고 경정맥 박동이 나타나는 가장 높은 부위를 확인한다. 이후 수직자를 흉골각(루이스각) 위에 놓는다. 그리고 수평자를 이용하여 박동이 보이는 가장 높은 지점과 흉골각 위에 세워진 수직자의 교차점을 읽

는다. 경정맥압은 흉골각 위에서 2.5 cm 이상 올라가지 않아야 한다(Fig 1-32).

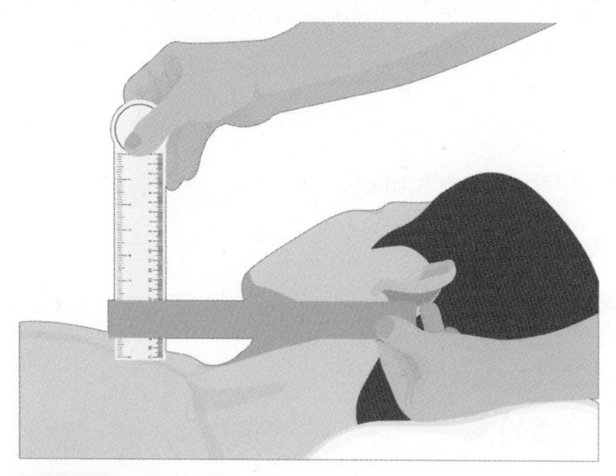

Fig 1-32 경정맥압 측정

(2) 정맥류 사정: 트렌델렌버그 검사는 정맥 판막의 기능을 사정하는 것으로, 정맥류가 있는 대상자에게 실시한다. 대상자를 바로 눕히고, 정맥이 완전히 비워질 때까지 한 쪽 다리를 올리게 한 후, 대상자를 일어서게 한다. 반대쪽 다리도 같은 방법으로 실시한다. 다리의 정맥이 온전하다면 혈액이 천천히 채워질 것이다. 정맥이 빠르게 채워지면 판막이 불완전한 상태이며 정맥류가 있음을 의미한다.

(3) 전흉부 촉진: 왼쪽 흉골경계의 기저부와 심첨부의 박동, 진동, 들림과 융기를 촉진한다. 박동(pulsation)은 대동맥에 동맥류가 있음을 의미한다. 진동(thrill)은 대동맥판 또는 폐동맥판의 기능 이상으로 심잡음과 함께 나타날 수 있다. 들림(lift)이나 융기(heave)는 심실비대가 있음을 의미한다.

6) 비정상적 소견

과도한 운동, 흡연이나 불안으로 맥박수가 상승하지만, 100회/분 이상(빈맥)이거나 60회/분 이하(서맥)이면 비정상이다. 호흡곤란, 청색증, 창백함, 호흡보조근육의 사용, 측두동맥염에서 통증과 부종이 발견된다. 불규칙한 리듬 또는 비정상적으로 두드러진 박동을 관찰한다(Fig 1-33). 이는 우측심부전을 의미한다, 서 있을 때 3분 이내에 측정한 값이 수축기 혈압은 적어도 20 mmHg 또는 이완기 혈압이 10 mmHg 정도 감소하면 기립성 저혈압을 의미한다.

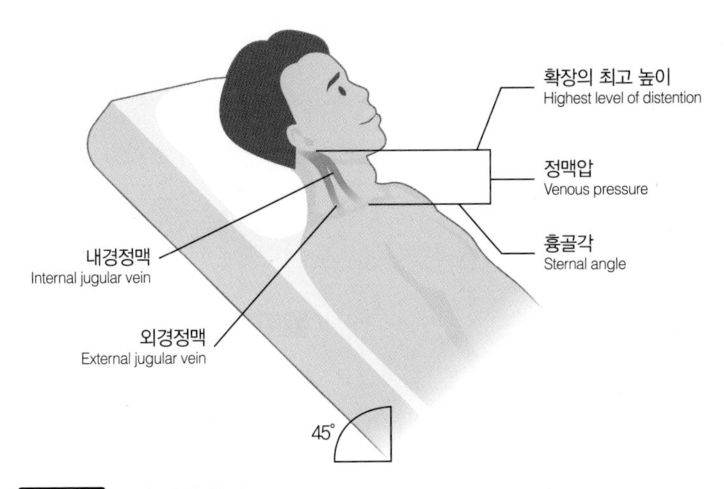

Fig 1-33 목의 정맥 확장

부종이 발견되면 그것이 일측인지 양측인지를 확인하고, 그 정도가 부드럽거나 단단하거나 딱딱할 수 있으며, 압통이 있다. 한쪽 팔의 두께가 다른 쪽 팔보다 큰 경우에는 림프부종으로 인한 것일 수 있다. 엄지 또는 손가락으로 눌러 움푹 들어간 부분이 피부에 남아있을 때, 이를 요흔성부종(pitting edema)이라 하며, 간질강에 수분이 과다하다는 의미이다(Fig 1-34). 요흔성부정 척도는 Table 1-7을 참조한다. 곤봉형 손톱(손톱의 각도가 사라지고 160° 이상이 됨)은 만성저산소혈증을 의미한다(Fig 1-35).

Table 1-7 요흔성부종 척도

척도	설명	요흔 깊이
1+	경도의 요흔, 거의 지각되지 않음	(3/32 in) 2 mm
2+	중증도 요흔, 2~3초 안에 돌아옴	(5/32 in) 4 mm
3+	심한 요흔, 10~20초 안에 돌아옴	(1/4 in) 6 mm
4+	매우 심한 요흔, 돌아오는 데 30초 이상 걸림	(5/32 in) 8 mm

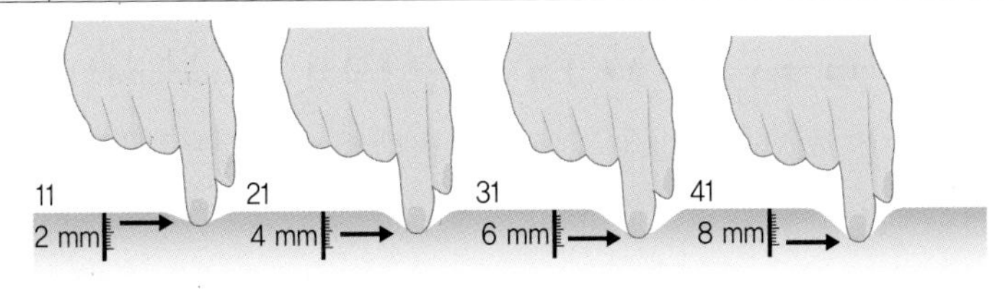

[출처: Kirton C: Assessing edema, Nursing 96 26(7):54, 1996.]

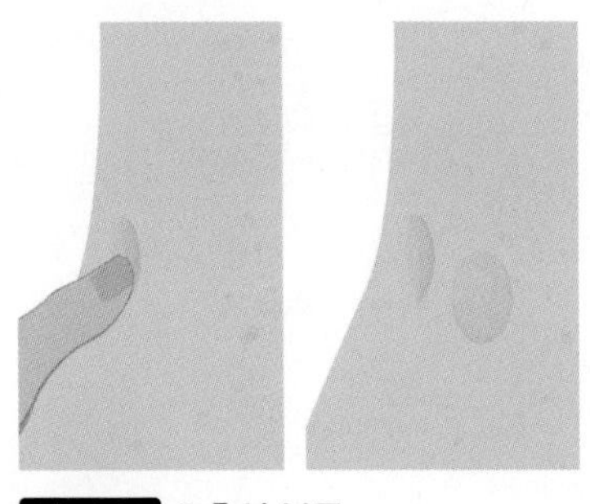
Fig 1-34 요흔성 부종

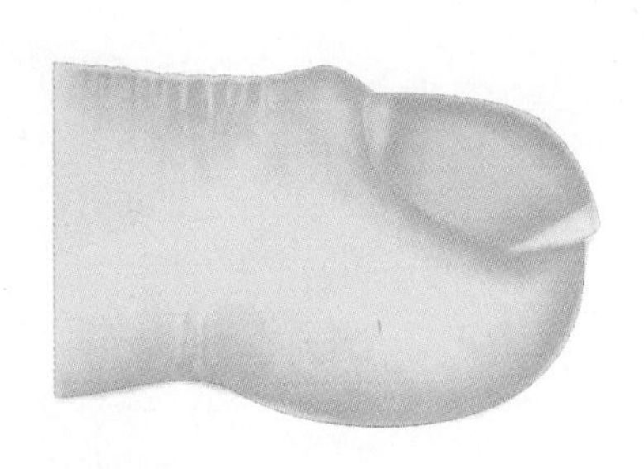
Fig 1-35 곤봉형 손톱

심방세동이 있을 때 심첨맥박수는 요골맥박수보다 빠르다(심첨 및 요골맥박수는 동일하다).

경동맥 잡음 청진은 죽상경화증이 있거나 어지러움증, 실신한 적이 있는 대상자에게 수행한다. 경동맥이 막히면 뇌에 혈액 공급이 저하되어 일과성 허혈발작(transient ischemic attack)의 위험이 증가한다. 종종 정맥혈전증의 징후와 증상이 나타나지 않아 평소와 같이 두 다리의 둘레가 동일할 수 있지만, 종아리 둘레가 증가되면 정맥 혈액이 응고되었다는 초기 지표가 될 수 있다. 다른 지표는 양쪽 다리의 색이나 열감의 차이이다. 일부 대상자는 이 부위에서 통증을 호소한다. 만성 정맥정체는 양측 모두 다리 둘레가 증가한다. 말초동맥질환(peripheral artery disease, PAD)이 있는 대상자는 팔보다 다리의 혈압이 낮으므로 발목 상완지수(ankle-brachial index, ABI) 수치가 정상보다 낮게 나온다.

* ABI = 후경골동맥의 수축 기압 ÷ 상완동맥 기압(정상: 1.0~1.4보다 크다)

7) 건강 문제

고혈압(hypertension) 진단은 18세 이상의 성인의 경우 앉은 상태에서 두 번 이상 측정한 혈압의 평균으로 진단하는데, 2회 이상 측정된 혈압이 120/80 mmHg 이상이어야 한다. 정맥 내에 혈전이 발생하면 이를 심부정맥혈전증(deep vein thrombosis, DVT)이라고 한다.

말초동맥질환(peripheral arterial disease, PAD)은 동맥부전증(arterial insufficiency)으로 인해 발생한다(Table 1-8). 말초정맥부전증은 다리의 정맥 판막이 손상되거나 이전에 정맥혈전색전증을 경험한 대상자에게 나타난다.

동맥벽의 약화에 의해 동맥이 국소적으로 이완된 것을 동맥류(aneurysm)라고 한다. 동맥류는 대동맥과 장골동맥, 그리고 뇌혈관을 따라 발생한다.

Table 1-8 말초동맥과 정맥 질환 비교

특성	말초동맥 질환	정맥 질환
말초 맥박	감소되었거나 없음	존재함, 부종이 있는 경우 촉진하기 어려움
모세혈관 재충전 속도	>3초	<3초
발목 - 상완지수	< 0.70	>0.91
부종	지속적인 의존성 체위가 아니라면 없음	다리 아래쪽의 부종
체모	다리와 발, 발가락의 체모가 손실됨	체모가 있거나 없음
궤양		
위치	발가락 끝, 발, 혹은 외측 복사뼈	내측 복사뼈에 가까운 부분
경계선	둥글고, 부드러움	불규칙한 모양
배액	최소한의 양	중간~많은 양
조직	검정색 딱지 혹은 옅은 분홍색 과립	노란색의 허물 혹은 검붉은색인 루비색 과립
통증	간헐적인 파행 혹은 휴식 시 통증, 궤양은 통증이 있거나 없음	종아리나 대퇴부에 둔한 통증, 궤양은 보통 통증 있음
손발톱	두꺼움, 부서지기 쉬움	정상 혹은 두꺼움
피부색	서 있을 때 발적, 다리를 올리면 창백	청동색 착색, 정맥류가 보일 수 있음
피부결	얇고 빛나며 긴장감 있음	두껍고 딱딱하고 단단한 피부
피부 온도	차갑고 온도 변화가 약간 있음	따뜻하고 온도 변화 없음
피부염	드물게 발생	빈번히 발생
소양증	드물게 발생	빈번히 발생

[출처: Lewis et al., 2011.]

후천적 또는 선천적인 심장판막 장애를 심장판막질환(valvular heart disease)이라 한다. 심장판막질환은 심장의 판막이 충분히 열리지 못하거나 닫히지 못할 때 나타난다. 류마티스열과 심내막염은 가장 흔한 후천적 심장판막질환의 원인이다.

심근의 허혈 때문에 발생하는 흉통을 협심증(angina pectoris)이라 부른다. 협심증은 심장 요구도를 증가시키는 활동, 스트레스, 심한 추위에의 노출로 인해 발생할 수 있다. 협심증이 또한 관상동맥 경련에 의한 것이라면 휴식기간에도 발생할 수 있다.

허혈이 지속되고 즉시 완화되지 않을 때 이를 급성관상동맥증후군(acute coronary syndrome, ACS)으로부터 발생한 불안정 협심증(unstable angina)이라고 한다. 이 증후군은 불안정 협심증과 심근경색을 포함한다. 불안정 협심증(unstable angina)은 휴식을 취할 때에도 나타나는 통증으로, 기존의 통증보다 더 심각하다.

심근의 허혈이 심하여 심근세포가 파괴되고 괴사가 발생했을 때 이를 심근경색(myocardial infarction)이라고 한다. 좌심실이 더 많은 영향을 받지만 우심실도 영향을 받는다.

좌우 심실에서 대동맥이나 폐동맥으로 혈액을 충분히 보내지 못하는 상태를 심부전(heart failure)이라고 한다. 심부전은 좌심실이나 우심실에서, 또는 양쪽 모두에서 발생할 수 있다

심장판막을 포함한 심장내막의 감염을 감염성 심내막염(infective endocarditis)이라고 한다. 또한 벽측심낭과 장측심낭, 심근표면의 감염을 심낭염(pericarditis)이라고 한다.

11_ 위장관계

복강에는 위, 소장, 대장, 간, 담낭, 췌장, 비장, 신장, 요관, 방광, 부신뿐만 아니라 이들에 분포하는 신경과 맥관들이 있다. 여성의 경우 자궁, 나팔관, 난소도 복강 안에 있다. 또한 복강 안에 있지는 않지만 식도는 위장관계에서 중요한 장기다(Fig 1-36).

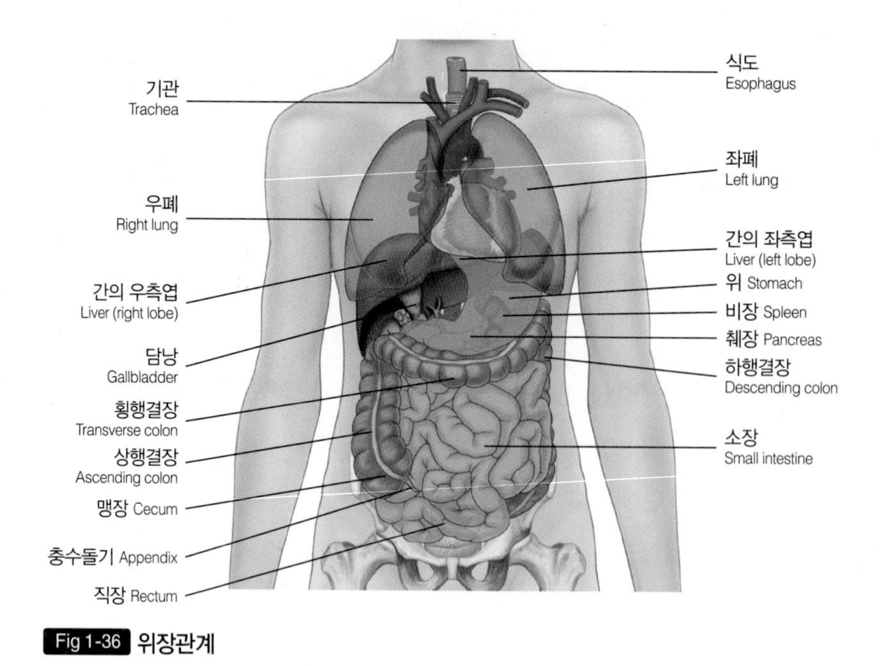

Fig 1-36 위장관계

1) 문진

현재력[위장관과 비뇨기에 영향을 줄 만한 만성질환, 투약 중인 약물, 설사, 변비, 색깔이 짙은 변, 옅은 변(light stool), 혈변], 과거력[복부나 소화기 계통(식도, 위, 장, 간, 담낭, 췌장, 비장)의 문제, 복부나 비뇨기 수술, 비뇨기 문제, 요실금], 가족력[위식도역류질환(gastroesophageal reflux disease, GERD), 위궤양·위암·결장암과 같은 위장계 질환을 앓은 사람, 신장결석, 신장암, 방광암과 같은 비뇨기 질환을 가진 사람], 개인 및 심리사회력(음주, 흡연), 문제 중심 건강력(복부 통증, 오심과 구토, 소화불량, 복부팽만, 배변습관의 변화, 눈과 피부의 황달, 배뇨 문제)

2) 시진

(1) 대상자의 전반적 행동과 자세를 관찰한다.

(2) 복부를 시진한다.

3) 청진

복부를 청진한다.

4) 촉진

(1) 복부를 가볍게 촉진한다.

(2) 복부를 깊게 촉진한다. 담낭은 정상인 상태에서는 촉진되지 않는다.

(3) 복직근 오른쪽 가장자리에서 간 경계 아래 부위를 촉진한다. 신장은 심호흡을 하도록 하고 흡기가 최고도에 도달했을 때 왼손으로 왼쪽 옆구리를 들어 올리면서 촉진한다. 신장은 보통 촉진되지 않는다.

tip 복부 검진 시 시진, 청진, 타진, 촉진 순으로 검진한다.

5) 타진

(1) 복부를 타진한다.

(2) 간을 타진한다. 간의 크기와 위치를 확인한다.

(3) 비장을 타진한다. 앙와위 상태로 좌측 중앙 액와선에서 가장 아래의 늑간을 확인한다.

(4) 신장을 타진한다.

6) 검진

(1) 복부에 액체(복수)가 있는지 사정한다. 복수가 차 있는 곳은 탁음, 없는 곳은 고창음이 들린다.

(2) 염증으로 인한 복부 통증이 있는지, 복부에 떠 있는 덩어리가 있는지 사정한다.

7) 비정상적 소견

(1) 췌장염이 있으면 슬흉위(knee-chest position)를 취한다. 복막염이나 충수돌기염이 있으면 가만히 누워 있으며, 담낭결석이나 요도결석의 급성경련통이 있으면 몸을 앞뒤로 흔든다.

(2) 황달이 있으면 혈청 빌리루빈 수치가 높은 것이다.

(3) 홍반은 염증을, 멍은 외상이나 혈소판수치 저하를 나타낸다. 선(striae)이 있으면 복부팽만을 의미한다.

(4) 배꼽은 위, 아래, 좌, 우로 치우치면 안 되고, 염증이나 배액물이 없어야 한다. 제대탈장 시 배꼽 부위가 약간 팽창된다. 돌출된 배꼽은 복수나 큰 덩어리(mass)로 인해 복부내압이 증가되었다는 징후이다.

(5) 복부 표면이 빛나거나 팽팽하면 복수 가능성이 있다.

(6) 정맥이 보이거나 배꼽 주변에 정맥울혈이 있다면 이는 비정상이다. 문맥압이 높을 때 정맥이 확장되고 배꼽에서부터 퍼져 보인다. 이는 측부정맥의 혈류가 역류되기 때문이다.

(7) 복부팽만의 원인은 '7F'로 정리된다. '7F'는 지방(fat, 비만), 태아(fetus, 임신), 액체(fluid, 복수), 가스(flatulence, 헛배부름), 대변(feces, 변비), 섬유종모양종양(fibroid tumor), 또는 말기종양(fatal tumor)이다.

(8) 수 분 동안 장음이 없으면 보고한다. 장음이 없거나 감소되면(과소활동성 장음) 이는 기계적 장폐색이나 복부 수술 후에 오는 마비성 장폐색(paralytic ileus), 복막염의 증상이다.

(9) 통증이 있는 대상자는 그 부위의 근육을 긴장시키거나 얼굴 찌푸림으로 통증을 나타낼 수 있다. 비정상 소견으로는 흡기 시 내려가는 덩어리, 측부 박동성 덩어리(복부 대동맥류), 측부로 움직이는 덩어리, 고정된 덩어리가 포함된다.

(10) 방광이 차 있을 때에는 치골상 부위에서 탁음이 들린다.

(11) 간의 하부 경계가 마지막 늑골 밑으로 2~3 cm 이상 더 내려왔으면, 이는 간비대로 간경화와 간염일 수 있다. 만성폐쇄성폐질환자는 횡격막이 평평하기 때문에 간의 상부 경계를 타진하여 찾는 것이 어렵다. 비만인 사람도 간의 크기를 확인하는 것이 힘들다. 간비대가 심해질수록 간은 늑골연 아래 복강 쪽으로 내려와서 쉽게 촉진된다. 압통이 있는지 또는 간의 표면이나 가장자리가 불규칙한지를 확인한다. 통증이 있을 때 대상자는 갑자기 흡식을 멈출 것이다.

(12) 압통이 있으면서 담낭이 촉진되면 이는 담낭염(cholecystitis)을 의미할 수 있다. 심호흡 시 대상자가 통증을 경험하거나 촉진 시 흡기를 갑자기 멈춘다면(Murphy's sign) 담낭염을 의심할 수 있다. 압통 없이 커져 있는 담낭은 총담관의 폐쇄를 암시한다. 촉진 가능한 비장은 딱딱한 덩어리처럼 느껴진다. 정상 비장은 촉진되지 않으며, 비장의 통증은 감염이나 외상의 징후이다.

(13) 복부를 깊게 누를 때보다 손을 뗄 때 대상자가 더 심한 통증을 경험하는 반동압통은 복막염을 의미한다.

(14) 멕버니(McBurney) 지점에 있는 반동압통은 충수돌기염을 의미한다.

tip **맥버니 검사**

제와와 오른쪽 전상장골극을 연결하는 가상의 선을 3등분한 후 아래에서 1/3되는 지점, 즉 맥버니 지점에서 복부를 깊게 눌렀다 재빨리 뗀다. 통증이 없으면 음성이다. 그리고 충수돌기염이 있으면 측부 장요근을 자극하므로 올리려는 다리에 압력을 줄 때 대상자는 RLQ에서 통증을 호소한다. 이때 장요근 검사는 양성이다.

tip 장요근 검사(iliopsoas muscle test)

앙와위로 눕게 한 후 검진자의 손을 대상자의 오른쪽 무릎 위에 놓는다. 대상자에게 오른쪽 다리를 올리도록 한다. 간호사는 올리려는 다리에 대항해 아래로 누른다(Fig 1-37). 이때 대상자가 장요근의 압력에 대해 통증을 못 느끼면 장요근 검사는 음성이다.

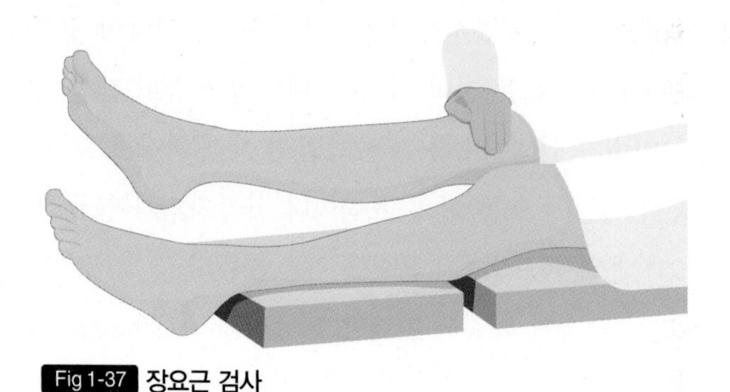

Fig 1-37 장요근 검사

8) 건강 문제

위액이 식도로 역류하여 흐르는 것을 위식도역류질환(gastroesophageal reflux disease, GERD)이라 한다. 횡격막에 있는 식도열공을 통해 종격동으로 위가 올라오는 것을 식도열공탈장(hiatal hernia)이라 한다. 식도의 하부 말단, 위 또는 십이지장에서 일어나는 궤양을 소화성 궤양(peptic ulcer)이라 한다.

크론병(Crohn's disease)은 일명 국소 장염(regional enteritis) 혹은 국소 회장염(regional ileitis)이라고도 부르며, 원인불명의 만성염증성 장질환이다. 궤양성 대장염(ulcerative colitis)은 직장에서 시작하여 대장으로 진행되는 만성염증성 장질환이다. 게실에 염증이 있는 것을 게실염(diverticulitis)이라 한다. 게실은 대장의 근육층이 늘어져 주머니가 형성된 것을 말한다.

바이러스성 간염(viral hepatitis)이란 다양한 바이러스로 인해 간에 발생한 염증이다. 가장 흔한 것은 A형, B형, C형 간염이다. 간경변증(liver cirrhosis)은 만성퇴행성 질병으로서, 간 실질조직의 파괴와 재생이 산발적으로 일어나는 것을 말한다. 간경변의 원인은 바이러스성 간염, 담도폐쇄, 알코올 남용을 포함한다.

담낭의 염증을 담낭염(cholecystitis)이라 하며, 담석이 있을 때에는 담석증(cholelithiasis)이라 한다. 담도는 염증으로 인한 부종이나 담석으로 막히게 된다. 췌장염(pancreatitis)은 췌장 자체의 자가소화로 인해 급성 혹은 만성으로 췌장에 염증이 생긴 것을 의미한다.

비뇨기계 감염(urinary tract infection)은 방광(방광염), 요도(요도염), 신우(신우신염)의 감염을 말한다. 대부분의 비뇨기계 감염은 대장균(Escherichia coli), Klebsiella, Proteus와 같은 그람음성균 혹은 Pseudomonas의 감염으로 발생된다. 신장의 신우에 결석이 형성되는 것을 신결석증(nephrolithiasis)이라 한다.

12_ 생식기계

여성의 외부 생식기를 총괄적으로 외음부라 한다. 외음부는 치구(mons pubis), 대음순(labia majora), 소음순(labia minora), 음핵(clitoris), 포피(prepuce), 질 전정(vaginal vestibule), 스킨선(ducts of Skene's)과 바르톨린선(Bartholin's glands), 질 입구(vaginal orifice), 요도구(urethral meatus)와 회음(perineum)을 포함한다(Fig 1-38).

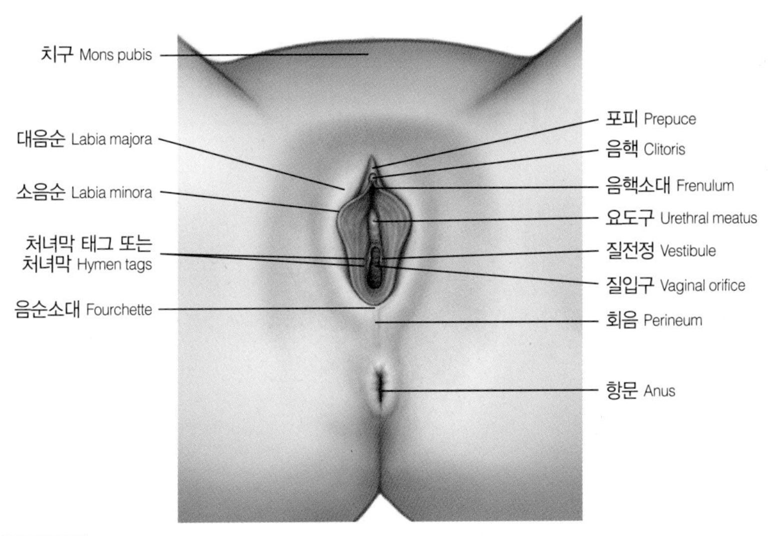

Fig 1-38 여성 외부 생식기

내부 생식기는 질(vagina), 자궁(uterus), 나팔관(fallopian tubes)과 난소(ovaries)로 이루어졌다. 이들은 4쌍의 인대, 즉 기인대(cardinal ligament), 자궁천골인대(uterosacral ligament), 원인대(round ligament)와 광인대(broad ligament)가 지지하고 있다(Fig 1-39).

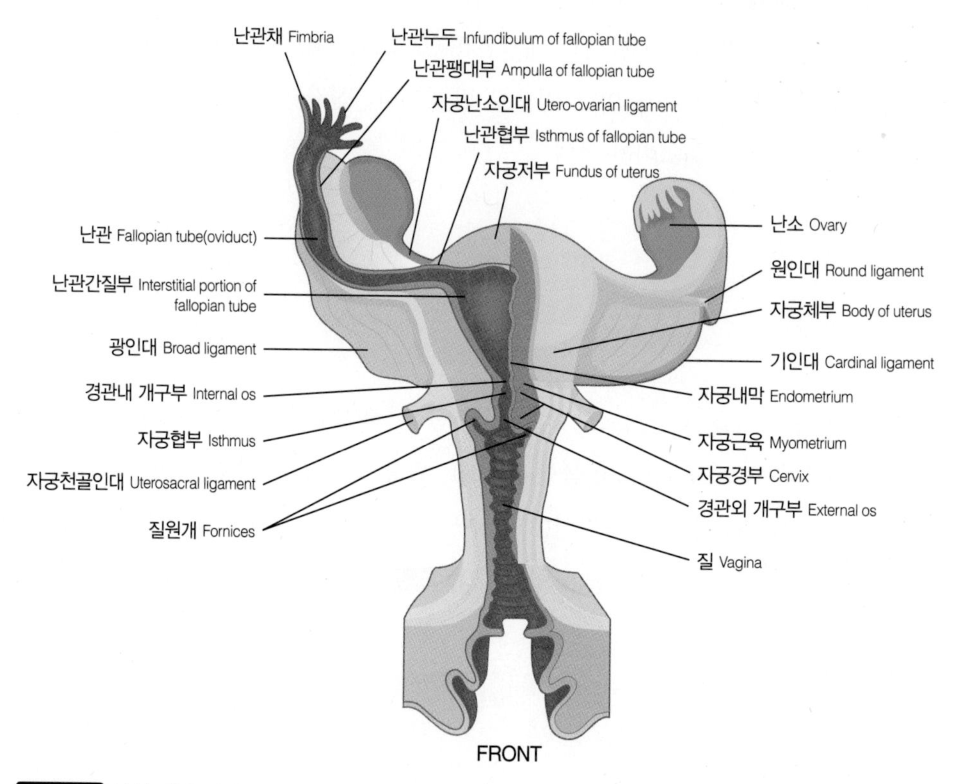

Fig 1-39 여성 내부 생식기

남성 생식기계는 내부 생식기(고환, 관과 선)와 외부 생식기(음경, 음낭)로 분류한다(Fig 1-40).

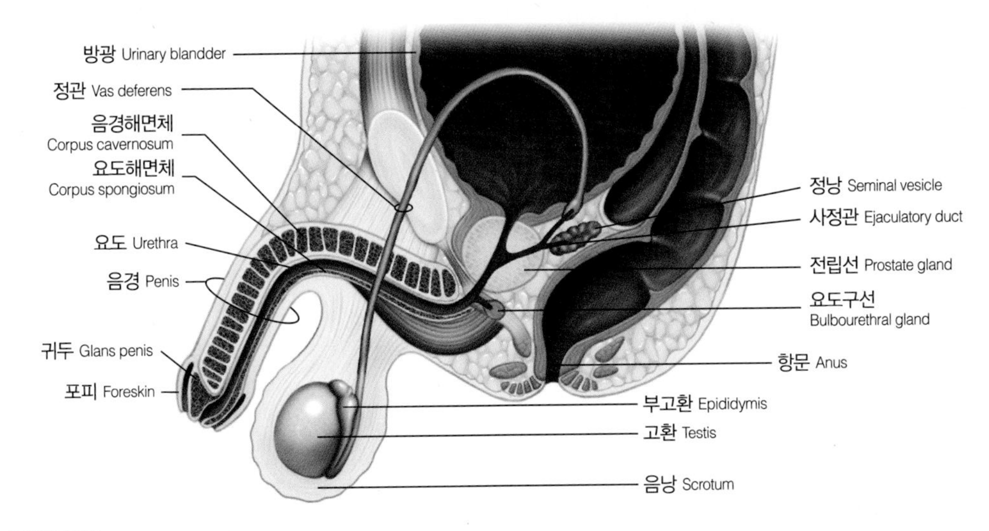

Fig 1-40 남성 생식기

1) 문진

대상자의 현재 건강 상태, 과거력, 가족력, 개인 및 심리사회력, 생식기계의 건강 상태에 영향을 미칠 수 있는 성생활 및 산과력에 대한 주관적인 자료를 수집하기 위해 문진한다.

- 현재력(만성질환: 당뇨병, 혈관 문제, 심장 호흡기 질환, 복용약), 과거력(과거 생식기 문제, 성병, 생식기관 직장 수술, 암, A형, B형 간염백신, 인유두종 바이러스 백신), 가족력(가족 중 자궁경부암, 난소암, 자궁암, 유방암, 대장암, 전립선암, 고환암), 개인 및 심리사회력(생식기 자주 검사, 성생활 유형, 빈도, 파트너, 성교 시 보호도구, 피임, 첫 성교일), 생식력(월경, 산과력), 문제 중심 건강력(통증, 생식기 병변, 질 또는 음경 분비물, 폐경, 발기 장애, 배뇨 문제, 직장출혈)

2) 시진

(1) 여성

① 치구, 서혜부의 음모와 피부를 시진한다. 피부나 음모에 병변이나 감염이 있는지 관찰한다. 대음순, 소음순 및 음핵을 시진한다. 요도구, 질 입구, 회음을 시진한다. 요도 입구와 둘러싸고 있는 조직을 살펴본다. 요도 입구는 중앙에 위치하면

서 불규칙한 모양으로 질 입구 가까이 열려 있다.

② 질 입구는 가늘고 긴 수직 모양으로 틈으로 보이거나 가장자리가 처녀막의 잔존물로 인해 울퉁불퉁한 모양의 구멍으로 보인다. 조직은 습해 보인다. 질 입구와 항문 사이에 있는 회음부의 피부 표면은 부드럽고 병변이나 변색이 없어야 한다. 만약 대상자가 회음절개술을 했다면(중앙이나 중측방) 흔적이 보일 것이다.

③ 천미 부위를 시진하고 촉진한다.

④ 항문 부위와 항문을 시진한다.

(2) 남성

① 음모를 시진한다. 음모는 모발보다 거칠고 기생충이 없어야 한다. 피부는 손상되지 않고 부드럽고 깨끗해야 한다. 귀두와 포피 주름 아래를 시진한다.

② 요도구를 시진한다. 요두구는 귀두의 중심에 위치하고 분비물이 없어야 한다. 요도구는 틈처럼 보인다. 귀두는 앞뒤로 촉진하여 요도구를 벌려 본다. 요도구는 분홍색이고 부드러우며, 분비물이 없어야 한다.

③ 음경을 시진한다. 손등으로 음경을 올리고 음낭을 시진한다. 음낭은 중격으로 반으로 나뉘어 있으며 왼쪽 정삭이 더 길기 때문에 대개 왼쪽 음낭이 더 처져 있다. 음낭은 다른 부위의 피부색보다 더 짙게 착색되어 있고 균일해야 한다. 서혜부와 대퇴부를 시진한다. 서혜관과 대퇴부(대퇴동맥이 만져지는 부위 바로 위)에 튀어나온 부분이 있는지 시진한다(튀어나온 부분이 없어야 한다). 천미 부위는 천골과 미골 사이에 위치한다.

④ 항문 주변과 항문을 시진한다. 항문은 색소 침착이 심하고 피부가 거칠며, 손상되지 않는 상태여야 한다.

3) 촉진

(1) 여성

① 대퇴부 안쪽에서부터 음순 부분까지 천천히 부드럽게 촉진한다. 전정 표면과 대음순 안쪽, 소음순의 안쪽 표면을 보기 위하여 대음순을 벌린다.

② 다른 손의 엄지와 두 번째 손가락으로 소음순을 촉진한다. 조직은 부드럽고 결절

이나 덩어리가 없으며, 촉진 시 대상자에게 불편감을 주지 않아야 한다.

③ 스킨선과 바르톨린선을 촉진한다. 검진자의 집게손가락을 손바닥 면이 위로 향하게 하여 질 안으로 가능한 깊게 삽입한다. 손가락을 질벽 표면 앞쪽에서 위쪽으로 힘을 주고 질 입구 쪽으로 움직이면서 스킨선을 짜준다. 스킨선은 요도 주위에 위치하며 일반적으로 보이지 않는다. 다음으로 엄지와 검지를 사용하여 질 좌우 조직을 촉진한다. 바르톨린선이 위치한 대음순의 아래쪽 측면 부분에 주의를 기울이면서 잘 촉진한다.

④ 질벽을 촉진한다. 손가락을 질에 넣은 상태에서 대상자에게 질 입구를 조여보라고 한다. 미산부의 경우 손가락을 꽉 조이는 듯한 질벽 조직의 긴장도를 느낄 수 있다. 질식분만(자연분만)한 여성이라면 질벽의 긴장도가 떨어질 것이다.

⑤ 항문 괄약근을 촉진한다. 직장에서 손가락을 천천히 빼낼 때 손가락에 느껴지는 항문 긴장도를 평가한다. 항문은 검사하는 손가락 주위로 고르게 조여야 한다.

⑥ 직장벽을 촉진한다. 직장벽은 매끄러워야 하며, 덩어리, 누공, 균열 또는 압통이 없어야 한다.

⑦ 변을 검사한다.

(2) 남성

① 남성의 생식기 검진을 시행할 때에는 전문가적인 태도로 세밀하게 촉진한다. 이때 대상자의 음경이 발기되면, 접촉으로 생기는 정상적 생리반응으로 통제가 불가능한 것이라고 말해주어 대상자를 안심시킨다. 발기가 되더라도 검진을 멈추지 말아야 하는데, 검진을 멈추면 대상자는 더 당황하기 때문이다.

② 음경을 촉진한다.

③ 음낭을 촉진한다. 음낭 피부의 두께는 온도와 나이에 따라 변한다. 차가운 곳이나 시원한 곳에서는 음낭 피부가 두껍게 느껴지고, 나이가 들면 피부가 얇아진다. 음낭은 압통이 없어야 한다.

④ 고환, 부고환, 정관을 촉진한다. 음낭 안에는 타원형의 고환이 있고 크기가 같아야 하며, 약간 민감하지만 적당히 눌렀을 때 압통이 없고 매끄러운 난형으로 움직여야 한다. 고환의 측면 뒤쪽에서는 부고환이 만져진다. 부고환은 쉼표 모양의

관처럼 생겼으며, 엄지와 다른 손가락으로 약간 눌렀을 때 찌그러진다. 부고환도 매끄럽고 압통이 없어야 한다.

⑤ 천미 부위를 촉진 시 압통이 없어야 한다. 간접 탈장이나 직접 탈장을 확인하기 위해 좌·우 서혜륜을 촉진한다. 장갑을 낀 두 번째 또는 세 번째 손가락을 음낭의 아래쪽 면에 삽입하고 정삭을 따라 위로 올라가서 서혜륜 안과 서혜관으로 들어간다(Fig 1-41). 대상자에게 배에 힘을 주거나 기침을 하게 했을 때, 서혜륜에서 튀어나오는 부분이 없어야 한다. 만약 손가락 끝에 덩어리를 느끼게 된다면 이는 비정상이다.

⑥ 항문관을 촉진한다. 대상자에게 검진 중인 손가락 주위의 항문을 조이도록 한다. 손가락 주위로 고르게 조여야 한다.

⑦ 전립선을 촉진한다. 전립선의 크기, 윤곽, 질감, 이동성 및 압통 여부를 파악한다. 이 검진은 전립선 비대를 확인하거나 전립선암을 선별하기 위해 시행된다. 검진자는 장갑을 착용하고 직장의 전방 벽면을 통해 전립선의 후방 표면을 촉진한다(Fig 1-42).

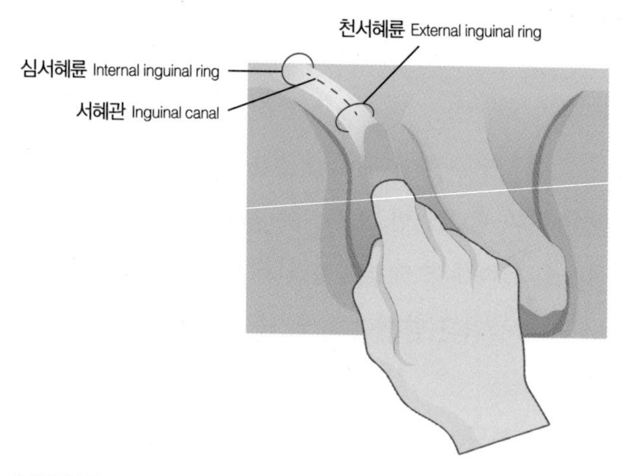

Fig 1-41 서혜관 촉진 방법

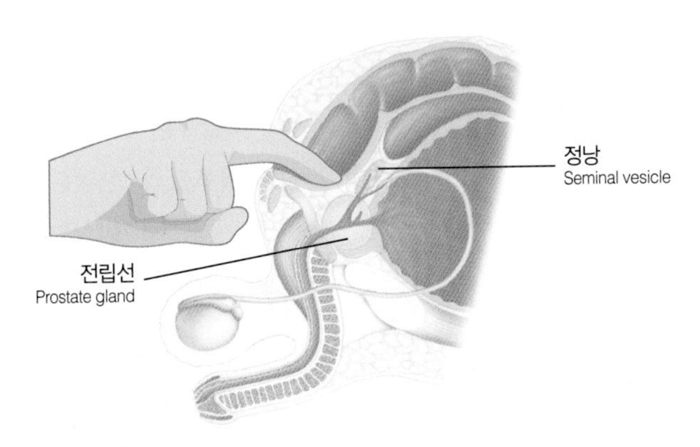

Fig 1-42 전립선 촉진법

4) 비정상적 소견

모닐리아성 감염은 인설과 농포가 있는 붉고 파진 반점이며, 부동, 전신 항생제 사용 및 면역결핍과 관련이 있다.

스킨선과 바르톨린선에서 나온 분비물은 대부분 감염을 의미한다. 부종이 있는 바르톨린선 부위를 촉진 시에 매우 심한 통증이 있으면 이는 바르톨린선의 농양을 나타낸다. 농양의 주원인은 임질균과 포도상구균이다. 만성적인 선(gland)의 감염 결과로 생긴, 압통이 없는 종양 덩어리는 보통 바르톨린선의 낭종을 의미한다. 앞쪽 질벽이 불거져 나오는 것은 방광탈출(cystocele), 질벽 뒤쪽의 팽만은 직장탈출(rectocele)을 의미한다. 만약 자궁경부가 질구를 통해 보인다면, 그것은 자궁탈출(uterine prolapse)을 의미한다. 아래로 힘을 주거나 기침을 할 때 소변이 나오면 스트레스성 요실금일 가능성이 있다.

직장 협착이 있다면 주목한다. 저긴장성 괄약근은 신경학적 결손, 직장 수술, 항문/직장 외상(특히 항문성교와 관련된 외상)에서 발생할 수 있다. 고긴장성 괄약근은 병변, 염증, 흉터 또는 검진으로 인한 불안과 관련이 있을 수 있다. 항문 촉진 시 극심한 통증은 균열, 누공 또는 낭종과 같은 국소 염증을 나타낸다. 혈액, 농, 점액 또는 대변의 비정상적인 색을 확인한다(Table 1-9). 잠혈검사의 양성은 혈액이 있다는 것을 의미한다.

Table 1-9 대변의 비정상적인 색

색	의미
밝은 빨강색	치질 또는 하부 직장 출혈
흑색	상부 위장관 출혈 또는 과도한 철분이나 bismuth 섭취
연한 황갈색 또는 회색	담도폐쇄(폐쇄성 황달)
옅은 노랑색	흡수장애 증후군

남성 음모가 듬성듬성하게 있는지, 뭉텅이로 빠져 있는지, 아예 없는지 확인한다. 분포가 여성형인지(역삼각형), 서캐나 사면발이가 있는지, 흉터가 있는지 확인한다. 샅백선증(tinea cruris)은 서혜부에 있는 흔한 곰팡이감염질환으로, 병변이 크고 경계가 뚜렷하며 발진이 있어 가렵다. 모닐리아성 감염은 인설과 농포가 있는 붉게 파진 반점이며, 부동, 전신 항생제 사용 및 면역결핍과 관련이 있다. 포피가 당겨지지 않거나, 잡아당길 때 불편감이 있거나, 잡아당긴 후 원래 자리로 돌아가지 않으면 비정상이다.

포경(phimosis)이란 포피가 귀두를 덮고 있는 상태를 말한다. 감돈포경(paraphimosis)은 포피를 앞으로 당겨도 귀두를 덮지 못하는 상태를 말한다. 귀두염(balanitis)은 포경 대상자에게 흔하게 발생하는 귀두의 염증 질환이다. 요도구가 음경의 위(요도상열, epispadias)나 아래(요도하열, hypospadias)에 있는지, 분비물이 있는지 확인한다. 분비물은 황록색 또는 우윳빛이며, 악취가 날 수도 있다. 음낭에 병변이나 발적(국소적 또는 전반적)이 있으면 이는 염증 반응이다. 음낭의 좌측과 우측이 너무 차이가 나도 비정상이다.

저긴장성 괄약근은 신경학적 결손, 직장 수술 또는 항문/직장 외상(특히 항문성교와 관련된 외상)에서 발생할 수 있다. 고긴장성 괄약근은 병변, 염증, 상처 또는 검진으로 인한 불안과 관련이 있을 수 있다. 항문 촉진 시 극심한 통증은 균열, 누공 또는 낭종과 같은 국소 염증을 나타낸다.

5) 건강 문제

(1) 감염[세균성 질염, 칸디다성 질염, 성병(클라미디아, 임질, 매독, 트리코모나스증, 음부포진, 인유두종바이러스, 사면발이), 골반염증성 질환, 부고환염]

(2) 양성생식기 질환(월경전 증후군, 자궁내막증식증, 자궁평활근종, 난소낭종)

(3) 악성생식기 질환(자궁경부암, 자궁내막암, 난소암)

(4) 음낭/고환 질환(고환염전, 음낭수종, 정액낭, 정삭 정맥류, 고환 암)

(5) 전립선 질환(양성전립선비대증, 전립선염, 전립선암)

(6) 항문과 직장 질환(치질, 항문직장 균열, 항문직장 농양과 치루, 직장용종, 직장 및 항문암)

(7) 탈출 또는 헤르니아(헤르니아. 직장탈출, 자궁탈수, 방광류, 직장류)

13_ 근골격계

근골격계는 신체를 움직이고 지지하며 내부 장기를 보호하는 역할을 한다. 또한 혈구세포를 만들어내며 칼슘이나 인 같은 무기질을 저장한다.

뼈는 연조직과 장기를 지지하고, 뇌나 척수 같은 기관을 보호하며, 몸을 움직이고 혈액을 생성하는 기능을 한다. 또한 콜라겐과 무기질의 구성 비율을 조절하여 골격에 가해지는 압력을 조절한다. 각 뼈는 기능에 따라 모양과 표면 특징이 다르다. 예를 들어 장골(long bone)은 지렛대 역할을 하므로, 근육이 붙을 수 있도록 표면이 편평하고 신경과 건이 지나가도록 끝에는 홈이 파여 있다. 장골에는 상완골, 대퇴골, 비골(fibula), 지골(phalange)이 있다. 수근골과 족근골 같은 단골(short bone)은 육면체 모양이다. 두개골, 늑골, 견갑골 등은 편평골(flat bone)로 구성되어 있고 척추는 형태가 불규칙한 뼈이다.

인간의 골격은 크게 체간 골격(axial bone)과 사지 골격(appendicular skeleton)으로 구분한다. 체간 골격에는 안면골·이소골·척추·늑골·흉골·설골이 있고, 사지 골격에는 견갑골·쇄골·상지골·골반·하지골 등이 있다. 근골격계는 신체를 움직이고 지지하며, 내부 장기를 보호하는 역할을 한다. 또한 혈구세포를 만들어내며 칼슘이나 인 같은 무기질을 저장한다. 골격근(skeletal muscle)은 근섬유로 구성되고, 뼈에 붙어 뼈를 움직이게 한다. 일부 골격근은 반사로 움직이지만 대부분은 수의근이다. 골격근섬유는 붙어 있는 뼈의 긴 축에 평행으로 또는 사선으로 나열되어 있다. 근육은 뼈나 인대(ligament), 건(tendon), 근막(fascia)에 붙는다.

1) 문진

현재력(만성질환, 골밀도가 줄어들거나 골다공증 유무, 복용하는 약물, 평소에 하던 활동이나 동작의 변화), 과거력(사고나 외상으로 뼈 또는 관절이 손상되어 골절, 좌상, 염좌, 탈구된 경험, 근육 약화, 운동 범위 감소, 운동장애 등의 문제, 수술), 가족력(가족 중에 등이 굽었거나 허리에 문제가 있었던 사람, 류마티스 관절염이나 골관절염, 통풍 같은 관절염이 있는 분), 개인 및 심리사회력(운동, 흡연, 스포츠, 부상의 위험성, 집이나 직장에서 생활), 문제 중심 건강력(통증, 움직임 문제, 일상 활동 장애)

2) 시진

(1) 골격과 사지를 시진한다. 체간골격과 사지골격의 정렬 상태, 윤곽, 대칭성, 크기, 기형 유무를 시진한다. 몸의 전반적 자세를 시진했을 때 어깨, 견갑골 높이, 장골능의 윤곽이 고르게 되어야 한다.

(2) 근육을 시진한다. 근육 크기는 양측이 비교적 대칭성이다. 자주 사용하는 쪽의 근육이 다른 쪽보다는 약간 더 크다는 것을 명심한다.

3) 촉진

뼈, 관절, 근육을 촉진한다. 동시에 대상자의 양쪽 어깨를 촉진한다. 한쪽을 다른 쪽과 비교한다. 대칭으로 팔과 손의 근육, 뼈, 관절 등을 촉진한다. 손등을 이용하여 근육과 관절의 온도를 파악한다. 같은 방법으로 엉덩이에서 발까지 촉진한다. 관절은 능동 ROM (range of motion)과 수동 ROM 때 완전한 각도로 움직여야 하고, 움직일 때 압통이나 염발음이 없어야 한다. 주요 관절의 운동 범위를 관찰한다(Table 1-10).

Table 1-10 가동관절의 운동 범위

인체 부위	관절 종류	운동 범위
목과 경추	중쇠관절 (pivotal)	• 굴곡: 턱을 가슴에 붙인다. • 신전: 머리를 다시 세운다. • 과신전: 머리를 뒤로 가능한 많이 젖힌다. • 외측 굴곡: 머리를 어깨 쪽으로 가능한 많이 기울인다. • 회전: 머리를 좌우로 가능한 많이 돌려 턱을 아래쪽으로 내린다.
어깨	구상관절 (ball and socket)	• 굴곡: 팔을 앞으로 머리 위까지 올린다. • 신전: 머리 위로 들었던 팔을 옆구리로 제 위치한다. • 과신전: 팔꿈치를 편 상태에서 팔을 몸 뒤로 젖힌다. • 외전(abduction): 팔을 측면으로 올려서 머리 위로 뻗는다. • 내전(adduction): 팔을 내려서 신체 앞쪽으로 교차시킨다. • 내회전: 팔꿈치를 굽혀서 엄지가 아래쪽으로 가도록 어깨를 회전한다. • 외회전: 팔꿈치를 굽혀서 엄지가 위쪽으로 가도록 어깨를 회전한다. • 원회전(circumduction): 팔을 한 바퀴 돌린다. 이 동작은 공-소켓관절에서 가능한 모든 움직임이 있어야 가능하다.
팔꿈치	경첩관절 (hinge)	• 굴곡: 팔꿈치를 굽히고 하완(lower arm)을 어깨관절 쪽으로 움직여 손을 어깨 높이까지 올린다. • 신전: 하완을 내리면서 팔꿈치를 편다. • 과신전: 하완을 팔꿈치 높이 아래까지 내린다. 모든 팔꿈치가 과신전되는 것은 아니다.
전완	중쇠관절 (pivotal)	• 회외(supination): 하완을 돌려서 손바닥이 위로 가게 한다. • 회내(pronation): 하완을 돌려서 손바닥이 아래로 가게 한다.
손목	과상관절 (condyloid)	• 굴곡: 손바닥을 전완 안쪽으로 굽힌다. • 신전: 손가락을 움직여 손가락, 손, 전완을 한 축에 있게 한다. • 과신전: 손등을 최대한 뒤로 젖힌다. • 요골굴곡: 손목을 엄지손가락 쪽으로 젖힌다. • 척골굴곡: 손목을 새끼손가락 쪽으로 젖힌다. • 위 요골굴곡과 척골굴곡을 요골/척골 편위(radial/ulnar deviation)라고도 한다.
손가락	경첩과관절 (condyloid hinge)	• 굴곡: 주먹을 쥔다. • 신전: 주먹을 편다. • 과신전: 손가락을 최대한 뒤로 젖힌다. • 외전: 손가락이 서로 떨어지게 쫙 편다. • 내전: 손가락을 한 데 모은다.
엄지	안장관절 (saddle)	• 굴곡: 엄지를 손바닥 쪽으로 굽힌다. • 신전: 엄지를 손바닥 멀리 반듯이 편다. • 외전: 엄지를 옆으로 벌린다. • 내전: 엄지를 손 쪽으로 붙인다. • opposition: 엄지로 같은 손의 손가락을 각각 만진다.

인체 부위	관절 종류	운동 범위
둔부	구상관절 (ball and socket)	• 굴곡: 다리를 앞쪽으로 든다. • 신전: 다리를 내린다. • 과신전: 다리를 몸 뒤로 젖힌다. • 외전: 다리를 몸 바깥쪽으로 든다. • 내전: 다리를 몸 중심 부위로 내리고 가능하면 교차한다. • 내회전: 무릎을 안쪽으로 돌린다. • 외회전: 무릎을 바깥쪽으로 돌린다. • 원회전: 다리를 원 모양으로 돌린다.
무릎	경첩관절 (hinge)	• 굴곡: 발뒤꿈치를 대퇴부 뒤쪽으로 들어올린다. • 신전: 발을 다시 바닥에 내려놓는다.
발목	경첩관절 (hinge)	• 배굴(dorsiflexion): 발가락이 위로 향하도록 움직인다. • 족저굴곡(plantar flexion): 발가락이 아래로 향하도록 굽힌다.
발	활주관절 (gliding)	• 내번(inversion): 발바닥을 발 안쪽으로 돌린다. • 외번(eversion): 발바닥을 바깥쪽으로 돌린다.
발가락	과상관절 (condyloid)	• 굴곡: 발가락을 아래로 둥글게 만다. • 신전: 발가락을 편다. • 외전: 발가락을 벌리면서 편다. • 내전: 발가락을 모은다.

[출처: Potter PA, et al: Fundamentals of nursing, ed 8, St. Louis, 2013, Mosby.]

Table 1-11 근력 등급 척도와 기록

기능수준	Lovett 척도	등급	정상 비율
근 수축이 전혀 없음	없음(0) zero	0	0
근 수축이 약간 있음	아주 약함(T) trace	1	10
중력이 없는 상태에서 완전한 관절운동 가능	약함(P) poor	2	25
중력이 있는 상태에서 완전한 관절운동 가능	양호(F) fair	3	50
중력과 약간의 저항에 대항하여 완전한 관절운동 가능	좋음(G) good	4	75
중력과 강한 저항에 대항하여 완전한 관절운동 가능	정상(N) normal	5	100

[출처: From Barkauskas VH, Baumann LC, Darling-Fisher C: Health and physical assessment, ed 2, St. Louis, 2002, Mosby.]

근력 검사를 하고 양측을 비교한다. 근력의 강도를 표현하기 위해 등급 척도가 사용된다(Table 1-11).

4) 검진

(1) 수근터널증후군을 사정한다.

(2) 회전근개 손상을 사정한다. 어깨 통증을 호소할 때 사정한다. 회전근개(rotator cuff) 손상은 낙하상완검사(drop arm test)로 알 수 있다. 손상받은 팔을 외전시켜 옆으로 올리게 한 후, 그 팔을 서서히 아래쪽으로 움직이도록 한다. 기대되는 반응은 서서히 팔의 내전이 가능하다.

(3) 무릎 삼출물을 사정한다. 무릎관절에 액체가 있는지 사정하기 위하여 다음의 두 가지 검사를 한다.

① 팽륜징후 검사(bulge sign test): 무릎에 소량의 삼출물이 있는지를 검사하기 위해 수행한다. 대상자를 앙와위로 눕혀 무릎을 신전시키고 한손으로 무릎의 내측면을 2~3회 우유 짜듯이 쓸어내린 후, 다른 손으로 슬개골 외측면을 가볍게 두드려 액체의 움직임을 살핀다. 정상에서는 관절의 반대쪽에 액체 파동이나 팽륜징후를 볼 수 없다(Fig 1-43).

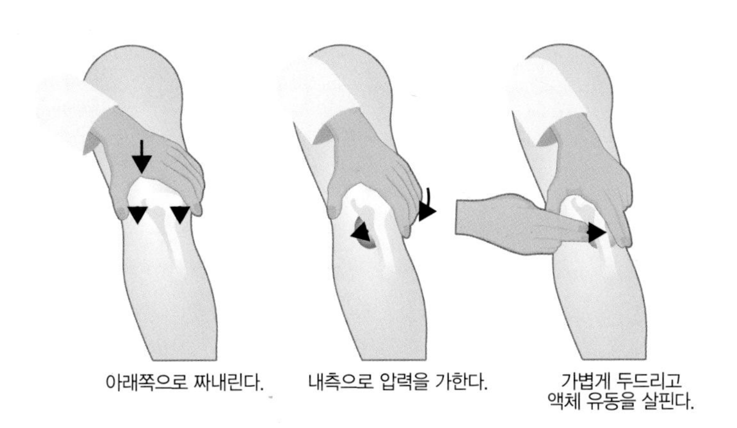

Fig 1-43 팽륜징후 검사

② 슬개골 부구감 검사(ballottement): 좀 더 많은 양의 삼출물이 있을 때 시행된다. 무릎을 신전시키고, 검진자가 한 손의 엄지와 나머지 손가락으로 슬개골상낭(suprapatellar pouch)을 압박하기 위해 아래쪽으로 압력을 가하고, 다른 손으로는 대퇴골 쪽으로 슬개골을 힘껏 밀었다가 갑자기 뗀다(Fig 1-44). 이때 액체의 파동이 있는지 느껴본다.

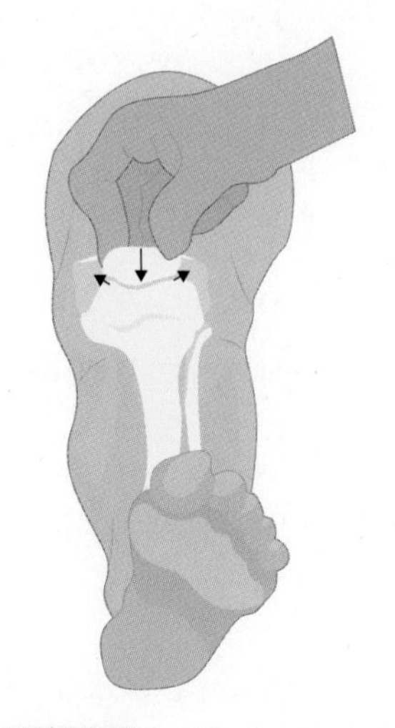

Fig 1-44 슬개골 부구감 검사

무릎 안정성을 사정한다(Fig 1-45).

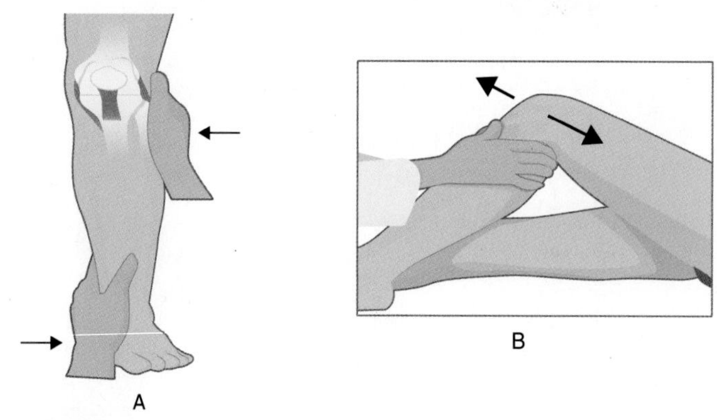

Fig 1-45 무릎의 안정성 검사
A: 측부인대 사정 B: 전후 십자인대 사정

무릎 반월판 손상이나 파열을 사정한다(Fig 1-46).

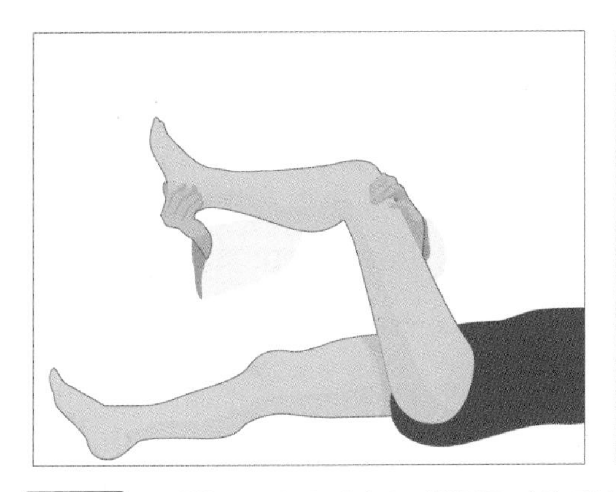

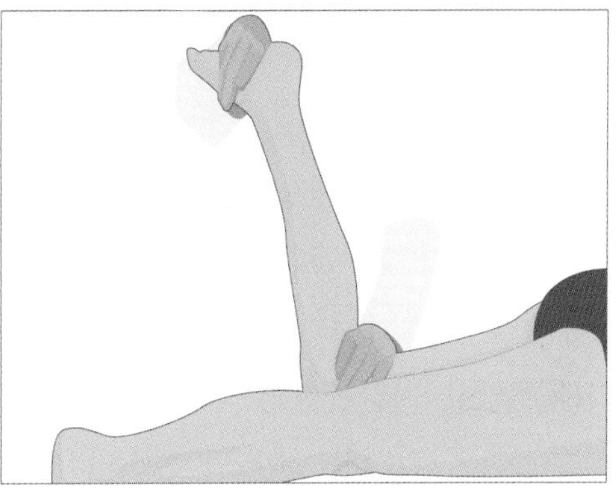

Fig 1-46 A: 반월 연골 손상 검사 B: 반월연골 파열 검사

고관절 굴곡경축을 사정한다. 신전된 다리가 침상 위에 편평하게 있으면 음성이다.

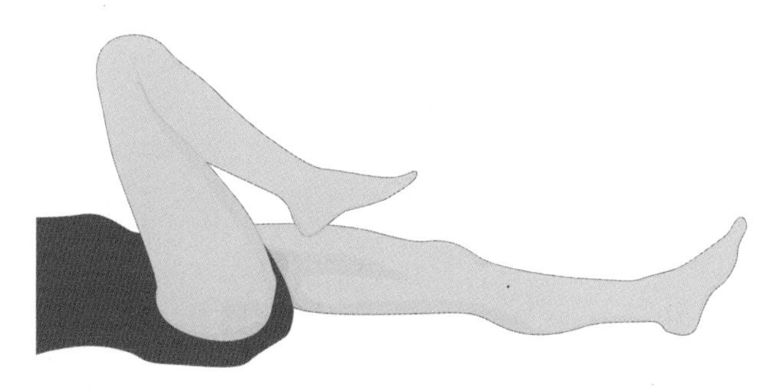

Fig 1-47 고관절굴곡 경축 검사

5) 비정상적 소견

양측에 근위축이 있으면 이는 척수손상이나 영양실조로 인한 신경자극 감소를 의미한다. 한쪽만 근위축이 있으면 통증이나 석고붕대로 인해 근육을 사용하지 않은 경우이다. 근섬유다발수축(fasciculations, 단일 근육의 뒤틀림)은 약물 부작용 또는 나트륨 부족으로 발생한다.

침범된 관절에 통증, 부종, 열감이 좌우 양쪽에 있으면 류마티스 관절염을, 움직일 때 관절부종과 함께 통증이 한 쪽에만 있으면 퇴행성관절염을 의미한다. 뼈나 근육에 압통,

열감, 부종이 있으면 종양, 염증, 외상을 의미한다. 근긴장도가 감소되면 근육이 위축된 것이다.

척추가 휘어지거나 양쪽 어깨와 장골 높이가 비대칭이면 비정상이다. 척추후만증(kyphosis)은 흉추가 뒤로 불룩하고, 척추전만증(lordosis)은 척추가 앞으로 불룩한 것이다. 측만증(scoliosis)은 척추가 옆으로 휜 상태를 말한다. 척추가 휘게 되면 어깨가 비대칭이 된다.

운동 범위가 줄어든다면 관절염, 외상, 인대, 건, 반월연골 손상을 의미한다.

헤베르덴결절(Heberden node)은 원위지골간관절(distal interphalangeal J., DIP)에 생긴다(Fig 1-48). 지간관절의 백조목 기형(swan neck deformity), 단추모양 기형(boutonniere deformity)은 류마티스 관절염 증상이다(Fig 1-49).

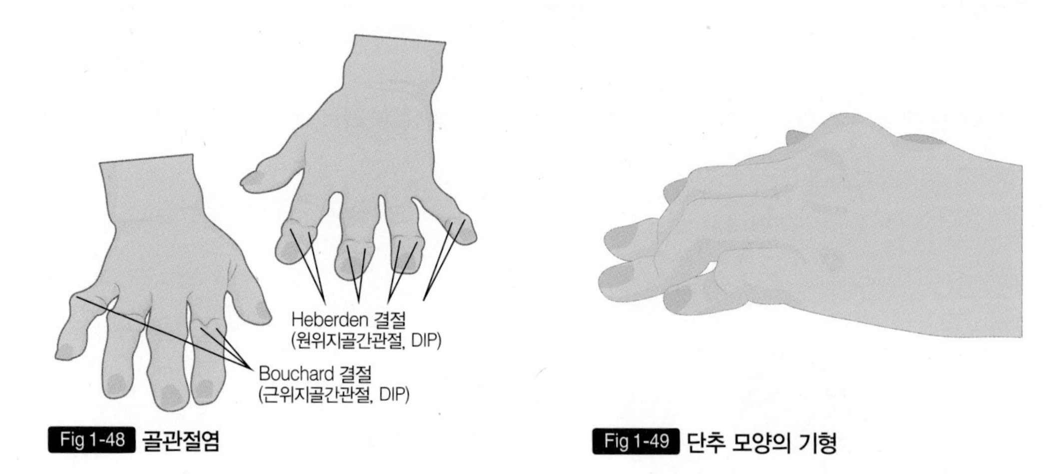

Fig 1-48 골관절염

Fig 1-49 단추 모양의 기형

O자 다리(genu varum, 내반슬), X자 다리(genu valgum, 외반슬)는 비정상이다.

발가락 내반, 무지외반증, 갈퀴 발가락, 망치 발가락, 가골 등이 있으면 비정상이다. 발꿈치에 국소 통증이 있으면 골주(bone spur)를 의미한다. 양발을 들 때 통증이 심해지면 발바닥 근막염(plantar fasciitis)일 수 있다.

손바닥 부위에 무감각, 통증, 또는 감각이상(paresthesia)이 발생한다면 Phalen 징후 검사의 양성이며, 이러한 양성 소견은 수근터널증후군을 의미한다. 정중신경을 따라 손목으로부터 손에 저린감이나 전기가 오는 것 같은 감각이 있다면 Tinel 징후 양성이며, 이 양성소견은 수근터널증후군을 의미한다(Fig 1-50).

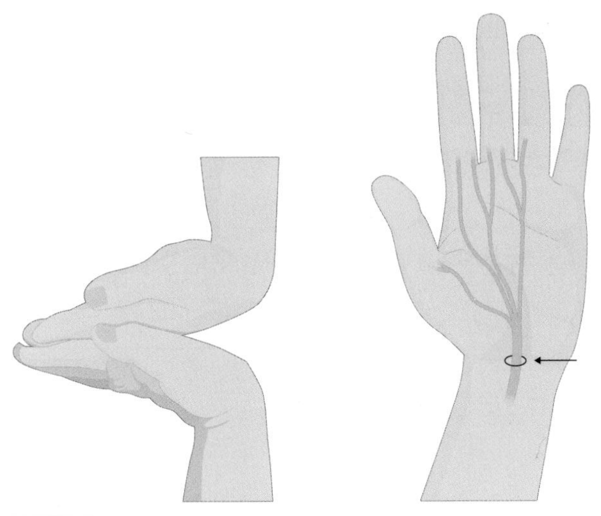

Fig 1-50 A: Phalen 징후 검사 B: Tinel 징후 검사

6) 건강 문제

(1) 뼈(골절, 골다공증)

(2) 관절(류마티스 관절염, 골관절염, 점액낭염, 통풍)

(3) 척추(추간판탈출증, 척추 측만증)

14_ 신경계

가정에 있는 노인 환자들은 신경계쪽 문제를 많이 가지고 있다. 뇌졸중, 파킨슨, 치매가 대표적인 질환이다.

• 신경계

신경계는 내·외적 자극에 수의적, 불수의적으로 인체 기능을 통제하고, 구조적으로 뇌와 척수로 구성되는 중추신경계, 말초신경계, 자율신경계로 구분한다. 중추신경계는 뇌와 척수로 구성되어 있고, 말초신경계는 12쌍의 뇌신경, 31쌍의 척수신경, 그리고 이 신경들의 가지들로 구성된다.

Table 1-12 제12뇌신경 종류, 기능, 검사 방법

뇌신경	기능	검사 방법
후신경[olfactory (Ⅰ)]	감각: 냄새의 인식과 해석(후각)	후각 검사: 한 번에 한쪽씩 커피나 치약, 아로마 향 등을 이용
시신경[optic (Ⅱ)]	감각: 시력과 시야(시각)	• 시력검사: 스넬렌 차트와 검안경 검사 • 시야 검사: 대면법
동안신경[oculomotor (Ⅲ)]	운동: 눈꺼풀 들어 올리기, 대부분 외안근 운동	외안근 움직임(3, 4, 6 뇌신경), 동공 관찰
동안신경[oculomotor (Ⅲ)]	부교감: 동공수축, 수정체 모양 변경	
활차신경[trochlear (Ⅳ)]	운동: 안구를 안쪽과 아래쪽으로 움직임	
삼차신경[trigeminal (Ⅴ)] * 삼차신경(제5뇌신경) - 감각(3개의 가지)	운동: 턱 내리고 다물기, 저작운동	얼굴의 움직임과 감각기능 검사
	감각: 안면(3개의 가지로 분지됨)[(1) 안신경, (2) 상악신경, (3) 하악신경], 각막, 홍채, 눈물샘, 결막, 눈꺼풀, 이마, 코, 코 점막과 구강 점막, 이, 혀, 귀, 얼굴 표면의 감각	• 가벼운 감각: 눈을 감게 한 후 이마, 볼, 턱을 솜뭉치로 가볍게 닿게 하여 감각을 검사 • 심부 감각: 통증과 압각이 같이 나타나야 함 • 각막반사: 안신경과 7뇌신경 운동기능검사를 하기 위함
외전신경[abducens (Ⅵ)]	운동: 눈의 측면 운동	
안면신경[facial (Ⅶ)]	• 운동: 턱을 제외한 얼굴 근육의 움직임, 눈감고 구순음(ㅂ, ㅁ 등 입술을 둥글게 하는 모음) • 감각: 혀의 앞쪽 2/3의 맛, 인두의 감각 • 부교감: 침과 눈물의 분비	• 안면근육 운동 • 미각검사: 혀의 앞쪽 2/3의 미각 담당. 설탕이나 소금을 면봉으로 대어봄
청신경[acoustic(Ⅷ)]	감각: 청력과 균형감각	속삭임 검사, 린네 검사, 웨버 검사, 전정기능 검사를 함(귀 사정 참조)
설인신경 [glossopharyngeal (Ⅸ)]	운동: 삼키고 발성하는 수의근 운동	설인 신경(9뇌신경)과 미주 신경(10뇌신경)을 검사하기 위해 구토 반사와 연구개 움직임을 관찰
	감각: 비인두 감각, 구역반사, 혀 뒤쪽 1/3 맛	
	부교감: 침샘의 분비, carotid reflex	
미주신경[vagus (Ⅹ)]	• 운동: 발성 근육(후음, guttural speech sound) 운동과 삼키기 • 감각: 귀 뒤 감각과 외이도의 일부의 감각 • 부교감: 소화효소의 분비, 연동운동, carotid reflex, 심장·폐·소화기의 자율 운동	
척수부신경 [spinal accessory (Ⅺ)]	운동: 머리 돌리기, 어깨 으쓱하기, 일부 발성 운동	어깨와 목의 근력, 움직임, 대칭성 검사
설하신경[hypoglossal (Ⅻ)]	운동: 조음(ㅌ, ㄹ, ㄴ)을 위한 혀 운동, 삼키기	혀의 대칭성 움직임과 근력 검사

[출처: From Ball et al: Seidel's guide to physical examination, ed 8, St. Louis, 2015, Mosby.]

• 반사궁

반사궁은 감각의 자극에 대한 반응에서 근육의 움직임을 관찰하여 검사한다. 심부건반사는 근육다발 한 개의 신경근육방추(spindles)에 연결된 건을 자극할 때 일어나는 반사이다. 표재반사(superficial)도 같은 방법으로 검사한다.

Table 1-13 표재성 반사와 심부건 반사

반사 종류	척추
표재반사	
복부반사	
상복부	T8, T9, T10
하복부	T10, T11, T12
고환거근반사	T12, L1, L2
족저반사	L5, S1, S2
심부건반사	
이두근반사	C5, C6
상완요골근반사	C5, C6
삼두근반사	C6, C7, C8
슬개근반사	L2, L3, L4
아킬레스건반사	S1, S2

[출처: Modified from Ball et al: Seidel's guide to physical examination, ed 8, St. Louis, 2015, Mosby.]

• 자율신경계

자율신경계(autonomic nervous system, ANS)는 호르몬과 함께 인체의 내부 환경을 조절하고, 교감신경계와 부교감신경계로 이루어진다. 교감신경계(sympathetic nervous system, SNS)는 척수의 흉요부에서 시작하고, 스트레스(투쟁-도피반응) 상황에서 활성화된다. SNS 활동은 혈압과 심박수 증가, 말초혈관 수축, 소화기 연동운동 저하, 기관지 확장 등이다. 이와 반대로 부교감신경(parasympathetic nervous system, PNS)은 두개천골부에서 시작하여 성장하고 먹는 활동을 담당한다. PNS는 에너지를 보전하는 활동을 하는데, 주로 심박수와 심근수축력을 감소시키고, 혈압과 호흡수를 낮추며, 위장관계 연동운동을 자극한다.

1) 문진

(1) 현재력(이동과 일상생활 수행의 변화, 만성질환의 유무), 과거력(머리나 척추 상해 유무, 뇌졸중, 발작), 가족력(가족의 뇌졸중, 발작, 뇌종양 유무), 개인 및 심리사회력[건강관리, 일상생활 수행, 음주, 복용약, 안전(운전 시 안전벨트)], 문제 중심 건강력(두통, 발작, 의식상실, 움직임 변화, 감각 변화, 연하곤란, 의사소통장애), 정신 상태와 의식 수준 사정을 한다.

(2) 대상자의 이름을 부른다. 이름, 장소, 시간의 지남력 사정을 한다.

(3) 문진 시 뇌신경 자료를 수집한다. 한 개 이상의 뇌신경에 비정상 소견이 의심될 때만 시행한다.

(4) 후각 신경은 대상자가 맛이 이상하게 느껴진다고 말하면 필요하다. 냄새를 맡지 못하면 음식의 맛이 변한다.

2) 시진

(1) 대상자가 물건을 보고 집거나 사용하면 시신경은 정상이다. 눈 움직임이 감소되거나 눈동자가 반대로 움직이면 움직이는 것을 주시한다. 눈 깜박임이 저조하면 비정상이다.

(2) 대상자가 말을 할 때 얼굴이 대칭이면 안면신경(7뇌신경)이 정상이다.

(3) 대상자가 말을 하면서 침을 삼키면 설인신경(9뇌신경)과 미주신경(10뇌신경)이 정상이다.

(4) 대상자가 문진 중 어깨를 으쓱하고, 고개를 돌린다면 척수부(11뇌신경) 신경이 정상이다.

(5) 대상자가 똑바로 선 자세에서 다른 사람의 도움을 받지 않고, 균형 잡힌 상태에서 양손을 자연스럽게 흔들면서 걸어야 한다. 걸을 때 다리는 반대 쪽 팔과 교대로 움직여야 한다. 균형 있는 걸음걸이를 보는 것은 청신경(13뇌 시경) 검사이다.

(6) 소뇌 기능을 검사하기 위해 균형 검사를 시행하는데, 이때 롬베르그 검사(Romberg test)를 시행한다. 대상자에게 발을 모으고, 팔을 양 옆으로 붙이고 서 있게 한다. 그 후 20~30초간 눈을 감게 하고 대상자가 똑바로 선 자세를 유지하는지 관찰한다. 정상적으로는 약간의 흔들림만 있을 뿐이다.

(7) 상지 조정력 검사는 빠른 교대 운동 검사, 손가락 조정력 검사, 미세운동 기능 검사가 있다. 빠른 교대운동 검사는 대상자에게 손을 무릎 위에 올려놓고 가능한 빠르게 손을 위 아래로 뒤집도록 한다. 빨리 하지 못하면 비정상이다. 움직일 때 손이 떨리면(intention tremor, 의도진전) 소뇌이상이다. 손가락 조정력 검사는 엄지손가락으로 각각 다른 손가락에 차례로 대는 동작을 빠르게 수행하도록 한다. 한 번에 한 손씩 시행한다. 이 동작을 빨리 하는 데 아무런 문제가 없어야 한다. 미세운동 기능검사는 대상자의 검지로 자신의 코와 46 cm 떨어진 검진자의 검지를 한 번씩 닿도록 한다. 한 번에 한 손씩 시행한다. 대상자는 의식적으로 자연스럽게 수행할 수 있어야 한다.

(8) 하지 조정력 검사는 앙와위로 누운 상태에서 발꿈치를 다른 다리의 무릎에 놓고 정강이를 따라 미끄러지듯이 내려가게끔 하도록 한다. 반대편도 똑같이 한다. 대상자는 발꿈치로 정강이를 따라 똑바로 움직이며 양쪽 운동 상태가 같아야 한다.

3) 청진

(1) 발음, 음성, 말의 이해 정도 평가[청신경(8뇌신경)]

(2) 목소리는 억양이 있고 발음이 명확해야 한다. 대상자는 간호사의 말을 이해하는 능력을 나타낸다.

(3) 대상자가 후음(그나 크의 발음)을 말할 수 있으면 미주신경(10뇌신경)이 정상이다.

(4) 대상자가 발음이 똑똑하면 설하신경(12뇌신경)이 정상이다.

4) 촉진

(1) 대상자가 감각이 없거나 또는 감각에 이상이 있다고 말할 때 감각 기능 검사를 한다. 먼저, 대상자에게 눈을 감게 한다(편안한 상태가 되어야 주의집중을 할 수 있어 올바른 결과를 얻을 수 있다). 일반적으로 손, 전완, 복부, 하지, 발 부위의 양측을 비교하면서 감각 검사를 시행한다. 감각이 정상이면 추가 검진이 필요 없지만, 비정상이면 감각이 나타날 때까지 계속 진행하거나 또는 어깨, 둔부에서 내려가면서 검사를 진행한다. 비정상 부위를 인체 그림으로 기록해 둔다.

(2) 가벼운 촉각(표재성 촉각): 솜뭉치를 신체 여러 부위의 피부에 가볍게 대어 본다. 통

각은 대상자에게 눈을 감게 한 후, 클립(또는 부러진 설압자)을 구부려서 날카로운 쪽과 무딘 쪽으로 피부를 가볍게 찌른다.

(3) 진동감각(vibratory sense): 대상자에게 눈을 감게 한 후, 진동시킨 음차를 요골의 경상돌기(팔목), 내측이나 외측 복사(발목), 흉골(가슴), 슬개골 등 뼈 돌출 부위에 대고 대상자에게 어떤 느낌인지 물어본다. 진동을 느껴야 정상이다. 또한 음차에 손가락을 대어 진동을 멈추게 하고 진동이 언제 없어졌는지 물어본다.

(4) 입체 감각(stereognosis): 눈을 감게 한 후, 대상자의 손에 익숙한 작은 물건을 쥐어주고 이것이 어떤 물건인지 물어보며 검사한다.

(5) 두 지점 식별: 특정 부위의 두 지점을 동시에 찔러 시행한다. 면봉 두 개나 클립을 편 후 구부려서 양 끝을 동시에 가볍게 찌른다. 그 후 대상자에게 몇 군데를 찌른 것으로 느꼈는지 물어본다.

(6) 숫자 식별(graphesthesia, 서화감각): 무딘 물건으로 손바닥에 숫자나 글자를 쓰게 한다.

(7) 식별 감각(point location): 대상자의 피부에 손가락으로 접촉하였다가 즉시 뗀다. 대상자에게 접촉한 지점을 물었을 때 정확히 맞추어야 한다.

(8) 말초 감각: 모노필라멘트(monofilament)를 이용하여 검사한다

(9) 사지의 심부건 반사: 직·간접적으로 건을 자극하여 근육 수축을 보면서 심부건반사(deep tendon reflex)를 검사한다. 해머를 들고 손목을 사용해서 가볍게 건을 친다. 빠르고 정확하게 두드려야 하며 빗나가서는 안 된다. 대상자는 편안하게 앉거나 누워서 힘을 빼라고 한다[삼두근반사(ticeps reflex, C6, C7), 이두근반사(biceps reflex, C5, C6), 상완요골근반사(brachioradialis reflex, C5, C6), 슬개근반사(patellar reflex, L2, L3, L4), 아킬레스건반사(achilles tendon reflex, S1, S2), 족저반사(바빈스키반사, plantar reflex, L4~S2)].

• 심부건반사 평가점수

해머로 5가지 심부건반사를 검사한다(삼두근, 이두근, 상완요골근, 슬개근, 아킬레스건). 좌우 양쪽의 검사 결과를 비교한다. 2점이 정상이며, 0~4점까지 매겨진다(Table 1-14).

Table 1-14 심부건반사 평가점수

0	반사 없음
1+	반사가 느리거나 감소됨
2+	정상
3+	약간 과도함, 정상보다 빠름, 병증은 아닐 수 있음
4+	아주 과도하고 빠르며 간대성 경련이 나타날 수 있음. 병증임

5) 비정상적 소견

(1) 두 눈이 평행하게 움직이지 않으면 외안근이 약해졌거나, 제3, 4, 6뇌신경 이상을 뜻한다. 안검하수증(ptosis)은 눈의 중증근무력증(ocular myasthenia gravis)에서 나타날 수 있다. 양쪽 또는 한쪽 동공이 확대되는 것은 두개뇌압이 높아져 제3뇌신경을 누르고 있기 때문에 나타난다.

(2) 전도성 난청에서 골전도가 공기전도보다 더 오래 지속된다(BC 〉AC). 감각성 난청에서는 공기전도가 골전도보다 더 오랫동안 지속된다(AC 〉BC).

(3) 연구개나 편도궁(tonsillar pillar)의 움직임이 비대칭이거나, 목젖이 한쪽으로 치우치거나, 구토반사가 없으면 연수의 질환이 의심된다.

(4) 의도진전은 팔다리를 움직일 때 불수의적인 떨림(근육수축)이 일어나고, 움직이지 않으면 떨림이 사라지는 상태를 말한다.

(5) 감각상실은 신경이 눌려서 나타나고, 신경에 염증이 있으면 비정상 감각이 느껴진다. 두개내 악성종양 등으로 두정엽에 압박을 받으면 감각이상이 있게 된다. 당뇨가 있으면 감각이 손실되거나 비정상 감각이 느껴진다.

(6) 하지 조정력 검사 시 뒤꿈치를 무릎 위에 둔 상태에서 앞뒤로 자리를 잡으려 한다. 소뇌질환이 있으면 자세 감각이 없기 때문에 대상자는 뒤꿈치를 무릎에 바로 대지 못하고 높이 든다.

(7) 진동감각 이상은 주로 당뇨병 환자나 뇌졸중 환자, 척수손상 환자에게서 나타난다.

(8) 두 점을 찍었는데 한 점을 찍은 것으로 느껴지면 이는 두정엽이나 감각 신경로에 이상이 있음을 의미한다.

(9) 모노필라멘트를 접촉했을 때 말초감각이 적어진다. 말초신경병증이 있는 당뇨병 환자에게서 나타난다.

(10) 심부건 반사가 척수손상, 칼슘 또는 마그네슘 결핍증, 갑상선기능항진증이 있을 때 과도 반응이 나타나고, 칼슘 또는 마그네슘 과잉증, 갑상선기능저하증, 척수이분증, 길리안바레증후군이 있을 때 과소 반응이 나타난다.

(11) 엄지발가락은 배측굴곡하고 다른 발가락들이 쫙 펴지면 비정상이며 이를 바빈스키반사 양성반응이라 한다. 이는 추체로(운동신경) 질환을 의미한다.

(12) 배측굴곡과 족저굴곡 사이에 율동적인 진동이 있다면 이는 중추신경계의 질환을 나타낸다.

6) 건강 문제

다발성 경화증, 뇌수막염, 뇌염, 척수 손상, 머리 손상, 파킨슨 질환, 뇌졸중, 알츠하이머 질환, 말초신경계 장애 중증 근무력증, 길리안바레증후군

참고문헌

1. 강지연, 이영희 외, 간호사를 위한 건강사정 (2판), 군자출판사, 2019.
2. 윤은자, 김숙영, 서연옥, 이은남, 이은자, 석소현 외, 성인간호학, 현문사, 2019.
3. 이강이, 이영휘, 박정숙, 공은숙, 전은영, 안민정 외, 건강사정, 현문사, 2018.
4. 최정선. 건강사정, 현문사, 1986.
5. Ball J et al: Seidel's guide to physical examination, ed 8, St. Louis, Elsevier Mosby, 2015
6. Barkauskas VH, Baumann LC, Darling-Fisher C.: Health and physical assessment, ed 2, St. Louis, Mosby, 2002.
7. Henry M Seidel et al: Mosby's guide to physical examination, ed 7, St Louis, Mosby, 2011
8. Hill B, Geraci SA.: A diagnostic approach to chest pain based on history and ancillary evaluation. Nurse Pract 23:20-45,1998.
9. Potter PA, et al: Fundamentals of nursing, ed 8, St. Louis, Elsevier Mosby, 2013.

대상자 사정 (Patient Assessment)

가정으로 방문하는 간호사는 다음의 Table 1-15 도구를 활용하여 환자를 사정한다.

Table 1-15 가정에 있는 대상자 사정

일반적 상태					
활력증후	□ 혈압 ___ (mmHg)	□ 맥박 ___ (회/min)	□ 호흡 ___ (회/min)	□ 체온 ___ (℃)	
의식 상태	□ 명료	□ 기면	□ 혼미	□ 반의식	□ 무의식
GCS	□ E	□ M	□ V		
의사소통	□ 원만함	□ 곤란함	□ 불가능함		
정서 상태	□ 안정	□ 불안정	□ 우울	□ 무기력	□ 기타
일상 수행능력	□ 독립적	□ 부분의존적	□ 완전의존적		
ECOG	□ 0	□ 1	□ 2	□ 3	□ 4
근력 정도	우상지 ________	좌상지 ________	우하지 ________	좌하지 ________	
호흡 상태 - 폐음	□ Rt (clear, gruning, wheezing, crackle, rale, decrease)	□ Lt (clear, gruning, wheezing, crackle, rale, decrease)			
호흡 상태 - 호흡곤란	□ 무	□ mlid	□ moderate	□ tolerable	□ severe
호흡 상태 - 기침	□ 무	□ 유			
배설 상태 - 배변 양상	□ 정상	□ 묽은 변	□ 변비	□ 설사	□ 혈변
배설 상태 - 장루	□ colostomy	□ ileostomy	□ jejunostomy		
배설 상태 - 배뇨 상태	□ 자연배뇨	□ Foley catheter	□ Cystostomy	□ CIC	
	□ Diaper voiding	□ Urostomy	□ PCN	□ 기타	
	□ 양상 clear / turbid	□ 색깔 amber / dark yellow / brown / hematuria			
피부 상태	□ 정상	□ 창백	□ 청색증	□ 황달	□ 홍조
	□ 욕창	□ 열상	□ 상처	□ 물집	□ 반점
	□ 발진	□ 찰과상	□ 혈종	□ 흉터	□ 점상출혈
	□ 작열감	□ 발한	□ 불결함	□ 건조	□ 기타
	□ 병변 부위				

일반적 상태					
통증지각	□ 무	□ 유	□ 측정 불가		□ 부위 ________
통증 정도	□ VAS __점	□ mlid	□ moderate	□ tolerable	□ severe
호흡 상태 - 객담	□ 무 / □ 유		□ 색깔 white / yellow / pink / green / BTS		
	□ 양상 묽음 / 진함 / 거품 섞임		□ 정도 거의 없음 / 적음 / 보통 / 많음 / 매우 많음		
호흡 상태 - 산소 사용	□ O2 ______________________ (L/min)				
호흡 상태 - 기계환기	□ Bi-PAP	□ TRILOGY 100	□ INTEGRA	□ CAROT	□ 기타
순환 상태	□ 정상	□ 심계항진	□ 부정맥	□ 심잡음	□ 기타
순환 상태 - 부종	□ 무 / □ 유	□ 부위 ________		□ 정도 1+ / 2+ / 3+ / 4+ / 5+	
영양 상태 - 식이 상태	□ 상식	□ 죽식	□ 미음		□ 금식
	□ 섭취량 ________ (day)	□ 혈당 ________ (mg/dl)		□ 체중 ________ (kg)	
	□ 식욕부진	□ 연하곤란	□ 저작곤란	□ 오심	□ 구토
영양 상태 - 장음	□ 정상	□ 미약	□ 과항진		
복용 중인 약물	□ 처방약		□ 비처방약		
연명 의료	□ 사전연명 의향서	□ 연명의료 계획서		□ 기타	
감염관리	□ VRE	□ CRE	□ HCV, HBV	□ MRSA	□ 기타
주간호인 __________	동거 가족 __________		의사결정자 __________	피교육자 __________	
보험 및 사회보장	□ 노인 요양	□ 차상위	□ 의료급여	□ 건강보험	□ 장애등급
지역사회 자원	□ 보건소	□ 후원회		□ 종교 기관	
방문 주기	□ ______________________ 회, 주 / 월 / 년 / 단기간 / PRN				
기타	□				

[출처: 서울대학교병원 가정간호사업팀 INTAKE TOOL]

투약 사정 (Medication Assessment)

방문을 하여 보면 대상자들이 독거노인이거나 노부부만 사는 경우가 많아지고 있다. 집에서 가족의 도움 없이 약물을 혼자 복용하는 경우, 약물에 대한 지식과 이행 정도가 부족하여 약물 오남용 사례를 자주 접하게 된다. 그러므로 방문 시 오남용 예방관리를 위한 대상자의 투약 사정이 매우 중요하다.

1. 현재 복용 중인 약물을 확인한다.
2. 비처방 약물의 복용을 확인한다.
3. 약물을 확인하여 중복되는 약물은 조정한다.
4. 처방받은 항생제는 모두 복용하도록 안내한다.
5. 약물 농도가 중요한 약은 복용을 확인한다.
6. 약물의 상호 작용을 확인한다.

상호작용의 예

❶ 제산제와 항생제(levofloxacin)를 같이 복용 시 혈중농도가 감소하여 효과가 떨어짐
❷ 고혈압약과 녹내장약을 진통제와 함께 복용하면 약물 효과 감소
❸ 와파린과 티클로피딘 같은 항응고제 복용 시 소염진통제를 추가하면 혈관파열의 위험성
❹ 당뇨 환자가 이뇨제, 스테로이드 복용 시 고혈당 유발
❺ 항경련제, 레보도파를 치매 환자가 복용 시 혼돈 증가와 섬망
❻ 항응고제(warfarin) 복용 시 푸른 잎채소 음식 섭취는 항응고 효과 감소
❼ 항생제와 유제품 섭취 시 화학적 결합으로 치료 효과 감소

7. 의약품과 건강기능 보조식품을 확인한다.
8. 약품의 유효기간을 확인한다.

9. 투약 사정 시 충분한 교육과 상담 시간을 가지고 점검한다.
10. 약물 부작용으로 인한 인지 기능 변화를 고려하여 대상자의 인지 기능 상태를 포함한 정확한 간호 사정과 비 약물적 중재를 확인한다.
11. 투약의 치료 효과 측면에 차이가 없다면 투약시간을 대상자의 일상생활 양식에 맞추어 계획하도록 한다.

투약시간

❶ 모든 약물은 적절한 시간에 투여해야 최대한의 효과를 얻고 부작용을 최소화함
❷ 항생제, 화학요법제, 심혈관 치료제, 신경·정신계 약물은 일정한 치료 혈중농도가 치료에 절대적이므로 정해진 시간에 복용
❸ 진통제, 식욕 촉진제는 약효가 발현하여 최대가 되도록 식전 30분에 복용
❹ 제산제는 공복 시 위산의 농도가 최대이므로 식후 2시간에 복용
❺ 위 점막을 자극하는 약물은 식사 직후에 복용

12. 대상자의 약물 복용 순응도를 높이기 위한 계획을 수립한다.
    1) 대상자가 약물 요법을 이행할 수 있는지 신체적, 정신적 능력을 파악한다.
    2) 약물을 정기적으로 점검하여 불필요한 약물을 장기간 복용하지 않도록 한다.
    3) 대상자가 치료의 중요성을 이해하고 있는지 확인한다.
    4) 약물요법 처방을 단순화한다(가능하다면 1일/1회, 약 복용 스케줄은 일상생활과 통합).
    5) 약 복용 방법을 이해하고 있는지 확인한다.
    6) 대상자에게 맞춘 글씨 크기와 글씨체로 작성한 복약 지침을 제공한다.
    7) 자가주사제는 직접 확인 후 약품 사용 방법을 시범으로 보여준다(인슐린 자가주사 Fig 1-51, 벤톨린 흡입기).
    8) 투약 스케줄을 기억할 수 있도록 돕는다[복약 달력 Fig 1-52, 복약일지, 복약 알리미(핸드폰, 앱), 약통].
    9) 경제적 혜택을 고려한다(보험급여 항목 확인, 활용할 수 있는 지원 프로그램 정보 제공).
13. 약물 자가 관리를 돕기 위한 약물 교육을 실시한다.
    1) 복약 교육 기록지에 포함시켜야 할 정보를 확인한다.

확인할 내용

처방약, 일반 의약품, 약품 이름, 투약시간과 횟수, 주의사항, 투약 효과, 투약해야 하는 이유, 부작용, 부작용 대처, 투약을 잊었을 때 대처사항

2) 가정에서 복약일지를 작성할 수 있도록 한다(가정에서 복약 중 발생하는 신체적인 문제, 알레르기, 건강상 문제).

3) 투약 오류를 줄이는 방법을 제공한다.

(1) 여러 약 복용 시 섞지 않고 분리한다.

(2) 병마개가 쉽게 열 수 있는 것인지 확인한다.

(3) 주 돌봄 제공자를 약물교육에 참여시킨다.

(4) 투약 준비는 밝은 조명 아래에서 준비한다.

(5) 약 라벨은 지워지지 않게 코팅으로 보호한다.

(6) 시력장애 시 라벨을 큰 검은색 글씨체로 기록한다.

(7) 침전이 생기는 약물은 흔들어서 복용하도록 한다.

(8) 물약의 용량 확인은 눈높이에서 표면 하단을 측정한 후 따른다.

(9) 인지능력이나 기억력 장애 시 간단하고 분명하게 설명하고 이해 정도를 확인한다.

(10) 정확한 약 보관 방법을 교육한다(Nitroglycerin, Gargle 등은 환자 침상 곁에 보관).

Fig 1-51

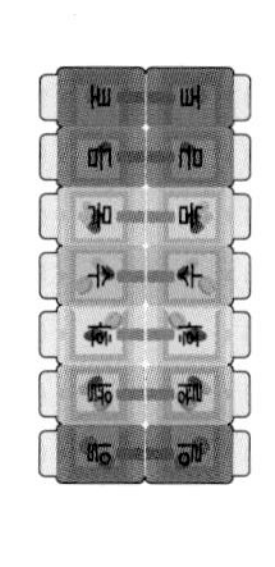

Fig 1-52

환경 사정 (Environment Assessment)

가정에 있는 환자의 안전사고는 예방될 수 있는 것들이 대부분이다. 가정으로 방문하는 간호사는 환자의 주변 환경 중 침실, 거실, 화장실을 사정하고 잠재적 위험성을 사정한다. 안전한 환경 유지를 위하여 Table 1-16 도구를 활용하여 사정한다.

Table 1-16 가정안전 평가 도구

	침실
❶	정리되지 않은 공간
❷	바닥에 나와 있는 전선
❸	위험한 카펫(평평하지 않은, 찢어진, 말린)
❹	작은 융단 및 양탄자(미끄럽거나 평평하지 않은)
❺	침대 높이(너무 높거나 낮음)
❻	침대 근처의 전화기 부재
❼	야간 조명 부재(예 : 취침등)
❽	물건을 잡기에 어려움을 주는 배치(리모컨, 전화기 등)
❾	침대에 눕거나 나올 때 사용하는 보조 도구의 부족(지팡이, 난간 등)

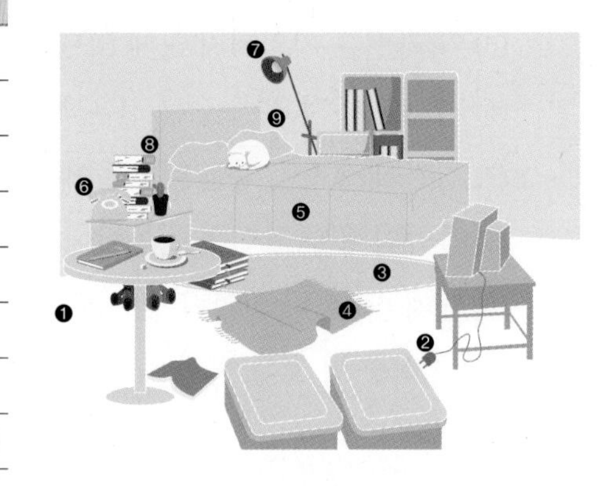

	거실
❶	작은 융단 및 양탄자(미끄럽거나 평평하지 않은 카펫)
❷	정리되지 않은 바닥
❸	바닥에 나와 있는 전선
❹	어두운 조명
❺	불안정한 가구의 존재(파손되거나 흔들리는)
❻	불안정한 의자(너무 낮거나 높은, 팔걸이가 없는)
❼	접근이 어려운 조명 전원
❽	움직일 수 있는 공간 부족(협소한 이동 공간)

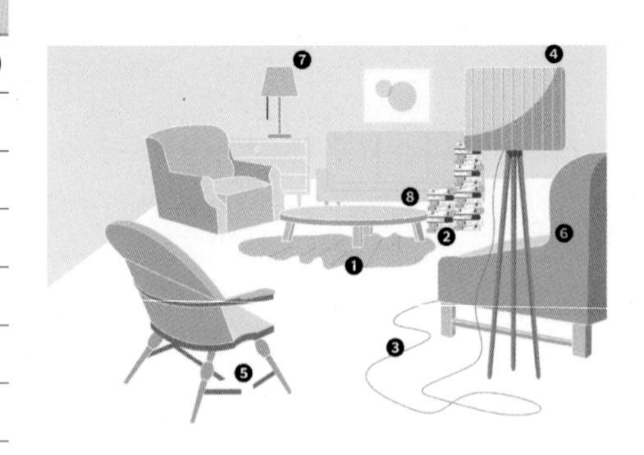

	화장실
❶	위험한 발수건(미끄럽거나 말려 있는)
❷	욕조 내 손잡이 부재
❸	샤워실 내 손잡이 부재
❹	변기 근처의 손잡이 부재
❺	너무 높거나 낮은 변기
❻	미끄러운 욕조(욕조 매트 부족 등)
❼	들어가기에 높은 욕조
❽	샤워 공간 내 의자 부족(샤워 및 목욕의자)
❾	정리되지 않은 공간
❿	잘못 설치된 손잡이(올바르지 않은 위치와 각도)

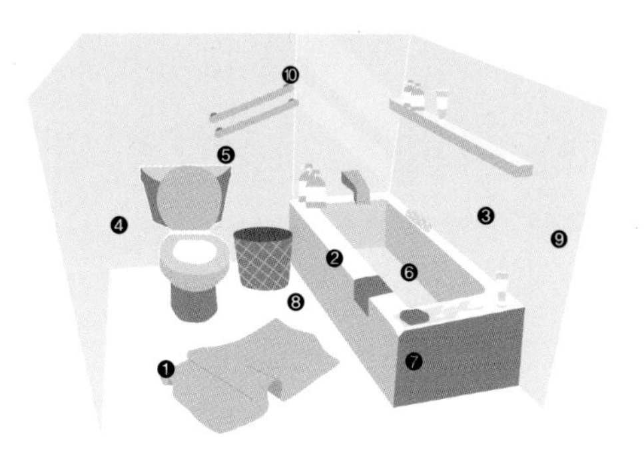

참고문헌

1. 가정 방문간호 핸드북, 유호신 등, 군자출판사, 2010.
2. 가정간호 총론, 유호신 등, 군자출판사, 2008.
3. 가정전문간호사를 위한 간호과정, 포널스, 2010.
4. 박상기, 김희, 유두한, 차태현, 한국어판 가정안전 자가 평가도구(K-HSSAT)의 타당도 및 신뢰도 연구, 대한작업치료학회지, 25(3), 117-130, 2017.
5. 박영임, 이강이, 김동옥, 엄동춘, 김지현, 지역사회 노인의 약물 복용실태와 약물관리 프로그램의 효과, 지역사회 간호학회지, 25(3) 173-179, 2014.
6. 윤숙희, 김옥현, 김증임, 장미영, 채선옥 외, 노인간호학, 수문사, 2017.
7. 윤은자, 황윤영, 전미순, 유승미, 권영미, 김희정, 이영미, 장은실 외, 노인간호학, 수문사, 2018.
8. 의료기관가정간호사업 업무편람, 2010.

제 2 장

영양관리

Nutritional Management

I

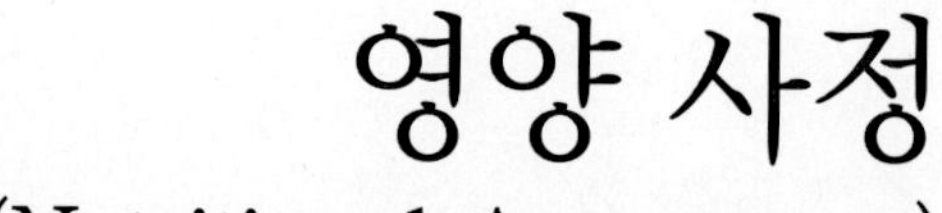

영양 사정 (Nutritional Assessment)

1_ 영양 사정

가정에 있는 대상자의 영양 문제를 진단하기 위하여 포괄적인 접근이 요구된다. 영양 사정의 목적은 영양부족이나 영양결핍이 발생할 가능성이 있는 대상자를 확인하고, 영양 부족을 예방하거나 최소화하기 위한 영양섭취 계획과 영양에 대한 간호중재의 효과를 평가하기 위한 기초자료를 수집하는 것이다.

환자의 영양관리를 위하여 정확한 영양상태 평가가 선행되어야 하나 장기간 와상이나 거동 불편, 감염병의 유행으로 영양상태의 기본 지표인 신장과 체중 측정의 어려움이 있다. 가정에 있는 대상자의 영양상태를 사정하는 방법과 간접적으로 측정하는 도구를 살펴보고자 한다.

2_ 간호 사정

1) 주관적 자료

(1) 식습관의 변화

(2) 소화기계 변화: 식욕, 맛, 음식 알레르기, 저작, 연하의 변화, 오심, 구토, 설사, 변비

(3) 질환 관련: 만성 질환, 최근의 수술, 외상, 화상, 감염

(4) 투약, 영양보충제의 복용

(5) 일상생활에서의 기능 상태 변화

(6) 자가간호 행위, 운동과 활동 양상

(7) 알코올 섭취

(8) 사회 경제적 요인(음식을 준비하고 구입하는 사람, 돌보는 사람, 가족들의 도움)

(9) 심리적 요인

(10) 최근 의복 크기의 변화

2) 객관적 자료

(1) 신체검진

① 구강 및 치과 상태

② 연하곤란

③ 복수, 부종의 유무

④ 모발의 변화

⑤ 피부 통합성의 변화(욕창, 상처)

⑥ 치료 중인 질환, 수술 기록(소화기계)

⑦ 알레르기 및 과민증

⑧ 육안으로 피하지방 소실과 근육 소실 확인

a. 피하지방: 안와지방 패드(orbital fat pads), 삼두 피부 접힘(triceps skin fold), 아랫갈비 위의 지방(fat overlying lower ribs)의 소실을 확인한다(Fig 2-1).

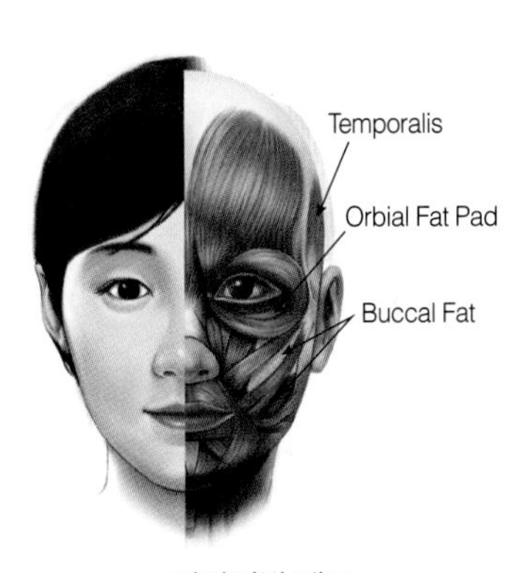

안와지방 패드

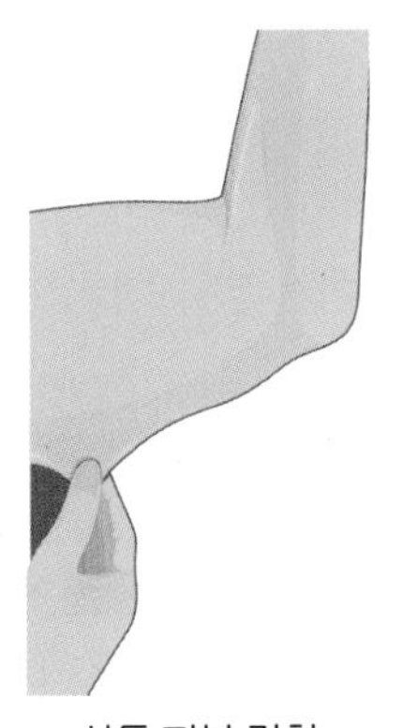

삼두 피부 접힘

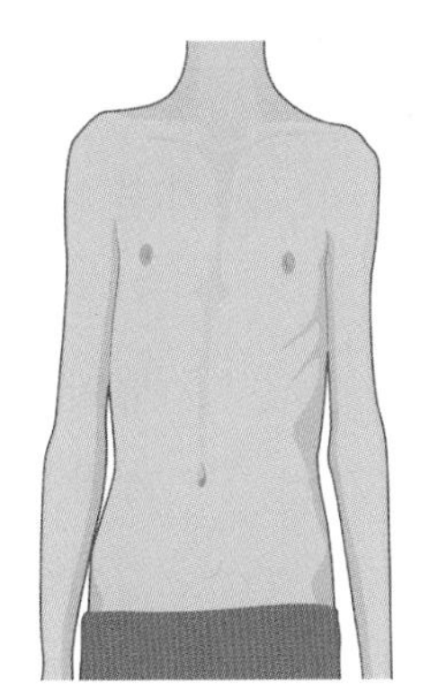

아랫갈비 위의 지방

Fig 2-1 피하지방 소실 부위

b. 근육: 관자근육(temporalis muscle), 쇄골(clavicles), 어깨(shoulders) 근육간(interosseous muscles), 견갑골(scapula), 허벅지(thigh), 종아리(calf) 근육의 소실을 확인한다(Fig 2-2).

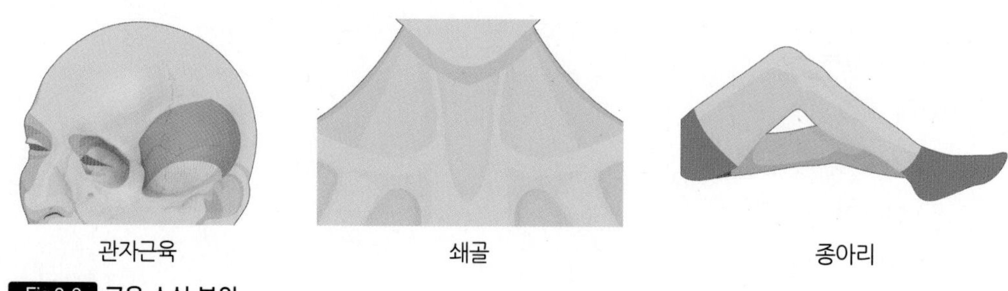

Fig 2-2 **근육 소실 부위**

(2) 신체계측

영양상태의 사정을 위해서 절대적 지표인 키와 체중의 측정이 필요하나, 가정에 있는 대상자의 경우 거동이 안 되거나 와상 상태로 측정이 어려울 수 있다. 간접적으로 영양상태를 측정하는 방법이 도움이 된다.

① 키

a. 가정에 있는 대상자의 경우 키 측정이 어려우므로 가장 최근의 병원 기록 등이 있다면 참고한다.

b. 키 측정

- 키를 측정할 수 없는 경우 척골의 길이나 무릎의 높이로 키를 추정하는 방법이 있으나, 외국인의 체형에 맞게 개발된 도구이다.
- 척골 길이로 추정하는 것으로, 팔꿈치 돌기~손목의 돌출 부위(styloidprocess) 길이를 측정한다. 이는 Fig 2-3 에 나타나 있으며, Table 2-1 의 참고치를 활용하여 키를 추정한다.
- 무릎의 높이를 통해 키를 추정하는 방법으로, 왼쪽 무릎에서 바닥의 길이를 측정하는 방법은 Fig 2-4 에 나타나 있으며 Table 2-2 의 참고치를 활용하여 키를 추정한다.

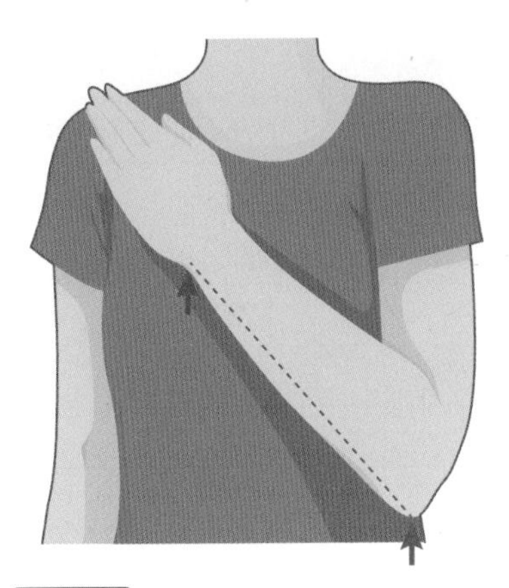

Fig 2-3 척골 길이

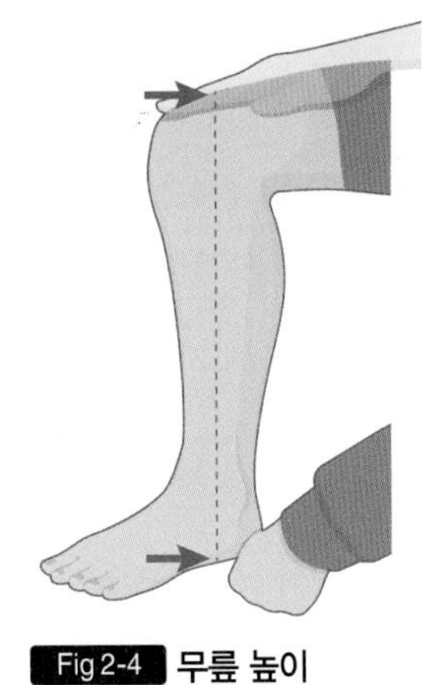

Fig 2-4 무릎 높이

Table 2-1 척골 길이로 추정하는 키

척골 길이(cm)	추정 키(m)			
	남자 < 65세	남자 > 64세	여자 < 65세	여자 > 65세
18.5	1.46	1.45	1.47	1.4
19	1.48	1.46	1.48	1.42
19.5	1.49	1.48	1.5	1.44
20	1.51	1.49	1.51	1.45
20.5	1.53	1.51	1.52	1.47
21	1.55	1.52	1.54	1.48
21.5	1.57	1.54	1.55	1.5
22	1.58	1.56	1.56	1.52
22.5	1.6	1.57	1.58	1.53
23	1.62	1.59	1.59	1.55
23.5	1.64	1.6	1.61	1.56
24	1.66	1.62	1.62	1.58
24.5	1.67	1.63	1.63	1.6
25	1.69	1.65	1.65	1.61
25.5	1.71	1.67	1.66	1.63
26	1.73	1.68	1.68	1.65
26.5	1.75	1.7	1.69	1.66

척골 길이(cm)	추정 키(m)			
	남자 < 65세	남자 > 64세	여자 < 65세	여자 > 65세
27	1.76	1.71	1.7	1.68
27.5	1.78	1.73	1.72	1.7
28	1.8	1.75	1.73	1.71
28.5	1.82	1.76	1.75	1.73
29	1.84	1.78	1.76	1.75
29.5	1.85	1.79	1.77	1.76
30	1.87	1.81	1.79	1.78
30.5	1.89	1.82	1.8	1.79
31	1.91	1.84	1.81	1.81
31.5	1.93	1.86	1.83	1.83
32	1.94	1.87	1.84	1.84

Table 2-2 무릎 높이로 추정하는 키

키 (m)	남자(18~59 years)	1.94	1.93	1.92	1.91	1.90	1.89	1.88	1.87	1.865	1.86	1.85	1.84	1.83	1.82	1.81
	남자(60~90 years)	1.94	1.93	1.92	1.91	1.90	1.89	1.88	1.87	1.86	1.85	1.84	1.83	1.82	1.81	1.80
	무릎 길이(cm)	65.0	64.5	64.0	63.5	63.0	62.5	62.0	61.5	61.0	60.5	60	59.5	59	58.5	58.0
키 (m)	여자(18~59 years)	1.89	1.88	1.875	1.87	1.86	1.85	1.84	1.83	1.82	1.81	1.80	1.79	1.78	1.77	1.76
	여자(60~90 years)	1.86	1.85	1.84	1.835	1.83	1.82	1.81	1.80	1.79	1.78	1.77	1.76	1.75	1.74	1.73
키 (m)	남자(18~59 years)	1.80	1.79	1.78	1.77	1.76	1.75	1.74	1.73	1.72	1.71	1.705	1.70	1.69	1.68	1.67
	남자(60~90 years)	1.79	1.78	1.77	1.76	1.74	1.73	1.72	1.71	1.70	1.69	1.68	1.67	1.66	1.65	1.64
	무릎 길이(cm)	57.5	57.5	56.5	56.0	55.5	55.0	54.5	54.0	53.5	53.0	52.5	52.0	51.5	51.0	50.5
키 (m)	여자(18~59 years)	1.75	1.74	1.735	1.73	1.72	1.71	1.70	1.69	1.68	1.67	1.66	1.65	1.64	1.63	1.62
	여자(60~90 years)	1.72	1.71	1.70	1.69	1.68	1.67	1.66	1.65	1.64	1.63	1.625	1.62	1.61	1.60	1.59
키 (m)	남자 (18~59 years)	1.66	1.65	1.64	1.63	1.625	1.62	1.61	1.60	1.59	1.58	1.57	1.56	1.555	1.55	1.54
	남자(60~90 years)	1.63	1.62	1.61	1.60	1.59	1.58	1.57	1.56	1.55	1.54	1.53	1.52	1.51	1.49	1.48
	무릎 길이(cm)	50.0	49.5	49.0	48.5	48.0	47.5	47.0	46.5	46.0	45.5	45.0	44.5	44.0	43.5	43.0
키 (m)	여자(18~59 years)	1.61	1.60	1.59	1.585	1.58	1.57	1.56	1.55	1.54	1.53	1.52	1.51	1.50	1.49	1.48
	여자(60~90 years)	1.58	1.57	1.56	1.55	1.54	1.53	1.52	1.51	1.50	1.49	1.48	1.47	1.46	1.45	1.44

② 체중

a. 최근의 체중 측정 기록이 있다면 참고

b. 보호자가 앉고 측정

c. 휠체어 체중계를 사용하여 측정

d. 리프트 체중계를 사용하여 측정

③ 신체계측을 이용한 간접적인 영양상태 측정

a. 키와 체중의 측정이 어렵다면 Malnutrition Universal Screening Tool (MUST)을 사용하여 영양상태를 간접적으로 추정한다.

b. 중간 상부 팔 둘레(Mid upper arm circumference, MUAC) 측정으로 환자의 영양상태에 대한 BMI 범주를 추정하는 데 사용한다.

c. 상완은 신체의 측면에 평행하게 유지하고 팔은 팔꿈치에서 90° 각도로 구부린 자세로 측정한다. 어깨의 뼈 돌출부(acromion)와 팔꿈치 지점(olecranon process) 사이의 거리를 측정하여 중간점을 Fig 2-5 와 같이 표시한다.

※ 대상자의 팔이 편안한 상태에서 줄자가 팽팽하지 않은지 확인하고 중간 지점에서 팔 둘레를 측정한다.

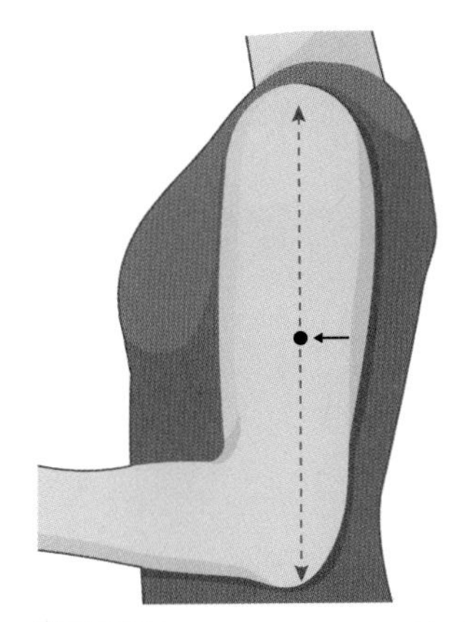

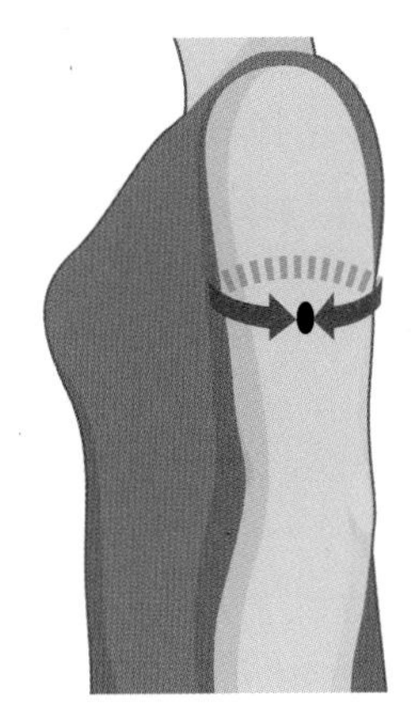

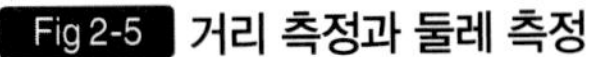

Fig 2-5 거리 측정과 둘레 측정

* 결과 해석

MUAC가 23.5 cm 이하이면 BMI가 20 kg/m^2 이하일 가능성이 높다.

MUAC가 32.0 cm보다 크면 BMI는 30 kg/m^2보다 클 수 있다.

(3) 임상검사

① 일반 혈액 검사(CBC)

② 일반 화학 검사(Admission panel)

③ 혈청 전해질(Electrolyte)

④ 혈청 질소, 크레아티닌(BUN/Creatinine)

⑤ 간 기능 검사(LFT)

⑥ 감염 지표(ESR, CRP)

⑦ 미량원소, 비타민 검사(Zn, Cu, Se, Iron, TIBC, Ferritin, Vitamin B_1, Vit B_{12})

(4) 가정에서 사용 가능한 영양 사정 도구

환자의 키와 체중에 대한 자료가 없거나 측정이 불가능한 경우, 사용할 수 있는 가정간호 대상자 영양상태 평가 도구(nutrition assessment tool)(Table 2-3)와 노인 환자의 영양 스크리닝을 위해 사용하는 간이영양 사정(mini nutritional assessment, MNA)(Table 2-4)을 이용한다.

① 가정간호 대상자 영양상태 평가 도구(nutrition assessment tool)

a. 가정간호 대상자를 위한 영양평가 도구

b. 신체계측, 식이섭취, 임상조사 3개 항목 22개 지표

c. Level II 의 갯수에 따라 영양상태 평가

Table 2-3 **가정간호 대상자 영양상태 평가 도구**(nutrition assessment tool)

항목	영역과 수준	Level I		Level II	
신체계측	상완 위 근육 둘레 (상완 위 둘레:)	≥70%tile	□	<70%tile	□
	상완삼두근 피부 두 겹 두께	≥30%tile	□	<30%tile	□
식이섭취 (지난 1주 동안)	식이 섭취 유형	죽/밥/상업용 제품	□	정맥영양/미음/물/금식	□
	식욕	있음	□	없음	□
	식이량	섭취 변화 없음	□	섭취 변화 있음(감소)	□
	오심/구토	없음	□	있음	□
	설사	없음	□	있음	□
	단백질 군 섭취	한 번 이상 섭취/하루	□	전혀 섭취 안 함	□
	야채, 과일 섭취	한 번 이상 섭취/하루	□	전혀 섭취 안 함	□
임상조사	전체적인 외모	피부색이 균일하고 건강한 모습	□	몹시 야윈 모습으로 피부가 창백하고 건조하며 거침	□
	부종	없음	□	있음	□

영양상태 평가

분류	수준	문제 수준	문제 사정
양호	□	환자의 영양상태가 양호함, 가정전문간호사의 지속적인 영양 평가와 영양교육 및 영양상담의 영양 중재가 필요한 상태	Level II가 4개 이하로 평가된 경우
영양불량	□	환자의 영양상태가 불량함, 가정전문간호사와 임상 영양사의 집중적인 영양관리가 필요한 상태	Level II가 5개 이하로 평가된 경우

② 간이영양 사정(mini nutritional assessment, MNA)

a. 가정간호, 노인복지 의료기관, 노인 병동 등에서 사용

b. 체질량지수, 체중 감소, 주거환경, 식사습관, 약물복용, 질환 유무, 건강과 영양상태의 본인 인지도를 포함한 18개 항목

Table 2-4 **간이영양 사정**(mini nutritional assessment, MNA)

※ 해당사항에 체크하십시오. 선별 점수가 11점 미만이면 평가를 진행하십시오.

선 별				
A. 지난 3개월 동안 밥맛이 없거나, 소화가 잘 안 되거나, 씹고 삼키는 것이 어려워서 식사량이 줄었습니까?				
0 많이 줄었다	**1** 조금 줄었다	**2** 변화 없다		□
B. 지난 3개월 동안 몸무게가 줄었습니까?				
0 3 kg 이상 감소	**1** 모르겠다	**2** 1 kg~3 kg 감소	**3** 변화 없다	□
C. 거동 능력				
0 외출 불가, 침대나 의자에서만 생활 가능	**1** 외출 불가, 집에서만 활동 가능	**2** 외출 가능, 활동 제약 없음		□
D. 지난 3개월 동안 정신적 스트레스를 경험했거나 급성 질환을 앓았던 적이 있습니까?				
0 예	**2** 아니오			□
E. 신경 정신과적 문제				
0 중증 치매나 우울증	**1** 경증 치매	**2** 없음		□
F. 체질량지수(Body Mass index, kg/㎡)				
0 BMI < 19	**1** 19 ≦ BMI < 21	**2** 21 ≦ BMI < 23	**3** BMI ≧ 23	□
*** 선별점수(총 14점)**				
12~14점 □ 정상	8~11점 □ 영양불량 위험 있음	0~7점 □ 영양불량		
보다 심도 있는 평가를 위해, 질문 G~R로 계속 진행하십시오.				

평 가			
G. 혼자 살고 있습니까?(병원 또는 요양원 제외)			
0 예	**2** 아니오		□
H. 하루 3가지 이상의 약을 복용하십니까?			
0 예	**2** 아니오		□
I. 압박 궤양(욕창) 또는 피부궤양			
0 예	**2** 아니오		□
J. 하루에 몇 회 식사를 하십니까?			
0 1회	**1** 2회	**2** 3회	□
K. 단백질식품 섭취량			
• 매일 1회 이상 유제품(우유, 치즈, 요거트) 섭취	예 □	아니오 □	
• 주 2회 이상 콩류 또는 계란 섭취	예 □	아니오 □	
• 매일 육류, 생선 또는 가금류 섭취	예 □	아니오 □	
0.0 '예'가 0 또는 1개	**0.5** '예'가 2개	**1.0** '예'가 3개	□.□

평 가				
L. 하루에 2회 이상 과일류 또는 채소류를 섭취하십니까?				
0 아니오	**1** 예			□
M. 하루에 물과 음료(주스, 커피, 차, 우유 등)를 얼마나 섭취하십니까?				
0.0 3컵 미만	**0.5** 3~5컵	**1.0** 5컵 이상		□.□
N. 혼자서 식사할 수 있습니까?				
0 다른 사람 도움 필요	**1** 혼자 식사 가능하나 도움 필요	**2** 혼자 식사 가능		□
O. 본인의 영양상태에 대해 어떻게 생각하십니까?				
0 좋지 않다	**1** 잘 모르겠다	**2** 좋다		□
P. 본인의 건강 상태는 비슷한 연령의 다른 사람들과 비교하여 어떻습니까?				
0.0 좋지 않다	**0.5** 잘 모르겠다	**1.0** 좋다	**2.0** 자신이 더 좋다	□.□
Q. 상완 위 둘레(mid-arm circumference, cm)				
0.0 MAC < 21	**0.5** 21 ≤ MAC < 22	**1.0** MAC ≥ 22		□.□
R. 종아리둘레(Calf circumference, cm)				
0 CC < 31	**3** CC ≥ 31			□
평가(총 16점)		□□.□		
선별 점수		□□.□		
총 평가점수(총 30점)		□□.□		
* 영양불량 지표 점수(Malnutrition Indicator Score)				
24~30점 □ 정상	17~23.5점 □ 영양불량 위험 있음	<17점 □ 영양불량		

3_ 간호 문제

1) 감염
2) 감염 위험
3) 연하장애
4) 안위 변화
5) 지식 부족
6) 영양불균형
7) 기도 흡인 위험

4_ 간호 목표

1) 영양결핍 증상이 없다.
2) 정상 범위 내의 체중을 유지한다.
3) 정상적인 검사 결과와 함께 점차적으로 체중이 증가한다.

참고
문헌

1. 김경례: 가정간호대상자 영양상태 평가도구 개발, 대한간호학회지, 34(6): 1014-1024, 2004.
2. 임경춘 외: 건강사정 7th edition, p121~136, 서울, 정담미디어, 2016.
3. Elaine Arthur, RD, LD, LDN; Mandy L. Corrigan, MPH, RD, LD, CNSC;
4. Kathleen Hammond, MS, RN, RD, LD; Debra S. Kovacevich, RN, MPH;
5. Kevn McNamara, PharmD, CNSC; Jack A. Pasquale: A.S.P.E.N. Standards for Nutrition Support: Home and Alternate Site Care, Nutrition in Clinical Practice, Volume 29 Number 4:542-555, 2014.
6. Persson, Margareta D, et al: Nutritional status using mini nutritional assessment and subjective global assessment predict mortality in geriatric patients. Journal of the American Geriatrics Society, 2002.
7. Sharon M. Durfee, RPh, BCNSP; Stephen C. Adams, MS, RPh, BCNSP;
8. Stephen J.D. O'Keefe. O'Keefe, Stephen J.D.: The Principles and Practice of Nutritional Support. New York, Springer, 2015.

참고
사이트

1. British Association for Parenteral and Enteral Nutrition (BAPEN): The "MUST" explanatory booklet, UK, BAPEN, 2013. Available from: URL: http://www.bapen.org.uk/screening-formalnutrition/must/introducing-must

2. Practical guidance for using 'MUST' to identify malnutrition during the COVID-19 pandemic Malnutrition Action Group (MAG) update. Available from: URL: https://www.bapen.org.uk/screening-and-must/must-calculator

연하곤란식이 (Dysphagia Diet)

1_ 연하장애

연하장애는 '삼키는 과정에 문제가 생겨 입으로 먹기가 어려운 상태'로 정의되며, 구강 내의 음식물들이 효과적으로 위장관에 전달되지 않거나 삼키는 경로 이외의 다른 경로로 음식물이 내려가는 경우를 말한다. 연하는 연하와 관련된 근육의 활동, 뇌신경의 조절, 감각, 인지, 정서적 자극의 협동 과정으로 발생한다.

연하장애는 '질병'이 아닌 '장애'로, 많은 질환에 의하여 발생할 수 있다. 먼저, 기능적 원인으로 중추신경이나 말초신경의 문제, 근육 질환, 방사선 치료나 항암치료 후에 나타날 수 있다. 그리고 구조적 결함으로는 방사선 치료나 항암치료 후의 급성 염증, 구강, 인두, 후두, 식도의 암 또는 수술적 제거 후에 발생할 수 있다. 연하장애로 흡인에 의한 폐렴, 질식, 영양실조, 탈수, 삶의 질 저하와 같은 문제가 발생할 수 있다.

2018년 통계청 자료에 의하면 고체 및 액체에 의한 폐렴으로 진료한 인원은 500개의 질환 중 상위 20% (158위) 안에 포함되며 지불된 진료비는 전체 500개 질환 중 63위로 나타났다. 연하장애 환자가 음식물 섭취 시 10% 이상이 흡인되거나, 10% 이하이지만 환자가 흡인을 감지하지 못하면 구강 섭취를 중단하는 것을 고려해야 한다. 또한 음식을 입에 넣고 구강기와 인두기 연하의 시간이 모든 음식에서 10초 이상 지연되는 경우 정확한 진단을 위한 검사 등을 시행하여야 한다. 정확한 진단을 통해 구강으로 음식 섭취, 비위관 혹은 경피적 위루술의 시행 여부를 선택하는 것도 연하장애 치료를 위해 중요한 결정이다.

2_ 간호 사정

1) 병력 청취

환자에게 나타나는 연하장애의 대표적인 증상은 기도 흡인과 관련되어 식사 도중 혹은 식사 후의 기침이나 사레 걸림이다. 식사 시 얼굴을 찌푸림, 식사 전·후 목소리 변화 등의 증상도 나타날 수도 있다. 연하장애의 치료를 위해 정확하게 진단하는 것이 중요하며, 병력 청취는 연하장애의 평가에서 가장 기본적이며 필수적이다. 가정으로 방문하는 간호사는 환자의 연하장애를 위한 병력 청취를 자세하게 하고, 식사하는 모습을 직접 관찰하여 정보를 얻는 것도 중요하다. Table 2-5와 같은 연하장애 선별을 위한 점검표를 활용한다.

Table 2-5 연하장애 선별을 위한 점검표

1. 반복적인 폐렴		
2. 다음의 병력 여부	① 부분 후두 절개술	② 구강 내 구조물 절제
	③ 두경부 방사선 치료	④ 저산소증
	⑤ 파킨슨병	⑥ 중증근무력증
	⑦ 운동신경원 질환	⑧ 연수침범 소아마비
	⑨ 뇌졸중, 특히 뇌간	⑩ 길랑바레증후군
	⑪ 후두부 손상	⑫ 전방 경추 고정술
3. 기도삽관 혹은 기관절개술 여부		
4. 심한 호흡 기능 문제		
5. 식사 후 음질의 변화		
6. 식사 전후 기침		
7. 침 분비물 처리 조절 장애		
8. 잘 삼키지 않는 경우		
9. 기도 분비물이 계속해서 많은 경우		
10. 음식 혹은 침을 삼킬 때 다음의 증상이 있는지?	① 호흡 장애	② 분비물 증가
	③ 음성변화	④ 소량씩 여러 번 나누어 먹는지
	⑤ 후두 거상이 잘 안되는지	⑥ 헛기침
	⑦ 기침	⑧ 심한 피로감

Table 2-6 은 환자에게 나타나는 증상과 증상에 따라 점검을 빠르게 해야 하는 경우, 원인 파악이 필요한 경우, 지속적으로 점검이 필요한 경우에 대한 것으로 가정에 있는 대상자에게 적용이 가능하다.

Table 2-6 연하장애가 의심되는 증상과 대응

빠른 점검 필요	원인 파악	지속적 점검 필요
음식물/액체 섭취 시 심한 기침, 질식, 청색증	입에서 음식물이 흘러내림	구강 건조
	식사 시간이 오래 걸림	구강 위생 불량
음식물/액체가 코로 나옴	음식물 점도에 불만	음식물의 역류
침 흘림이 심함	식사 시 얼굴을 찌푸림	체중 감소
	식사 전·후 목소리 변화	

환자들에게 실제로 기도 흡인이 있으나 기침 반응이 없는 경우 무증상 흡인(silent aspiration)이 나타날 수 있다. 환자가 음식물을 흡인하였을 때 감지하고 적절하게 배출할 수 있는 능력이 떨어진 경우에 나타날 수 있으므로 다른 증상이나 병력, 연하 기능의 정확한 평가를 고려하는 것이 중요하다.

2) 신체검사

신체검사에는 의식 수준, 호흡 상태, 체온 측정, 연하 기능과 관련이 있는 뇌신경 검사, 인지 기능, 체중 측정이 포함되어야 한다. 특히 구강의 구조적인 문제를 확인하면서 구강 위생과 치아 우식증, 타액의 점도를 점검하는 것이 중요하다. Fig 2-6 과 같이 혀나 목젖이 중앙에서 한쪽으로 치우쳐져 있는지 확인한다.

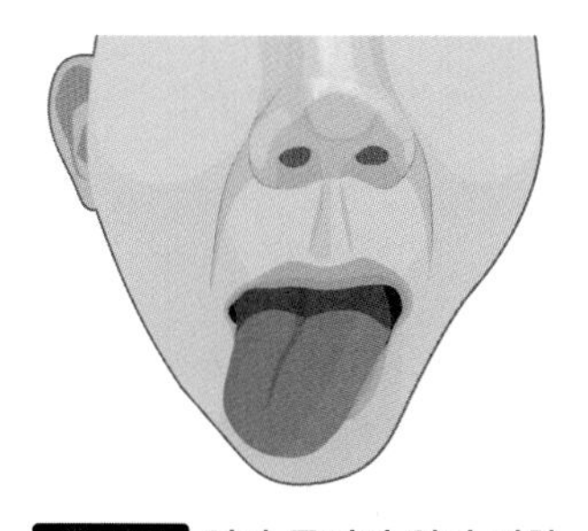
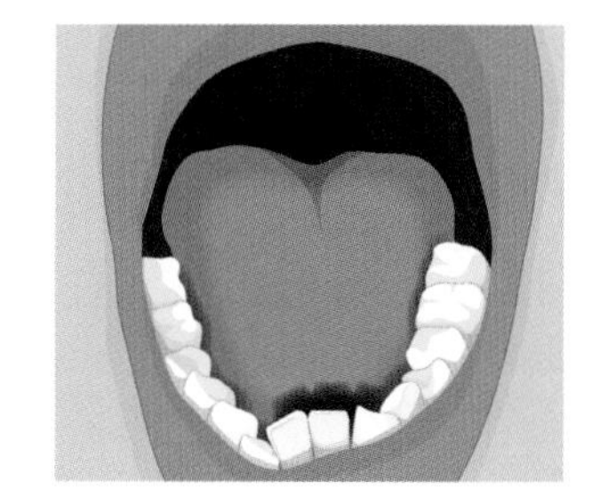

Fig 2-6 혀와 목젖의 위치 변화

3) 침상 선별검사

가정에서 시행하는 간단한 검사로, 물을 마시게 하고 기침이나 목소리의 변화가 나타나는지 검사한다. 의사소통이 어려운 환자에게도 검사를 할 수 있으며, 의식 수준이 약간 떨어지고 침대에 누워 있는 환자에게도 적용이 가능하다.

4) 비디오 투시 연하 검사

비디오 투시 연하 검사(videofluoroscopic swallowing study, VFSS)는 바륨을 섞은 음식물이나 물을 삼키는 동안 비디오 투시 촬영을 하여 기능적인 연하 과정을 촬영한다. 환자의 증상을 유발하는 해부학적, 생리학적 이상 소견을 알려주고 검사 결과에 따른 치료식이 등의 정보를 제공한다. 그러나 검사를 위해서 병원을 방문해야 하며 이동이 어려운 환자와 앉는 자세의 유지가 어려운 환자는 시행하기 어렵다. 내시경 연하 검사(fiberoptic endoscopic evaluation of swallowing, FEES)는 굴곡형 내시경을 통해 해부학적, 생리학적 구조를 파악하고 음식을 삼키는 동안의 연하 기능을 평가할 수 있다. 추가로 대상자의 머리 위치, 자세 변경, 삼킴 방법의 변화 등 치료 방법을 적용하며 효과를 확인할 수 있다. 이동이 어려운 환자에게 반복적으로 시행할 수 있다.

3_ 간호 문제

1) 연하장애
2) 감염 위험
3) 안위 변화
4) 영양불균형
5) 흡인의 위험

4_ 간호 목표

1) 적절한 영양상태를 유지한다.
2) 수분과 전해질 균형을 유지한다.
3) 정상적인 가스교환 상태를 유지한다.
4) 정상적인 검사 결과와 함께 체중이 증가한다.

5_ 간호 수행

연하장애 치료의 목표는 안전하게 영양과 수분을 공급하는 것과 폐렴이나 질식 등의 합병증이 없도록 안전을 확보하는 것이다. 연하장애의 치료에는 자세 변화, 감각자극의 증강, 연하 수기, 식이점도 조절, 연하운동, 전기자극 치료, 수술적 치료가 있으며 환자의 상태와 연하장애의 종류 또는 심한 정도에 따라 치료법을 적용한다. 가정으로 방문하는 간호사는 연하곤란 식이와 식이점도 조절에 대해 교육한다.

1) 연하곤란식이

연하곤란식이는 연하장애의 치료 중 중요하며 많이 쓰이는 치료방법으로, 음식을 효율적으로 섭취하는 것과 안전하게 삼키는 것을 고려하면서 대상자에게 접근하는 것이 중요하다. 연하곤란식이는 유동식의 점도를 높이거나 고형식의 재질을 조절하여 환자에게 적용한다. 유동식은 점도가 증가하므로 흡인의 위험이 감소하지만, 높은 점도는 삼키는 과정에서 음식이 입천장과 입안에 남는 경우가 증가하여 잔류물에 의한 흡인의 위험이 있으므로 항상 안전한 방법은 아니다. 또한 매운 음식 등 자극적인 음식의 흡인은 환자에게 고통스럽고 합병증을 일으킬 수 있으므로 제공하지 않는다. Table 2-7은 널리 인용되는 미국영양협회(American Dietetic Association)의 연하장애 식이분류체계(National Dysphagia Diet, NDD)이다.

Table 2-7 **연하장애 식이분류체계(National Dysphagia Diet, NDD)**

단계	1단계	2단계	3단계
기준 점도	푸딩, 마요네즈	꿀, 요플레	토마토 주스
고형식	갈은 음식	다진 음식	잘게 썬 음식
정의	균일하고 매우 응집력이 있는 푸딩과 같은 성상, 거의 씹을 필요가 없음	응집력이 있고 수분이 있는 반고형식으로 약간의 저작 능력이 필요	부드러운 음식으로 더 많은 저작 능력이 필요
예시	퓨레 형태의 식이, 소스를 얹은 다진 감자, 애플소스, 푸딩	잘게 다진 연한 고기, 바나나 같은 부드러운 과일, 연하게 조리된 채소, 스크램블 에그, 시럽을 얹은 팬케이크	대부분의 부드러운 음식, 견과류나 생야채 등 제외
유동식	숟가락으로 떠야 하는 정도	꿀 정도의 점도	넥타 정도의 점도

2) 점도증진제

시판하는 점도증진제 또는 증점제는 액체의 점도를 높여주어 인두 안으로 들어간 음식을 변형기키거나 흐르는 속도를 늦추어 흡인의 위험을 감소시키기 위해 사용하며, Fig 2-7 을 참조로 한다. 상품별로 액체의 점도를 조절하기 위해 섞어야 하는 점도증진제의 양이 다르므로 상품의 설명서를 참조하여 사용한다.

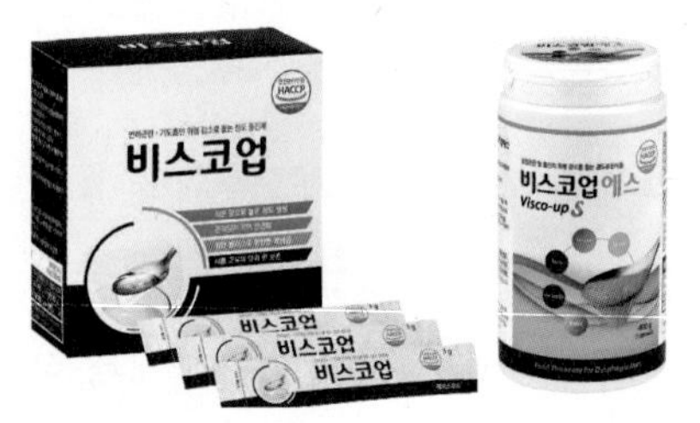

[출처: 레오스푸드]

[출처: 메디푸드]

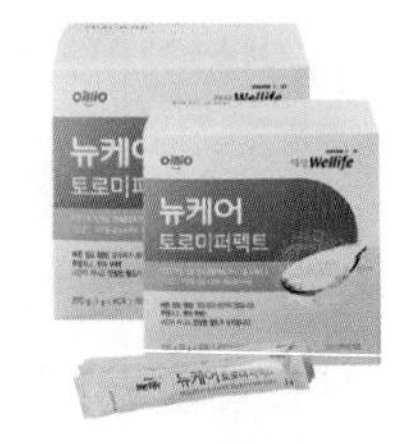

[출처: 대상웰라이프]

Fig 2-7 **시판되는 점도증진제**

3) 수분 섭취

연하곤란으로 적절한 양의 수분과 전해질을 섭취하지 못하면 탈수와 전해질 불균형이 나타날 수 있고 환자의 전신 상태에 영향을 줄 수 있다. 또한 탈수로 침의 분비가 감소되어 구강 내 유해균이 증가하고 침에 의한 흡인으로 폐렴의 위험이 높아진다. 환자의 연하 상태에 따라 물, 이온 음료 등에 점도증진제를 섞거나 시판되는 수분 보급 젤리를 섭취하는 것이 도움이 된다(Fig 2-8).

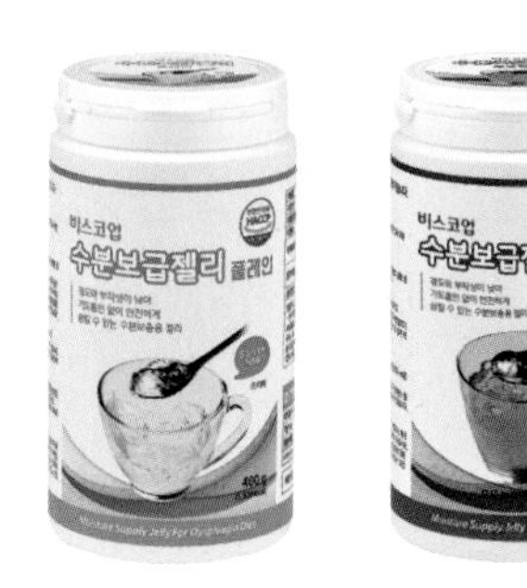

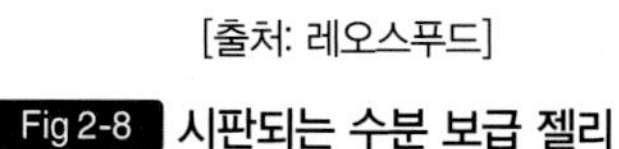

[출처: 레오스푸드]　　[출처: 메디푸드]

Fig 2-8 시판되는 수분 보급 젤리

6_ 연하곤란 환자의 교육 내용

1) 구강 간호

연하장애가 있는 경우, 구강 내 침 분비가 감소하고 침에 의한 정화작용이 저하됨에 따라 구강 내 세균이 쉽게 증식하고 청결상태가 악화된다. 이때 구강 내 세균이 음식물이나 침과 함께 흡인되어 폐렴을 유발할 수 있다. 혀, 치아, 잇몸, 의치의 관리는 구강 내 세균 증식을 억제하여 폐렴 발생을 감소시키고, 구강의 정상적인 기능과 감각을 유지하게 한다. 구강 위생은 치아, 잇몸, 혀에 대한 칫솔질, 치실 사용, 틀니 관리를 포함한다.

(1) 칫솔에 치약이나 소독액(헥사메딘/생리식염수)을 묻힌 뒤 칫솔질을 한다.
(2) 혀를 내밀어 칫솔 또는 혀 클리너로 혀를 닦고 볼 안쪽과 입천장도 함께 닦아 준다. 입 안과 혀를 닦을 때는 구토나 상처가 나지 않도록 조심스럽고 부드럽게 닦는다.
(3) 컵을 턱 밑에 놓고 고개를 숙인 자세에서 물로 입 안을 헹군 후 뱉는다. 물로 입 안을 헹굴 때는 고개가 뒤로 젖혀지지 않게 숙인 상태로 한다.
(4) 입 안에 물이 남으면 거즈로 구강과 치아를 한 번 더 닦아 준다.

tip 스스로 양치가 어려운 경우

❶ 칫솔질 동작이 어려운 경우, 전동칫솔을 사용하면 치석제거가 용이하고 구강 내 감각 자극 제공에도 도움이 된다.

❷ 칫솔 사용이 어려운 경우에는 보호자가 거즈 소독으로 대신 할 수 있다. 소독액(헥사메딘/생리식염수)을 거즈를 감은 설압자 또는 면봉에 묻혀 닦아 준다.

❸ 양치 시 흡인의 위험이 있거나 무의식 또는 의식이 혼미한 환자는 석션 칫솔을 이용할 수 있다(Fig 2-9).

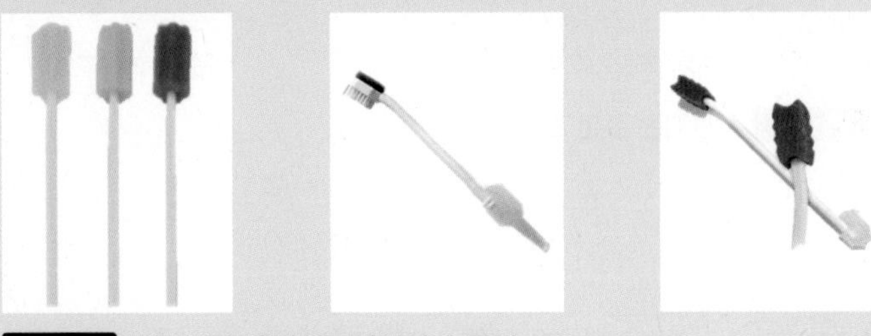

Fig 2-9 **면봉, 석션 칫솔, 듀얼석션 스폰지**

2) 자세 교정

(1) 앉은 자세: 90°로 똑바로 앉는 자세에서 먹거나 마시도록 한다.

(2) 침대에서의 자세: 등받이를 90° 각도로 올린다.

(3) 턱 집어넣기: 턱이 가슴을 향해 앞으로 기울도록 한다.

(4) 음식을 먹기 전·후로 30분간 휴식을 가지도록 한다.

3) 환경 개선

음식을 섭취하는 동안 TV, 라디오, 핸드폰 등은 치워서 환자가 음식을 잘 삼키는 데 집중하도록 한다.

4) 식사 속도와 양

(1) 한 번 삼킬 때마다 충분한 시간을 주고 매번 완전히 삼켰는지 확인하며 꿀꺽하는지(후두가 올라가는지)를 확인한다.

(2) 작은 숟갈을 사용하고 한 번에 한 숟갈 이상 주지 않는다.

(3) 음식과 물 종류(물, 국, 김치)는 숟가락에 섞어서 주지 말고, 딱딱한 음식(고체, 음식)과 물(액체) 종류를 교대로 준다.
(4) 환자가 한꺼번에 여러 가지 음식을 먹으려고 하면 음식을 한 가지씩만 환자 앞에 놓아준다.
(5) 허겁지겁 먹지 않도록 속도를 조절한다.
(6) 음식을 다 먹은 후에 환자의 입 속을 확인하여 잇몸과 볼 사이에 남아 있는 음식물을 없애준다.
(7) 환자의 치아 상태, 연령, 소화 기능 등을 고려하여 농도와 입자 크기를 조절한 식사를 한다.

5) 식사 중 환자 격려

환자가 올바른 자세로 음식을 잘 섭취하면 격려해 준다.

7_ 삼킴 기능 향상을 위한 자가 운동 매뉴얼

가정에서 삼킴 기능 향상을 위해 환자에게 적용하여 교육할 수 있는 자가운동 매뉴얼은 Table 2-8 을 활용하여 사용한다.

Table 2-8 삼킴 기능 향상을 위한 자가 운동 매뉴얼

목 운동	고개를 좌 / 우로 돌리기 10회
	고개 아래 / 위로 움직이기 10회
	고개를 좌 / 우 측면으로 기울이기 10회
	어깨 위로 올려 3초간 유지한 후 힘 빼기 10회
입술 운동	“아 / 에 / 이 / 오 / 우” 소리내기 10회
	“파~ 파~ 파~ 파~” 길게 소리내기 10회
	“파! 파! 파! 파! 파!” 빠르게 소리내기 10회
	입술을 모아 “쪽~” 소리내기 10회
	양쪽 볼에 바람 넣어 부풀리기 5초씩 10회

혀 운동	혀 앞으로 내밀어 좌 / 우로 혀 움직이기 10회
	혀로 양볼 밀기(좌 / 우) 10회
	혀를 가능한 길게 앞으로 내밀기 10회
	혀로 입천장을 가능한 세게 누르기 10회
	혀로 위/아래 잇몸을 따라 원 그리기 10회
	혀로 똑 / 딱 소리내기 10회
혀 기저부 운동	하품하기 10회
	가글 흉내내기 10초간 10회
연구개 운동	"거 / 커 / 허" 소리내기 10회
	"거~ / 커~ / 허~" 길게 소리내기 10회
	손으로 코 막고 길게 내쉬기 10초간 10회
	빨대 불기 10초간 10회
	휘파람 불기 10회
후두 운동	낮은 소리 "아~" 내다가 연결해서 높은 소리 "아~" 소리내기 10회
	높은 소리 "아~" 길게 소리내기 10회
	"도레미파솔라시도" 점차 고음으로 소리내기 10회
성대 운동	두 손 힘껏 마주 누르면서 "아!" 짧게 소리내기 10회
	두 팔로 의자를 아래로 누르면서 "아~" 길게 소리내기 10회
호흡 운동	코로 천천히 숨을 들이쉰 후 다시 입으로 천천히 내쉬기 10회
	노래 한 곡 부르기
고개 들어 발끝 보기	누워서 바닥에 어깨를 붙이고 머리만 들어서 10초간 유지하기 10회

tip

❶ 연하장애의 형태에 따라 음식을 놓는 위치를 변경한다. 예를 들어, 혀의 조절장애가 있는 환자는 액체 음식을 스푼에 담아 혀의 뒤쪽에 넣어 준다. 왼쪽 안면 마비가 있는 경우에는 오른쪽으로 음식을 섭취할 수 있도록 한다.

❷ 투약 시 소아 물약병이나 바늘을 제거한 주사기를 활용하여 마비가 없는 볼의 안쪽에 붙여서 투약한다.

❸ 안정제, 수면제와 같은 약물을 복용하고 있는 대상자는 기침 반사와 삼킴이 억제될 수 있으므로 식사 중 사레가 걸리지 않도록 주의한다.

❹ 환자가 수면상태에서 완전히 깨지 않은 경우에 더 쉽게 사레가 걸릴 수 있으므로, 잠에서 완전히 깬 후 식사하도록 교육한다,

참고 문헌

1. 국민건강보험공단, 건강보험심사평가원 (2019). 건강보험통계: 질병소분류별 입원 다빈도 상병 급여현황(계)
2. 서울대학교병원 재활의학과 연하장애재활치료실 : 연하장애재활 안내서, 2018.
3. Graham Mulley, Clive Bowman, Michal Boyd, Sarah Stowe: The Care Home Handbook.
4. Isamu Sumino, et al: TEXTBOOK OF HOME CARE MEDICINE 3rd ed. Tokyo, The Yuumi Memorial Foundation for Home Health Care, 2015.
5. Jennifer L. Hayashi.: Geriatric Home-Based Medical Care. Berlin, Springer, 2015.
6. Logemann JA : Evaluation and Treatment of Swallowing Disorders, 2nd ed. Texas, PRO ED, 1998.
7. Michael E. Groher, Michael A. Crary: 연하장애, 서울, 군자출판사, 2017.
8. National Dysphagia Diet Task Force, American Dietetic Association: National dysphagia diet. Chicago, American Dietetic Association, 2002.
9. New Jersey, John Wiley & sons, 2015.
10. Stephen J. D. O'Keefe. O'Keefe, Stephen J. D.: The Principles and Practice of Nutritional Support. New York, Springer, 2015.

III 만성질환 영양관리 (Nutritional Management for Chronic Disease)

1_ 만성질환 영양관리 정의

만성질환(Chronic Disease)은 최소 1년 동안 개인의 일상생활에 지속적인 영향을 미치고 주기적인 관리를 필요로 하며, 기능적 제한 또는 인식장애를 일으키는 질병이다(Hwang White et al. 2001; Anderson 2010).

만성질환 영양관리(Nutritional Management for Chronic Disease)는 균형 잡힌 영양섭취와 건강한 식단으로 바람직한 영양상태를 유지하며 만성질환의 합병증을 예방하는 것이다.

본 실무지침에서 다루고자 하는 만성질환 정의는 당뇨병(Diabetes Mellitus), 고혈압(Hypertension), 이상지질혈증(Dyslipidemia)으로 다음과 같다.

1) 당뇨병

우리 몸이 섭취한 음식물을 적절하게 사용하지 못하여 혈액 속의 포도당 수치가 정상인보다 지속적으로 높은 상태를 말한다.

(1) 당뇨병 분류

① 제1형 당뇨병(Type 1 Diabetes Mellitus, T1DM)

선천적 요인 또는 바이러스 침입이나 췌장의 베타세포 파괴로 인슐린 분비가 되지 않거나 분비량이 감소하여 발생하는 당뇨병이다.

② 제2형 당뇨병(Type 2 Diabetes Mellitus, T2DM)

인슐린저항성과 점진적인 인슐린 분비 결함으로 발생한 당뇨병으로, 선천적 요인 외에 영양불균형, 스트레스, 체내 유해독소 축적, 운동 부족 등 환경적 요인과 호르몬분비 이상, 불규칙한 생활습관 등도 관련하여 발생한다.

③ 기타 당뇨병

어떤 특정한 원인에 의해 당뇨병 상태로 진행하는 경우를 말하는데, 당뇨병이 발생하기 쉬운 유전적 또는 환경적(비만, 노화 등) 조건을 가진 경우가 대부분이다.

2) 고혈압

수축기 혈압이 140 mmHg 이상이고 이완기 혈압이 90 mmHg 이상인 경우를 말한다. 고혈압은 심혈관계 질환, 심근질환, 뇌졸중의 위험 요인이다.

(1) 고혈압 분류

① 본태성 고혈압: 뚜렷한 원인이 밝혀지지 않고 다양한 요인과 관련하여 발생한다.

② 이차성 고혈압: 신장, 부신, 내분비질환 등과 관련하여 발생한다.

3) 이상지질혈증

콜레스테롤과 중성지방 등의 지질 상승뿐만이 아니라 고밀도지단백 콜레스테롤이 감소한 상태, 저밀도지단백 콜레스테롤이 증가한 상태를 포함한다.

(1) 지방질 분류

① 총콜레스테롤(Total Cholesterol, TC)

저밀도지단백 콜레스테롤과 고밀도지단백 콜레스테롤을 하나로 묶어 부른다.

② 저밀도지단백 콜레스테롤(Low density lipoprotein, LDL cholesterol)

혈관 벽에 쌓여 심혈관질환과 뇌혈관질환을 일으키는 동맥경화를 유발한다.

③ 고밀도지단백 콜레스테롤(High density lipoprotein, HDL cholesterol)

혈관 벽에 쌓인 콜레스테롤을 간으로 운반하는 역할을 하므로 동맥경화를 예방한다.

④ 중성지방(Triglycerides, TG)

음식으로 섭취된 과잉에너지를 저장하기 위해 생성된 것으로, 평상시에는 지방세포에 저장되어 있다가 필요시에 방출되어 에너지원으로 사용된다.

2_ 만성질환 사정

1) 당뇨병

(1) 증상

3다(다음, 다뇨, 다식), 체중 감소, 전신 피로감, 남자의 발기부전, 여자의 음부소양증, 반복적인 잇몸 염증, 흐릿한 시야, 손발의 저림과 통증 등이 있다.

(2) 당뇨병의 진단 기준

정상 혈당은 최소 8시간 이상 음식을 섭취하지 않은 상태에서 공복혈장 포도당 100 mg/dL 미만, 75 g 경구당부하 후 2시간 혈장 포도당 140 mg/dL 미만으로 한다.

다음의 4가지 기준 중에 하나라도 해당되면 당뇨병으로 진단한다.

① 당화혈색소 6.5% 이상
② 8시간 이상 공복혈장 포도당 126 mg/dL 이상
③ 75 g 경구당부하 후 2시간 혈장 포도당 200 mg/dL 이상
④ 당뇨병의 전형적인 증상(다뇨, 다음, 설명되지 않는 체중 감소)이 있으면서 무작위 혈장 포도당 200 mg/dL 이상
[출처: 대한당뇨병협회. 2019 당뇨병 진료지침.]

(3) 당뇨병의 만성 합병증

당뇨병성 망막병증, 신증, 신경병증이 발생할 수 있어, 병원에서 권장하는 주기로 정기적인 검사를 받는다.

2) 고혈압

(1) 증상

두통, 어지러움, 피로, 이명, 두근거림, 손·발 저림, 상기된 얼굴, 눈의 충혈 등이 있으며, 고혈압은 증상이 없는 경우도 많다.

(2) 고혈압의 진단 기준

두 번 이상 외래를 방문하여 두 번 이상 측정한 혈압의 평균을 기준으로 하며, 고혈압의 진단 기준은 Table 2-9 에 정의하고 있다.

Table 2-9 고혈압의 진단 기준

혈압 분류		수축기 혈압(mmHg)		이완기 혈압(mmHg)
정상 혈압*		< 120	그리고	< 80
주의 혈압		120~129	그리고	< 80
고혈압 전단계		130~139	또는	80~89
고혈압	1기	140~159	또는	90~99
	2기	≥ 160	또는	≥ 100
수축기 단독 고혈압		≥ 140	그리고	< 90

* 심뇌혈관질환의 발생 위험이 가장 낮은 최적 혈압
[출처: 대한고혈압협회. 2018년 고혈압 진료지침]

※ 기립성 저혈압은 일어선 후 3분 이내에 측정한 혈압이 앉은 상태의 혈압에 비해 수축기혈압이 20 mmHg 또는 이완기 혈압이 10 mmHg 이상 감소하는 경우로 정의한다.

(3) 고혈압 이외의 심뇌혈관질환 위험 인자, 이차성 고혈압, 무증상 장기 손상, 동반 질환을 확인하기 위하여 기본 검사는 반드시 받고, 필요시 권장 검사 및 확대 검사를 받는다.

① 기본 검사: 심전도, 소변검사, 혈액학적 검사, 흉부촬영, 미세알부민뇨

② 권장 검사: 심초음파검사, 경동맥 초음파검사, 안저검사, 24시간 소변 단백뇨 검사

③ 확대 검사: 뇌, 심장, 콩팥, 혈관검사, 이차성 고혈압의 진단을 위한 검사

3) 이상지질혈증

(1) 이상지질혈증의 진단 기준은 Table 2-10 에 정의하고 있다.

Table 2-10 한국인의 이상지질혈증 진단 기준

LDL 콜레스트롤[1](mg/dL)	
매우 높음	≥190
높음	160~189
경계	130~159
정상	100~129
적정	<100
총콜레스트롤(mg/dL)	
높음	≥240
경계	200~239
적정	<200
HDL 콜레스테롤(mg/dL)	
낮음	<40
높음	≥60
중성지방(mg/dL)	
매우 높음	≥500
높음	200~499
경계	150~199
적정	<150

[출처: 한국지질·동맥경화학회. 이상지질혈증 치료지침 제4판. 2018]

(2) LDL 콜레스테롤 농도 값은 일반적으로 공복 후 총 콜레스테롤, 중성지방, HDL 콜레스테롤 농도 값으로부터 추정할 수 있다.

① LDL 콜레스테롤 = 총 콜레스테롤 − (중성지방/5) − HDL 콜레스테롤

② LDL 콜레스테롤 농도가 190 mg/dL 이상인 경우, 고지혈증을 일으키는 다른 원인(담도폐쇄, 신증후군, 갑상선기능저하증, 임신 등)을 확인한다.

1) 이상지질혈증 진단의 LDL 콜레스테롤 '높음' 기준의 경우, 치료 지침의 저위험군(주요 심혈관계 위험요인 1개 이하) 환자에서 약물치료 시작 권장 기준으로 사용할 수 있음. 중등도 위험군의 경우, LDL 콜레스테롤 '경계' 기준을 약물치료 시작 권장 기준으로 사용할 수 있음. 고위험군 환자의 경우, LDL 콜레스테롤 '정상' 기준을 약물치료 시작 권장 기준으로 사용할 수 있음. 초고위험군의 경우, LDL 콜레스테롤 값에 관계없이 약물 치료 시작을 권장함.

3_ 간호 사정

1) 신체 상태 변화 정도를 평가한다.

(1) 과거 만성질환의 유병 기간, 치료 여부, 결과 및 부작용

(2) 지남력, 감각, 운동, 사고, 불안 등 감각 지각 변화 정도

(3) 혈당 및 혈압 변화, 혈액학적 검사

(4) 신체 구조 및 신체 기능 변화

(5) 동반질환의 위험 인자

2) 질병 과정 및 치료 관련 순응도를 평가한다.

(1) 식이, 흡연, 음주, 신체 활동과 운동, 수면 등 생활습관 인지 유무

(2) 치료 계획과 목표 달성, 실천하고자 하는 의지와 신념

(3) 투약에 관한 지식 정도, 약물복용 순응

(4) 영양과다, 영양부족 등 식습관

(5) 자가관리 수행 능력, 자가관리 실천 정도

(6) 건강 상태 악화, 합병증 발생

3) 잠재적 감염 위험성을 평가한다.

(1) 혈액학적 검사, 영양상태

(2) 감각 장애, 조직관류 변화, 피부 손상, 조직 손상 유무

(3) 감염에 영향을 줄 수 있는 동반 질환

(4) 항생제, 스테로이드, 인슐린 등 약물 사용력

(5) 비위생적 주거 환경 및 감염 노출

4) 심리적·사회적·경제적 상태를 평가한다.

(1) 무력감, 우울, 상실감, 두려움, 분노 등 정서적 상태

(2) 자가간호 결핍, 자신감 부족, 소진 상태

(3) 스트레스, 수면 부족, 불규칙한 생활

(4) 치료 과정에서 오는 갈등과 가치관 차이
(5) 교육 프로그램 등 참여, 의료 전달 체계 각 서비스 이용
(6) 재정 부족, 지역사회 자원 정보, 활용 유무

5) 환자 및 가족들이 효과적으로 대응할 능력을 평가한다.

(1) 가족 간 의사소통, 의사결정 과정, 지지체계
(2) 환자에 대한 가족 돌봄과 역할 부담감
(3) 간병기간의 장기화, 24시간 돌봄에 대한 대응 양상
(4) 가족 식습관, 활동 등 생활습관 차이

4_ 간호 문제

1) 영양장애
2) 만성질환 관리의 지식 부족
3) 치료요법의 비효율적 이행
4) 말초신경혈관기능 장애 및 감염 위험성
5) 외상 위험성
6) 감각 지각 변화 및 피부 손상 위험성
7) 건강 유지 능력 변화 및 자가간호 결핍
8) 환자와 가족 불안, 무력감, 절망감
9) 비효율적 가정관리 및 돌봄 제공자의 역할 부담감
10) 지역사회 자원에 대한 정보 부족

5_ 간호 목표

1) 당뇨병

혈당의 영향 요인을 파악하여 건강한 수준으로 관리한다.

(1) 혈당을 정상 범위로 유지하면서 합병증 없이 건강한 생활을 할 수 있다.

① 공복 혈당: 식사 전 혈당 80~130 mg/dL

② 식후 혈당: 식사 2시간 후 혈당 180 mg/dL 미만

(2) 제2형 당뇨병 치료에서 목표 혈당은 당화혈색소* 6.5% 미만(제1형 당뇨병 7.0% 미만)으로, 경우에 따라서 나이나 건강 상태를 고려하여 7.5%까지 목표로 한다.

* 당화혈색소(Hemoglobin A1C): 당뇨병의 혈당 조절 지표로서 혈액의 적혈구를 구성하는 혈색소(헤모글로빈)에 포도당이 붙어 있는 상태. 헤모글로빈 총량으로 나눈 백분율(%)로 표시하며 최근 2~3개월간의 평균 혈당 조절 상태를 반영한다.

(3) 당뇨병 진단 시점과 동시에 정기적 합병증 검사를 받는다.

(4) 환자의 순응도를 높이고, 당뇨 조절률이 개선된다.

(5) 자신의 혈당 유형, 약물치료, 생활습관에 맞는 식사 계획을 세울 수 있다.

(6) 식이, 운동, 인슐린 또는 경구 혈당강하제 복용 등을 기록한다.

2) 고혈압

혈압을 조절하여 심뇌혈관질환을 예방하고 사망률을 낮추는 것이다.

(1) 일반적으로 고혈압 치료의 목표 혈압은 140/90 mmHg 미만이다.

(당뇨병 환자 140/85 mmHg 미만, 심혈관질환을 동반한 경우 130/80 mmHg 미만)

(2) 고혈압 약물 치료로 처방된 약을 복용하고 부작용 등을 보고한다.

(3) 환자의 순응도를 높이고, 고혈압 조절률*을 향상시킨다.

* 고혈압 조절률은 고혈압제를 복용하여 수축기혈압이 140 mmHg 미만, 그리고 이완기혈압이 90 mmHg 미만으로 조절된 경우로 고혈압 관리지표이다.

(4) 정확한 혈압측정의 방법을 알고 측정값을 기록한다.

(5) 체중조절, 운동, 금연, 절주, 저염식 등 3가지 이상 생활요법을 실천한다.

(6) 3~6개월 간격으로 주기적인 검진을 받는다.

3) 이상지질혈증

고지혈증 치료 목표는 성분마다 '바람직한 수준' 혹은 '경계성 수준' 이하로 유지한다.

(1) LDL−콜레스테롤 100 mg/dL 미만(심혈관질환이 있는 환자는 LDL-콜레스테롤 70 mg/dL 미만), 중성지방(TG) 150 mg/dL 미만이다.

(2) 이상지질혈증의 치료율*과 조절률*이 개선된다.

* 치료율(한 달에 20일 이상 콜레스테롤 강하제 복용), 조절률(총 콜레스테롤 수치 200 mg/dL 미만)

(3) 식사요법과 운동요법을 통하여 생활이 개선된다.

(4) 하루에 섭취하는 칼로리를 표준체중에 맞춘다.

(5) 절주, 금연, 스트레스 감소 등 생활습관이 개선된다.

(6) 만성질환 관련 합병증 예방과 조절이 된다.

(7) 환자 및 가족은 효과적인 대응 양상을 나타낸다.

6_ 간호 수행

1) 당뇨병

(1) 식사요법

식사는 제때, 골고루, 알맞게 섭취한다.

① 매일 6가지 식품군(곡류, 어육류, 채소, 지방, 우유, 과일)을 균형 있게 섭취한다.

② 혈당이 매일 균일하게 유지될 수 있도록 동량의 탄수화물을 섭취한다.

③ 섬유소(Fiber)가 풍부한 식사를 한다(통밀, 잡곡, 생야채, 해조류 등).

※ 식이섬유는 탄수화물이 혈당으로 천천히 흡수되게 하여 혈당이 급상승하지 않도록 도와준다.

④ 체단백 손실을 방지하기 위하여 단백질 영양 섭취를 한다(등 푸른 생선, 콩류, 두부 등).

⑤ 지방과 열량이 적은 저지방 또는 플레인 유제품을 섭취한다(저지방 우유 등).

⑥ 항산화제가 들어 있는 색깔 있는 채소나 식품을 섭취한다.

⑦ 나트륨 섭취는 1일 2,000 mg (소금 5 g) 이내로 권고한다.

⑧ 기름이 많은 음식은 주의한다(튀김, 삼겹살, 닭 껍질, 드레싱류 등).

⑨ 인스턴트식품, 정백 가공식품을 피한다(흰쌀, 흰 밀가루, 흰 설탕, 흰 조미료 등).

⑩ 단순 당으로 된 식품 섭취를 피한다(설탕, 탄산음료, 물엿, 시럽, 사탕, 젤리 등).

⑪ 혈당지수(Glycemic index, GI)*가 55 이하인 낮은 식품을 선택한다(토마토, 귤, 사과 등).

* 혈당지수란, 얼마나 빨리 혈당 농도를 높이는지에 따라 음식의 순위를 결정한 지표다. 당지수가 낮은 음식은 소화되고 흡수되는 데 시간이 오래 걸려 혈당을 서서히 올린다.

tip **가정에서 권장하는 식이관리 방법**

❶ 과식을 피하기 위해 나만의 작은 그릇을 사용한다.

❷ 식사 간격은 4~5시간이 적당하고, 식사 간격이 늦어지면 중간에 간식을 섭취한다.

❸ 균형 잡힌 식사를 하면 따로 영양제를 먹지 않아도 된다.

❹ 의학적으로 검증되지 않은 민간요법은 시행하지 않는다.

❺ 당뇨 합병증으로 만성신부전이 있는 사람은 제한해야 하는 식품이 있으므로, 의사나 영양사와 식이 상담을 하도록 한다.

(2) 비약물 요법

비약물 요법은 올바른 식사 관리, 규칙적인 운동, 스트레스 관리, 절주와 금연이 있다.

① 건강관리 수첩 등을 이용하여 체중, 혈압·혈당, 수면, 영양, 운동을 꾸준히 기록한다.

② 식후 1시간 운동 권장, 30분 이상 운동 시 혈당이 30~40 mg/dL 감소를 나타낸다.

③ 당뇨 합병증이 있거나 동반질환이 있으면 운동 전 의료진과 상담 후 따른다. 의문점이 있으면 아무리 사소한 것이라도 의료진에게 질문과 상담 요청을 한다.

④ 환경호르몬(농약, 살충제, 소독약, 매연, 담배연기 등)에 노출되지 않도록 주의한다.

⑤ 긍정적인 사고로 생활한다.

(3) 약물요법

당뇨약은 당화혈색소와 비만도, 연령을 고려해서 처방하며 기전에 따라 분류한다.

① 메포민

a. 주성분은 야생식물인 프랑스 라일락에서 추출한 바이구아나이드(Biguanide)이다.

b. 효과: 간에서 글루코스 방출을 억제해서 혈당을 낮춘다.

c. 상품명: 다이아백스(Diabex), 글루파(Glupa), 다이아백스엑스알서방정(Diabex XR)

② 설폰닐유레아

a. 효과: 췌장베타세포에서 인슐린 분비를 촉진한다.

b. 상품명: 아마릴(Amaryl), 디아미크롱서방정(Diamicron MR), 다이그린(Digrin)

③ 디아졸리다인

a. 효과: 인슐린 감수성을 높여 근육세포와 체지방 세포에서 글루코스를 흡수하게 한다.

b. 상품명: 액토스(Actos), 듀비에(Duvie)

④ 디피피-4 억제제

a. 효과: 췌장 베타세포에서 인슐린 분비를 촉진하고 작은 창자를 비우는 속도를 늦춰서 영양분이 흡수되는 것을 막는다.

b. 상품명: 자누비아(Januvia), 가부스(Galvus), 온글리자(Onglyza), 트라젠타(Tradjenta)

⑤ 에스지엘티-2 억제제

a. 효과: 혈당조절에 직접적으로 관여, 혈액으로 재흡수되는 혈당을 줄인다.

b. 상품명: 슈글렛(Suglat), 파시가(Farxiga), 자디앙(Jardiance)

⑥ 메글리티아니드계

a. 효과: 췌장에서 신속하게 인슐린 분비를 촉진한다.

b. 상품명: 노보넘(Novonorm), 파스틱(Fastic), 글루패스트(Glufast)

⑦ 알파 글루코시다제 저해제

a. 효과: 소장에서 탄수화물 흡수를 방해하여 식후 고혈당을 조절한다.

b. 상품명: 글루코바이(Glucobay), 베이슨(Basen)

⑧ 지엘피-1 수용 증진체, 주사제

a. 효과: 작은 창자 벽에서 분비하는 인크레틴(incretin) 그룹 호르몬 중 한 가지다. 인크레틴은 식사를 하면 인슐린 분비를 촉진하고 혈당을 방출하는 글루카곤을 억제하며, 동시에 영양분의 흡수를 늦춰서 포만감이 오래가도록 하는 호르몬이다.

b. 상품명: 바이듀레온(Bydureon), 바이에타(Byetta), 트루리시티(Trulicity)

⑨ 인슐린 주사

a. 속효성(Short acting): 휴물린 알(Humulin R), 바이에타(Byetta), 릭스미아(Lyxumia)

b. 초속효성(Rapid acitng): 휴마로그(Humalog), 노보로그(NovoLog)

c. 중간형(Intermediate-acting): 휴물린 엔(Humulin N)

d. 지속성(Long Acting): 트레시바(Tresiba), 란투스(Lantus), 베이사글라(Basaglar)

e. 혼합형(Premixed): 노보믹스(Novomix), 휴마로그믹스(Humalog mix)

(4) 반복 교육 및 효과적인 당뇨 교육 프로그램을 의뢰 및 연계한다.

① 당뇨 등록 프로그램

② 지역사회 당뇨관리 프로그램

③ 소그룹 및 자조모임 프로그램

(5) 사회·경제적 상태를 평가하여 지역사회 자원을 제공한다.

① 환자가 필요한 지원을 받을 수 있도록 적절한 정보와 관리를 제공한다.

a. 만성질환 가정간편식* 또는 도시락 배달 서비스, 맞춤형 영양식이 지원

* 가정간편식(Home Meal Replacement, HMR)은 가정 음식을 대체한다는 의미로, 완전조리 식품이나 반조리 식품을 집에서 간단히 데워 먹을 수 있는 제품을 말한다.

b. 국민건강보험공단에 당뇨병 환자 등록과 당뇨병 소모성 재료 처방전(혈당 측정 검사지, 인슐린주사기, 인슐린주사바늘, 채혈침 등) 발급 정보, 주사부위 안내 장치

c. 혈압·혈당 기계 대여, 약 복용 스티커, 요일별 약 보관함 등

② 지역사회 금연 프로그램, 건강관리 프로그램을 안내한다.

③ 고령에서 인지 기능장애 및 치매에 대한 선별검사를 고려한다.

tip 가정에 있는 대상자의 투약 관리는 아무리 강조해도 지나치지 않다.

- 처방받은 약 종류와 작용, 부작용 등을 교육하고 지속적인 복용 유무 등을 확인한다.
- 인플루엔자백신이나 폐렴백신 등의 예방접종은 적극 권장한다. 당뇨병 환자는 일반 성인에 비해 감염 질환의 발생률이 높고 감염 질환 발생 시 더 중증으로 진행될 수 있기 때문이다.

2) 고혈압

(1) 식사요법

고혈압을 위한 식사요법(Dietary Approaches to Stop Hypertension, DASH)은 지방은 적게 먹고, 과일과 채소를 많이 섭취하며, 저지방 유제품을 섭취하는 것이다. 이는 혈압을 빠르고 효과적으로 낮출 수 있다. 미국의 고혈압을 물리치기 위한 식이방법(DASH)은 미국 심폐혈관연구소에서 혈압을 낮추기 위해 제시한 식사요법으로 Table 2-11 에 나타나 있다.

① 소금 섭취를 줄이기 위한 식이로 절임·조림보다 구이·찜으로 섭취하고, 식초, 허브, 후추, 마늘, 겨자, 파, 카레 가루 등의 향신료를 사용한다.

② 육류보다는 생선을 통해 단백질을 섭취한다.

③ 풍부한 채소와 해조류 등을 통한 식이성 섬유를 섭취한다.

④ 포화지방, 콜레스테롤, 총지방 섭취를 줄인다(튀김류, 육류, 스낵류, 마가린 등).

Table 2-11 대시(DASH) 식단의 1회 섭취량의 예

식품군	1회 섭취량	1일 섭취량	
		1,600 kcal	2,000 kcal
곡류	밥 1/3공기, 국수 1/2공기, 빵 1쪽, 감자 1개, 고구마 1/2개, 시리얼 30 g	6	7~8
채소류	생 채소 1컵, 익힌 채소 1/2컵, 야채주스 1/2컵	3~4	4~5
과일류	중간 크기 1개, 건과일 1/4컵, 과일주스 1/2컵	4	4~5
저지방 유제품	저지방 우유 또는 요구르트 1컵, 치즈 45 g	2~3	2~3
어육류	조리된 육류, 닭고기, 생선 30 g, 달걀 1개	3~6	6 이하

식품군	1회 섭취량	1일 섭취량	
		1,600 kcal	2,000 kcal
견과류/콩류	견과류 1/3컵, 종실류 2큰술, 조리된 두류 1/2컵	주 3회	주 4~5회
지방	식물성기름 1작은술, 마요네즈 1큰술, 샐러드 드레싱 2큰술	2	2~3
당분	설탕, 젤리, 잼 1큰술, 가당음료수 1컵	0	5 이하/주

※ 1일 섭취량, 열량에 따른 식품군별 1 교환 단위 수
[출처: DASH study, 미국립보건원, nhlbi.nih.gov]

(2) 비약물 요법

① 비약물 요법은 식이, 금연, 절주, 체중 조절, 스트레스 관리, 규칙적인 운동으로 적극 권장하며 Table 2-12 에 나타나 있다.

② 운동은 심장 기능을 좋게 하고, 혈관을 탄력 있게 만들어 준다.

③ 운동 시작 전에 운동부하 검사를 받아서 운동 중에 혈압 반응을 평가하여 안전한 운동 강도 수준을 설정한다.

④ 가정 혈압 측정 방법을 교육한다.

Table 2-12 생활 요법에 따른 혈압 감소 효과

생활요법	혈압 감소(수축기/이완기혈압, mmHg)	권고사항
소금 섭취 제한	-5.1/-2.7	하루 소금 6 g 이하
체중 감량	-1.1/-0.9	매 체중 1 kg 감소
절주	-3.9/-2.4	하루 2잔 이하
운동	-4.9/-3.7	하루 30~50분, 1주일에 5일 이상
식사조절	-11.4/-5.5	채식 위주의 건강한 식습관*

* 건강한 식습관: 칼로리와 동물성 지방의 섭취를 줄이고 야채, 과일, 생선류, 견과류, 유제품의 섭취를 증가시키는 식사 요법
[출처: 대한고혈압협회. 2018년 고혈압 진료지침]

(3) 약물 요법

약의 선택은 혈압 수치보다는 환자의 임상적 특성과 동반질환에 따라 결정한다.

① 이뇨제(diuretics)

② 교감신경차단제(adrenergic inhibitor, alpha and beta blocker): 카듀라, 미니프레스

③ 칼슘길항제(calcium antagonist): 노바스크, 페르디핀

④ 안지오텐신 전환효소 억제제(ACE inhibitor): 카포텐, 아서틸, 레니텍

3) 이상지질혈증

(1) 식사 요법

① 불포화지방산의 함량이 높은 식물성 지방으로 섭취한다(올리브유, 들기름, 참기름 등).

② 화학조미료 대신 향신료와 허브를 사용한다(마늘, 생강, 고추, 깨, 로즈마리 등).

③ 단순 당질이 많이 함유된 식품의 섭취를 줄인다(흰 빵, 탄산음료, 설탕, 물엿 등).

④ 포화지방산과 콜레스테롤 함량이 높은 동물성 지방의 섭취를 줄인다(버터, 육류의 지방 등).

⑤ 하루 식사 권고안은 Fig 2-10과 같이 제시할 수 있다.

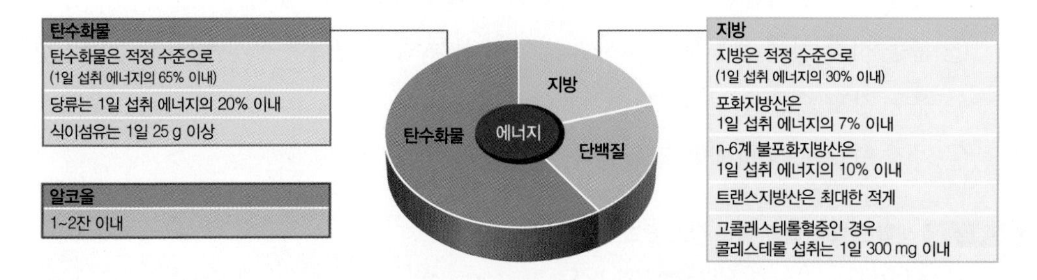

적정 체중을 유지할 수 있는 수준의 에너지를 섭취한다.

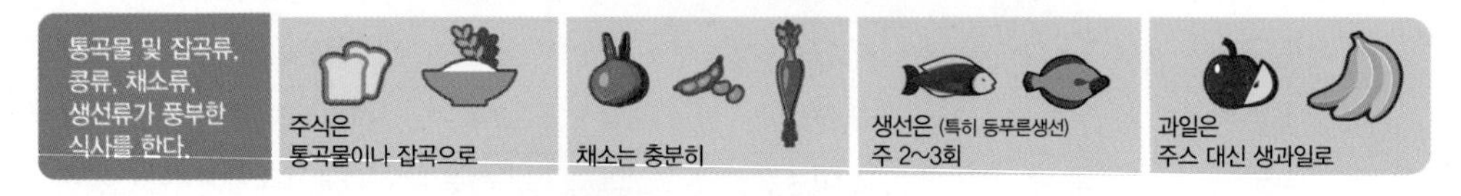

Fig 2-10 **이상지질혈증 식사가이드**

[출처: 한국지질·동맥경화학회. 이상지질혈증 치료지침 제4판. 2018]

(2) 운동요법

무리가 가는 힘든 운동보다는 걷기 등과 같은 생활 속의 운동이 바람직하다.

다수의 위험 인자 또는 심혈관계 질환이 있는 경우, 운동 시작 전에 의학적 판단을 한다.

① 자신에게 맞는 유산소운동*을 한다(30~60분, 주 4~5회 이상).

* 유산소운동은 운동 중 신체의 산소 소비량을 증대시키고, 심폐지구력을 좋게 해주는 운동이다.

② 하루 30분 이상 걸으며, 걷기를 생활화한다.

※ 준비물: 운동화, 모자, 선글라스, 땀 흡수가 잘 되는 옷, 면양말, 장갑, 허리 가방(소지품, 물병 보관), 호루라기(위급한 상황에서 사용) 등

③ 저항성 운동*은 주 2회 이상, 일상생활에서 할 수 있는 간단한 동작과 스트레칭을 실천한다.

* 저항성 운동은 근력을 이용하여 무게나 저항력에 대항하는 운동으로 근력을 키운다.

④ 어지럽고 숨이 차면 즉시 걷기를 멈추고 앉아서 쉰다.

⑤ 날씨가 안 좋으면 실내에서 걷는다.

⑥ 금연 등 적극적인 생활습관 교정을 하도록 교육한다.

(3) 약물 요법

약물 요법 적응증은 LDL 콜레스테롤이 190 mg/dL 이상이거나, 동맥경화성 질환의 위험 인자가 두 개 이상이면서 LDL 콜레스테롤이 160 mg/dL 이상인 경우에 적용된다.

① 스타틴(Statin: HMG-CoA 환원효소 억제제)

지질치료제 중 일차적으로 사용, 콜레스테롤의 합성을 저해하는 효과가 있으며, 혈중 LDL-콜레스테롤을 집중적으로 떨어뜨리고 중성 지방도 일부 감소시킨다.

② 에제티미브

소장에서 콜레스테롤의 재흡수를 억제하여 혈중 LDL-콜레스테롤을 떨어뜨리며, 스타틴 계열의 약과 함께 쓸 경우 추가적인 효과가 있다.

③ PCSK9 (Proprotein Convertase Subilisin/Kexin type 9) 억제제

혈중에서 LDL 수용체와의 결합으로 수용체의 분해를 유도하여 LDL-콜레스테롤을 떨어뜨리며, 추가적인 LDL 콜레스테롤 강하가 필요한 경우에 사용한다.

tip 가정에 있는 대상자의 표준체중(건강을 유지하는 데 가장 적절한 체중) 유지와 섭취 열량을 권장한다.

❶ 표준체중은 브로카 지수를 이용하거나 체질량 지수를 이용하는 방법이 있다.

1) 브로카 지수를 이용하는 방법

(1) 표준체중(kg) = [키(cm) - 100]×0.9

2) 체질량 지수를 이용하는 방법

(1) 남자 표준체중(kg) = 키(m)×키(m)×22

(2) 여자 표준체중(kg) = 키(m)×키(m)×21

예를 들어, 키가 170 cm인 남자의 표준체중은 1.7×1.7×22=63.6 kg이다.

❷ 활동량에 따른 섭취 열량을 결정한다.

하루에 섭취해야 할 식사량은 각자의 표준체중과 활동의 정도에 따라 다르다.

1) 심한 활동: 표준체중×(35~40) kcal/일

2) 보통 활동: 표준체중×(30~35) kcal/일

3) 가벼운 활동: 표준체중×(25~30) kcal/일

예를 들어, 표준체중이 65 kg이면서 보통의 활동을 하는 경우, 하루 섭취 열량은 63×(30~35) kcal=1,890~2,205 kcal/일이다.

7_ 대상자 교육

1) 6가지 식품군 알아보기

식품군이란 영양소가 비슷한 식품끼리 묶은 것을 말한다.

(1) 곡류군: 밥, 빵, 과자, 고구마, 옥수수, 밤, 국수, 떡, 비스킷

(2) 어육류군: 쇠고기, 돼지고기, 생선, 오징어, 계란, 조개, 콩, 두부, 치즈

(3) 채소군: 채소류, 해조류

(4) 지방군: 식용유, 참기름, 버터, 땅콩, 호두, 잣

(5) 우유군: 우유, 요구르트, 두유

(6) 과일군: 사과, 배, 수박, 딸기, 포도, 귤, 바나나

2) 식품 교환표 알아보기

(1) 식품의 종류와 영양소의 조성이 비슷한 식품끼리 6가지 식품군으로 나누어 묶은 표이다.

(2) 섭취 열량에 따라 균형 있는 영양소의 섭취를 위해 권장되는 기본적인 식품군별 섭취 교환수가 제시되어 있다.

(3) 각 식품군마다 같은 열량을 내는 식품의 무게를 정하여 그 양을 1 교환단위라고 한다. 가정에서 손쉽게 측정할 수 있는 방법은 Table 2-13, Table 2-14에 나타나 있다.

(4) 같은 식품군 안에서는 서로 교환하여 바꾸어 먹을 수 있다.

(5) 일반적으로 필요 칼로리의 50~60%는 탄수화물, 15~20%는 단백질, 25% 이내는 지방으로 섭취한다. 6가지 식품군 하루 총 단위는 Table 2-15에 분류하고 있다.

Table 2-13 손으로 재는 1단위

Carbohydrates (탄수화물)	Proteins (단백질)	Fats (식용유)
1/3 주먹	엄지 밑의 근육	엄지 손톱(5 cc)

Table 2-14 손으로 재는 3단위

Carbohydrates (탄수화물)	Proteins (단백질)	Fats (식용유)
주먹 하나	손바닥 원형	엄지 손가락(15 cc)

Table 2-15 6가지 식품군 하루 총 단위(1800~2000 kcal)

Carbohydrates (탄수화물)	Proteins (단백질)	Fat (지방)	Fruits (과일)	Milk/Milk Products (우유 /요거트)	Vegetables (채소)
10	5	5	2	3	5

[출처: Hannah Mitter : CCHEI(Circle of Community Health Eductors International) 지역사회당뇨, 2016.]

3) 식품 영양표시

식품을 구입할 때 라벨의 영양성분 표시사항 읽는 법을 Fig 2-11에 제시하고 있으며, 이 표를 활용하여 되도록 이 성분들이 1일 영양소 기준치를 넘지 않도록 조절하는 것이 중요하다.

영양표시를 보면 건강이 보입니다.

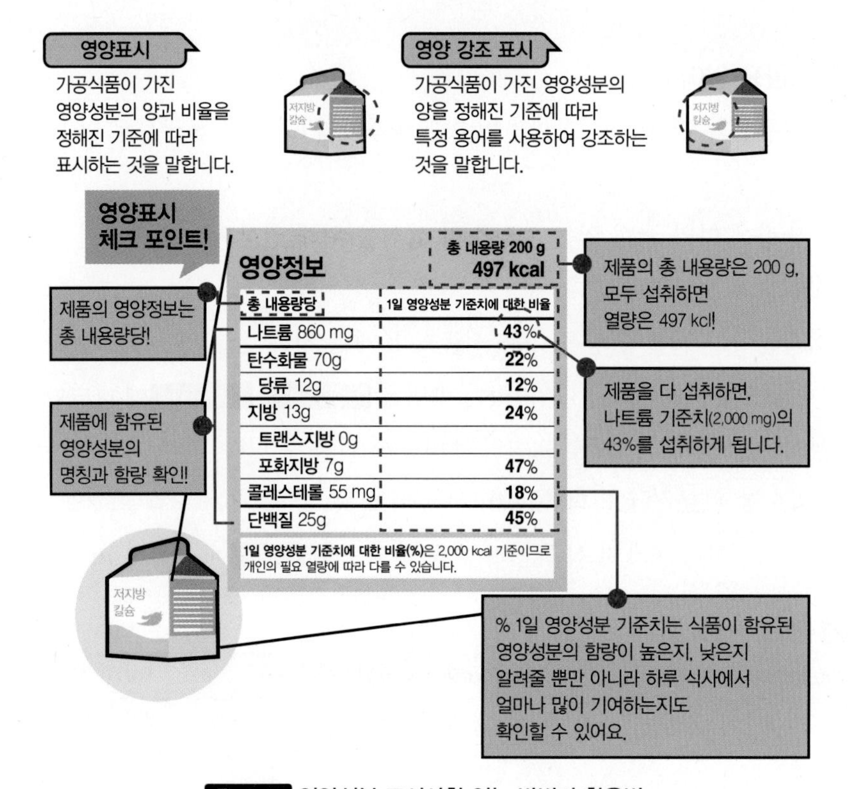

Fig 2-11 영양성분 표시사항 읽는 방법과 활용법
[출처: 식품의약품안전처, 2018]

※ 1회 제공량이란, 1회 섭취 시 적당량을 의미하며 식품 포장 안에 내용물의 양을 나타낸다.

※ %영양소기준치란, 하루에 섭취해야 할 영양성분인 영양소기준치를 100%라고 할 때, 해당 식품을 통해 얻는 영양성분의 비율이다.

※ 나트륨의 1일 영양성분 기준치를 8구간으로 구분, 나트륨 함량이 2,000 mg을 넘는 제품에는 적색 경고 표시로 나타낸다(식품의약품안전처, 나트륨 함량 비교 표시 기준 및 방법 개정 고시, 2018.12).

4) 가정에서의 자가혈당 측정 및 관리

(1) 준비물: 혈당 측정기, 검사지, 채혈침, 채혈기, 알코올 솜

① 검사지 코드번호, 유효기간 확인

② 자가 혈당 측정기 정확도는 병원의 혈당치와 비교하여 오차 범위가 15% 이내 정도

(2) 검사 시간: 식전·식후 2시간, 잠자기 전, 필요시 추가로 검사

(3) 기록: 당뇨수첩 또는 당뇨관리 앱에 등록

tip 가정에 있는 대상자 자가혈당 측정 및 교육 시 참고사항

가정에서 혈당을 측정할 때마다 수치가 다르게 나타나는 것을 볼 수 있다.

- 혈당-인슐린-글루카곤 간의 작용과 혈당 변동에 영향을 준다.
- 빈혈이 있으면 혈당이 높게 나올 수 있다.
- 혈당은 같은 양이라도 혈액량이 많으면 낮게 나오고, 적으면 높게 나온다.
- 스테로이드 약이나 주사제가 혈당을 올린다.
- 손에 바르는 로션, 땀 배출 등 피부 상태에 따라 약간의 당분이 포함되어 영향을 미친다.
- 정상인의 혈당 변동 폭은 20~60 mg/dL, 혈당의 변동 폭이 클수록 심혈관계 합병증의 위험도가 증가한다.

5) 가정에서의 혈압 측정 및 관리

(1) 기록카드

(2) 올바른 가정 혈압 측정 방법

1. 검증된 위팔 자동혈압계를 사용한다.
2. 측정 시각 및 방법
   1) 아침: 기상 후 1시간 이내, 소변을 본 후, 아침 식사 전, 고혈압약 복용 전, 앉은 자세에서 최소 1~2분 안정 후
   2) 저녁: 잠자리에 들기 전, 앉은 자세에서 최소 1~2분 안정 후
   3) 이외 측정이 필요하다고 판단되는 경우
3. 측정 빈도: 측정당 2회 이상
4. 측정 기간: 처음 진단할 때는 적어도 1주일 동안, 치료 결과 평가 시에는 가능한 오랜 기간 측정하며 적어도 외래 방문 직전 5~7일간 측정

[출처: 대한고혈압협회. 2018년 고혈압 진료지침]

6) 잘못 알려진 만성질환관리 상식

Q. 쌀밥은 나쁘고 보리밥은 좋다? (×)

A. 당뇨병의 식이요법은 한두 가지 음식을 덜 먹거나 더 먹는 것이 아니라, 전체적인

식사의 양과 성분을 조정하는 것이다. 열량 측면에서 같은 양의 보리밥과 쌀밥은 다르지 않다.

Q. 당뇨병에서 인슐린은 한 번 맞으면 평생 맞아야 한다? (×)

A. 인슐린 분비가 부족한 시기에는 인슐린을 맞다가, 인슐린 분비가 증가하면 다시 먹는 약을 사용할 수 있다.

Q. 혈압약은 한 번 먹기 시작하면 평생 먹어야 한다? (×)

A. 약물요법, 운동요법, 체중관리 등을 통해 혈압이 조절됨으로써 약의 용량을 조절해야 하는 경우가 있다. 그러나 의사와 상의 없이 임의적으로 약을 중단해서는 안 된다.

Q. 탄수화물이나 과일은 많이 먹어도 괜찮다? (×)

A. 전체적인 칼로리 섭취량이 많은 경우에는 체내에서 과다한 영양분이 지방으로 전환되어, 특히 중성지방을 증가시킬 수 있으므로 주의해야 한다.

Q. 식물성 지방이 포함된 생선 기름은 콜레스테롤을 높이지 않는다? (×)

A. 식물성 지방을 굳혀서 만든 마가린 등에 함유된 트렌스지방도 혈중 콜레스테롤을 높인다. 생선 기름에 포함된 오메가 3 지방산 등 불포화 지방도 다량 섭취하면 결과적으로 총지방 섭취량을 증가시키기 때문에 주의한다.

[발생 가능한 문제]

1. 당뇨병 급성 합병증

1) 저혈당증

혈당이 70 mg/dL 이하로 떨어지는 경우이다.

(1) 원인

– 불규칙한 식사시간과 식사 부족, 과다한 인슐린 또는 경구혈당강하제, 고강도 운동, 과음 등

(2) 증상

– 공복감, 식은땀, 가슴 두근거림, 불안, 홍분, 손 떨림, 어지러움, 시력감퇴, 두통

(3) 관리법

① 혈당검사를 하여 저혈당을 확인한다.

② 탄수화물 음식을 15~20 g 정도 섭취한다.

a. 주스 1/2잔, 사이다 또는 콜라 1/2잔, 사탕 3~4개, 요구르트 1개, 설탕 또는 꿀 1큰술

※ 15~20 g의 단순 당은 15분 안에 혈당을 약 45~60 mg/dL 올린다.

b. 초콜릿 등 지방이 함유된 간식은 흡수 속도가 느리므로 피한다.

③ 15분간 휴식, 혈당을 다시 측정한다.

④ 70 mg/dL 이하로 계속 저혈당인 경우, 음식을 한 번 더 섭취한다.

⑤ 회복되지 않으면, 즉시 가까운 병원에 가서 진료를 받는다.

※ 환자가 의식이 없는 경우에는 음식을 먹이려 하지 말고 빨리 병원으로 후송한다.

(4) 예방법

① 저혈당 발생 위험이 높은 환자는 매 방문 시 저혈당을 확인하고 대처한다.

② 공복 혈당의 목표는 80~130 mg/dl, 건강 상태에 따라 혈당 목표의 개별화가 필요하다.

③ 잠자기 전 혈당 조절 목표는 100~140 mg/dL를 유지하고, 100 mg/dL 이하일 경우 우유 1컵 또는 과일군 1 교환단위를 먹는다.

④ 저혈당 응급 식품(사탕 3~4개)과 당뇨병 인식표를 지참한다.

⑤ 혈당강화제의 종류 및 용량 조정을 고려한다.

⑥ 적극적인 혈당 모니터링이 중요하다.

(5) 가짜 저혈당과 구별

당뇨약을 먹으면 저혈당이 올 수 있는데, 대부분 가짜 저혈당(실제로는 저혈당이 아니지만 몸에서는 혈당이 모자란다고 느낌)이다. 높은 혈당에 익숙하다 보니 정상이 되면 혈당이 낮아졌다고 생각한다. 혈당 측정 시 70 mg/dL에서 정상 수준이라면, 물을 한 잔 마시고 칼로리가 낮은 채소를 천천히 먹는다. 4~6분 정도 지나면서 혈당이 보충되어서 증상이 감소된다.

2) 고삼투압성 고혈당 증후군

(1) 원인

당뇨병 치료를 중단하거나 폐렴, 요로감염 등으로 심한 스트레스를 받는 상황에서 혈당이 600 mg/dL 이상으로 갑자기 상승할 때 발생한다. 케톤산증, 대사산증은 없다.

(2) 증상

다뇨, 구토, 탈수, 갈증, 전신 쇠약감, 복통, 의식저하, 혼수

(3) 관리법

병원 진료를 받는다.

- 수액 공급, 인슐린 투여, 전해질 교정, 폐렴 등과 같은 유발 요인을 찾아 함께 치료한다.
- 회복되었다고 판단하려면 혈청삼투압과 의식 상태가 정상화되어야 한다.

3) 당뇨병성 케톤산증

(1) 원인

인슐린 치료를 중단하거나 감염 등의 스트레스로 혈당 상승과 함께 간에서 케톤이 생성되어 산혈증이 동반된다. 고혈당, 케톤산증, 대사산증의 세 가지 요소가 있다.

(2) 증상

고혈당, 구역, 구토, 복통, 의식저하, 호흡이 빨라짐, 숨 쉴 때 아세톤 냄새

(3) 관리법

병원 진료를 받는다.

- 인슐린과 수액 공급, 체내 조직의 관류 회복, 케톤생성의 중단, 전해질 정상화로 한다.
- 혈당 정상화(200 mg/dL 이하), 혈청중탄산염 15 mEq/L 이상, pH 7.3 초과, 음이온 차이 12 mEq/L 이하 등 치료 수치를 모니터링한다.

2. 당뇨병의 3대 합병증

1) 당뇨병성 신장합병증

당뇨병에 의해 신장의 사구체들이 손상되어 단백질이 소변으로 빠져나가는 병으로, 심해지면 부종이 발생하고 더욱 심해지면 만성신부전이 된다.

(1) 증상

눈 주위나 얼굴 부종, 다리 부종, 가려움, 피로, 구토, 빈혈, 호흡곤란, 알부민뇨 등

(2) 위험 인자

고혈당, 고혈압, 고지혈증, 가족력(당뇨병성 신증, 고혈압), 당뇨병 유병 기간(5년 이상)

(3) 관리법

① 혈당, 혈압을 조절한다.

② 단백질 섭취량을 줄이고 싱겁게 식사한다.

③ 요로 감염을 예방하고 발생 시 치료한다.

④ 신기능을 악화시킬 수 있는 약제의 사용에 주의한다.

⑤ 1년에 1회 이상, 24시간 소변검사를 한다.

⑥ 1년에 1~2회씩 정기적 검진을 받는다.

⑦ 소변 알부민 배설량과 사구체여과율을 평가한다.

알부민뇨는 무작위 소변에서 알부민과 크레아티닌의 비(urinary albumin-to-creatinine ratio, URCA)를 측정한다(알부민뇨는 URCA 30 mg/g 이상).

2) 당뇨병성 망막증

망막에 존재하는 말초혈관에 혈액 순환 장애가 발생되어 혈관이 막히고 파괴되며 발병하는 병이다.

(1) 증상

눈 앞에 이물질이 떠다니는 듯한 느낌과 같은 증상, 시야가 변함, 초점이 흐려짐

(2) 위험 인자

고혈압, 미세 알부민뇨, 연령(40세 이상), 당뇨병 유병 기간(5년 이상)

(3) 관리법

① 혈당, 혈압, 지질을 조절한다.

② 눈에 어떤 변화라도 있으면 곧바로 의사에게 문의한다.

③ 1년 1회씩 정기적으로 안과 검진을 받는다. 단, 혈당조절이 잘 안되거나 단백뇨가 있는 경우 6개월마다 검사를 받는다.

④ 금연, 금주한다.

3) 당뇨병성 신경병증

말초신경, 자율신경 등 몸의 신경에 장애를 일으킨다.

(1) 증상

① 말초신경 질환 증상: 손이나 발의 무감각, 작열감, 건 반사 감소 및 소실

② 자율신경 질환 증상: 소화기계(변비, 설사 등), 비뇨기계(요로감염, 방광염 등), 생식기계(발기부전 등)

③ 당뇨 발: 혈관이 좁아지고 감각이 저하됨으로써 발에 나타나는 염증, 궤양

(2) 위험 인자

지속적인 고혈당, 고혈압, 이상지혈증, 당뇨병 유병 기간(10년 이상)

(3) 관리법

① 혈당, 혈압을 조절한다.

② 신경병증의 모든 문제는 의사와 상담한다.

③ 매일 발을 점검하여 작은 상처라도 조기에 치료한다.

④ 증상을 완화시키거나 증상에 도움을 주는 약을 처방받아 복용한다.

⑤ 1년에 1~2회씩 정기적 검진을 받는다.

tip **가정에 있는 대상자 및 가족에게 올바른 의약품 사용 안내**

- 식품의약품안전처 '안전하고 올바른 의약품 사용 안내'

만성질환을 갖고 있는 대상자는 대사 기능 등 신체 기능이 떨어지므로, 약을 복용할 때 용법·용량을 정확히 지키고, 병용하는 약이나 음식 등에 대해 더 세심한 주의가 필요하다. 두 개 이상의 약을 같이 복용하는 경우에는 상호 작용이 있을 수 있으므로 주의한다.

- 고혈압약과 소염진통제를 같이 복용하면 혈압이 상승할 수 있다.
- 당뇨약과 감기약·호르몬제를 병용하면 혈당이 올라갈 수 있다.
- 고지혈증약과 항부정맥제·항바이러스제·항진균제 등을 함께 복용하면 근육통을 유발할 수 있다.
- 약을 임의로 판단해서 복용하거나 중단하는 것을 주의하며 의사와 상담한다.

[병원 방문이 필요한 경우]

1. 당뇨병

1) 지속적으로 공복 혈당이 250 mg/dL 이상으로 상승한 경우
2) 소변에 케톤이 (++) 이상 측정되는 경우
3) 저혈당이 반복되는 경우
4) 탈수가 동반된 고혈당이 계속되는 경우
5) 심한 복통, 호흡곤란, 지속되는 구토, 심한 탈수, 지속적인 설사, 38 ℃ 이상의 고열 등
6) 발이나 다리 피부 색에 변화가 있는 경우

2. 고혈압

1) 혈압 수치가 수축기 혈압 180 mmHg, 이완기 혈압 110 mmHg 이상으로 상승한 경우
2) 심혈관계의 손상과 관련하여 가슴 통증, 호흡곤란이 있는 경우
3) 뇌혈관계의 손상과 관련하여 말이 어눌해지거나 한 쪽 팔다리 마비, 시야장애 및 복시 등이 나타난 경우

참고 문헌

1. 건강과약교재편찬위원회: 건강한 삶과 약. p63-94, 서울, 신일서적(주), 2020.
2. 김미영, 김병대: 자신만점 당뇨관리, 서울, 바른북스, 2018.
3. 김향숙: 건강사정과 실제, 대한간호협회, 2018.
4. 남재현: 병에 걸리지 않는 생활습관병 건강백서. p85-200, 서울, 중앙생활사, 2016.
5. 나가시마 히사에 지음, 이주관, 이진원 옮김: 콜레스테롤·중성지방을 낮추는 방법. p178-216, 서울, 청홍, 2019.
6. 대한고혈압학회 진료지침제정위원회: 고혈압 진료지침. 서울, 대한고혈압학회, 2018.
7. 대한당뇨병학회: 2019 당뇨병 진료지침 제6판. 서울, 서울메드쿠스, 2019.
8. 대한당뇨병교육간호사회: 당뇨병관리 길라잡이. 서울, 마루, 2019.
9. 대한당뇨병교육간호사회: 똑똑한 당뇨관리. 대한당뇨병교육사회, 2012.
10. 대한영양사협회: 임상영양관리지침서. 서울, 대한영양사협회, 2008.
11. 대한영양사협회: 식사계획을 위한 식품교환표, 2010.
12. 대한의학회, 질병관리청: 일차의료용 근거기반 당뇨병 권고 요약 정보, 서울, 대한의학회, 질병관리본부, 2018.
13. 대한의학회, 질병관리본부: 일차의료용 근거기반 당뇨병 임상진료지침, 2019.
14. 미국심장학회(American College of Cardiology, ACC), 미국심장협회(American Heart Association, AHA): ACC/AHA 콜레스테롤 가이드라인, 2013.
15. 박형숙 외: 만성질환 관리를 위한 운동과 영양. 서울, 정담미디어, 2007.
16. 보건복지부: 만성질환의 예방 및 관리를 위한 영양서비스 도구의 개발. 경기도, 보건복지부, 2001.
17. 보건복지부 질병관리본부: 2016 국민건강통계 I, 국민건강영양조사 제7기 1차년도(2016). 청주, 질병관리본부, 2017.
18. 보건복지부, 일차의료만성질환관리추진단: 일차의료 만성질환관리 시범사업 안내. 서울, 일차의료만성질환관리시범사업, 2020.
19. 박영순: 질병에 따라 달라지는 식이요법. 서울, 도서출판 정담, 2000.
20. 식품의약품안전처: 건강기능식품의 기준 및 규격. 청주, 식품의약품안전처, 2018.
21. 식품의약품안전처 고시, 나트륨 함량 비교 표시 기준 및 방법, 개정 고시(안) 행정 예고, 2018. 12.
22. 송영선: 만성질환노인의 식이섭취와 구강건강상태에 따른 고령친화HMR의 영양조절에 관한 연구- 고혈압, 당뇨병, 이상지질혈증 중심으로. 경기, 차 의과학대학교 일반대학원, 2021.
23. 안철우, 김형미: 하루한끼 당뇨밥상. 서울, 중앙일보플러스(주), 2017.
24. 에베고지 지음, 한성례 옮김: 내 몸에 독이 되는 탄수화물. p85-101, 서울, 이너북Life, 2016.

25. 오상우: 대사증후군. p215-252, 서울, 청림 Life, 2012.
26. 이홍규, 장학철, 조영연: 당뇨, 기적의 밥상. p14-107, 서울, 싸이프레스, 2015.
27. 이상지질혈증 치료지침 제정위원회: 이상지질혈증 치료지침 제4판. 서울, 한국지질·동맥경화학회, 2018.
28. 월간뉴턴: 건강을 위한, 지방과 당에 대한 새로운 상식, 서울, ㈜아이뉴턴, 2021.
29. 위니 유 지음, 유진희, 김경혜 옮김: 만성질환과 식이요법. 서울, 린, 2018.
30. 장혜순 외: 질환에 따른 식사요법. p180-207, 서울, 신광출판사, 2014.
31. 전덕영 외: 식품과 영양, p210-240. 서울, 수학사, 2020.
32. 전숙: 지역사회 건강과 질병 '제2형 당뇨병의 진단과 예방'21-06-4-1(Vol.56). 질병관리청 만성질환관리국, 2021. 6.
33. 진은희, 김태경: 간호와 영양. 서울, 군자출판사, 2014.
34. Anderson RJ, Bahn GD, Moritz TE, Kaufman D, Abraira C, Duckworth W; VADT Study Group. Blood pressure and cardiovascular disease risk in the Veterans Affairs Diabetes Trial. Diabetes Care 2011;34:34-8.
35. American Diabetes Association. Standards of Medical Care in Diabetes 2013. Diabetes Care 2013;36(1):S11-66.
36. American Diabetes Association: Standards of medical care in diabetes-2014. Diabetes Care 2014;37(1):S14-80.
37. American Diabetes, A., Standards of medical care in diabetes-2014. Diabetes Care 2014; 37(1):S14-80.
38. American Diabetes Association (2018): Standards of medical care in diabetes 2018. Diabetes Care. 2018;41(1):S86-104.
39. Catapano AL, Graham I, De Backer G, Wiklund O, Chapman MJ, Drexel H, et al.; Authors/Task Force Members; Additional Contributor. 2016 ESC/EAS Guide라인s for the Management of Dyslipidaemias. Eur Heart J 2016;37:2999-3058.
40. Cheryl Schraeder & Paul Shelton 저, 지역보건연구회 역: 만성질환통합관리 프로그램, 포괄적 케어조정 소개 및 사례, 계축문화사, p15-34, p511-520, 2014.
41. Dempsey PC, Larsen RN, Sethi P, Sacre JW, Straznicky NE, Cohen ND, Cerin E, Lambert GW, Owen N, Kingwell BA, Dunstan DW. Benefits for type 2 diabetes of interrupting prolonged sitting with brief bouts of light walking or simple resistance activities. Diabetes Care 2016;39:964-72.
42. Effoe VS, Balla VT, Mamdjokam AS, Siaha V, Tabi CA, Mvom A, Djam I, Mbanya

JC. Evaluation of a simple management protocol for hyperglycaemic crises using intramuscular insulin in a resource-limited setting. Diabetes Metab, 2009;35: 404-9.

43. Endocrine Society. Hormone Health Network. Hypoglycemia.(Accessed 2 June 2019)
44. European Society of Cardiology(ESC). 2018 ESC/ESH Guide라인s for the management of arterial hypertension European Heart Journal 2018;39:3021-3104.
45. Evert AB, Boucher JL, Cypress M, et al. Nutrition therapy recommendations for the management of adults with diabetes. Diabetes Care 2014;37(1):S120-43.
46. Hannah Mitter: CCHEI(Circle of Community Health Eductors International) 지역사회당뇨, 2016.
47. Leung AA, Nerenberg K, Daskalopoulou SS, McBrien K, Zarnke KB, Dasgupta K, et al. Hypertension Canada's 2016 Canadian Hypertension Education Program Guidelines for Blood Pressure Measurement, Diagnosis, Assessment of Risk, Prevention, and Treatment of Hypertension. Can J Cardiol 2016;32:569-88.
48. Nyenwe EA, Loganathan RS, Blum S, Ezuteh DO, Erani DM, Wan JY, Palace MR, Kitabchi AE. Active use of cocaine: an independent risk factor for recurrent diabetic ketoacidosis in a city hospital. Endocr Pract 2007;13:22-9.
49. Sobngwi E, Lekoubou AL, Dehayem MY, Nouthe BE, Balti EV, Nwatsock F, Akwo EA,
50. Sacks FM, Appel LJ, Moore TJ, Obarzanek E, Vollmer WM, Svetkey LP, et al. A dietary approach to prevent hypertension: a review of the Dietary Approaches to Stop Hypertension (DASH) Study. Clin Cardiol 1999;22:III6-III10.
51. Stone NJ, Robinson JG, Lichtenstein AH, Merz CN, Blum CB, Eckel RH, et al. 2013 ACC/AHA Guidelines on the Treatment of Blood Cholesterol to Reduce Atherosclerotic Cardiovascular Risk in Adults: A Report of the American College of Cardiology/ American Heart Association Task Force on Practice Guidelines. Circulation 2014;129(Suppl 2):S1-S45.
52. Umpierrez G, Korytkowski M. Diabetic emergencies: ketoacidosis, hyperglycaemic hyperosmolar state and hypoglycaemia. Nat Rev Endocrinol 2016;12:222-32.
53. Verberk WJ, Kroon AA, Lenders JW, et al. Self-measurement of blood pressure at home reduces the need for antihypertensive drugs: a randomized, controlled trial. Hypertension 2007;50:1019-25.

참고 사이트

1. 고혈압을 중지하는 식이접근(DASH)
   https://pubmed.ncbi.nlm.nih.gov/32330233/

2. 국민건강보험공단
   http://www.nhis.or.kr

3. 국민건강영양조사
   http://knhanes.kdca.go.kr

4. 건강보험공단 건강, IN
   https://www.nhis.or.kr/nhis/healthin/wbhaca04500m01.do

5. 국민건강정보포털
   https://health.kdca.go.kr/healthinfo/index.jsp

6. 내분비학 및 신진대사
   http://ajpendo.physiology.org/

7. 내분비학회에서 제공한 환자와 간병인을 위한 건강도구
   http://www.hormone.org

8. 대한당뇨병학회
   http://www.diabetes.or.kr

9. 대한고혈압학회
   http://www.koreanhypertension.org/sense/family

10. 두산백과사전
    https://namu.wiki/w/%EB%82%98%EB%AC%B4%EC%9C%84%ED%82%A4:%EB%8C%80%EB%AC%B8

11. 미국 당뇨병학회(American Diabetes Association, ADA)
    http://www.diabetes.org

12. 보건복지부
    http://www.mohw.go.kr

13. 병원간호사회, 간호사가 알려주는 홈케어, 내분비질환
    http://khna.or.kr

14. 식품의약품안전처 식품안전정보원, 식품안전나라
    https://www.foodsafetykorea.go.kr/main.do

15. 일차의료용 근거기반 디지털 가이드라인
    http://www.digitalcpg.kr

16. 임상진료지침 정보센터
    https://www.guideline.or.kr/

17. 위키백과
    http://ko.wikipedia.org/wiki/

18. 지역사회건강조사
http://chs.kdca.go.kr

19. 통계청
http://kostat.go.kr

20. 한국영양학회
http://www.kns.or.kr

21. 혈압측정에 대한 정보
http://www.dableducational.org/

경장영양 (Enteral Nutrition)

1_ 경장영양의 정의

경장영양이란, 위장관을 이용한 모든 유형의 영양 지원으로 경구 급식이나 경관 급식을 통해 영양소를 공급하며 정맥영양보다 우선시된다. 장의 소화 기능을 이용하여 영양 지원을 하므로 소화관 점막을 유지할 수 있으며, 정맥 영양에 비해 비용이 경제적인 장점이 있다. 가정에 있는 환자 중 경관급식을 하는 대상자는 점차 증가하고 있고, 한 대학병원의 가정간호 대상자 통계에 따르면 경관 급식을 유지하는 대상자가 43%인 것으로 나타났다. 본 경장영양에서는 경관영양에 대해 다루고자 한다.

1) 경관영양 적응증

경관영양의 대상자는 소화흡수 기능은 정상이나 적절한 영양 상태를 유지하는 데 필요한 영양소를 환자가 충분히 섭취할 수 없는 경우이다.

(1) 신경계 질환: 뇌졸중, 운동신경 질환, 파킨슨병 등으로 인한 삼킴곤란이 있을 때
(2) 위장관 흡수 장애: 염증성 장 질환, 장 절제 수술 등으로 인한 흡수 장애가 발생할 때
(3) 상부 위장관 폐색: 구강 폐색이나 상부 위장관 폐색 혹은 협착이 있을 때
(4) 의식이 없는 대상자: 머리에 외상이 있거나 인공호흡기를 사용 중인 대상자 등

2) 경장영양의 종류

(1) 혼합액화 영양액

일상 식품을 혼합, 분쇄하여 액화시킨 영양액으로, 당질, 단백질, 지방이 거의 일반 식사와 동일하게 구성되어 있기 때문에 위장관 기능은 정상이지만, 구강 내 문제가 있거나 삼

키기 어려운 환자에게 적용된다. 이런 영양액은 비교적 가격이 저렴하나, 조제, 배선, 보관 시 오염되기 쉬우며, 입자가 너무 크고 농도가 균일하지 않아 관이 막힐 우려가 있다.

(2) 중합체 영양액

원형의 영양소를 함유하는 영양액으로 정상적인 위장관 기능이 요구된다. 대부분의 상업용 영양액이 포함되며, 경구섭취 시 맛의 순응도를 증가시키기 위해 향을 첨가하기도 한다. 대부분의 영양액은 유당이 제외되어 있으며, 단백질 급원으로는 카제인염, 대두단백, 달걀 알부민이 주로 사용되고, 당질 급원으로는 말토덱스트린, 지방은 대두유, 중쇄중성지방, 옥수수유 등이 많이 이용된다. 상업용 영양액은 위생적이며 영양성분의 함량이 일정하게 구성되어 있다. 보통 1 kcal/ml의 에너지를 함유하고 있으며, 비교적 삼투압이 낮고 잔사가 적다. 가정에서의 경장영양은 관리와 관련된 감염위험과 편이성을 위하여 RTH (ready to hang) 형태를 많이 사용한다(Fig 2-12). 밀폐형 주입 체계로 준비 시 오염의 가능성이 적고, 뜯어서 옮길 필요 없이 바로 봉지째로 걸어서 사용이 가능하다. 영양액은 제조사에 따라 전문의약품, 일반의약품, 식품으로 분류된다. 환자의 건강보험 적용기준이 충족되면 전문의약품으로 등록된 영양액은 건강보험으로 처방이 가능하다.

뉴케어 300TF
[출처: 대상웰라이프]

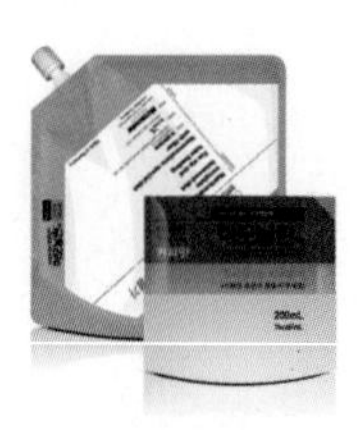
하모닐란
[출처: 영진약품]

경관식 엘디 300
[출처: 메디푸드]

엔커버
[출처: 중외제약]

Fig 2-12 **RTH 경관영양액**

(3) 부분가수분해 영양액

단백질과 당질의 부분 또는 완전가수분해물로 구성된 영양액으로 위장관이 정상적 기능을 못하거나 대장의 잔사량을 최소화시켜야 할 때 사용할 수 있다. 구성 성분은 대부분 분자량이 적고 가수분해된 형태이므로 췌장이나 담낭 등의 소화기관을 자극하지 않고 쉽게 흡수될 수 있다. 단백질 급원으로는 단쇄 펩티드 또는 아미노산을, 당질급원으로는 글루코오스 중합체와 덱스트린류를 사용하며, 중쇄중성지방과 소량의 필수지방산이 지방의 급원으로 사용된다. 이러한 영양액은 분자량이 적은 영양소로 구성되어 삼투압이 높기 때문에 이로 인하여 복부 팽만감, 메스꺼움, 구토, 설사, 탈수 등의 증상이 동반될 수 있으므로 사용 시 주의를 요한다. 또한 이들 영양액은 영양소가 분해되어 있어 맛이 떨어지므로 대부분 관으로 공급된다.

(4) 특수 질환용 영양액

표준영양액과는 다르게 영양성분의 조정이 요구되는 질환이 있는 환자를 위한 영양액이다(Fig 2-13).

신장질환자
[출처: 대상웰라이프]

당뇨식
[출처: 메디푸드]

당뇨식
[출처: 대상웰라이프]

Fig 2-13 질환이 있는 환자를 위한 RTH 경관영양액

① 간 질환

간성혼수 환자를 위하여 영양액 내 분지형 아미노산을 높이고 방향족 아미노산과 메티오닌을 낮춤으로써 혈청 내 방향족 아미노산에 대한 분지형 아미노산의 비율을 높이고자 만들어졌다.

- **종류: 고단백 영양액**

② 신장 질환

전해질량을 낮추고 필수아미노산과 칼로리를 높여서 만들어졌다.

- **그린비아 알디: 신질환**
- **알디플러스: 혈액투석 환자**

③ 당뇨병

혈당의 증가를 낮추기 위해 대부분의 상업용액보다 섬유소 함량을 증가시켜 만들어졌다.

- **종류: 그린비아 디엠, 뉴케어 디엠**

④ 호흡기 질환

탄산가스의 생성을 최소화하기 위하여 총 에너지 공급량 중에 탄수화물의 비율은 낮추고 지방의 비율을 높여서 만들어졌다.

(5) 영양강화제

한 가지 이상의 영양소로 구성된 것으로, 경관영양액의 성분이나 에너지의 농도를 조절하기 위해 고안된 제품이다. 종류로는 당질 보충제, 단백질 보충제, 지방 보충제 등이 있다(Table 2-16).

Table 2-16 영양강화제의 종류

당질 보충제	단백질 보충제	지방 보충제
폴리코즈(polycose) 멕시쥴(maxijul) 카로리-s (calorie-s)	프로모드(promod) 멕시프로(maxipro) 프로패스(propass)	MCT-oil

3) 투여 경로

경장 영양을 위한 공급 경로는 6주 미만의 단기간 동안 관급식이 필요한 경우 비장관(nasoenteric tube)을 사용하며, 비위관(nasogastric tube), 비십이지장관(nasoduodenal tube), 비공장관(nasojejunnal tube)이 있다. 그러나 가정에서 6주 이상 경장영양을 유지하는 대상자 중 수술이 필요하지 않고 쉽게 삽입을 할 수 있는 비위관을 장기간 유지하는 경우도 있다. 6주 이상의 장기간 관급식을 시행하는 경우 장루관(enterostomy tube)을 사용하며, 위장루관(gastrostomy tube), 공장루관(Jejunostomy tube)이 있다(Fig 2-14). Table 2-17 은 경장영양액의 투여 경로의 적용 대상과 장·단점에 대한 것이다.

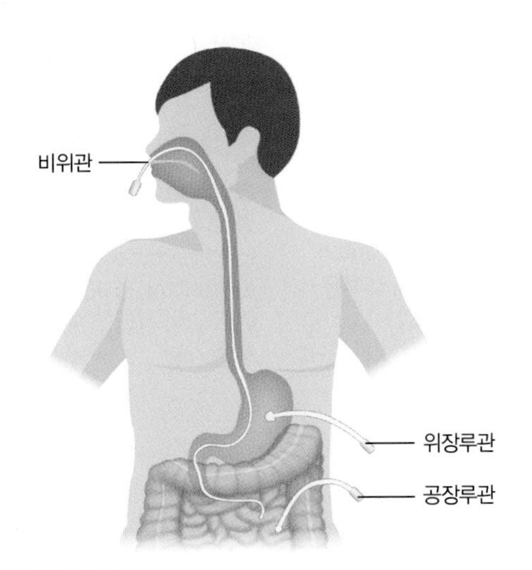

Fig 2-14 6주 이상의 경장영양 경로

Table 2-17 경장영양액의 투여 경로

투여 경로	적용 대상	장점	단점
비위관 (Nasogastric tube)	• 위 기능이 정상인 경우 • 4~6주 이내 단기간의 경관 급식이 예상되는 경우 • 삽입 방법의 편이성으로 6주 이상의 환자에게도 적용	• Tube의 삽입이 비교적 용이 • 1회에 상대적으로 많은 양의 주입 가능	• 흡인의 위험이 높음 • 환자가 관을 의식 • 코의 자극, 식도염, 인후염 등의 위험
비십이지장관 (Nasoduodenal tube) 비공장관 (Nasojejunal tube)	• 흡인의 위험이 높은 경우 • 위 배출 지연, 위식도 역류 질환 등이 있는 경우 • 4~6주 이내 단기간의 경관 급식이 예상되는 경우	• 비위관 급식에 비해 흡인의 위험이 적음 • 수술 과정은 필요하지 않음	• 영양액의 주입 속도, 삼투압 농도에 따라 덤핑 신드롬 발생의 위험 • 비위관 급식에 비해 관의 삽입이 어려움
위장루관 (Gastrostomy tube)	• 위 기능이 정상인 경우 • 비강으로 관 삽입이 어려운 경우 • 외과적 혹은 경피적으로 삽입 • 6주 이상 장기간 경관급식이 예상되는 경우	• 경피내시경위루술 (percutaneous endoscopic gastrostomy, PEG)은 수술 과정이 없이 저렴한 비용으로 시술이 가능(Fig 2-15) • 교환주기는 약 6개월로 장기간 유지 가능	• 관 삽입 부위의 감염관리 필요 • 소화액 유출로 인한 피부의 손상이 발생 • 관 제거 이후 누공이 생길 수 있음

투여 경로	적용 대상	장점	단점
공장루관 (Jejunostomy tube)	• 상부 위장관으로 관 삽입이 어려운 경우 • 흡인의 위험이 높은 환자 • 위 운동 장애, 식도역류가 있는 환자는 외과적 혹은 경피적으로 삽입 • 6주 이상 장기간 경관급식이 예상되는 경우	• 흡인의 위험이 적음 • 경피내시경공장루술 (percutaneous endoscopic jejunostomy, PEJ)은 수술 과정 없이 저렴한 비용으로 시술 가능	• 영양액의 주입 속도, 삼투압 농도에 따라 덤핑 신드롬 발생의 위험 • 관 삽입 부위의 감염관리 필요 • 소화액 유출로 인한 피부 손상 발생 • 관 제거 이후 누공이 생길 수 있음 • 관의 내경이 적어 막히기 쉬움

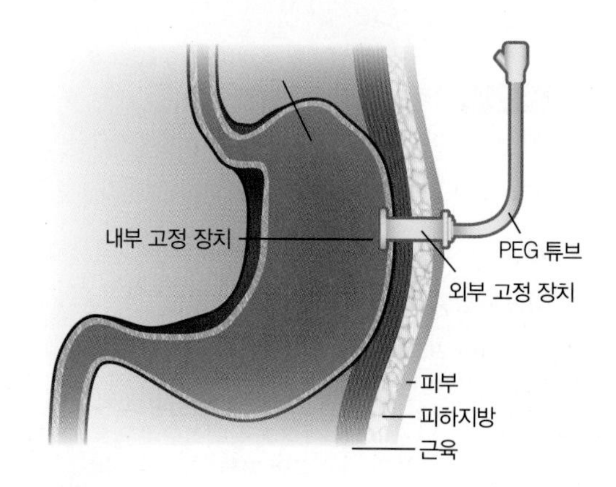

Fig 2-15 경피적 위루관

4) 주입 방법

경장영양액의 주입 방법은 다음과 같다(Table 2-18).

Table 2-18 경장영양액의 주입 방법

주입 방법	내용	적용	장점	단점
볼루스 주입 (Bolus feeding)	• 실온의 처방된 영양액 (대개 250~400 ml) 모두를 한꺼번에 주입 • 주사기 또는 중력을 이용한 점적법	회복기 환자	주입이 용이하고 시간 소요가 적음	주입 속도가 빨라 오심, 구토, 설사, 복통 등이 발생할 수 있음
지속 주입 (Continuous feeding)	• 중력이나 주입 펌프를 이용 • 20~24 시간에 걸쳐 천천히 영양액을 주입하는 방법	• 볼루스 주입이나 간헐적 주입에 적응하지 못하는 환자 • 영양불량이 심하거나 중환자 • 볼루스 주입으로 혈당 조절이 안 되는 당뇨 환자	• 흡인의 위험과 위 잔여물을 최소화할 수 있음 • 구토, 경련, 오심, 설사 등 구 위장관 부적응이 적음	• 활동에 제약 • 주입펌프나 피딩백 구입 등의 비용 부담
간헐적 주입 (Intermittent feeding)	• 주기적으로 투여하며 투여 세트를 이용하여 환자의 소화 능력에 맞추어 속도 조절 • 1일 3~5회로 나누어 1회 30~60분 동안 주입하는 방법	• 가정에서의 경관 급식 • 회복기 환자의 경관 급식	식사 사이에 일상적인 활동 가능	지속 주입에 비해 주입 속도가 빨라 흡인과 위장관 부적응의 발생 가능성이 다소 높음
주기적 주입 (Cyclic feeding)	• 낮동안 활동이 가능 • 밤 시간 동안 8~16 시간에 걸쳐 펌프를 사용하여 다소 빠른 속도로 지속 주입하는 방법	• 낮 시간에 경관급식을 장기간 동안 공급받을 수 없는 환자 • 경관급식에서 구강 섭취로 이행하는 전환급식(transitional feeding) 시기 환자에게 낮 시간 동안 구강 섭취가 증가되도록 하는 데 도움	• 낮 시간 동안 환자가 경관급식으로부터 자유로움 • 경구섭취에 추가하여 보충식을 할 때 사용할 수 있음	단시간에 충분한 영양 요구량을 주입하기 위해 농축된 영양액 주입이 필요하므로 위장관 부적응의 가능이 높음

2_ 간호 사정

가정에 있는 대상자의 경장영양에 대한 사정은 다음의 Table 2-19 를 참조한다.

Table 2-19 경장영양 환자의 사정

키&몸무게			
경관영양 경로	□ 비위관	□ 비십이지장관	□ 비공장관
	□ 위장루관	□ 공장루관	
	□ 경피적 위장루관	□ 경피적 공장루관	
size (tube)			Fr
고정 위치 길이			cm
최종 교환일	달력 표기		
튜브 자가 제거 경험	□ 무	□ 유	□ 기타
교환 시 주의사항	□ 무	□ 유	□ 기타
경관식 처방	□ 무	□ 유	□ 기타
일일 섭취량(cc)			cc
일일 섭취 횟수(회/일)			회/일
영양 교육	□ 유	□ 무	□ 기타
보호자 교육	□ 유	□ 무	□ 기타
특이사항(합병증 등)			

3_ 간호 문제

1) 영양불균형: 영양부족
2) 체액 부족 위험성
3) 감염 위험성
4) 흡인 위험성
5) 변비
6) 설사
7) 피부 손상 위험성

8) 지식 부족

4_ 간호 목표

1) 체중의 감소가 없다.
2) 영양결핍 증상이 없다.
3) 삽입된 튜브 사용에 문제가 없다.
4) 튜브 삽입으로 인한 합병증이 없다.
5) 보호자가 가정에서 튜브관리를 하는 것에 문제가 없다.

5_ 간호 수행

1) 비위관 삽입

(1) 준비 물품

비위관, 윤활제, 일회용 장갑, 휴지, 고정용 테이프, 설압자, 손전등, 관장용 주사기, 청진기, 물

(2) 수행절차

순서	수행절차
①	손 위생을 한다.
②	삽입이 용이한 자세를 취해준다. 일어날 수 없는 환자는 측와위를 취하게 한다(좌위는 중력으로 위관을 쉽게 내려가게 한다).
③	필요한 물품을 준비한다.
④	비위관의 길이는 코끝에서 귓볼까지의 길이와 귓볼에서 검상돌기까지의 길이를 더해 표시한다.
⑤	장갑을 끼고 비위관 끝의 약 10~20 cm까지 윤활제를 바른다.
⑥	코를 통하여 삽입할 때 환자의 고개를 약간 들게 하며 천천히 후하방으로 넣어 상인두 후방으로 삽입한다. 이 때 콧속의 비개에 닿지 않도록 비위관을 수평으로 밀어 넣는다.

순서	수행절차
⑦	비위관이 비인두에 도달했을 때 환자의 고개를 아래로 약간 숙이게 하고, 꿀꺽 삼키는 동작을 하게 하면서 위관을 부드럽게 밀어 넣는다. 이 때 환자가 구역질을 하면 잠깐 쉬게 하고 입으로 짧은 호흡을 하게 하며, 비위관이 잘 안 들어가고 막혀있는 느낌이 들면 억지로 밀어 넣지 말고 부드럽게 비위관을 돌리면서 넣는다.
⑧	환자에게 청색증, 구역질, 기침, 호흡곤란이 있는지 관찰하고 계속해서 구역질을 하면 안에서 비위관이 꼬였는지 펜라이트로 확인한다. 표시된 부위까지 삽입이 되면 비위관 위치를 확인해 본다. - 비위관 끝에 관장용 주사기를 꽂고 비위관 속으로 공기를 50 ml 주입하면서 상복부에서 청진기로 기포 소리를 듣는다. - 비위관 끝을 물이 들어 있는 용기에 담근다. 공기방울이 나오면 폐로 들어간 것이다. - 설압자로 혀 끝을 살짝 누르고 손전등을 이용하여 목 안쪽에 비위관이 꼬여있는지 확인한다.
⑨	장갑을 벗고 비위관에 묻어 있는 윤활제를 휴지로 닦은 뒤, 코에 테이프로 비위관을 고정시킨다.
⑩	물 50 ml 정도를 주입하고 비위관에 물이 차 있도록 한다.
⑪	사용한 물품을 정리하고 환자에게 편안한 자세를 취해준다.
⑫	비위관의 종류와 굵기, 위 내용물의 배액량과 색, 환자의 반응 등 사정한 내용을 기록한다.

(3) 보호자 교육

① 환자와 가족에게 튜브의 삽입 목적을 설명한다.

② 감염관리를 위한 일반적인 주의사항을 따라야 함을 강조한다.

③ 비위관 관리법(주기적인 튜브의 고정법과 위치 확인법, 빠져 나올 때의 조치법 등)을 교육한다.

④ 필요시 비위관(경장)영양 시행법을 교육한다.

⑤ 환자와 가족에게 튜브의 개방성을 확인하고 유지하는 방법을 교육한다.

⑥ 문제 발생 시 튜브를 제거하는 방법을 교육한다.

⑦ 구강 간호와 비강 간호를 규칙적으로 시행하여 구강이나 비강의 점막 손상이 없도록 교육한다[II장 연하곤란식이(p99)구강 간호 참조].

(4) 발생 가능한 문제

① 튜브 이탈

② 폐 흡인

③ 기도 삽입

2) 경피적 내시경하 위루관 드레싱

(1) 준비 물품

일회용 소독제, Y거즈, 고정용 테이프, 가위, 일회용 장갑

(2) 수행절차

순서	수행절차
①	손 위생을 한다.
②	필요한 물품을 준비한다.
③	대상자를 확인하고 목적을 설명한다.
④	일회용 장갑을 낀 후 삽입된 PEG 튜브 주위에 기존에 부착된 반창고와 거즈를 조심스럽게 제거하고, 봉합 부위와 튜브의 고정 상태를 확인한 후 일회용 장갑을 벗는다.
⑤	일회용 소독제를 사용하여 튜브 삽입 부위를 3회 이상 안에서 밖으로 소독하고 마를 때까지 기다린다.
⑥	튜브를 Y거즈로 고정하고 4×4거즈나 드레싱 제재로 덮은 후, 장갑을 벗고 테이프로 고정한다.
⑦	사용한 물품을 정리하고 PEG 관리 내용과 환자의 상태를 기록한다.

(3) 보호자 교육

① PEG 튜브를 유지해야 하는 목적을 설명한다.

② PEG 튜브를 안전하게 유지하는 방법으로 평소 위루관의 길이, 2~3일 주기의 드레싱 등을 교육한다.

③ 안정기에 예방적 밀봉 드레싱 후 목욕하는 방법에 대해 설명한다.

④ PEG 설치로 인한 부작용을 교육하고, 문제 발생 시 즉시 알리도록 교육한다.

⑤ 경피적위루관 시술을 시행한 진료과의 연락처를 준비하고 필요시 사용하도록 안내한다.

⑥ 구강 간호와 비강 간호를 규칙적으로 시행한다[II장 연하곤란식이(p99)구강 간호 참조].

(4) 발생 가능한 문제

① 감염

② 피부염이나 피부궤양

③ 카테터 이탈

tip

❶ 위루관의 막힘

1) 주사기에 10~20 ml의 따뜻한 물을 주입하여 밀었다 당기는 것을 반복

2) 튜브가 뚫리지 않는 경우 병원에 방문

❷ 위루관의 빠짐

1) 깨끗한 거즈로 빠진 부위를 빈틈없이 막고 바로 병원 방문

2) 위루관이 부분적으로 빠지면 테이프를 붙여 피부에 고정하고 병원 방문

❸ 위루관 주위의 피부 발적, 진피 손상

1) 카테터와 피부 사이로 위산 노출이 원인

2) 깨끗하고 건조하게 유지

3) 욕창 제품 사용 가능

❹ 위루관 주위의 육아조직

1) 카테터 고정이 안 되는 경우 자라남

2) 고정용 테이프로 복벽과 카테터 고정

3) 깨끗하고 건조하게 유지

6_ 대상자 교육

1) 비위관 영양

(1) 준비물품

처방된 유동식, 일회용 세정용 50 ml 주사기, 물 또는 멸균수, 유동식 주입 세트(feeding set), 일회용 장갑

(2) 수행절차

순서	수행절차
①	손 위생을 한다.
②	필요한 물품을 준비하고 영양액의 양과 온도를 확인한다(너무 차거나 뜨겁지 않게 유지).
③	경관영양 시행 전 상체를 30~45°정도 상승시킨 반좌위를 취해주고 주입 후에도 1~2시간 동안 반좌위를 유지한다(경관영양 중 유동식의 위식도 역류와 기도 흡인을 막기 위함).

순서	수행절차
④	흡인(suction) 간호가 필요한 환자는 경관영양 전에 흡인을 시행한다. (경관영양 중 흡인은 유동식 및 위액의 역류와 기도흡인을 유발할 수 있기 때문)
⑤	손 위생을 실시하고 일회용 장갑을 착용한다.
⑥	비위관의 삽입 길이에 변화가 있는지, 구강 내 튜브가 꼬여있지 않은지 확인한다.
⑦	비위관에 세정용 50 ml 주사기를 연결하고 피스톤을 뒤로 당겨 위 내용물을 흡인해 본다. 이때, 위 잔류량이 마지막 주입 양의 절반 이상이면 오심, 구토, 복부팽만, 복통, 변비, 설사 등의 증상이 있는지 확인하고, 흡인 내용물은 다시 주입한 뒤 소화가 되도록 기다렸다가 시행한다.
⑧	유동식 주입 전 약 30~50 ml 정도의 물을 천천히 주입한다. (비위관이 막혀있는지 확인하기 위함)
⑨	처방된 유동식을 주입 세트 끝까지 채운다. (불필요한 공기의 주입으로 위가 팽창되는 것을 예방하기 위함)
⑩	주입통을 위관 삽입 부위보다 45 cm 정도 높게 건다. (중력에 의한 주입이 가능하도록 하기 위함)
⑪	비위관을 조작할 때는 관을 꺾어 불필요한 공기의 유입을 차단한다.
⑫	주입관을 비위관에 연결한 후 1회에 100~300 ml의 영양액을 30~60분에 걸쳐 주입한다.
⑬	주입 중 호흡곤란 및 기침이 나면 중지하고, 복부팽만감이나 통증, 오심, 구토를 호소하면 속도를 줄이거나 중지한다.
⑭	유동식 주입이 끝나면 약 30~50 ml 정도의 물을 천천히 주입한다. (비위관이 막히는 것을 예방하기 위함)
⑮	물 주입이 끝나면 도관의 끝을 막고 안전하게 고정한다. (공기가 위장으로 들어가는 것을 방지하기 위함)
⑯	주입이 끝난 후 30분~1시간 정도 상체를 올린 자세를 유지하도록 한다. [기도흡인(aspiration)이나 구토를 방지하기 위함]
⑰	위생장갑을 벗고 손 위생을 실시한다.

2) 가정에서의 경장영양 관리

(1) 영양액과 주입 용기가 오염되지 않도록 관리한다.

(2) 영양액의 준비 및 주입 전 손 위생을 하고 무균적으로 준비한다.

(3) 냉장한 영양액은 차갑지 않게 실온 상태로 주입한다.

(4) 설사를 하면 주입 속도를 줄이고 외래 진료를 통해 의사와 상의한다.

(5) 세균성 장염(Clostridium difficile, E coli 등)이 의심되면 의사와 상의한다.

(6) 항생제, 변완화제, 제산제, NSAID 등 약물 주입이 있을 경우 설사와 관련성 여부를 의사와 상의한다.

(7) 변비의 발생은 탈수, 위장 운동 저하, 분변 매복(fecal impaction), 섬유소 및 수분 섭취의 부족, 활동량 부족 등으로 발생하므로 변비 예방을 위해서 섬유소와 수분을 충분히 보충하고, 가능하다면 활동량을 증가시키도록 한다.

(8) 오심 구토는 급식용 관을 삽입한 후 바로 주입을 시작하거나 주입 속도가 너무 빠른 경우, 많은 양을 공급하는 경우, 경장영양액의 온도 및 성분의 영향으로 유발될 수 있다. 온도, 주입 속도, 횟수와 1회 양 조절을 시도해 본다.

(9) 관 막힘은 가루 형태로 된 약제의 투입, 주입관의 부적절한 내경, 점성이 높은 영양액의 주입, 부적절한 관 세척 등과 같은 위험요인에 의해 발생할 수 있다. 영양액이나 약물 주입 전후에 20~30 ml 내외의 물로 관 세척을 하는 것이 필요하다.

tip **환자와 보호자에게 경장영양과 관련된 포괄적인 교육을 실시한다.**

❶ 경장영양의 이유 및 장단기 영양 목표
❷ 주입 장치, 경로 및 방법, 영양액 및 처방 용량
❸ 가정에서 경장영양 공급 시 필요한 물품
❹ 주입 세트, 주입 펌프 및 주사기를 포함한 사용법과 청결한 관리
❺ 공급 튜브 및 관 고정 방법, 관 주위 피부 관리, 관류 및 튜브 폐색 관리
❻ 영양 및 수분 공급 지침: 영양공급 계획 및 처방, 수분 상태 모니터링
❼ 체중 측정 및 권장된 검사 시행 유무
❽ 영양액의 안전한 준비와 관리
❾ 약물의 안전한 준비와 관리
❿ 주입 중·후 적절한 자세
⓫ 합병증 확인 및 관리
⓬ 사용 가능한 자원, 응급 치료 계획 및 의료인 연락처

참고 문헌

1. 병원간호사회: 근거기반 임상간호실무지침 경장영양 간호실무지침 개정. 서울, 병원간호사회, 2019
2. 이미숙, 이선영, 김현아, 정상진, 김원영, 김현주: 임상영양학. 서울, 파워북, 2018.
3. 이유경. "경장 영양 환자를 위한 간호 가이드라인 개발." 국내석사학위논문 연세대학교 간호대학원, 2007, 서울.
4. 일본노년간호학회: 경관영양. 서울, 노인연구정보센터, 2012.
5. 조경숙 외: 성인간호학 상권(7판). 서울, 현문사, 2018.
6. 조경숙 외: 성인간호학 하권(7판). 서울, 현문사, 2018.

1. 사단법인 대한영양사협회: 경관급식용 영양액의 종류
https://www.dietitian.or.kr.

정맥영양
(Parenteral Nutrition)

1-1_ 정맥영양

정맥영양이란, 경구 및 장관 영양이 어렵거나 영양공급이 불충분한 환자의 경우 정맥주사를 통한 영양을 공급하는 것으로 수액요법을 통해서 수분, 전해질 및 영양분을 공급하고 체액의 비정상적인 상태를 교정하는 것이다.

1) 수분 섭취량과 배설량은 항상 균형을 이루어야 하며, 정상 성인의 하루 수분 소실량은 약 2,000~2,500 ml 정도로 섭취 등 보충량이 적절히 이루어지지 않을 경우 세포외액의 결핍 및 과다 현상과 전해질의 이상이 발생될 수 있다.
2) 만성질환을 가지고 있거나, 갑작스런 건강 상태의 악화로 수액요법이 필요한 관련 요인은 장의 흡수력이 저하된 상태에서 위장 기능이 더 나빠지는 경우이다.
3) 정맥영양의 공급 경로는 말초정맥과 중심정맥이 있으며 시행 예상 기간과 영양소 공급 농도, 투여 목적을 고려하여 공급 경로를 결정한다.

1-2_ 정맥영양 사정

1) 체액 구분

체액(Body fluid)은 세포외액(Extracellular fluid, ECF), 세포내액(Intracellular fluid, ICF)으로 구분하며, 세포외액은 혈장(Plasma), 간질액(Interstitial fluid, ISF)으로 구성된다(Table 2-20).

Table 2-20 세포외액 및 세포내액의 용질 구성

구분	용질	세포내액(ICF)	세포외액(ECF)	
			혈관내액	간질액
양이온(Cation)	Na^+ (mEq/L)	10	145	142
	K^+ (mEq/L)	140~150	4	4
	Ca^{++} (mEq/L)	< 1	3~5	3~5
	Mg^{++} (mEq/L)	40~50	2~3	2~3
음이온(Anion)	Cl^- (mEq/L)	4	103~105	106~110
	HCO_3^- (mEq/L)	10	24	28
	HPO_4^- (mEq/L)	75	2~4	2~4
	단백질(g/dL)	16	7	2
	삼투압(mOsm/L)	278 (270~286)	278 (270~286)	278 (270~286)

2) 세포외액량의 결핍

(1) 병력

수분섭취 부족, 구토, 설사, 전신 감염으로 인한 고열과 수분 및 전해질의 소모 증가

(2) 징후 및 증상

피부 건조, 점막 건조, 갑작스런 체중 감소, 혓바닥이 말라 갈라짐, 핍뇨* 및 무뇨

* 핍뇨(oliguria)는 1일 소변량이 400 ml 이하, 무뇨(anuria)는 1일 소변량이 100 ml 미만인 경우

(3) 검사실 소견

혈침 속도, 혈색소, 적혈구 증가, 건강 신장 소유자에서 소변 Cl^-의 감소

3) 단백질 결핍

(1) 병력

음식 섭취 부족, 욕창, 골절, 전혈의 소실, 심한 외상, 상처 배액, 기아

(2) 징후 및 증상

만성 체중 감소, 감정적 우울, 창백, 쉬운 피로, 무기력한 근육

(3) 검사실 소견

혈장 알부민치 3 gm/dl 이하, 혈색소 및 적혈구 수 감소

4) 수액 제재의 종류 및 구성 성분

(1) 정질용액

정질용액은 기본적으로 NaCl을 포함, 조직간액을 증가시키는 효과가 있다.

① 등장성 식염수(Isotonic saline) = 0.9% NaCl* = Normal saline

* 0.9% NaCl = 154 mEq Na^+ +154 mEq Cl^- = 154 mOsm Na^+ +154 mOsm Cl^- = 360 mOsm/L

② Lactated Ringer 용액(Hartmann solution) = 0.9% NaCl+Ca^{++}+K^+

③ Plasma-Lyte (=Normosol) = Mg^{++} 함유

④ Dextrose 용액 = 5% Dextrose (1 L 당 50 gm의 Dextrose 함유)

(2) 교질용액

교질용액은 분자가 크기 때문에 정질용액과는 달리 확산 장벽을 통하여 자유롭게 이동하지 못하므로 혈관 내에 남아 혈장량을 증가시키는 효과가 있다.

① 알부민(Albunim)

② Hydroxyethyl starch (HES)

③ 덱스트란(Dextrans)

④ 젤라틴(Gelatin)

(3) 완전정맥영양

필요한 영양소를 모두 정맥주사를 통해 공급하는 방식인 완전정맥영양에서는 고장성 용액을 주로 사용하기 때문에 상대정맥과 같은 큰 혈관으로의 접근이 필요하다. TPN은 투여경로에 따라서 말초정맥영양(peripheral parenteral nutrition, PPN)과 중심정맥영양(central parenteral nutrition, CPN)으로 구분한다.

표준 완전정맥영양은 탄수화물(덱스트로오스)과 단백질(아미노산), 지방유제(계란 인지질을 포함한 대두유 또는 홍화유), 미세 영양소 및 전해질로 구성되어 있다.

tip ❶ 수액은 전체 세포외액량의 증가를 위해서는 정질용액을 선택, 혈장량의 증가가 주요 목표일 경우에는 교질용액의 투여가 바람직하다.
❷ 아미노산 함유 수액제는 환자 질환(간, 신장애 등)에 따라 수액제를 선택하고 적용한다.

2_ 간호 사정

1) 이학적 검사

피부 긴장도, 점막 상태, 말초동맥의 촉진, 심박동 수, 혈압, 체중, 의식 상태 등을 평가한다.

2) 임상 검사

(1) 헤마토크리트, 동맥혈 pH, 혈청 및 소변의 나트륨 농도, 소변의 비중 및 혈청 creatinine과 BUN 비율 측정

(2) serum albumin/protein, 전해질, 비타민, 미량원소

Table 2-21

혈 장	정상 범위	소 변	정상 범위
Na^+	135~145 mmol/L	Na^+	50~200 mmol/24h
K^+	3.5~5.0 mmol/L	K^+	30~100 mmol/24h
Cl^-	95~105 mmol/L	Cl^-	100~300 mmol/24h
Osmolality	280~295 mOsm/kg	Osmolality	300~1000 mOsm/kg
BUN	8.0~20.0 mg/dL	Specific gravity	1.003~1.030
Creatinine	0.7~1.5 mg/dL	Creatinine	11~26 mg/kg/24h
HCO_3^-	21~28 mmol/L	Creatinine 청소율	80~120 ml/min
Ca^{++}	8.5~11.0 mg/dL	Urea 청소율	60~95 ml/min
Mg^{++}	1.5~2.7 mg/dL	H^+	60 mEq/24h

3_ 간호 문제

1) 영양불균형
2) 적응장애
3) 지식 부족
4) 잠재적 감염 위험성
5) 보호자 역할 부담감

4_ 간호 목표

1) 세포외액량의 결핍인 경우 유효 순환혈액량을 증가시킨다.
2) 단백질 결핍인 경우 구토 및 식욕 감퇴에 따른 영양 결핍의 악순환을 예방한다.
3) 수분 불균형 상태를 파악하여 적절히 교정한다.
4) 수분과 전행질 균형을 유지한다.
5) 안전하게 수액 요법을 수행한다.

5_ 간호 수행

1) 정맥영양의 목적과 효과를 설명한다.
2) 정맥영양 주사 요법 시 5-Right (정확한 용량, 방법, 약명, 시간, 사람)를 지킨다.
3) 처방에 따른 수액 처치를 절차에 맞게 정확하게 수행한다.
4) 말초정맥 주사 부위는 말초(손등)부터 시작하여 손목으로 올라간다.
   ※ 수배부 정맥(Veins of dorsum of hand), 전주와정맥(Antecubital veins) 선택
5) 가정에서 주 돌봄자에게 설명하고, 가족 모두 감염예방수칙 및 안전관리를 지킨다.
6) 병원과 같이 동일하게 가정에서도 무균술을 적용할 수 있도록 교육한다.
7) 광과민성이 있는 tryptophan을 함유하는 제제는 차광한다.

8) 가정에서 완전정맥영양(total parenteral nutrition, TPN)을 수행한다.

(1) 사전 점검 상태

① 수액의 보관 상태 점검(밀봉상태의 파손, 누출 유무, 온도 등)

② 변색, 침전물 유무 확인

③ 제조 날짜, 유효 기간 확인

④ 의약품명, 용량, 투여 경로 처방과 이름 등 확인

(2) 적응증

① 중증 영양불량: 체중이 10% 이상 감소된 경우

② 위장계 문제: 소화나 흡수의 문제

③ 치료 중인 대상자의 불충분한 구강 섭취 시

(3) 합병증

① 감염 및 패혈증

② 카테터 삽입 부위의 오염

③ 대사의 변화: 당뇨, 삼투압이뇨 등

(4) 모니터링

① 정맥영양을 받고 있는 대상자는 전해질 등 정기적으로 검사를 수행한다.

② 포도당 과잉공급은 고혈당을 초래할 수 있어 혈당을 주의 깊게 관찰한다.

③ 부종, 체중 증가 등의 수분 과다 증상을 관찰한다.

④ 환자 모니터링 시에는 환자의 체중이나 기능적인 상태를 포함한 임상적인 징후와 알부민, 전알부민(prealbumin) 같은 검사 결과도 같이 고려해야 한다.

(5) 주의사항

① 고농도의 포도당용액은 미생물이 쉽게 성장하여 감염의 위험성이 있으므로 처방받은 주사제는 적정 온도, 청결한 장소에 보관한다.

a. 차량 내 이동 시에 보관에 주의한다.

b. 가정에서 보관 시, 상온에서 저장하고 냉동과 고열은 피한다.

※ 여름철 가정환경의 고온 노출을 예방하기 위해 약품 냉온기를 사용할 수 있다.

② 지방유제는 등장성이며 일반적으로 사용에 큰 문제는 없으나, 경우에 따라서는 고지혈증이나 드물게는 알레르기 반응(대개 계란 인지질 성분을 포함한 경우)을 유발할 수 있다.

③ 패혈증 발생률은 과잉공급 및 고혈당과 관련 있으므로 200 mg/dL 이하로 혈당 수치를 조절하도록 한다.

tip

❶ 환자와 가족은 의료 전문가가 아니므로 대상자들의 개별화된 요구에 맞춘 적절한 교육 계획이 매우 중요하다. 교육 프로그램, 보호자 훈련, 시청각 자료는 필요시 언제든지 제공한다.

❷ 처방받은 수액제(TPN 등) 관리에 대한 교육 프로토콜을 적용한다.

※ 환자 교육 체크리스트 - 각 의료기관의 교육 인준을 받은 기본 서식지 활용

6_ 대상자 교육

1) 가정에서의 정맥영양 및 수액 관리

(1) 말초정맥 카테터

말초정맥에 삽입되는 작고 구부러지는 카테터로, 수액 같은 주사제 투여에 사용된다.

① 주사 부위의 발적, 동통 혹은 분비물이 있는지 확인한다.

② 정맥 수액은 주사 부위로부터 45~60 cm 정도 높이로 IV pole 또는 옷걸이에 건다.

③ 가위 사용 시 손상을 예방하기 위해서 끝이 뾰족하지 않은 붕대 가위를 사용한다.

④ 주입 속도는 처방에 맞게 맞추며, 주사 속도는 가능한 천천히 유지한다.

⑤ 수액세트가 당겨지거나 발에 걸려서 주사 바늘이 빠지지 않도록 주의한다.

⑥ 멸균 포장된 수액은 개봉 후 24시간이 지나면 폐기한다.

⑦ 가정에서 수액 주입 동안 문제 또는 의문사항이 있는 경우, 담당 간호사에게 연락한다.

⑧ 정맥주사 환자를 위한 안내문(Table 2-22) 배포

a. 말초정맥 카테터를 제거하는 방법

b. 수액이 들어가지 않을 때 확인하는 방법

c. 정맥주사 부위 감염 증상 관찰

d. 수액 연결 방법

Table 2-22 말초정맥을 통한 수액 처치 시 교육 내용

구분	관련 사진	내용
속도조절기	속도조절기 열림 / 속도조절기 닫힘	• 속도조절기 열림 • 속도조절기 닫힘
수액이 들어가지 않는 경우	①	• 수액줄이 꺾이지 않았는지 확인 • 속도조절기를 위로 올려 수액이 나오는지 확인 • 속도조절기를 아래로 내려 잠그고, 주사 바늘 방향의 노란고무(①)를 짜듯이 5회 정도 누르기 • 속도조절기를 위로 올려 수액이 들어가는지 확인 후 방울 수를 재조절
주사바늘 빼는 법		• 손 씻기는 필수 • 속도조절기를 아래로 내려 잠그고 부착된 테이프 제거 • 주사바늘이 삽입된 부위에 한쪽 손으로 알코올 솜을 올려놓고, 살짝 누른 채로 다른 손으로 바늘을 당기면서 빼기 • 문지르지 말고 3분 가량 눌러주고, 피가 나지 않으면 알코올 솜을 제거

tip 가정에 있는 대상자 수액 요법을 할 수 있는 조건

❶ 가정에서 수액 요법을 받는 경우, 환자 상태를 지속적으로 관찰하고 돌봄을 제공하는 보호자가 환자 곁에 있어야 하며, 보호자는 안전한 수액 주입에 대한 책임을 갖는다.

❷ 보호자는 수액 주입에 대한 주의사항 및 주사바늘을 제거하는 방법 등을 교육 받는다.

❸ 수액세트를 연결하여 수액을 라인에 채울 때는 속도조절기를 늦추거나 수액 라인을 높이 들면 수액 라인에 공기가 차는 것을 예방할 수 있다.

(2) 중심정맥 카테터

중심정맥관을 사용 목적에 맞게 잘 사용하려면 올바른 관리법을 준수해야 한다.

① Central Venous Access Devices (CVAD's) 종류

a. Hickman Skin Tunnelled Catheters

b. PICC-Peripherally Inserted Central Catheters

c. Port Cath-Tunnelled Implanted Ports

② 적용 기준

a. 혈액학적 검사를 위한 혈액 채취

b. 수액 주입, 진단 및 치료를 위한 약물 주입

c. 장기간 또는 고농도 영양액 주입

d. 중심정맥압 측정

③ 혈관 카테터 삽관 후 드레싱 목적

a. 천자 부위 보호

b. 카테터의 감염으로부터의 보호

c. 카테터의 움직임에 의한 혈관 손상의 방지

④ 교육 내용

a. 감염 예방을 위해서 손 씻기가 매우 중요하다.

b. 카테터를 삽입한 쪽 팔에 압박을 주거나, 혈압 측정을 하지 않도록 한다.

c. 샤워는 필름 드레싱 적용 후 밀폐 상태를 확인하고 시행한다. 샤워 후에는 소독을 한다.

d. 중심정맥관 부위 소독과 투명 필름 드레싱 후 습기가 차지 않도록 주의한다.

e. 감염 예방을 위해 멸균된 일회용품을 사용하며, 재사용을 하지 않는다.

f. 카테터 손상을 예방하기 위해 잠금고리(clamp)를 한 부위에만 적용하지 않는다.

7_ 수기술

1) 목적

(1) 정맥영양을 수행하기 위함이다.

(2) 말초정맥과 중심정맥을 통한 수액 관리를 안전하게 수행한다.

2) 준비물품

(1) 말초정맥을 통한 수액 처치

주사바늘, 토니켓, 수액세트, 알코올 솜, 반창고, 고정 드레싱, 폴대, 정맥 접근 장치(Fig 2-16)

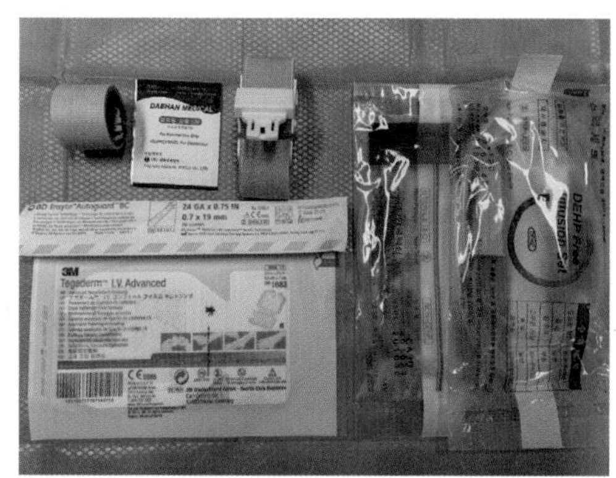

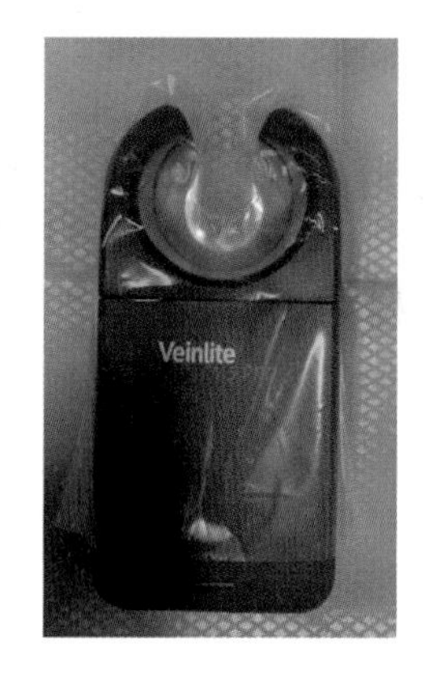

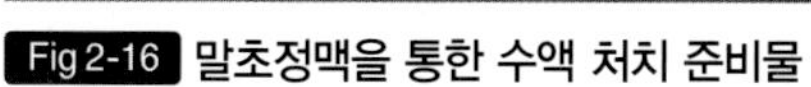
Fig 2-16 말초정맥을 통한 수액 처치 준비물

(2) 중심정맥관 소독 및 관리

생리식염수 20cc, 5~10cc 주사기, 헤파린캡, 멸균 장갑, 비닐 장갑, 마스크, 일회용 소독 세트, 고정용테이프, 지속적 정맥주입기 혹은 속도 조절 장치가 부착된 수액 세트, 소독제(2% chlorhexidine gluconate or betadine), 멸균거즈, 필름 드레싱제(Fig 2-17)

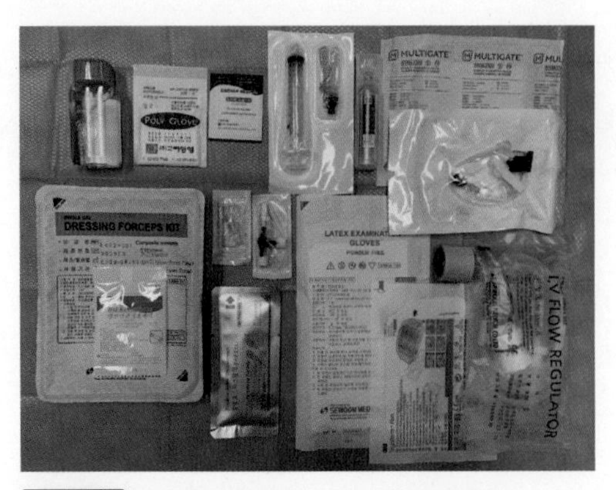

Fig 2-17 중심정맥을 통한 수액 처치 준비물

3) 간호절차

(1) 말초정맥을 통한 수액 처치

순서	수행절차
①	손을 씻는다. (감염 예방을 위해 Hand Hygiene Techniques 준수)
②	손 소독제를 바른 후 물품을 준비한다. (Sterile field 확보)
③	설명한다. (정보 제공과 동의)
④	알러지 등 부작용 경험을 확인한다. (안전 간호를 위한 절차)
⑤	옷을 벗어 팔을 완전히 드러낸다. (말초정맥 부위를 찾기 위해 시야를 확보)
⑥	• 토니켓을 사용하여 적당한 정맥을 찾는다. • 정맥을 찾기 어려운 경우, 정맥 접근 장치를 사용한다. (혈관 확장, 천자가 용이) ※ 환자의 손을 주먹을 쥐었다 폈다를 반복하게 하거나 정맥 부위를 두드리는 것도 도움이 된다.
⑦	• 피부를 소독한다. • 원을 그리면서 안에서 밖으로 닦아낸다. • 3회 이상 소독한다. (승인된 소독제 사용)
⑧	• 카테터를 삽입한다. • 성공적인 혈관 확보가 된 것을 확인한 후, 수액 세트를 연결한다. (무균술 적용) ※ 주사침과 주사기는 일회용 제품을 사용하며 재사용을 하지 않는다.

순서	수행절차
⑨	• 토니켓을 풀고, 고정을 위해 테이프로 붙인다. • 투명필름 드레싱을 사용한다. • 날짜를 기입한다. (말초 정맥관 삽입 후 고정과 관찰이 용이)
⑩	• 수액을 주입한다. • 주입 속도를 맞춘다. (Drip: 1 ml=15 gtt)
⑪	주사한 부위의 통증, 불편감 등을 관찰한다. (말초정맥에 안전하게 주입)
⑫	• 손상성 폐기물 등을 정리정돈한다. • 주사바늘에 찔리지 않도록 안전한 용기에 폐기한다. • 무침 제품을 사용하여 자상을 예방한다. - 바늘에 의한 손상을 예방하기 위함 ※ 안전주사기, 안전바늘, 안전카테터 사용을 권장한다.
⑬	손을 씻는다.
⑭	환자의 반응을 살피고, 필요시 조치한다. (설명 및 교육)
⑮	문제에 대한 문의할 수 있는 연락처를 제공한다. (설명 및 교육)

(2) 중심정맥관을 통한 수액 처치

순서	수행절차	이론적 근거
①	손을 씻는다.	Hand Hygiene Techniques
②	손 소독제를 바른 후 물품을 준비한다.	Sterile Field 확보
③	처치 목적과 방법을 설명한다.	정보 제공 동의
④	• 수술용 마스크를 착용한다. • 청결 장갑을 착용한 후, 기존 드레싱을 제거한다. • 한 손으로 피부를 지지하면서 다른 한 손으로 필름을 완전히 뒤집어서 낮은 각도로 제거한다. • 통증 호소 시 피부 보호제품을 사용하여 제거한다. • 청결 장갑을 벗고, 손 위생을 수행한다.	피부 손상을 예방하고 통증 유발을 감소
⑤	• 중심정맥관 삽입 부위를 관찰한다. • oozing, redness, swelling, odor, pain	• 감염 징후, 피부 알러지 확인 • 위험을 최소화
⑥	• 멸균 장갑을 착용한 후, 피부를 소독한다. • 원을 그리면서 삽입 부위 안에서 밖으로 닦아낸다. • 10 cm 넓이를 3회 이상 소독한다. • 알코올 소독은 30초 이상, 포비돈 소독은 2분 이상 자연적으로 건조시킨다.	• Aseptic Techniques • 승인된 소독제 사용 • 소독제 적용 방법 준수 • 일회용 포장 제품 권장

순서	수행절차	이론적 근거
⑦	• 멸균 드레싱을 수행한다. • 필름 드레싱을 적용한다. • 제품에 알러지가 있으면 거즈 드레싱을 적용한다. * 교환주기: 필름 드레싱 7일, 거즈 드레싱 2일 • 멸균 장갑을 벗고, 손 위생을 수행한다.	• Sterile Dressing • 감염 위험 감소 • 멸균 환경 제공
⑧	• 드레싱 적용 및 교환 날짜를 기록한다. • 습기, 출혈, 눈에 보이는 오염이 있는 경우 바로 소독한다.	중요한 임상 정보를 제공
⑨	라인을 효과적으로 고정시킨다.	중심정맥관을 안전하게 유지하고 활동하는데 안위감을 주기 위함
⑩	• 무균적 방법으로 관류와 흡인을 통해 정맥관의 기능 상태를 확인한다. • Patency 유지 - N/S flushing/ Heparinization Positive Pressure & Clamp	• 중심정맥관 유지 • Aseptic Techniques • 카테터 손상을 예방하기 위해 10 cc 이상 주사기 사용
⑪	• 수액을 연결하고 주입한다. • 처방에 따른 주입 속도를 맞춘다. • 주입 속도 조절 세트를 사용한다.	수액 투여 속도 변화 정도를 관찰
⑫	• 모니터링한다. • swelling, leakage, infiltration, extravasation	• Check Daily • 가능한 합병증 확인
⑬	• Heparin cap 교환 및 소독한다. • 클로르헥시딘/알코올, 멸균 70% 알코올 등을 사용한다.	• Aseptic Techniques • 승인된 소독제 사용
⑭	• 정리 정돈한다. • 수액세트나 주사기는 1회 사용 후 폐기한다. • 주사침 자상 예방을 위한 보호 기능이 있는 제품 등 사용을 고려한다.	• 표준예방지침 준수 • 날카로운 물품들은 안전하게 폐기
⑮	손을 씻는다.	Hand Hygiene Techniques
⑯	환자의 반응을 살피고, 필요시 조치한다.	합병증에 대한 교육은 중요
⑰	문제에 대한 문의할 수 있는 연락처를 제공한다.	이상반응 시 연락체계 안내

tip 카테터의 폐쇄를 방지하기 위해서는 항상 수액이 투여되도록 하거나 생리식염수 또는 헤파린이 섞인 식염수를 규칙적으로 주입하면 도움이 된다.

- Heparinization: 1:100 u 헤파린 용액 4~5 cc, 주 1~2회 주입한다.
  * Chemo port, 장기간 사용하지 않는 경우는 월 1회(4주마다) 주입한다.
- Flushing: TPN 또는 고농도 수액을 주입 후, 24시간마다 카테터에 생리식염수를 주입한다.
- 카테터가 꼬이거나 혈액 역류, 약물 투여에 따른 침전물 형성 등을 주의한다.
- 수액 주입 속도에 영향을 줄 수 있는 상황에 대해 인지하고 대처한다.
- 정맥 연결 장치의 적절한 기능을 확인한다.

4) 기록사항

(1) 주사 종류, 용량, 주입 속도, 투여 경로 등을 확인한다.

(2) 드레싱 적용과 교환 날짜를 기록한다.

(3) 주사 부위와 주변의 발적, 부종, 분비물 등 유무를 평가한다.

(4) 환자와 주 돌봄자에게 교육한 내용을 기록한다.

(5) 이상 발생 시 의료진에게 보고한다.

[발생 가능한 문제]

1. 정맥 주사 시 합병증

1) 침윤(Infiltration)

비발포성 용액이나 약물이 조직 주변에 스며드는 것으로, 정맥관 이탈이나 정맥 파열로 일어나며 촉진 시 냉감, 수액의 누출, 부종, 삽입 부위의 민감성 등이 나타난다.

2) 일혈(Extravasation)

의도하지 않게 혈관에서 조직으로 발포성용액이나 약물이 새어 나가는 것으로 수포를 형성하고, 순차적으로 근육 괴사를 유발한다.

※ 발포제(Vesicant): 조직으로 새었을 때 수포 및 궤양을 유발하는 약물

3) 정맥염(Phlebitis)

정맥 내막의 염증으로, 정맥 내 혈액 응고로 염증이 발생하면 혈전성 정맥염이라고 한다. 혈관이 딱딱하고 발적된 피부를 관찰할 수 있으며, 부종, 온감, 동통, 발적 등이 있다.

4) 감염(Infection)

주입 속도가 느려지고 정맥주사 부위에 열감이 있으며 발적, 동통이 있고 열, 오한, 맥박 상승이 동반되기도 한다.

5) 공기색전(Air embolism)

공기가 혈관계 내에 들어옴으로 인해 야기된다. 작은 양의 공기는 순환계에서 제거되기 때문에 증상을 일으키지 않는다. 하지만 많은 양의 공기(3~8 ml/kg)는 급성으로 오른쪽 심실로부터 혈액 박출을 방해하여 심인성 쇼크를 일으킨다.

6) 속도 쇼크(Speed shock)

체내로 들어간 이물질이 빠르게 순환계 내로 들어갈 때 나타나는 전신적 반응이다. 현기증, 안면홍조, 두통, 흉통, 약물 주입과 관련된 증상 등이 나타난다.

7) 알레르기 반응(Allergic reaction)

예민한 환자에게 약물이나 용액을 투여한 경우 나타나는 급작스럽거나 지연된 반응을 말한다. 두드러기, 홍반, 가려움 등이 나타난다.

2. 대처 방법

1) 침윤, 일혈이 발생하면 즉시 수액 주입을 중단하고 카테터를 제거하며, 사지 상승, 냉온요법과 필요시 해독제 사용, 수술적 중재를 적용한다.
2) 정기적으로 부종, 경화, 괴사 증상이 있는지 관찰한다.
3) 통증, 압통, 발적, 열감, 부종 등 정맥염의 증상, 징후를 사정하며 정맥염 발생 위험을 감소시키기 위해 약물의 희석, 주입 속도의 감속, 카테터 정규 교환 시기를 준수한다.
4) 공기 색전증이 의심되면 환자를 왼쪽으로 눕게 하여 공기 색전이 혈류로 퍼지는 것을 방지하고 폐순환으로 공기 색전이 유입되도록 하며, 침상 머리를 낮춘다.
5) 속도 쇼크가 발생하면 즉시 수액 주입을 중단하고, 필요시 응급처치를 수행하며, 처방된 중재를 실행한다.
6) 알레르기 반응이 발생하면 환자를 가능한 편안하게 하고 처방에 따라 중재를 수행한다.
7) 장기간 수액요법이 필요한 경우 말초정맥관보다 중심정맥관 삽입을 통한 수액요법을 고려한다.

[병원 방문이 필요한 경우]

1. 불균형된 전해질과 수분을 빨리 교정해야 하는 경우
2. 단백열량 영양실조 상태의 경구 영양이 불가능한 중증 환자인 경우
3. 오한이나 38 ℃ 이상 고열이 있는 경우
4. 수액 또는 약물 주입 시 저항이나 주입이 안 될 경우
5. 중심정맥관 손상 또는 일부 빠져 나온 경우

참고 문헌

1. 가톨릭대학교 호스피스 교육연구소: 호스피스 완화간호. p298-308, 서울, 군자출판사, 2006.
2. 경기도의료원 가정간호사업팀: 가정간호 교육자료 개편. 경기도, 경기도의료원 산하병원, 2019.
3. 김갑성 외: 일차진료 아카데미 정맥영양 주사요법. 서울, 엠디월드, 2019.
4. 김금순 외: 정맥치료의 원리와 간호. 서울, 현문사, 1997.
5. 대한임상노인의학회: 노인의학. p958-975, 서울, 닥터스북, 2018.
6. 미국정맥경장영양학회(ASPEN)
7. The A.S.P.E.N. nutrition support practice manual 2nd edition, A.S.P.E.N., 2005.
8. The A.S.P.E.N. nutrition support core curriculum, A.S.P.E.N. 2007.
9. 병원간호사회: 정맥주입요법 간호실무지침. 서울, 병원간호사회, 2012.
10. 보건복지부 외: 주사감염 예방 안전 가이드라인, 서울, 의료기관평가인증원 중앙환자안전센터, 2021.
11. 송경애 외: 최신 기본간호학 Ⅰ·Ⅱ, 경기도, 수문사, 2019.
12. 신현택: (Handbook of)정맥주사 및 영양요법의 기초. 서울, 신일상사, 1994.
13. 안지현: 한눈에 알 수 있는 내과학, 서울, 범문에듀케이션, 2019.
14. 이경은. "암환자의 Total Parenteral Nutrition 지원실태 분석." 국내석사학위논문 계명대학교 대학원, 2012, 대구.
15. 이종민. "성인 말초 정맥주사 침윤과 일혈 발생율과 위험요인." 국내석사학위논문 연세대학교 대학원, 2016, 서울.
16. 이지예. "중심정맥영양요법을 장기시행한 환자에서 집중영양치료팀 약사의 조기 중재 효과." 국내석사학위논문 이화여자대학교 임상보건융합대학원, 2017, 서울.
17. 장민수. "보관조건이 TPN 제제의 안전성에 미치는 영향." 국내석사학위논문 서울대학교 대학원, 2015, 서울.

18. 전재규, 박지훈: 수액요법의 실제 (제3판), 서울, 군자출판사, 2020.
19. 전현정 외: 2012년 제11회 KSPEN 학술대회, P-10 경장영양 및 정맥영양 치료 환자에서 발생한 전해질 불균형 빈도 비교 분석. 한국정맥경장영양학회 학술발표논문집, 2012(0): 114-114, 2012.
20. 최용 외: 소아의 수액요법(제2판), 서울, 고려의학, 2005.
21. 한국전문간호사협회, 3M: 전문간호사가 알려주는 중심정맥관을 가진 환자의 슬기로운 생활. 서울, 한국전문간호사협회, 2020.
22. 한국전문간호사협회, 3M: 중심정맥관 드레싱 교환을 위한 꿀 정보. 서울, 한국전문간호사협회, 2020.
23. Debra Lynn-McHale Wiegand 저자, 병원중환자간호사회 옮김: 중환자간호 매뉴얼 Vol.2, 서울, 엘스비어코리아, 2014.
24. ESPEN Guide라인s on Parenteral Nutrition: Geriatrics. Clinical Nutrition 28, p461-466, 2009.
25. Nurs. 2019 Feb 2;24(2):67-71. doi: 10.12968/bjcn.2019.24.2.67. PMID: 30698478.
26. Ottery, F. D.: Definition of standardized nutritional assessment and interventioanl pathways in oncology. Nutrition, 12, S15-S19, 1996.
27. Payne D. Administering intravenous therapy in patients' homes. Br J Community

1. 대한영양사협회
http://www.dietitian.or.kr

2. 수액에 대해 유용한 사이트
http://rehydrate.org

3. 영국, 고령자 재택의료 가이드라인
https://www.nice.org.uk/guidance/QS123/resources

4. 일본 iv-therapy 연구회
www.iv-therapy.jp

5. 한국정맥경장영양학회(KSPEN)
www.kspen.org

6. 혈액학적 검사 참고수치
https://www.Functionalmedicineuniversity.com

7. Canadian Medical Association; CMA
https://www.cma.ca/

8. Gerontological Nursing Interventions Research Center
https://grantome.com/grant/NIH/P30-NR003979-06

9. Guideline International Network; GIN
https://g-i-n.net/

10. Infobase, Registered Nurses Association of Ontario; RNAO

11. Joanna Briggs Institute; JBI
https://jbi.global/

12. National Guidelines Clearinghouse; NGC
https://web.archive.org/web/20141005005923/http://www.guideline.gov/index.aspx

13. National Health Service
https://www.nhs.uk/

14. National Institute for Clinical Excellence; NICE, RCN
https://www.nice.org.uk/

15. National Health and Medical Research Council; NHMRC
https://www.nhmrc.gov.au/

16. Natural News
www.naturalnews.com

17. Nutrition Reviews
http://nutritionreview.org

18. Scottish Intercollegiate Guidelines
https://www.sign.ac.uk/Network; SIGN

제 3 장

호흡기계 관리

Respiratory System Management

산소요법 (Oxygen Theraphy)

산소요법은 심혈관과 호흡기 질병 등 여러 가지 요인으로 인해 혈액 중의 산소농도가 저하된 경우 기도로 흡인하는 산소 농도를 높임으로써 조직 내 산소 공급을 개선하기 위해 실시하는 것이다. 일반적으로 동맥혈 가스분석 결과에서 동맥혈 산소분압이 60 mmHg 이하거나 동맥혈 산소포화도가 90% 이하일 때 적용한다.

가정에서의 산소요법은 산소탱크, 산소발생기 또는 액화산소가 사용된다. 산소탱크는 가정에서 비상용으로 혹은 인공호흡기가 요구되는 환자를 위해 주로 사용된다. 알루미늄 통에 압축된 산소를 공급하는 것으로, 간헐적으로 산소흡입이 필요한 경우 적응증이 되며 계속 사용 시에는 압축된 산소를 재충전하여 사용한다. 산소 발생기는 대기 중에서 산소분자를 추출하여 낮은 산소유량(분당 4 L이하)으로 사용한다. 그러나 산소발생기가 전기로 가동되기 때문에 전원이 들어오지 않으면 가동되지 않는다. 이동형 산소발생기는 외출 시에 간편하고 오랜 시간 동안 산소를 사용할 수 있다.

가정용 산소발생기(Fig 3-1)나 이동형 산소발생기(Fig 3-2)는 진료 후 산소치료 처방전(Table 3-1)을 발급받아 대여하여 사용한다.

[출처: 바이탈에어코리아]

Fig 3-1 가정용 산소발생기

Fig 3-2 이동형 산소발생기

1_ 간호 사정

1) 가스교환 장애가 있는 환자는 산소 투여를 예견할 수 있다.

(1) 빈 호흡

(2) 빈맥 또는 부정맥

(3) 의식의 변화

2) 조기 산소치료는 다음을 예방할 수 있다.

(1) 청색증: 후기 징후로 나타난다.

(2) 호흡곤란: 심한 호흡장애로 나타난다.

(3) 심근장애: 심박동 수 1회 심박출량 증가가 저산소증의 1차적 보상기전이다.

(4) 동맥혈 가스 측정은 산소요법의 적절성을 결정하는 가장 좋은 방법이다.

3) 합병증을 유발할 수 있다.

(1) 만성폐질환 환자의 호흡 유발 억제

(2) 호흡기계 분비물 건조

(3) 화재로 인한 화상

(4) 산소 전달 장치 부위의 피부 손상

2_ 간호 목표

(1) 정상적인 산소포화도를 유지한다.

(2) 숨쉬기 편하고 불안감이 감소됐다.

(3) 호흡 양상과 호흡수가 정상이다.

(4) 산소치료와 관련된 합병증이 없다.

(5) 산소 투여와 장비관리를 정확하게 수행한다.

3_ 대상자 교육

(1) 산소요법에 대한 필요성과 산소 전달 장치에 대해 환자와 가족에게 설명한다.
(2) 산소요법에서 요구되는 안전수칙과 응급 시 도움 받는 방법을 교육한다.
(3) 가족구성원에게 가정에서 산소장치를 세팅하고 사용하는 방법을 교육한다.
(4) 환자와 가족에게 산소전달 장치를 청결하게 관리하는 방법을 교육한다.
(5) 산소탱크는 산소가 1/4 정도 남아 있는 상태에서 재충전을 하도록 교육한다.
(6) 화재 위험성을 설명 후 산소발생기 주변에서 금연 및 화기물품을 두지 않도록 교육한다.

4_ 산소요법 간호 수행

1) 목적

안전하고 효율적으로 산소를 공급함으로써 적정의 동맥혈 산소분압을 유지하기 위함이다.

2) 준비물품

산소 처방전, 산소 발생기, 산소탱크 사용 시 압력게이지, 멸균가습통과 연결 장치, 멸균증류수, 화재 주의 경고판, 적절한 산소 전달 장치(비강캐뉼라, 안면마스크, 비재호흡마스크, 벤츄리마스크, 인공호흡기 등), 기타(산소마스크용 거즈 패드, 산소 발생기의 백업전원, 수용성 윤활제, 산소포화도 측정기 등)

3) 간호 수행

순서	수행절차
①	손을 씻는다. (표준주의, 세균의 전파를 막아 감염의 기회를 줄인다)
②	산소요법의 목적과 방법을 설명하고 금기가 아니면 좌위 또는 반좌위를 취하도록 한다. (심호흡과 폐확장을 용이하게 한다)

순서	수행절차
③	산소치료 장비를 조립한다.
④	가정에서 산소 사용에 대한 안전 수칙을 설명하고 환자의 방에 전원을 설치한 뒤, 금연 경고판을 부착한다. (화재를 예방한다)
⑤	산소발생기에 튜브와 전달 체계(캐뉼라, 마스크 등)를 연결하고 알맞게 조이거나 귀에 걸어 턱밑에 고정시키고 필요시 귀 뒤와 뼈가 돌출된 부위에 거즈를 대준다. (캐뉼라, 마스크로 인한 피부 손상 및 불편감을 최소화한다)
⑥	산소연결통의 표시된 곳까지 멸균증류수로 채워 마개를 닫은 후 산소공급원과 연결한다. (생리식염수는 기계의 부식을 초래할 수 있다)
⑦	산소발생기를 사용하는 경우, 전원에 산소발생기를 연결하여 전원을 켜고 처방된 속도로 유량을 맞춘다.
⑧	산소탱크를 사용하면 훌더 안쪽으로 끈을 설치하여 통을 고정하고 처방대로 산소유량을 조절하며 탱크에 남아있는 산소의 양을 확인한다. (가정 내 산소요법은 낮은 유량으로 분당 4 L를 넘지 않게 한다)
⑨	가정 내 산소 안전 주의 지침을 부착한다. (가정에서 안전하게 산소를 주입하기 위함이다)
⑩	필요시 산소포화도를 측정한다. (호흡곤란 유무와 정상범위의 산소포화도를 확인한다)
⑪	산소 투여를 시작한 날짜와 시간, 유량, 환자의 반응, 제공된 교육 및 응급 연락처를 기록한다.

5_ 산소발생기의 관리법

1) 기계는 전기로 가동되므로 정전 시를 대비하여 여분의 산소통을 준비한다.
2) 필터는 일주일마다 세척 후 건조하여 재사용한다.
3) 1~2개월마다 장비회사 점검을 받는다.
4) 산소는 0.5~5 L까지 사용 가능하므로 그 이상 필요시 의사의 진료가 필요하다.

6_ 발생 가능한 문제

1) 적절한 산소포화도가 유지되는지 확인하고 저산소증의 징후(청색증, 호흡곤란)를 확인한다.
2) 만성폐쇄성폐질환의 경우, 이산화탄소 축적으로 인한 징후(두통, 졸음, 기면 상태)가

없는지 확인한다.

3) 처방된 양의 산소를 정확히 흡입하는지 확인한다.

7_ 산소 처방전 발급 기준

Table 3-1 산소 처방전

구분		내용	내용
수진자 (진료받은 사람)		건강보험증 번호	성명
		주민등록번호(외국인등록번호)	전화번호
진료과목		**내과, 결핵과, 흉부외과, 소아청소년과**	
상병		상병명	상병코드
산소 처방 지시사항 (1일에)	안정 시	L / 분	시간
	운동 시	L / 분	시간
	취침 시	L / 분	시간
동맥혈 가스 검사 결과 ★ A, B 항목 중 한 가지 선택		□ 산소분압(PaO_2)이 55 mmHG 이하 □ 산소포화도(SaO_2)가 88% 이하] A	
		□ 산소분압(PaO_2)이 56~59 mmHG □ 산소포화도(SaO_2)가 89% 이하] B	□ 적혈구 증가증(헤마토크릿 55% 초과) □ 울혈성 심부전을 시사하는 말초부종 □ 폐동맥고혈압 ★ B항목 또는 D항목 선택 시 한 가지 증상 선택
OR			
산소포화도 가스검사 결과 ★ C, D 항목 중 한가지 선택		□ 산소포화도가 88% 이하] C	
		□ 산소포화도가 89% 이상] D	□ 적혈구 증가증(헤마토크릿 55% 초과) □ 울혈성 심부전을 시사하는 말초부종 □ 폐동맥고혈압
호흡기 장애 정도		1. 심한 정도	2. 심하지 않은 정도
처방전 사용기간		발급일로부터 처방기간까지	
산소치료 처방기간		처방기간은 최대 1년이며, 다음 처방 시작일은 이전 처방 만료일과 공백 기간이 없어야 합니다.	

★ ① 발행일 **[최초 처방] 처방 시작일과 같거나 이전에 발행**
[재처방] 처방 만료일 전 90일 이내 또는 후 30일 이내 발행
② 요양기관 명칭 / 요양기관 기호
③ 의료기관 직인 **반드시 의료 기간 직인이 날인되어야 합니다.**
④ 담당 의사 / 전문과목 **반드시 전문의가 발행합니다.**

[출처 : 바이탈에어코리아]

기관지절개관 관리 (Tracheostomy Tube Management)

기관지절개는 2~4번째의 기관의 링(tracheal ring)을 거쳐 윤상연골 아래를 절개하는 것을 말하며, 절개에 의한 누공(stoma)을 일컫는다. 기관지절개는 응급한 상부기도 폐쇄 시의 우회로 확보, 인공 기도가 장시간 필요한 경우, 스스로 객담 배출이 어려워 기도 청결이 요구되는 경우 등 다양한 이유로 기도에 문제가 발생할 것에 대한 예비책으로 시행한다. 기관지절개관은 기관 내 튜브보다 짧고 더 넓은 직경과 작은 만곡을 가지므로, 공기 흐름의 저항이 적고 호흡이 용이하다. 기관지절개 부위는 기관지 내 분비물이 새어 나와 주위 피부가 손상될 수 있으므로 적절한 피부 관리가 필요하다.

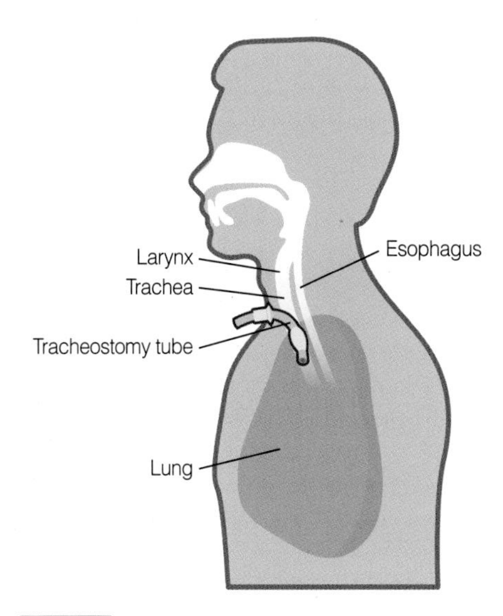

Fig 3-3 기관지절개관 삽입 위치

1_ 간호 사정

1) 급·만성 상기도 폐쇄 시 우회로를 형성한다.
2) 인공 기도 사용기간을 연장한다.
3) 예상되는 기도 문제를 예방할 수 있다.
4) 신경계 근육질환, 뇌졸중 등으로 인두나 후두에 기능 부전이 있는 경우 적용한다.
5) 폐 흡인을 예방한다.
6) 기관 및 기관지의 분비물 정체 시 적용한다.
7) 장기간 인공호흡기 사용을 가능하게 한다.

2_ 간호 목표

1) 기관지절개 부위의 감염을 예방한다.
2) 효과적인 흡인으로 기도를 청결하게 유지한다.
3) 장기간의 인공호흡기 적용으로 호흡곤란을 완화시킨다.

3_ 대상자 교육

1) 기관지절개 간호는 1~3회/일 시행하며, 육아조직 증식을 예방하기 위해 거즈가 젖을 때마다 교환하여 주위 피부를 건조하게 유지한다.
2) 기관개구부 주변 피부는 정상적인 피부와 동일하게 청결한 상태를 유지하도록 한다.
3) 이중 기관지절개관 사용 시에는 내관의 소독 및 관리 방법을 교육한다.
   (1) 왼쪽으로 돌려 내관을 꺼내 흐르는 물에 솔이나 면봉을 이용하여 분비물을 제거한다.
   (2) 내관에 붙은 분비물을 연화하기 위해 과산화수소수에 15분간 담가 놓는다.
   (3) 생리식염수나 증류수로 충분히 씻어 헹군 후 다시 삽입한다.

(4) 소독한 내관을 재삽입하기 전에 외관을 충분히 흡인하여 분비물을 제거한다. 그리고 내관을 삽입하며 시계방향으로 돌려 잠근 뒤 잘 채워졌는지 확인한다.

(5) 내관은 자주 빼서 흡인으로 제거할 수 없는 분비물을 깨끗이 제거한다.

4) 항상 여유분의 기관절개관을 비치하도록 한다.

5) 기관지절개관 고정 끈이 손가락 1~2개가 들어갈 정도로 잘 매듭지어져 있는지 확인한다.

4_ 기관지절개관 간호

1) 목적

기관절개 부위의 감염을 방지하고 환자에게 편안함을 주기 위함이다.

2) 준비물품

드레싱 세트, 일회용 장갑, 소독제(베타딘 또는 클로르헥시딘, 생리식염수), 멸균 Y거즈 또는 튜브 가드, 기관절개관 튜브 고정 끈, 흡인기 및 흡인 카테터, 필요시 Ambu bag과 산소 구비

3) 간호 수행

순서	수행절차
①	손을 씻는다. (표준주의, 세균의 전파를 막아 감염의 기회를 줄인다)
②	필요한 물품을 준비하고 목적과 방법에 대해 설명한다. (처치에 대한 불안을 감소시킨다)
③	앙와위에서 가능하다면 낮은 베개나 수건을 어깨 밑에 넣어 목이 약간 신전되도록 하는 적절한 체위를 취해준다. (기도를 확보하고 공간을 확보하여 소독을 용이하게 하고 환자의 자극을 최소화하기 위함이다)
④	필요시 Ambu bag을 이용하여 산소공급을 한 후 흡인한다. (산소포화도를 높여 호흡곤란을 완화시킨다)
⑤	더러워진 Y거즈를 제거한다.

순서	수행절차
⑥	준비한 드레싱 세트를 열고 일회용 멸균 장갑을 낀다. (세균의 전파를 막고 감염의 기회를 줄인다)
⑦	소독제로 기관절개 부위를 닦는다. (감염이 없다면 피부에 자극이 적은 생리식염수를 사용한다)
⑧	소독약이 마르면 Y거즈를 튜브 밑으로 넣고 고정한다. (습기의 제거는 주변 피부의 미생물 증식과 손상을 방지하기 위함이다)
⑨	튜브 고정 끈은 오염 시 교환하며 튜브가 빠지지 않도록 고정한 상태에서 시행하고 손가락이 1~2개가 들어갈 정도로 고정한다. (고정 끈이 꽉 조여지는 것과 경정맥이 압박되는 것을 예방하기 위함이다)
⑩	장갑을 벗고 환자를 편안하게 해준 뒤 물품을 정리한다. (환자의 정서적 지지를 도모한다)
⑪	기관개구부 주변 피부의 상태(발적, 압통, 배액, 육아조직), 분비물 양, 냄새, 색깔, 점도, 환자의 반응을 기록한다.

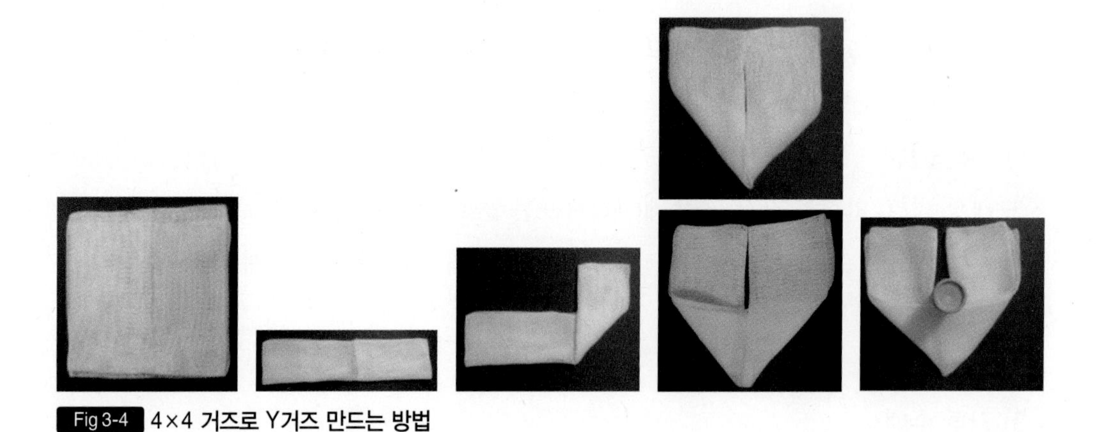

Fig 3-4 4×4 거즈로 Y거즈 만드는 방법

5_ 발생 가능한 문제

1) 발열, 기관절개 부위의 화농성 삼출물, 봉와직염(Cellulitis), 기관절개 부위의 동통 등 감염의 유무를 알 수 있다.
2) 튜브가 점막을 자극하여 분비물의 생성이 늘어날 수 있다.
3) 튜브 주위의 객담 등의 분비물이 제거되지 않으면 과도한 습윤 상태를 가져와 기관개구부 주위의 육아조직 증식을 초래하며, 과도한 육아조직 증식은 통증, 미세출혈

등을 초래하고 육아조직을 제거하지 않을 경우 개구부의 변형을 가져올 수 있다.

tip **과잉 육아조직 제거 방법**

❶ 과잉 증식된 육아조직은 알보칠, 질산은 등으로 화학적 소작을 하거나 후시딘, 테라마이신 안연고, 스테로이드 연고 등 항생연고를 도포한다.

❷ 육아조직 증식을 예방하기 위해 드레싱한 거즈가 젖을 때마다 자주 교환하여 개구부 주위를 건조하게 유지한다.

❸ 기관지절개 내부에 육아조직이 증식된 경우에는 튜브 교환 시 육아조직이 기도를 막아 응급 상황이 발생할 수 있으므로 이비인후과 진료를 보도록 한다.

4) 기관−식도 누공이 발생할 수 있다.

(1) 장기간 비위관과 기관지절개관 커프 사이의 자극에 의해서 누공이 발생하는 경우이며, 증상으로는 기도 흡인 시 음식물이 나오거나 커프에 공기를 넣어 팽창시켜도 튜브 사이에 공기 누출이 있는 경우에 의심할 수 있다. 내시경 검사를 통해서 확인하며 수술이 필요하다.

(2) 예방을 위해서 커프 압력을 15~25 cmH_2O의 적정 수준으로 유지하며 정기적으로 커프 압력측정기를 이용하여 커프 압력을 측정한다.

5) 발열, 오한, 가래 양의 증가, 가래 색깔의 변화, 가래 악취, 증가된 기침, 야간에 땀 흘림 등으로 호흡기 감염 유무를 알 수 있다.

6_ 기관지절개관의 종류

튜브 종류	특징	교환주기	사진
싱글 (single)	내관이 없는 튜브를 말한다.	1~2주	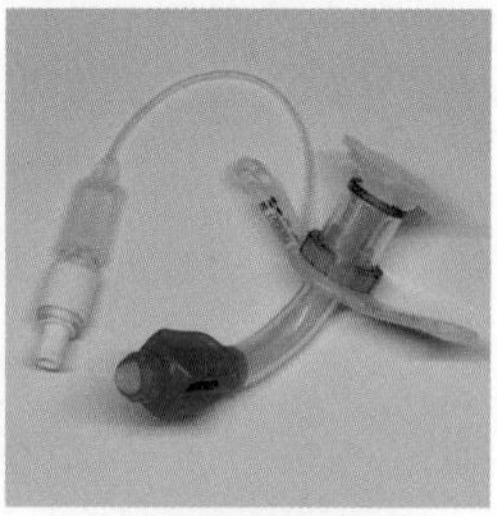 [출처: 유신 메디컬] Fig 3-5
더블캐뉼라 (double cannula)	외관과 내관으로 구성된 튜브를 말한다.	4주	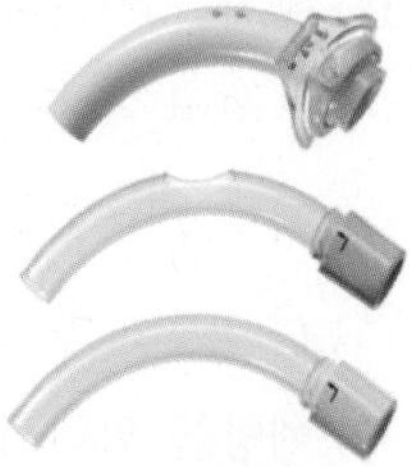 [출처: 홍은 메디컬] Fig 3-6
커프가 있는 (cuffed)	기관 내에 안전하게 있게 하고 인공호흡기(양압) 사용 시 공기 유출을 막는다. 기도 내 흡인을 막는다.	2~4주	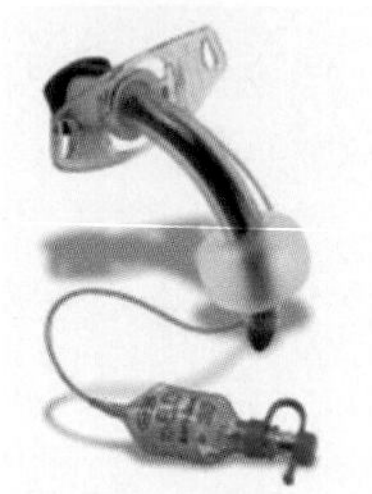 [출처: 스미스 메디컬] Fig 3-7

튜브 종류	특징	교환주기	사진
커프가 없는 (uncuffed)	소아 환자나 호흡기를 적용하지 않은 환자에 적용한다.	2~4주	[출처: 스미스 메디컬] Fig 3-8
의사소통이 가능한 튜브 (Vocalaid tube)	외관에 구멍이 있어서 커프가 수축되면 말을 할 수가 있다.	2~4주	[출처: 스미스 메디컬] Fig 3-9
추가 흡인이 가능한 튜브 (Suctionaid tube)	Suction line이 달려 있어 Cuff 상단의 분비물 흡인이 가능하다. 발성 유지를 보조하는 역할을 할 수 있다.	2~4주	[출처: 스미스 메디컬] Fig 3-10
조절 가능한 튜브 (Adjustable tube)	비만 환자 혹은 성문부종이나 비대와 같이 비정상 해부학적 구조를 가진 환자에게도 적용할 수 있도록 날개를 움직여 기관 내에 삽입되는 튜브의 길이를 조절할 수 있다. 기관 개구부나 플랜지 하단까지 드레싱이 가능하므로 보다 청결하게 유지할 수 있다.	2~4주	[출처: 스미스 메디컬] Fig 3-11

<Single Cannula>

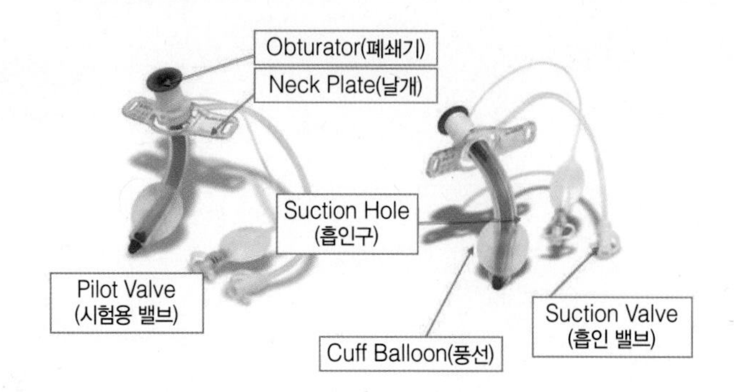

<Double Cannula>

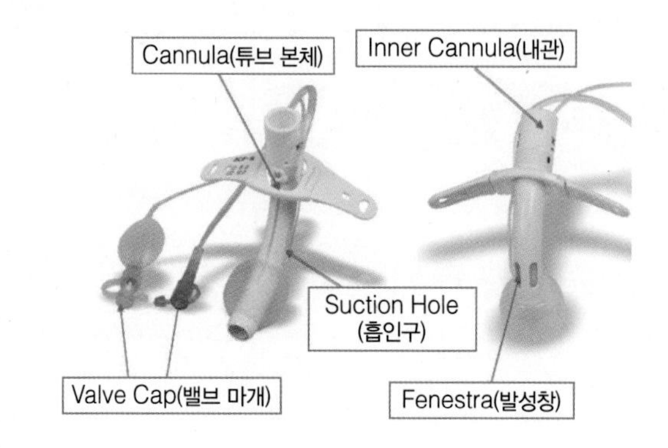

[출처: 유신 메디컬]

Fig 3-12 기관지절개관 부위별 명칭

7_ 기관지절개관 교환

1) 목적

기관절개관의 개방성을 유지하고 기도를 청결하게 하여 감염의 위험성을 예방하기 위함이다.

2) 준비물품

드레싱 세트, 일회용 장갑, 소독제(베타딘 또는 클로르헥시딘, 생리식염수), 멸균 Y거즈나 튜브 가드, 기관지절개관(같은 크기 및 한 치수 작은 크기), 수용성 윤활제, 기관절개 튜브 고정끈, 흡인기 및 흡인 카테터, 10 cc 주사기, 커프 압력측정기, 필요시 Ambu bag과 산소 구비, 필요시 I-gel 튜브(Fig 3-14: 기관 협착 시 구강으로 삽입)

3) 간호 수행

순서	수행절차
①	손을 씻는다. (표준주의, 세균의 전파를 막아 감염의 기회를 줄인다)
②	필요한 물품을 준비한다.
③	환자에게 목적과 방법을 설명한다. (처치에 대한 불안을 감소시킨다)
④	목이 신전되도록(베개나 수건 이용) 적절한 체위를 취해준다. (기도를 확보하고 공간을 확보하여 소독을 용이하게 하고 환자의 자극을 최소화하기 위함이다)
⑤	필요시 Ambu bag을 이용하여 산소를 공급하고 흡인한다. (산소포화도를 높여 호흡곤란을 완화시킨다)
⑥	준비한 드레싱 세트를 열고 일회용 장갑을 낀다. (세균의 전파를 막고 감염의 기회를 줄인다)
⑦	기관지절개관 커프를 inflation & deflation해서 공기 누출 여부를 확인한다. (기관지절개관 튜브의 불량 유무를 확인한다)
⑧	기관지절개관 폐쇄기(가이드)를 끼우고 끝에 수용성 윤활제나 식염수를 바른다. • 이중기관지 절개관 튜브는 왼쪽으로 돌려 내관을 뺀 후 폐쇄기를 끼운다. (기관지절개관 삽입 시 자극을 최소화하여 출혈을 예방하고 용이하게 삽입하기 위함이다)
⑨	소독제로 기관절개 부위를 3회 이상 닦는다. • 주변 피부 소독을 통해 감염의 기회를 줄이기 위함이다.
⑩	기존의 기관지절개관 고정 끈을 푼다.
⑪	엄지와 검지를 이용하여 목에 있는 기관지절개관의 고정대를 잡고 기관지절개관을 빼며 즉시 새 기관지절개관을 삽입한 후 폐쇄기(가이드)를 제거한다.
⑫	커프가 있는 튜브는 10 cc 주사기를 이용하여 적정한 양으로 inflation한다. • 커프 압력측정기로 커프 압력을 15~25 cmH_2O로 유지한다. (적정한 커프 압력을 유지하여 기관지 벽의 허혈과 괴사를 예방한다)
⑬	내관이 있는 기관지절개관 튜브는 오른쪽으로 돌려 내관을 고정한다.
⑭	고정끈은 손가락 1~2개 들어갈 정도로 고정한다. (고정끈이 꽉 조여지는 것과 경정맥이 압박되는 것을 예방하기 위함이다)
⑮	생리식염수로 기관절개 부위를 닦고 마르면 Y거즈나 튜브 가드를 튜브 밑으로 넣고 고정한다. (주변 피부를 통한 감염의 기회를 줄이기 위함이다)
⑯	필요시 흡인을 한다. (기도내 분비물을 제거하여 감염을 예방하고 호흡곤란을 완화시킨다)

순서	수행절차
⑰	장갑을 벗고 환자를 편안하게 해주며 물품을 정리한다.
⑱	기관지절개관 종류, 크기, 커프 주입량, 커프 압력, 피부 상태(출혈, 발적, 부종), 분비물의 양, 점도, 색, 냄새, 환자 반응을 기록한다.

8_ 발생 가능한 문제

문제 원인	해결 방법
기관지경련으로 인한 협착으로 튜브 삽입이 안 될 경우	• 목을 과신전한 체위에서 한 사이즈 작은 기관지절개관으로 삽입을 시도한다. • 삽입 실패 시 I-gel을 구강으로 삽입하여 기도를 유지하고 가까운 응급실로 이송한다.
과도한 분비물이나 진한 기도 분비물로 기관지절개관이 폐쇄된 경우	새 기관지절개관으로 교환한다.
내·외관이 제대로 꽂혀 있는데도 갑자기 호흡곤란을 호소하는 경우	• 대개 가래나 침이 말라 붙어 관이 막혀서 발생하는 것으로, 흡인을 시행한다. • 분비물이 제거되지 않으면 새 기관지절개관으로 교환한다.
외관의 고정 끈이 헐겁거나 풀어져 기관지절개관이 빠진 경우	• 바로 기도가 막히는 경우는 거의 없으므로 당황하지 말고 간단히 소독 후 기관에 무리 가지 않게 삽입을 시도한다. • 침상 곁에 같은 크기의 기관지절개관이나 한 사이즈 작은 기관지절개관을 비치한다.
기관지절개관 시술 후 첫 교환의 경우	• 첫 교환은 항상 병원에서 시행하도록 한다. • 기관지절개관 트랙이 형성되지 않은 상태에서는 가정에서 교환하지 않도록 한다.
두경부암이나 후두암 환자 교환의 경우	의식이 명료하여 기관지경련과 과다출혈 위험성이 있는 경우는 병원에서 교환하도록 한다.

[I-gel 삽입 방법]

기도확보를 목적으로 구강을 통하여 삽입되는 호흡보조기구이다.

1. cradle에서 I-gel을 뺀다.
2. I-gel의 끝 부분에 윤활제를 바르고 목을 과신전한 자세를 취하게 한 후, 환자의 턱을 살짝 눌러 입이 벌어지게 한다.
3. 부드러운 cuff의 끝 부분을 경구개를 향하도록 하여 환자의 입에 넣는다.

4. 저항이 느껴질 때까지 부드럽게 계속 밀어 넣어 환자의 경구개를 따라 뒤와 아래쪽으로 미끄러뜨리듯 삽입한다.
5. I-gel의 끝 부분은 식도 입구에 위치하고 cuff는 후두개에 위치한다.
6. 삽입 후 턱에 테이핑하여 I-gel을 고정한다.

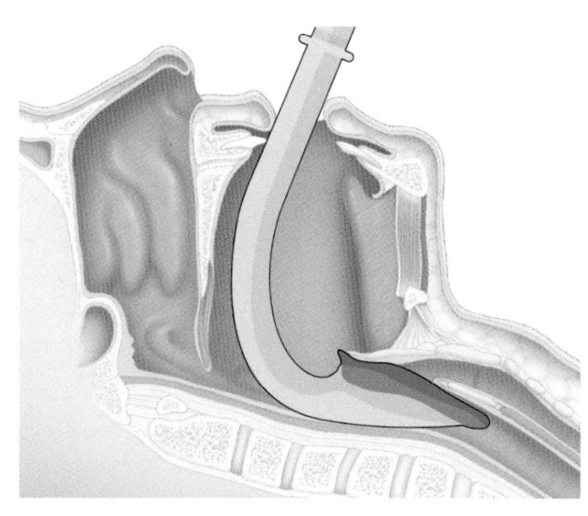

Fig 3-13 I–gel 삽입 위치

[I-gel 사용 시 주의사항]

1. 입을 벌리는 데 장애가 있거나 인후두에 농양 및 종양, 외상이 있는 환자에게는 사용해서는 안 된다.
2. 40 cmH_2O를 초과하는 기도 환기 압력에서는 사용할 수 없다.
3. 과도한 힘으로 튜브를 삽입해서는 안 된다.
4. 삽입 후 4시간을 초과하여 사용해서는 안 된다.

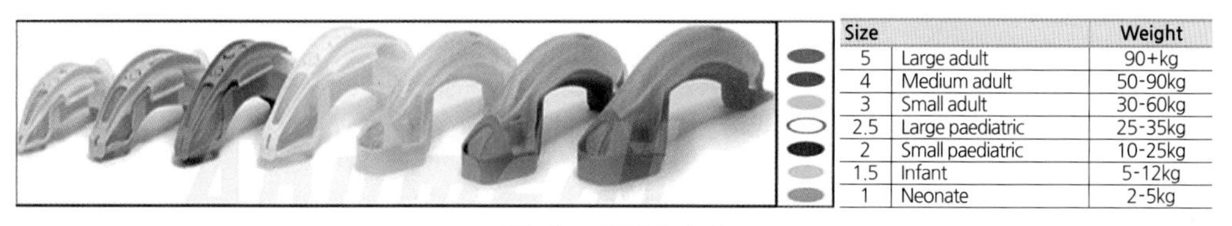

Size		Weight
5	Large adult	90+kg
4	Medium adult	50-90kg
3	Small adult	30-60kg
2.5	Large paediatric	25-35kg
2	Small paediatric	10-25kg
1.5	Infant	5-12kg
1	Neonate	2-5kg

[출처: ㈜인성메디컬]

Fig 3-14 I–gel 종류

9_ 튜브의 크기

양압환기 시 공기가 새는 경우, 튜브를 좀 더 내경이 큰 튜브로 교체해야 한다. 또한 소아의 경우 성장에 따라 적절한 튜브(Table 3-2)로 교체해야 한다.

Table 3-2 소아 기관지절개관 크기

연령	기관절개관의 내경	연령	기관절개관의 내경
미숙아	3.0	2~3년	5.0
신생아	3.5	5~7년	5.5
6개월	4.0	8~11년	6.0
1년	4.5	12년	7.0

[출처: 하정훈, 2010]

10_ 커프

기관지절개관의 부적절한 커프 팽창은 성대, 후두개 또는 기관에 육아조직을 형성할 수 있다. 커프의 과도한 압력은 기관부종, 궤양, 조직의 괴사 등을 초래할 수 있으며, 과소압력은 부적절한 환기, 음식물 또는 분비물의 흡인을 초래할 수 있다. 커프 압력은 15~25 mmH_2O를 넘지 않게 유지하며 정기적으로 커프 압력측정기를 이용하여 커프 압력을 측정한다.

[출처: 유신 메디컬]

[출처: 홍은 메디컬]

[출처: 홍은 메디컬]

Fig 3-15 커프 압력기 종류

흡인 간호
(Suction Nursing)

[흡인 간호(suction)란?]

스스로 기도 내 분비물을 효과적으로 배출할 수 없는 경우 비인두, 구강인두, 기관으로 카테터를 삽입하여 흡인기로 분비물을 제거하는 것이다.

1_ 구강 및 비강 흡인

1) 목적

상기도의 분비물을 제거하여 가스의 교환을 원활하게 하고 기도 폐색을 방지하며 호흡기 감염을 예방하기 위함이다.

2) 준비물품

흡인기, 멸균 흡인 세트, 흡인 카테터, 멸균 장갑 또는 일회용 장갑, 기도유지관(airway), 멸균 생리식염수, 타월 또는 방수지, 소독 거즈

3) 간호 목표

(1) 기도 폐색의 징후가 없어 가스교환이 원활하다.

(2) 호흡기 감염의 징후가 없다.

4) 간호 수행

순서	수행절차
①	손을 씻는다. (표준주의, 세균의 전파를 막아 감염의 기회를 줄인다)
②	필요한 물품을 준비하고 목적과 방법에 대해 설명한다. (처치에 대한 불안을 감소시키고 절차에 대해 협조를 구한다)
③	환자를 확인한 후 흡인에 대하여 설명한다. (안전한 간호를 수행하기 위한 대상자 확인 절차이며 흡인은 기도 내의 분비물을 제거하여 호흡 곤란을 완화시킨다)
④	필요에 따라 기도유지관(airway)을 구강에 넣고 의식 있는 환자는 반좌위에서 구강인두 흡인 시에는 목을 옆으로 돌리고, 비강인두 흡인에서는 목을 과신전시킨다. (반좌위는 심호흡과 폐 확장을 용이하게 하고 기침 유발을 쉽게 한다)
⑤	무의식 환자는 측위에서 간호사와 얼굴을 마주 보도록 한다. (이 체위는 환자의 혀를 앞으로 내밀 수 있으며 인두로부터 분비물의 배출을 도모하여 분비물이 폐로 흡인되는 것을 방지한다)
⑥	베개 위나 환자의 턱 밑에 타월을 놓는다.
⑦	흡인기에 압력을 맞추고 기계를 작동시킨다. 성인: 100~120 mmHg, 소아: 50~75 mmHg (흡인 압력은 객담을 충분히 제거할 수 있을 정도면 되고 높은 음압은 기관 점막 손상을 증가시킬 수 있다)
⑧	멸균 흡인 세트를 열어 작은 컵에 생리식염수를 붓는다. (생리식염수는 흡인 후 카테터를 청결하게 하는 데 사용되고, 장비의 기능을 사정한다.
⑨	장갑을 끼고 흡인 카테터를 집어서 흡인기에 연결한다.
⑩	카테터에 삽입할 길이를 정하여 장갑 낀 손으로 위치를 표시한다. 삽입 길이는 환자의 코에서 귓볼까지이다. (Fig 3-16 참조)
⑪	카테터 끝을 생리식염수에 적신다. (마찰을 감소시키고 삽입을 용이하게 한다)
⑫	흡인 카테터의 조절 구멍에서 손가락을 떼고 부드럽게 구강 또는 비강에 삽입한다. tip 조절 구멍이 없는 경우는 카테터를 접어서 엄지와 검지로 꽉 막거나, 카테터와 흡인기를 분리한 후 삽입한다.
⑬	흡인 조절 구멍에 손가락을 대고 부드럽게 카테터를 돌려 빼면서 분비물을 제거한다. 1회 흡인 시간은 15초를 초과하지 않도록 한다. 다시 석션을 하려면 10~30초 간격을 두어야 한다. (흡인하는 동안 동맥혈 산소분압이 감소하기 때문에 흡인 시간을 최소화해야 한다)
⑭	기도의 분비물이 제거될 때까지 ⑪~⑬을 반복하며, 흡인 시간이 5분을 넘지 않도록 한다. (산소공급의 장애가 발생할 수 있다)
⑮	구강이나 비강 간호를 해준다.

순서	수행절차
⑯	카테터, 장갑, 흡인 세트 속의 물을 버리고 다음 흡인이 용이하도록 준비해 둔다. 미생물의 전파를 막기 위해 흡인 세트는 매일 소독하며 흡인 카테터는 매 회 교환하는 것을 원칙으로 한다. tip **카테터를 끓여서 쓰는 방법** 한 번 사용한 카테터를 분비물이 빠질 수 있게 물에 담가 두었다가 흐르는 물에 카테터를 통과시키며 비벼 씻은 후, 10~15분간 솥에 물을 넣고 삶거나 찜기에 찌듯이 하여 응달에 말려서 사용한다.
⑰	환자의 호흡 상태, 분비물의 양, 색깔, 냄새, 양상, 대상자의 전후 반응 등을 관찰하여 기록한다.

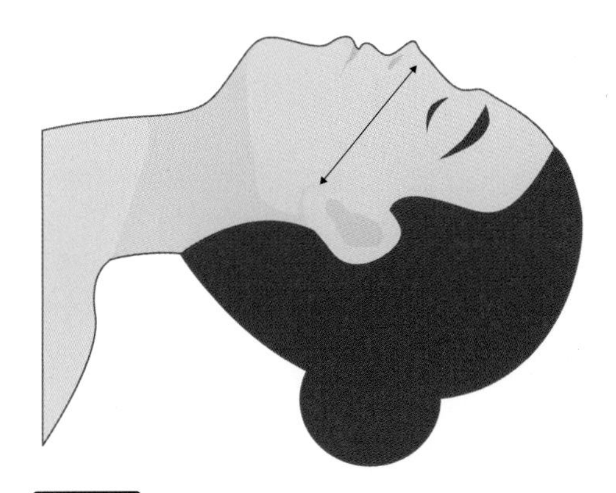

Fig 3-16 구강, 비강 흡인시 카테터 삽입 길이

5) 대상자 교육

(1) 흡인 시 적절한 환자의 체위를 유지해야 됨을 설명한다.

(2) 흡인기 압력(성인: 100~120 mmHg, 소아: 50~75 mmHg)과 기계 작동 방법을 설명한다.

(3) 흡인 카테터 삽입 길이와 흡인 방법을 설명한다.

(4) 총 흡인 시간과 1회 흡인 시간을 설명한다.

(5) 구강이나 비강 간호 방법을 설명한다.

(6) 흡인 전후 호흡음과 호흡 양상을 확인해야 됨을 설명한다.

(7) 흡인 후 물품 정리 및 기구 소독 관리 방법을 설명한다.

2_ 기관 흡인

1) 목적

기관이나 기관지 내의 분비물을 무균적인 방법으로 제거하여, 기도개방을 유지하고 가스 교환을 원활하게 하며 호흡기계 감염을 예방하기 위함이다.

2) 준비물품

흡인기, 멸균 흡인 세트, 흡인 카테터, 멸균 장갑, 멸균 생리식염수, 타월 또는 방수지, 소독 거즈, Ambu bag (필요시 사용), 주사기, 주사용 생리식염수

3) 간호 목표

(1) 기도 폐색의 징후가 없어 가스교환이 원활하다.

(2) 호흡기 감염의 징후가 없다.

4) 간호 수행

번호	수행절차
①	손을 씻는다. (표준주의, 세균의 전파를 막아 감염의 기회를 줄인다)
②	필요한 물품을 준비하고 목적과 방법에 대해 설명한다. (처치에 대한 불안을 감소시키고 절차에 대해 협조를 구한다)
③	기도 흡인이 필요한지 확인한 후, 환자에게 흡인에 대하여 설명한다. (안전한 간호를 수행하기 위한 대상자 확인 절차이며 흡인은 기도 내의 분비물을 제거하여 호흡 곤란을 완화시킨다)
④	금기가 아니면 반좌위를 취해 주어 심호흡을 도모하고, 무의식 환자는 앙와위을 취해 준다. (폐확장의 최대화, 기침을 효과적으로 하도록 도와주고 폐렴을 예방한다)
⑤	흡인기에 압력을 맞추고 기계를 작동시킨다. • 성인: 100~120 mmHg, 소아: 50~75 mmHg (흡인 압력은 객담을 충분히 제거할 수 있을 정도면 되고 높은 음압은 기관 점막 손상을 증가시킬 수 있다)
⑥	멸균 흡인 세트를 열어 생리식염수를 부어 카테터를 통과시킨다. (생리식염수는 흡인 후 카테터를 청결하게 하는 데 사용되고, 장비의 기능을 사정한다)
⑦	멸균 장갑을 낀 손에 흡인 카테터를 잡고, 장갑을 끼지 않은 손으로 연결관을 집어 흡인기에 연결한다.
⑧	카테터 끝을 생리식염수에 적신다. (마찰을 감소시키고 삽입을 용이하게 한다)
⑨	충분한 산소를 공급한다.

번호	수행절차
⑩	장갑 끼지 않은 손으로 흡인 조절 구멍을 조절하면서 기관 속으로 카테터를 부드럽게 넣는다. 넣는 중 저항이 느껴지면 억지로 밀어 넣지 않으며 환자가 기침할 때까지 10~15 cm 정도 삽입한다. (기관지 속 점막 손상을 예방한다)
⑪	장갑 끼지 않은 손으로 흡인 조절 구멍을 막고 5~10초 동안 흡인한다. 카테터를 장갑 낀 손의 엄지와 검지로 잡고 천천히 빼면서 돌린다. (1회 흡인 시간을 15초 이상 초과하지 않는다. 흡인하는 동안 동맥혈 산소분압이 감소하기 때문에 흡인 시간을 최소화해야 한다)
⑫	기도의 분비물이 제거될 때까지 ⑧~⑫를 반복하며, 총 흡인 시간이 3~5분을 넘지 않도록 한다. 흡인 사이에 환자에게 심호흡과 기침을 권장한다. (산소공급의 장애가 발생할 수 있다)
⑬	구강 간호를 해준다. (구강청결, 구강 내 수분 유지, 상기도 감염 예방)
⑭	카테터, 장갑, 흡인 세트 속의 물을 버리고 다음 흡인이 용이하도록 준비해 둔다.
⑮	환자에게 편안한 체위를 취해준다.
⑯	환자의 호흡 상태, 분비물의 양, 색깔, 냄새, 양상, 대상자의 전후 반응을 관찰하여 기록한다.

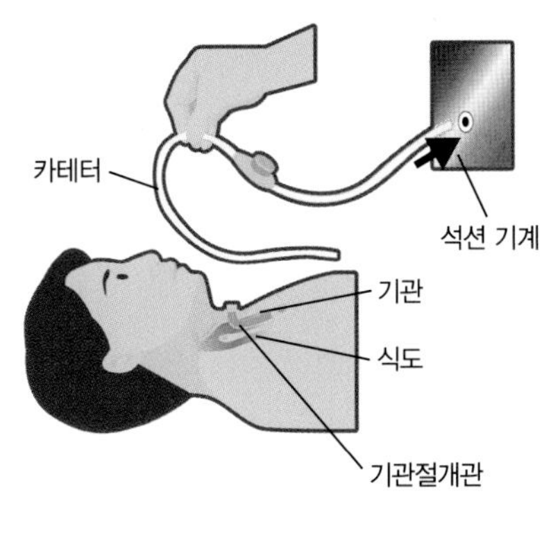

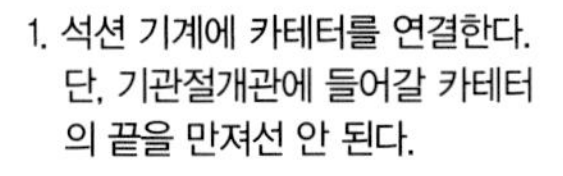

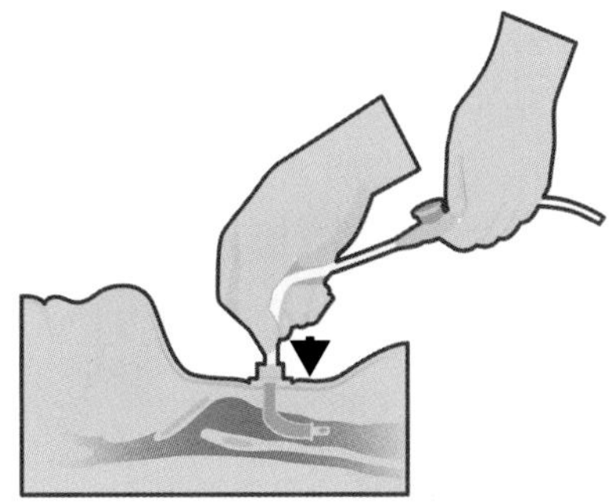

2. 기관절개관에 적절한 길이로 카테터를 삽입한다(보통 10~15 cm 만큼 삽입함).

3. 한 손의 엄지와 검지로 카테터를 잡고 돌리면서 뺀다. 동시에 다른 한 손의 엄지손가락으로 카테터의 구멍을 누르면서 흡입한다.

Fig 3-17 기관절개관 흡인 방법

5) 대상자 교육

(1) 흡인 시 적절한 환자의 체위를 유지해야 됨을 설명한다.

(2) 흡인기 압력(성인: 100~120 mmHg, 소아: 50~75 mmHg)과 기계 작동 방법을 설명한다.

(3) 흡인 카테터 삽입 길이와 흡인 방법을 설명한다.

(4) 총 흡인 시간과 1회 흡인 시간을 설명한다.

(5) 구강 간호 방법을 설명한다.

(6) 흡인 전후 호흡음과 호흡 양상을 확인해야 됨을 설명한다.

(7) 흡인 후 물품 정리 및 기구 소독 관리 방법을 설명한다.

[흡인 시 주의 사항]

1. 음식 섭취 직후에는 음식물 흡인의 위험이 있을 수 있으므로 주의
2. 흡인기 압력이 너무 높을 경우에는 구토 유발이나 기관 점막의 손상으로 출혈 등이 발생할 수 있으므로 적절한 압력을 유지
3. 흡인 시간이 5분 이상으로 길어지면 산소 공급에 장애가 발생할 수 있으므로 유의

[흡인기 종류]

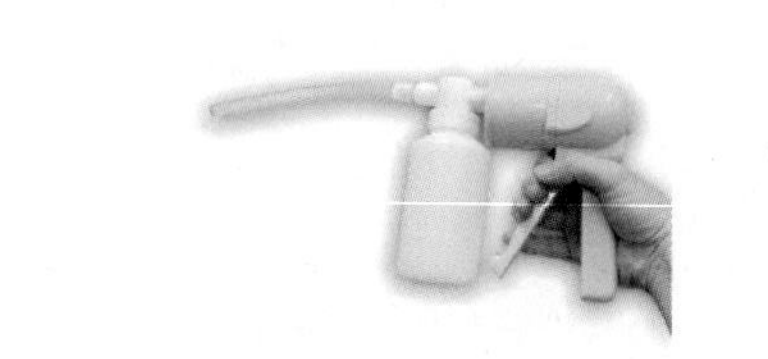

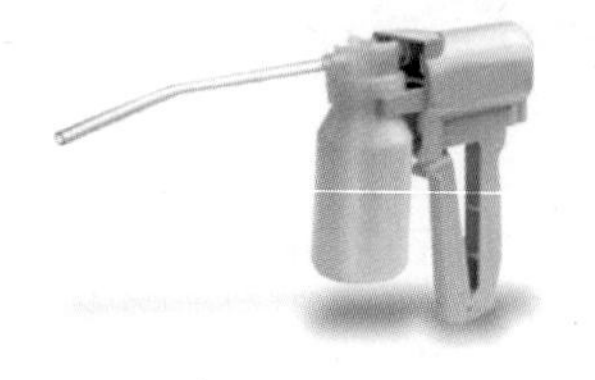

Fig 3-18 수동 흡인기

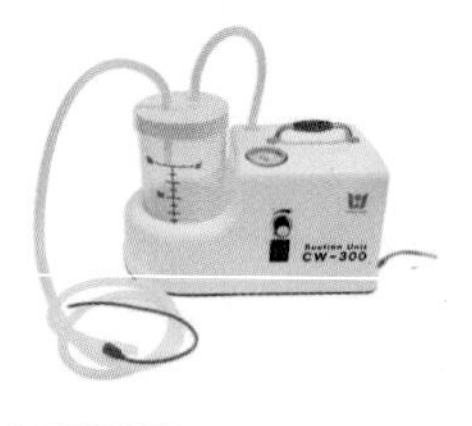

Fig 3-19 일반 흡인기

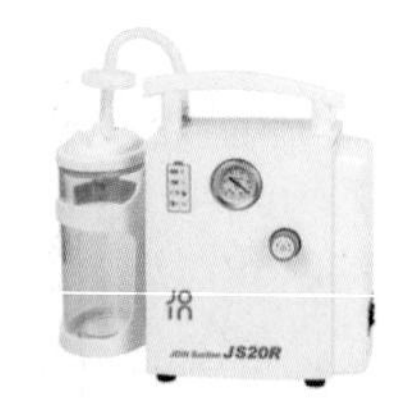

Fig 3-20 충전식 흡인기

가정용 인공호흡기 관리 (Home Ventilator Management)

1_ 개요

만성호흡부전은 저산소혈증이나 과탄소혈증을 초래하여 환기요법이 필요하다. 만성호흡부전을 유발하는 질환은 대개 신경근육질환, 흉곽질환, 폐·기도 질환 등이 있다.

환기 보조를 위한 인공호흡기의 사용은 기술의 발전으로 가정에서도 적용 가능해졌다. 진료를 본 후 인공호흡기 처방전(Table 3-3)을 발급받으면 건강보험이 적용되며 가정용 인공호흡기(Fig 3-21)를 대여하여 편안하고 안전하게 가정에서 사용할 수 있다.

환기 보조는 침습적·비침습적 방법으로 나눌 수 있다. 침습적 환기 보조법은 삽관이나 기관절개를 시행한 상태에서 호흡기를 사용하는 방법으로 환자의 상기도 폐쇄가 있을 경우, 환자가 24시간 인공호흡기를 필요로 할 경우, 비침습적 치료를 실패했을 경우에 적용한다. 비침습적 환기 보조법은 기관절개를 시행하지 않고 다양한 마스크를 통해 환기를 보조해주는 방법으로, 기도가 유지되고 혈액학적으로 안정성을 가진 경우나 낮 시간 동안 단시간 사용하는 경우에 적용한다.

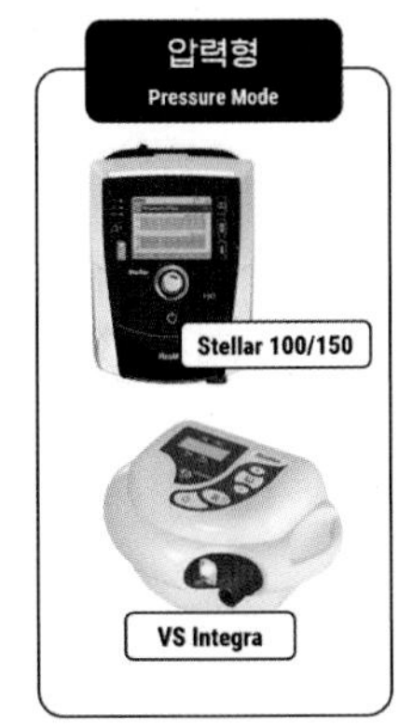

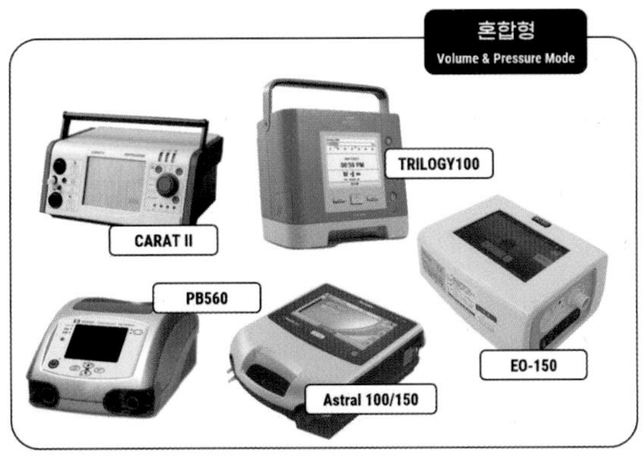

[출처: 바이탈에어코리아]

Fig 3-21 가정용 인공호흡기

2_ 인공호흡기의 유형

1) 볼륨형 인공호흡기

볼륨형은 흡입 동안에 설정한 공기량이 폐에 전달되며, 정해진 일회 호흡량(tidal volume)은 폐의 저항이나 탄성을 고려하지 않고 매번 호흡 시마다 전달된다. 따라서 일회 호흡량(tidal volume)은 일정하지만 기도 내 압력은 일정하지 않으며 알람과 내부 전원을 가지고 있고 비용이 비싸다. 24시간 인공호흡기를 사용해야 하는 경우에는 볼륨형 인공호흡기가 추천된다.

2) 압력형 인공호흡기

압력형은 자발적인 호흡을 할 수 있는 환자에게 주로 사용하며 미리 설정한 양압을 기도 내에 공급한다. 일회 호흡량(Tidal volume)은 정해진 압력과 저항, 그리고 폐의 탄성에 의해 결정되며 매 호흡 시마다 변한다. 압력형 인공호흡기는 호흡수를 조절하며 이미 정해진 흡기압을 유지한다. 따라서 부주의로 발생 가능한 과환기(Hyperventilation)와 저환기(Hypoventilation)를 예방하기 위해 일회 호흡량(Tidal volume)을 관찰하는 것은 매우 중요하다.

3) BIPAP 인공호흡기

BIPAP 인공호흡기는 지속적 기도 내 양압제공기를 응용하여 개발되었으며, 이것은 흡기 시 양압을 유지하는 IPAP (Inspiratory Positive Airway Pressure)와 호기 시 양압을 유지하는 EPAP (Expiratory Positive Airway Pressure)를 모두 전달할 수 있다. 평균 기도압을 낮춰서 안위가 증진되며 마스크로 누출되는 공기를 보상해 주고, 작고 가벼워 휴대가 가능하며 작동하는 것도 쉽고 비용도 저렴하다. 단점은 내부 전원이 부족하고 알람이 없거나 소리가 작으며 비강·구강의 건조로 불편감을 유발할 수 있다.

BIPAP 인공호흡기는 원래 비침습적인 마스크를 이용하여 야간에 사용하도록 개발되었다.

4) 조합형 인공호흡기

조합형 인공호흡기는 압력 지지, 압력 조절, 일회 호흡량 조절, 이중 수준 압력 전달 또는 지속적 기도양압(CPAP) 방식 등의 모든 파라미터들을 설정할 수 있는 인공호흡기를 말한다.

5) 비강 지속적 기도 양압(CPAP) 제공기

폐쇄성 수면 무호흡에서 가장 효과적인 비침습적 치료방법이다. CPAP은 공기가 기도 안에서 지지되어 폐안의 기도가 개방된 상태로 유지되도록 한다. 호흡 근육 기능을 직접 도와주지 못하기 때문에 호흡부전으로 혈액 내 이산화탄소가 증가된 상태에서는 CPAP만 단독 사용하는 것은 일반적으로 부적절하다.

3_ 인공호흡기의 환기방식

1) CMV (Control Mandatory Ventilation)

모든 환기가 인공호흡기에 의해 시작(triggering)되어 가동되는 형태이다.

2) ACMV (Assist Control Mandatory Ventilation)

일정 시간 범주에서 호흡이 환자에 의해 시작(Triggering)되며, 이 조건이 충족되지 않으면 모든 환기가 인공호흡기에 의해 가동되는 형태이다.

3) SIMV (Synchronized Intermittent Mandatory Ventilation)

일정 시간 범주에서 인공호흡기가 환자의 자발호흡으로 시작되어 환자의 호흡에 맞추어 환기를 보조하다가, 환자의 자발호흡으로 인공호흡기가 triggering되지 않으면 CMV가 작동되는 형태이다.

4) SV (Spontaneous Ventilation)

모든 호흡 주기가 환자의 자발 호흡 노력 정도에 의해 시작되는 형태로 PSV (Pressure Support Ventilation) 혹은 CPAPV (Continuous Positive Airway Pressure Ventilation)가 있다.

4_ 가정용 인공호흡기 적용 환자의 퇴원 준비

퇴원 전 계획은 적어도 퇴원 2주 전부터 계획해야 하고, 호흡기 회사와 전문 의료진은 집으로 퇴원하여 인공호흡기를 관리하고 안전하게 집에서 환자를 돌보도록 하기 위해 초기부터 환자와 가족을 대상으로 기본 교육을 시행한다.

환자를 돌보는 데 필요한 기술은 충분한 교육을 통해 익힐 수 있도록 하여 퇴원에 대한 불안감을 완화시킨다.

1) 퇴원 전 준비물품

번호	준비물품
①	환자 침대
②	산소(산소발생기, 산소 연결선)
③	앰부백
④	흡인기(흡인 카테터, 생리식염수)
⑤	응급상황 물품(같은 크기와 한 사이즈 작은 기관지절개관 튜브, 수용성 윤활제)
⑥	가정용 인공호흡기(인공호흡기 여유 회로, 멸균증류수-가습기용)
⑦	외부용 배터리와 충전기(정전 시 사용)
⑧	소독 물품(드레싱 세트, 멸균 장갑, 과산화수소나 베타딘, Y거즈)
⑨	공기 매트(욕창예방)
⑩	산소포화도 측정기
⑪	물품정리대
⑫	환자와 관련된 의료인 연락처(담당 의사, 가정전문간호사, 호흡기 회사 직원)

2) 퇴원 전 교육내용

(1) 환자에게 필요한 의료장비를 다루는 방법

(2) 기도 흡인 방법

(3) 기관지절개관 관리 방법

(4) 가정용 인공호흡기 관리 방법

(5) 응급상황에 대처하는 방법

(6) 지역사회에서 제공받을 수 있는 복지 서비스

3) 응급 관련 준비사항

응급 관련 준비사항 체크리스트를 이용하여 환자 및 보호자가 퇴원 전에 응급상황에 대처할 수 있도록 교육한다.

앰부백은 항상 침상 옆에 비치되어 있는가?	□
흡인기는 항상 사용할 수 있도록 작동하는가?	□
의료진 및 호흡기 회사 연락처를 가지고 있는가?	□
평소 복용하는 모든 약을 가지고 있는가?	□
병원을 방문할 때 이송 방법이 마련되어 있는가?	□
여분의 인공호흡기 회로를 가지고 있는가?	□
응급상황 시 도움을 줄 수 있는 가족이 있는가?	□
응급상황 시 응급실 의사에게 보여줄 수 있는 의사 소견서를 가지고 있는가?	□
환자 상태와 치료 계획을 포함한 퇴원 교육자료를 가지고 있는가?	□
환자가 복용하는 약물이나 알레르기에 대해 알고 있는가?	□
응급상황 시 사용할 산소를 가지고 있는가?	□
인공호흡기나 앰부백에 산소를 연결하는 방법을 알고 있는가?	□
새로 충전되기 전에 인공호흡기 내장 배터리가 얼마나 지속되는지 알고 있는가?	□

4) 가정에서 환자 돌봄에 대한 계획 세우기

가정으로 방문하는 간호사는 가족과 함께 환자 돌봄과 관련하여 매일 점검해야 하는 일과 주간에 할 일, 그리고 매월 점검해야 하는 일에 대해 계획하고 교육한다. 침상 옆에 달력을 비치하여 매일, 주간, 월간 활동을 기록하고 점검한다.

(1) 매일 점검사항

① 기관지절개관 및 인공호흡기 연결 튜브의 꼬임이나 빠짐 유무를 점검한다.

② 기관지절개관은 고정 유무와 주변 피부 상태를 확인(열감, 부종, 분비물)한다.

③ 하루 동안 사용할 흡인 카테터와 물품을 준비하고 투여해야 할 약물도 점검한다.

④ 사용한 일회용 카테터는 버리고, 흡인기 배액병을 비우고 세척한다.

⑤ 재소독하여 사용하는 경우에는 세척하여 끓여서 준비한다.

⑥ 인공호흡기 가습통에 water level line까지 멸균증류수를 채운다.

⑦ 인공호흡기가 잘 기능하는지 알람 기능과 배터리를 점검한다.

⑧ 적어도 2일 이상 사용할 수 있는 양의 산소가 있는지 점검한다.

⑨ 먼지, 습기, 곰팡이가 없도록 환자 돌보는 공간을 청소한다.

(2) 주간 점검사항

① 인공호흡기와 환자 주변을 정리 정돈하고 청결하게 한다.

② 환자에게 사용한 물품을 세척하여 건조시키고 필요시 끓여서 소독을 실시한다.

③ 필터를 교환한다.

④ 달력에 다음주 계획을 작성한다.

(3) 월간 점검사항

① 인공호흡기의 외부 배터리 양을 확인하고 충전한다.

② 모든 물품들의 전기 공급 장치에 고장은 없는지, 기능은 제대로 하는지 점검한다.

③ 외래 방문 일정을 확인하고 이동 수단과 동반할 사람을 배정한다.

④ 희귀질환 지원 대상으로 지원 카드(H카드)를 받은 환자는 관할 보건소를 통해 매월 호흡기 보조금을 지급 신청한다.

⑤ 호흡기 회사를 통해 기계 점검 및 회로 교환 서비스를 받는다.

5_ 가정용 인공호흡기 적용 환자의 간호

1) 간호 목표

(1) 정상적인 혈중 산소 농도를 유지한다.

(2) Respiratory Distress 증상을 보이지 않는다.

(3) 깨끗한 호흡음과 양측 대칭적인 폐 확장을 보인다.

(4) 가정용 인공호흡기를 가지고 환자와 가족이 함께 일상생활을 할 수 있다.

(5) 필요시 의사소통 도구를 적절히 사용할 수 있다(예 벨, 글자판, 안구마우스 등).

(6) 합병증이 없다.

2) 준비물품

의사 처방(세팅 변수), 인공호흡기와 인공호흡기 회로, 멸균 증류수, 산소발생기와 연결 튜브, 흡인기, 앰부백, 정전 시 사용할 배터리, 장비의 표준 수칙, 장비 소독 물품, 산소포화도 측정기, 대체 의사소통 기구(벨, 글자판, 안구마우스 등)

3) 간호 수행

순서	수행절차
①	손을 씻는다. (표준주의, 세균의 전파를 막아 감염의 위험을 줄인다)
②	필요한 장비와 물품을 준비하고 목적과 방법에 대해 설명한다. (처치에 대한 불안감을 감소시킨다)
③	처방된 인공호흡기 세팅 값을 확인한다.
④	산소 공급원을 확인한다.
⑤	환자 침상 옆에 앰부백을 비치한다. (인공호흡기 고장 및 응급상황에 대비한다)
⑥	대체 의사소통 보조도구 사용 시범을 보인다. (의사소통 불가로 인한 불안감을 감소시킨다)
⑦	인공호흡기 적용에 대한 환자의 반응(활력징후, 호흡음, 심리적 상태)을 사정한다.
⑧	처방이 있으면 인공호흡기 회로 안으로 분무치료를 한다. (효과적으로 분비물을 제거하기 위함이다)
⑨	체계적으로 장비의 청결유지와 소독관리를 교육한다.
⑩	호흡기의 세팅 값, 알람 상태, 산소포화도나 필요시 이산화탄소 측정값, 활력징후, 호흡음, 환자의 반응, 교육내용을 기록한다.

4) 대상자 교육

(1) 환자와 돌봄 제공자에게 사용법과 관리법을 교육한다.

(2) 인공호흡기 알람의 원인과 대처 방법을 설명한다.

(3) 응급상황에 대한 대처 방법을 설명한다.

(4) 산소를 공급하는 경우는 안전하게 사용하는 방법을 교육한다.

(5) 환자가 인공호흡기로 호흡을 하고 있지만 가족들의 활동에 참여하는 중요성을 설명한다.

(6) 장비에 따라 청결 및 소독방법을 교육한다.

(7) 환자와 돌봄 제공자에게 보고해야 할 문제나 합병증의 증상과 징후에 관한 정보를 제공한다.

5) 발생 가능한 문제

경고음 형태	원인	대처방안
고압 경보 (High Pressure)	① 분비물의 증가 ② 회로에 물고임 ③ 회로의 막힘과 꼬임 ④ 심리상태가 불안함	① 흡인한다. ② 회로를 분리하거나 털어서 물받이 통으로 물을 배액시킨다. ③ 물받이 통에 물이 2/3 이상 차지 않도록 버린 후 잘 잠그도록 한다. ④ 꼬인 회로를 풀어준다 ⑤ 차분한 환경과 심호흡 및 정확한 의사소통을 통해 불안감을 감소시킨다.
저압 경보 (Low Pressure)	① 회로 연결 부위가 빠짐 ② 기관지절개관 커프 공기가 빠지거나 터짐 ③ 기관지절개관 빠짐	① 빠진 회로를 재연결한다. ② 커프에 한번에 1 cc씩 추가하며 공기를 주입한다. ③ 새 기관지절개관으로 교환한다.
인공호흡기 오작동	인공호흡기 작동 불가	① 119 신고 및 응급구조사가 도착할 때까지 Ambu bagging을 한다. ② 호흡기 회사에 연락한다.

6_ 호흡장비에 대한 정보

1) 기침 유발기

기침 유발기는 환자의 기도에 점차적으로 양압을 제공하다가 빠르게 음압으로 변환함으로써 높은 호기압력을 발생시켜 기침을 유발시키고 기관지, 폐 분비물을 효과적으로 제거한다.

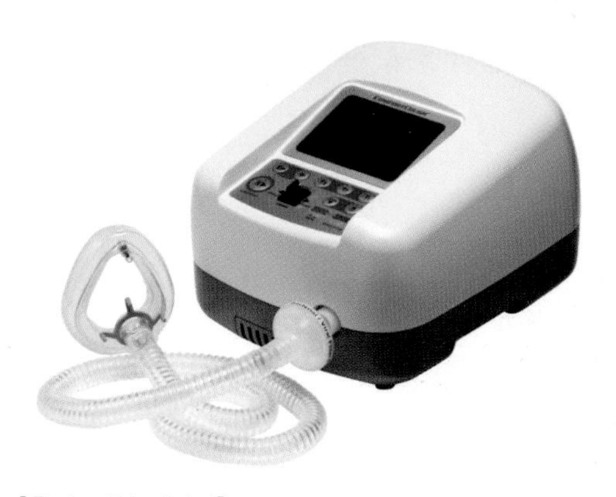

[출처: 서일 퍼시픽]

Fig 3-22 기침 유발기

2) 산소포화도 측정기

산소포화도 측정기는 환자의 맥박수와 동맥의 산소포화도를 적외선 발생의 감지기를 이용하여 비침습적 방식으로 감지하고 측정하는 장비로서, 숫자로 표시하여 지속적으로 환자의 상태를 측정한다.

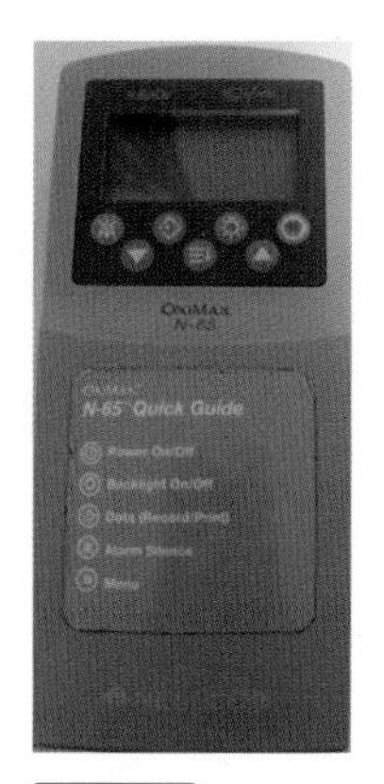

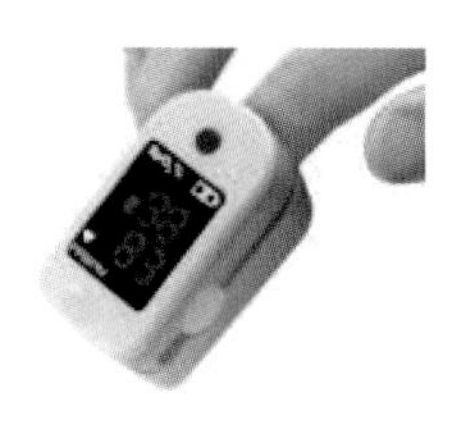

Fig 3-23 산소포화도 측정기

3) 호기말 이산화탄소 측정기

호기말 이산화탄소 측정은 폐의 환기/관류비의 변화를 감지함으로써 환자의 환기 상태와 폐혈류를 감시하는 데 유용하다. 정상 값은 35~45 mmHg이며 $ETCO_2$ 상승은 저환기(Hypoventilation) 혹은 호흡수의 감소로 인한 CO_2의 정체를 의미하고 $ETCO_2$ 하강은 과환기(Hyperventilation) 또는 낮은 일회 호흡 용적(Tidal volume)과 함께 호흡이 감소함을 의미한다.

[출처: 메드트로닉]

Fig 3-24

[출처: 엠마]

Fig 3-25

4) 앰부백

앰부백은 호흡 불능 환자의 응급조치 시 팽창된 인공호흡기를 수동으로 압축하여 환자의 기도를 통해 공기 또는 산소를 공급함으로 인해 호흡보조 기능을 갖게 하는 수동식 인공호흡기이다.

분당 10회(6초에 한번)의 속도를 유지하며 앰부백을 눌러준다.

Fig 3-26 수동식 인공호흡기

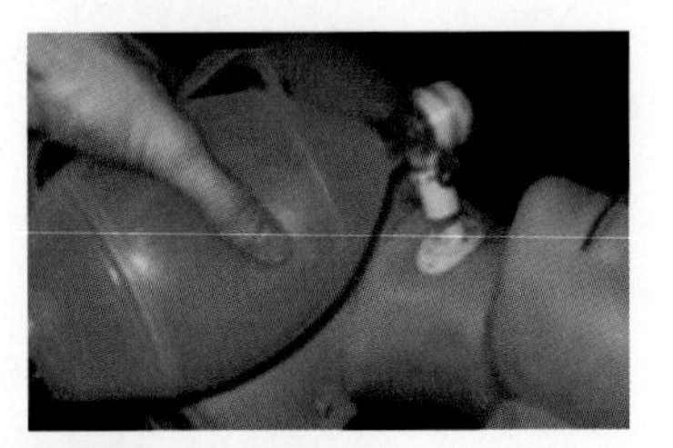

Fig 3-27 기관지절개 환자의 앰부백 사용

[가정에서의 앰부 사용법]

인공호흡기가 작동을 하지 않는 경우, 환자의 호흡이 없는 경우 앰부백을 사용한다.

1. 119에 신고를 한다. 두 명이 있다면 다른 보호자가 한다.
   1) 산소를 사용할 수 있는 경우 앰부에 산소 튜브를 연결하고 산소량을 가장 높게 한다.
   2) 인공호흡기에 연결되어 있는 산소줄을 빼서 앰부에 연결한다.
   3) 산소 준비를 위해 앰부 사용을 늦추지는 않도록 한다. 산소는 나중에 연결할 수 있다.

2. 마스크는 뾰족한 부분이 위로 가도록 환자의 코와 입 위에 놓는다.
   1) 한 명일 경우: 엄지와 집게손가락으로 마스크의 윗부분을 중심으로 'C'를 만들고 마지막 세 손가락은 턱의 뼈 부분 바로 아래를 눌러 공기가 새어나가지 않도록 한다(Fig 3-29).
   2) 두 명일 경우: 다른 사람이 환자의 얼굴에 마스크를 씌우고 기도를 열어둔 다음, 한 명이 호흡낭을 쥐어짠다(Fig 3-30).

3. 기관절개관이 있는 환자는 마스크를 떼어 내고 기관절개관에 바로 연결한다.

4. 머리를 뒤로 젖히고 턱을 위로 올려 기도를 열어준다.
   - 얼굴을 마스크 위로 당기지 않는다. 그리고 너무 세게 밀면 기도가 막힌다.

5. 환자가 숨을 들이 마실 때 앰부의 호흡낭을 눌러 준다.
   - 환자가 숨을 내쉴 때 앰부의 호흡낭을 누르지 않는다.

6. 호흡낭을 한 손으로 잡고 앰부의 1/3~1/2 만큼 누른다.

7. 가슴이 올라오도록 1~2초 이상 눌렀다가 뗀다.
   - 너무 빨리 하는 경우 폐가 손상될 수 있다.

8. 6초마다 한 번씩(1분당 10번) 눌러준다.

9. 올라왔던 가슴이 내려가고 호흡낭이 원래 모양대로 돌아오면 다시 호흡낭을 눌러 준다.

10. 숨을 쉴 때마다 가슴이 고르게 오르내리는 것을 지켜본다.

11. 산소포화도 측정기가 있는 경우 정상으로 돌아오는지 수치를 확인한다.

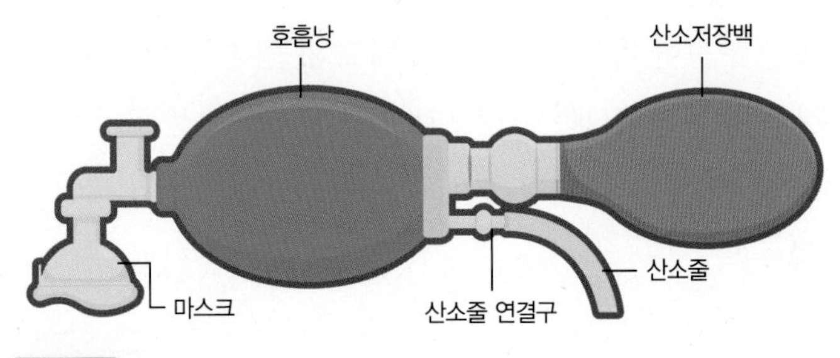

Fig 3-28 앰부 구조

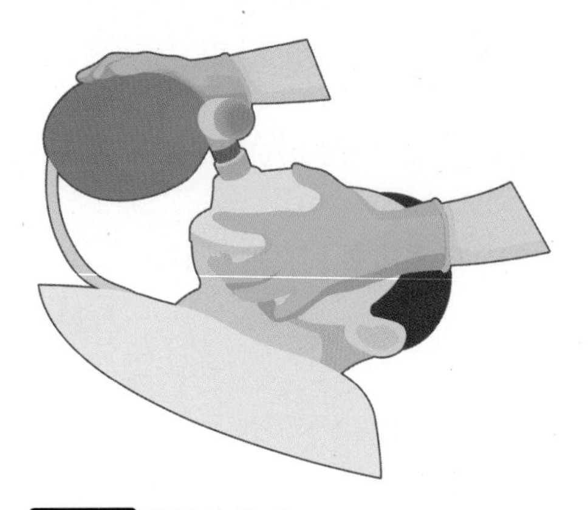

Fig 3-29 한 명이 할 때

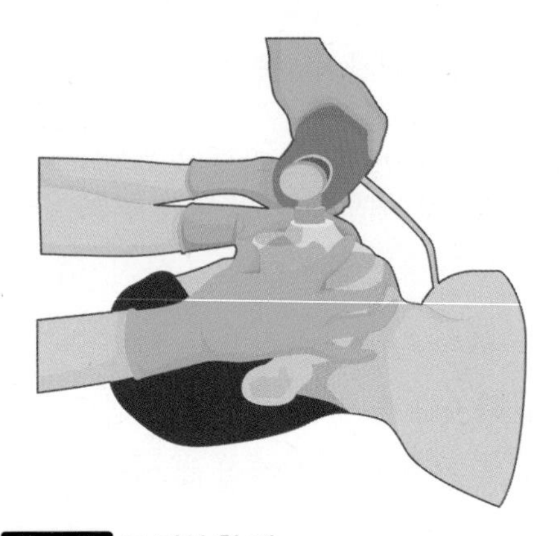

Fig 3-30 두 명이 할 때

5) 마스크

비침습적 인공호흡기를 사용하는 방법으로, 비강, 안면, 구강 마스크를 적용할 수 있으며 인공호흡기와 연결하여 사용한다. 마스크는 공기가 새지 않도록 착용하여야 하며 착용 시 편안한 것으로 선택한다.

Fig 3-31 full face mask

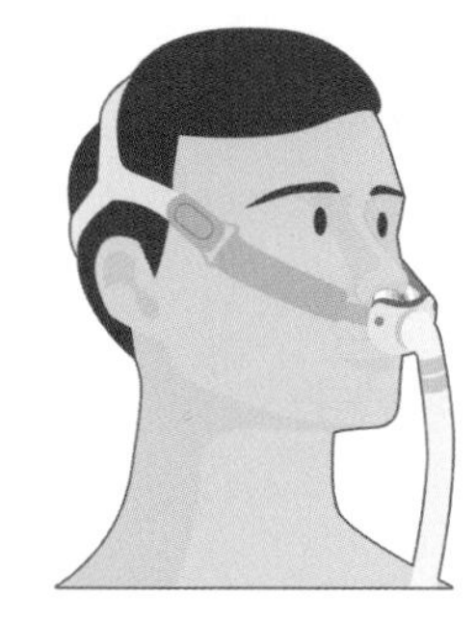

Fig 3-32 pillow mask

Fig 3-33 nasal mask

6) 인공호흡기 회로

인공호흡기 회로는 환자의 폐로 공기를 전달하기 위해 인공호흡기와 연결하는 장치로, 분비물(가래)이 묻는 경우 바로 교환하여야 하며, 환자 상태에 따라 2주~4주마다 새 것으로 교환하여야 한다.

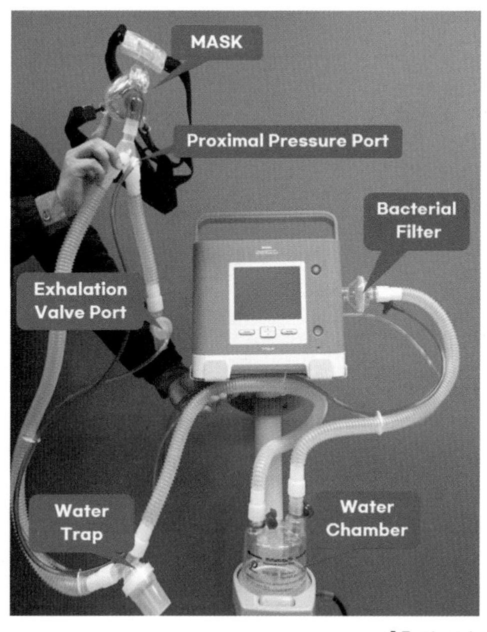

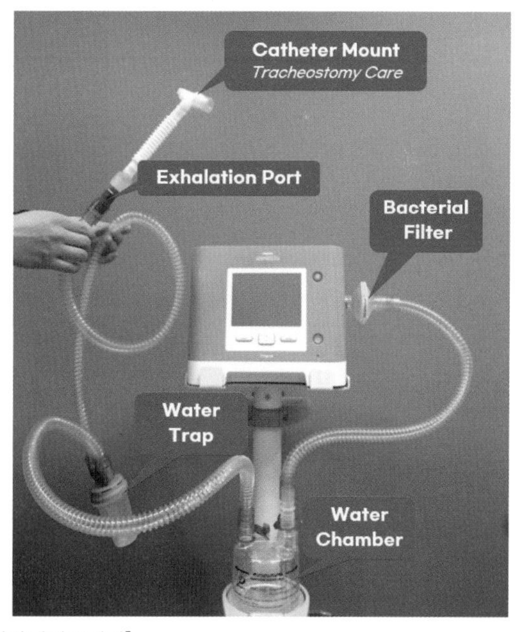

[출처 : 바이탈에어코리아]

Fig 3-34 Active circuit

Fig 3-35 Passive circuit

(1) 물받이 통(Water trap): 항상 아래쪽으로 하여 회로에 응축수가 생기면 자연스럽게 고이도록 한다.

(2) 호기구(Exhalation valve port): 흡기와 호기를 조절하며 막히지 않도록 유지한다.

(3) Proximal pressure port: 항상 수직으로 위치하여 응축수가 흘러 들어가지 않게 한다.

(4) 필터(Bacterial filter): 주 1회 교환한다.

7) 가습기

기관지 절개를 하고 인공호흡기를 적용하는 경우에는 적절한 습도를 유지하여 가래 배출을 용이하게 하기 위해서 가습기를 적용한다.

가습기통의 물은 water level까지 증류수로 채운다. 너무 많이 채우게 되면 flow에 방해가 되어 환자 호흡에 영향을 미치게 되고, 물이 넘치면 기기 오작동을 유발한다. 습도가 높은 장마철에는 가습통 온도를 최대한 낮추고 대기가 건조한 가을, 겨울과 가래가 진해서 잘 배출이 안 되는 경우는 온도를 높여준다.

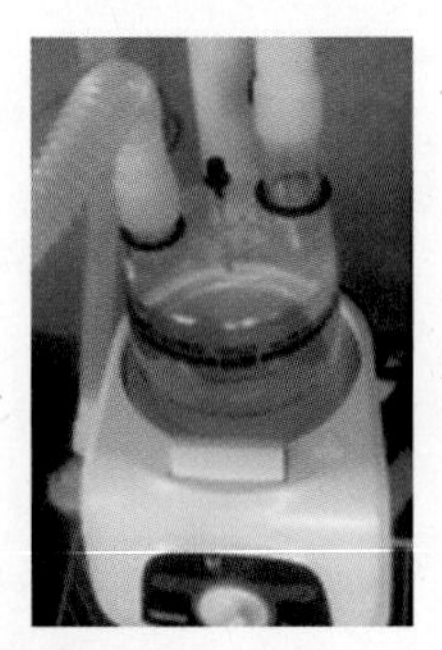

Fig 3-36 인공호흡기 내 가습통

8) 분무기

(1) 사용방법에 대한 특별한 교육 없이 누구나 쉽게 사용할 수 있고, 특히 소아나 호흡곤란이 심한 환자들이 쉽게 약을 흡입할 수 있다.

(2) 다른 흡입 기구보다 상기도에 침착되는 약물 양이 적어서 부작용이 작고, 기구의 부피가 크고 전원을 필요로 한다.

(3) 소요시간이 10~20분 정도로 길고 소음이 있다. 사용 후 오염되지 않도록 Nebulizer

kit를 세척하고 정기적으로 Nebulizer kit와 필터를 교환해야 하며, 안면 마스크를 사용할 때에는 가능한 얼굴에 밀착하여 사용하는 것이 좋다.

[인공호흡기를 이용한 분무 요법]

1. 분무기 안에 처방된 약물과 희석액을 넣고 닫는다.
2. 압축된 공기를 분무기관에 연결하고 처방된 양만큼 주입하기 위해 계량기를 조절한다.
3. 인공호흡기 회로 사이에 분무기를 연결하고 압축공기를 연다.
4. 약물이 모두 분무될 때까지 계속하고 분무기 끝을 톡톡 쳐서 약이 모두 분무됨을 확인 후 압축공기를 끈다.

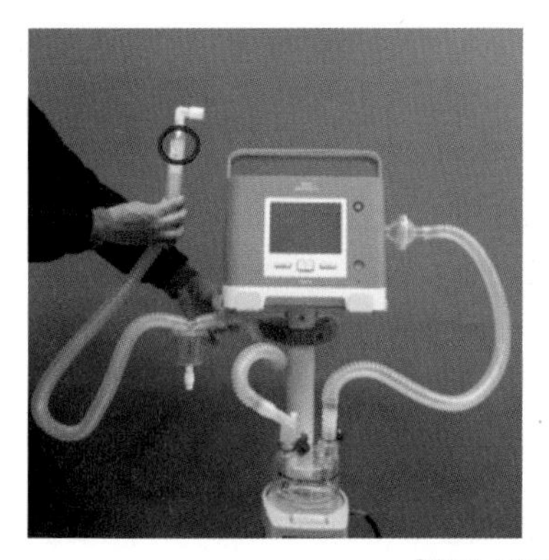
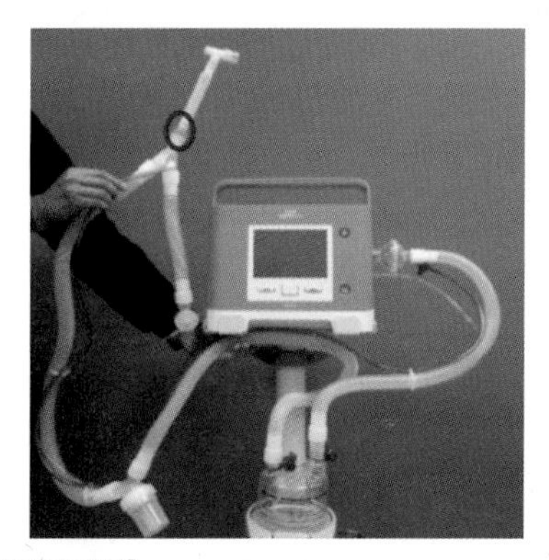

[출처: 바이탈에어코리아]

Fig 3-37 인공호흡기 회로에 적용한 분무 요법

[인공호흡기 처방전 발급 기준]

<table>
<tr><td rowspan="2">수진자</td><td>건강보험증 번호</td><td></td><td>주민(외국인)등록번호</td><td colspan="2">891011-123456X</td></tr>
<tr><td>성명</td><td>○○○</td><td>전화번호</td><td colspan="2">(자택) 1566-0202
(휴대전화) 010-1234-56XX</td></tr>
<tr><td>진료 과목</td><td>[처방 가능 진료과]
신경과, 신경외과, 재활의학과, 내과, 흉부외과, 결핵과, 소아청소년과(소아의 경우)</td><td>상병명</td><td>[공단 등록 상병명]
인공호흡기 요양비 지급 대상 상병 참조
(재처방 시 이전 상병명 및 상병 코드와 동일해야 합니다)</td><td>상병 코드</td><td>[공단 등록 상병코드]
인공호흡기 요양비 지급 대상 상병 참조</td></tr>
<tr><td>환자 상태 및 진료 소견 (해당 사항에 [V] 표시)</td><td colspan="5">※ 아래 기준을 모두 만족해야 함

① 고이산화탄소혈증 2가지 이상의 임상증상
(□ 제외: 의식저하 등으로 의사 표현이 불가능하여 고이산화탄소혈증 임상증상 파악이 어려움)
□ 숨이 참 □ 피로감 □ 두통 □ 정신이 맑지 못하고 멍함
□ 밤에 자주 깨거나 낮에 졸리고 토막잠을 자주 잠, 혹은 악몽을 자주 꾸거나 가위에 눌림
□ 불안하여 안절부절 못함 □ 빈맥

② 이산화탄소 분압(최소 한 가지 이상)
□ 동맥혈 가스 검사에서 이산화탄소 분압(ETCO₂)이 45 mmHg 이상
□ 호기말 이산화탄소 분압(ETCO₂)이 40 mmHg 이상
※ 이산화탄소 분압은 2회 이상의 검사 결과지 또는 검사 결과를 명시한 소견서를 반드시 첨부
발급 시점에 시행한 검사 결과지를 반드시 첨부해야 합니다(같은 종류로 2회 이상의 검사 결과지). 최초 처방 시에는 인공호흡기 대상자 등록 신청 시 제출한 검사 결과지로 대체 가능합니다.
③ □ 24시간 지속적인 인공호흡기 사용자로 호흡기를 이탈하여 ①, ② 검사 불가능(의사소견소로 대체)
소견서에는 반드시 "24시간 지속적인 인공호흡기 사용자"라는 내용이 있어야 하며 전문의가 발급해야 합니다.

①, ② 항목에 표시하거나 ③ 항목에 표시합니다(중복 표시 불가).</td></tr>
<tr><td>처방 구분</td><td colspan="2">□ 최초 처방
□ 재처방(2차 이상)</td><td>인공 호흡기 환기 타입</td><td colspan="2">□ 혼합형(압력+볼륨)
TRILOGY100, ASTRAL, EQ-150
□ 압력형 STELLAR, BiPAP A40
□ 볼륨형
※ 환기 타입은 제품에 따라 구분되어 처방 제품명을 확인합니다.</td></tr>
<tr><td>처방 기간</td><td colspan="2">2021.04.19 - 2021.10.18
■ 최초 처방 6개월 ■ 재처방 2년
재처방시 기간 중복은 가능하나, 공백이 있으면 공백 기간 동안 요양비 지원은 되지 않습니다.</td><td>다음 처방일</td><td colspan="2">2021.10.19
최초 처방과 재처방의 기간이 다르므로 환자가 다음 진료일을 알 수 있도록 정확히 기재해야 합니다.</td></tr>
<tr><td colspan="2">처방전 사용기간</td><td colspan="2">교부일로부터 처방기간까지</td><td colspan="2">※ 사용기간 내에 대여·제출하여야 합니다.</td></tr>
</table>

[출처: 바이탈에어코리아]

참고 문헌

1. 강남세브란스병원 호흡재활센터: 제16회 호흡재활 워크숍, p181-182, 2018.
2. 강현숙 외: 근거기반 기본간호학, p562~564, 수문사, 2014.
3. 대한간호협회 가정간호사회: 가정용 인공호흡기 관리, p55-56, 2010.
4. 대한간호협회 가정간호사회: 가정간호실무지침서, p11-15, 1998.
5. 병원간호사회: 임상간호실무지침서, 개정5판, p137, p141~142, 2017, WHO-ICRC.
6. 서울아산병원 가정간호사업실 편: 사울아산병원 가정간호지침서, 초판, p30-31, 도서출판 고려의학, 2007.
7. 서울대병원 가정간호팀 교육자료.
8. 유호신외 8인: 가정. 방문간호 핸드북, 초판, p7~12, p13~25, 군자출판사, 2010.
9. 한국연구재단: Home ventilator 환자 안전관리를 위한 교육 자료, p61-67, 2015.
10. 황문숙, 이미경, 송종례, 오은경 공저: ALS환자 호흡간호 매뉴얼, 초판, p74-90, 현문사, 2013.
11. 핵심기본간호술, 제4.1판, 퍼시픽북스, 2017년 2월 개정.
12. 하정훈: 기관지절개술 및 관리, 가정전문간호사를 위한 인공호흡기관리 보수교육 교재, 대한간호협회 가정간호사회, 2010.
13. 2019년 대한내과학회 춘계학술대회: 조영재: 산소치료의 최신 업데이트, p156, 2019.
14. 대한치과마취과학회지: 강정완: 산소요법, 제8권, p10, 2008.
15. Debra J. Lynn-McHale Wiegand, Karen K. Carlson 지음: 중환자간호 매뉴얼 volume 1, p73-79, 2008.
16. Basic Emergency Care approach to the acutely ill and injured, p155-156

1. 사진으로 보는 핵심간호술
   http://blog.naver.com/estgem/220631384446

제 4 장

배설 관리

Excretion Management

배뇨 관리 (Urination Management)

도뇨(Urinary Catheterization)는 방광 내 소변을 배출하는 과정으로, 도뇨의 방법에 따라 크게 유치도뇨(Indwelling catheterization)와 간헐도뇨(Intermittent catheterization)로 구분할 수 있다. 도뇨관을 삽입하여 일정 기간 동안 방광 내에 유지하면서 소변 배출을 도와주는 것을 유치도뇨라고 한다.

1_ 유치도뇨

1) 간호 사정

(1) 유치도뇨 적응증에 해당하는지 사정한다.

(2) 유치도뇨가 아닌 다른 대안은 없는지 사정한다(간헐도뇨, 외부도뇨)(Fig 4-2).

(3) 혈뇨나 요로 분비물의 과거력이 있는지 확인한다.

(4) 요도 막힘의 과거력을 확인한다.

(5) 과거 도뇨관 삽입을 한 적이 있는지 사정한다.

(6) 비뇨기계 염증, 방광염, 요도염, 질 통증을 사정한다.

(7) 다음과 같은 상황에서는 요도도뇨보다 치골상부도뇨를 권장한다.

① 요도 손상이나 요도 염증이 있거나 위험이 큰 경우

② 변실금 등으로 요도 도뇨관의 오염이 우려되는 경우

③ 휠체어 생활을 하는 경우

④ 도뇨관을 장기간 삽입하고 있어야 하는 경우

2) 간호 진단

(1) 배뇨장애(Impaired urinary elumination): 배뇨기능에 장애가 있는 상태

(2) 요정체(Urinary retention): 배뇨 시 방광을 완전히 비우지 못하는 상태

(3) 비뇨기계 손상 위험성(Risk for urinary tract injury): 건강에 위험을 줄 수도 있는 카테터 사용으로부터 요로계의 손상을 받을 수 있는 취약한 상태

3) 간호 목표

(1) 유치도뇨로 인한 합병증이 없다.

(2) 유치도뇨에 대한 필요성을 적절히 설명할 수 있다.

(3) 유치도뇨의 기능을 안다.

4) 간호 수행

(1) 목적

① 장시간의 배뇨 불능

② 시간당 소변량 측정

③ 방광 내 세척이나 약물의 주입

④ 하복부의 수술 환자나 욕창의 감염 방지

(2) 준비물품

일회용 드레싱 세트, 소독 솜(베타딘, 클로르헥시딘), 윤활제, Foley catheter (성인 16~18 Fr, 소아 10~12 Fr), urine bag, 멸균 증류수, 소독 장갑, 주사기, 도뇨관 고정 장치

(3) 간호 수기술

① 유치도뇨(Indwelling catheter)

순서	수행절차	비고
①	손을 씻는다.	
②	• 일회용 드레싱 세트에 멸균적으로 카테터와 멸균증류수를 따라놓고 주사기, 소독 솜, 윤활제를 짜 놓는다. • Urine bag은 clamping 후 옆에 준비해 둔다(Fig 4-2).	

순서	수행절차	비고
③	여성은 회음부 밑에, 남성은 음경 밑에 방수포를 대준다.	
④	멸균 장갑을 착용한다.	
⑤	• 여성은 왼손으로 대음순을 벌려 요도구를 확인한 후 소독 솜으로 대음순, 소음순, 요도구 순으로 위에서 아래로 닦는다. • 남성은 음경을 위로 올려 포피를 젖히고 포피, 귀두, 요도구 순으로 소독솜을 이용하여 닦아준다.	한 번 사용한 소독솜은 버린다(Betadine ball 사용 시에는 생리식염수로 닦아낸다).
⑥	• 윤활제를 Foley catheter Tip에 5~8 cm 도포 후, 요도구로 진입하여 여성은 후 상방으로 조심스럽게 삽입한다. • 남성은 한 손으로 음경을 올려 잡은 상태에서 다른 손으로 부드럽게 삽입한다. 방광에 도달하면 소변이 나오며, 이 상태에서 약 2 cm 정도 더 삽입한다. 남성의 요도 길이는 15~20 cm, 여성은 4 cm으로 차이가 크다.	
⑦	도뇨관에서 소변이 나오는 것을 확인한 후 천천히 벌룬을 팽창한다.	제품이 권고하는 양 만큼 증류수로 벌룬을 채운다.
⑧	도뇨관이 당기지 않도록 여성은 허벅지에, 남성은 복부에 고정 장치로 고정한다.	
⑨	방수포를 제거하고 뒷정리를 한다.	
⑩	배출량을 확인하고 기록을 한다.	

② 치골상부도뇨(Cystostomy)

순서	수행절차	비고
①	손을 씻는다.	
②	• 일회용 드레싱 세트에 멸균적으로 카테터와 멸균증류수를 따라놓고 주사기, 소독 솜, 윤활제를 짜놓는다. • Urine bag은 clamping 후 옆에 준비해둔다.	
③	멸균 장갑을 착용한다.	
④	Cystostomy 주변을 소독 솜으로 3회 이상 소독한다.	
⑤	10 cc 주사기로 벌룬 제거 후 삽입되어 있던 카테터를 제거한다.	
⑥	소공포를 깔고 새 카테터에 윤활제를 묻혀 등뼈와 치골을 향해 약 5~8 cm 삽입한다. 만약 방광 벽에 닿는 느낌이 있다면 1 cm 가량 뒤로 뺀다. 벌룬에 카테터 권장 양만큼 10 cc 주사기로 증류수를 채운다.	제품이 권고하는 양 만큼 증류수로 벌룬을 채운다.
⑦	처방이 있다면 생리식염수로 Irrigation한다.	
⑧	카테터와 소변 주머니를 연결한다.	
⑨	Cystostomy 주변을 소독 솜으로 3회 이상 소독 후 Y거즈를 덮고 테이프로 고정한다.	
⑩	기록한다.	

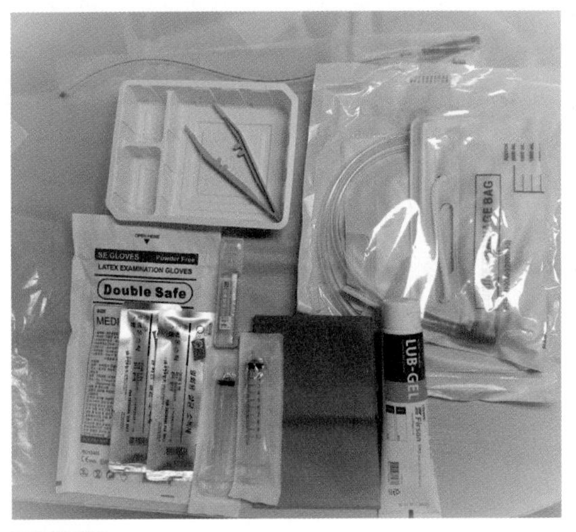

Fig 4-1 도뇨에 필요한 준비물

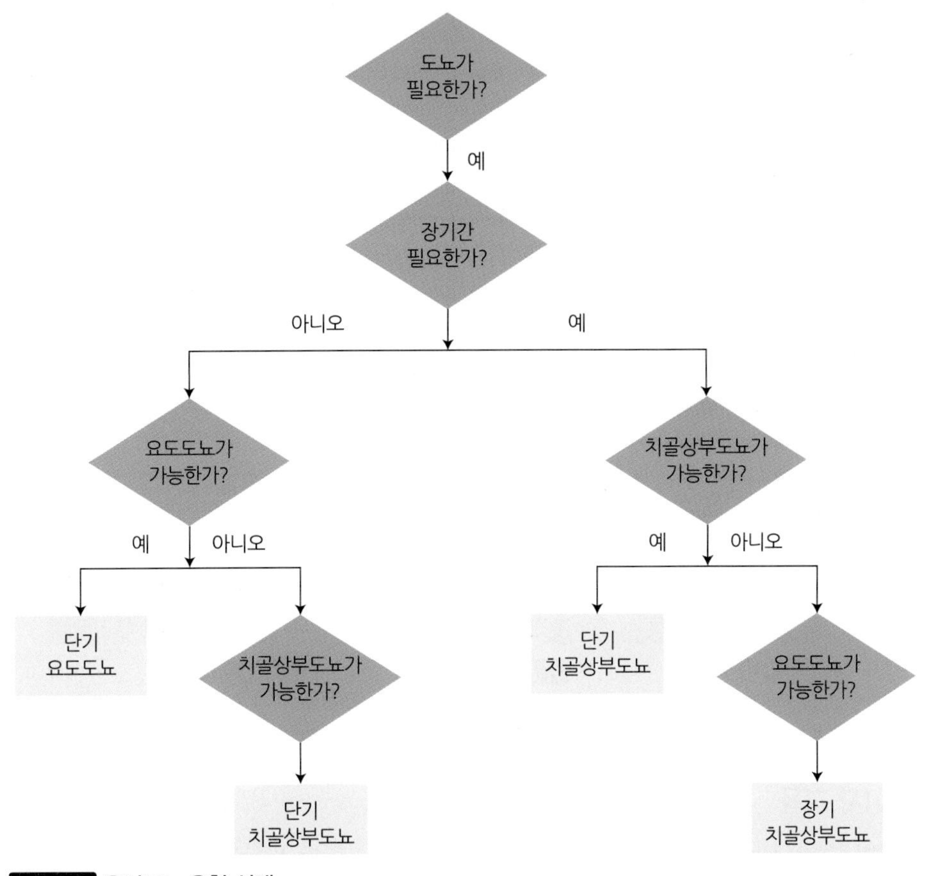

Fig 4-2 유치도뇨 유형 선택

5) 유치도뇨관의 검사물 채취 방법

(1) 소변 검사물은 카테터를 약 15~20분간 잠근 상태를 유지하여 방광 내 소변이 고이도록 한 후 채취한다.

(2) 밀폐식 시스템을 그대로 유지하면서 검체포트를 10% 베타딘으로 닦고 말린 후 주사기로 채뇨한다. 이후 베타딘으로 다시 한 번 닦아준다.

(3) 소변 검사물 채취를 위해 잠궈 놓은 소변 주머니의 잠금장치를 반드시 풀어준다.

(4) 채취한 소변 검사물은 빠른 시간 내에 검사실에 접수한다.

6) 발생 가능한 문제

문제점	관찰 및 대처방안
소변이 4~6시간 이상 나오지 않는다.	• 소변 줄이 꺾여있거나 잠겨있는지 확인한다. • 아랫배를 확인하여 방관팽만이 있는지 확인한다.
소변이 주위로 많이 새고 소변 줄로 거의 나오지 않는다.	소변 줄에 부유물로 막혔을 가능성이 많으므로, 소변 줄을 비벼보고 막혔을 경우 의료진에게 연락한다.
혈뇨, 탁한 소변, 냄새가 심하고 분비물이 많다.	금기가 아니라면 수분 섭취를 늘린다(1일 1,500 ml~2,000 ml).
소변 주머니가 보라색이나 파란색으로 변한다.	수분 섭취량을 늘린다.

tip **자주색 집뇨관 증후군(Purple Urine Bag Syndrome, PUBS)**

오랜 기간 도뇨관을 유치하고 있으면서 잦은 변비, 알칼리성 소변을 보이는 고령의 여성에게서 흔하게 발생한다.

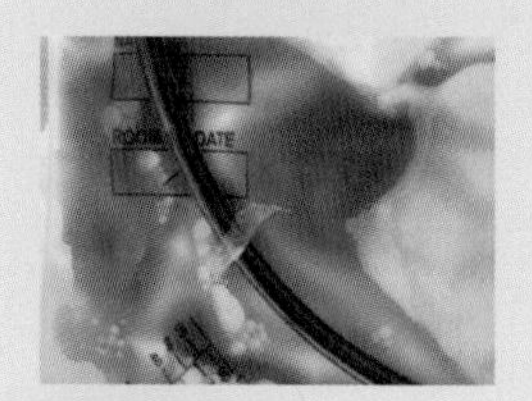

Fig 4-3 혈뇨

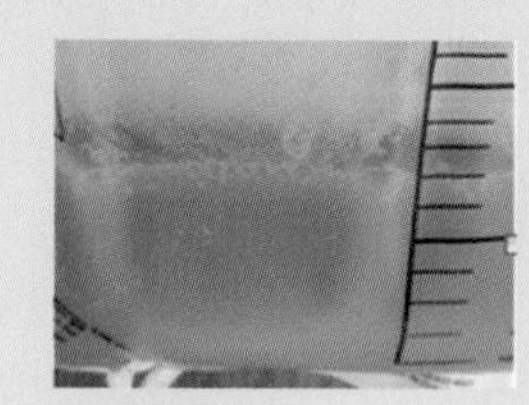

Fig 4-4 혼탁뇨

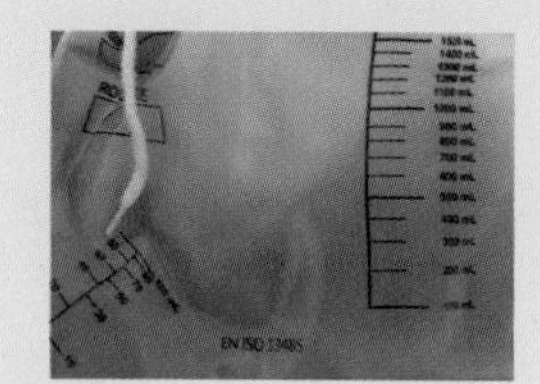

Fig 4-5 자주색 집뇨관 증후군

7) 대상자 교육

(1) 소변 주머니 위치는 항상 삽입 부위보다 낮게 유지한다.

(2) 이동이나 체위 변경 등으로 소변 주머니를 옮길 경우, 주머니의 잠금장치를 잠근 상

태로 이동하고 이동 후에는 반드시 풀어 준다.
(3) 온도가 높은 곳에서는 세균 증식의 위험이 크므로 바닥에 내려 놓거나 배출구가 바닥에 닿지 않도록 한다.
(4) 소변줄이 당겨지지 않도록 주의한다.
(5) 소변줄이 꺾여 있거나 눌려있으면 원활하게 배출이 안 되므로 잘 관찰한다.
(6) 깨끗한 소변 배출을 위해 충분한 수분 섭취를 한다.
(7) 소변 주머니에 소변이 반 정도 차면 소변을 비우고 출구는 알코올 솜으로 닦고 잠근다.
(8) 혈뇨, 고열, 복통 등의 이상 증상 시 병원을 방문한다.

2_ 간헐적 도뇨

1) 간호 사정

(1) 대상자와 보호자의 요로계의 해부와 기능에 대한 지식 정도를 사정한다.
(2) 정보이해 능력을 사정한다.
(3) 신체 상태(손 기능, 움직임)를 사정한다.
(4) 심리 상태(부끄러움, 두려움)를 사정한다.
(5) 간헐도뇨 수행 의지를 사정한다.
(6) 간헐도뇨를 하기에 적절한 공간의 활용 가능성을 사정한다.

2) 간호 진단

(1) 배뇨장애(Impaired urinary elumination): 배뇨 기능에 장애가 있는 상태
(2) 요정체(Urinary retention): 배뇨 시 방광을 완전히 비우지 못하는 상태

3) 간호 목표

(1) 소변 조절로 독립적인 수준을 이행한다.
(2) 간헐적 자가도뇨를 일상생활에 계획한다.
(3) 요로감염의 증상과 증후를 말할 수 있다.

(4) 적절한 간헐 도뇨법을 시범 보인다.

(5) 회음부의 피부 통합성이 유지된다.

4) 간호 수행

(1) 목적

① 방광의 내용물을 비우기 위하여 시행

② 소변검사 시 무균적으로 채취하기 위하여 시행

③ 잔뇨량 측정

(2) 준비물품

단순 도뇨관 삽입 목적에 따라 재질을 선정한다(PVC, 라텍스, 실리콘).

- 아동용: 6~12 Fr, 성인용: 10~14 Fr, 윤활제, 소독액

순서	수행절차	비고
①	의사 처방을 확인하고 대상자에게 교육 자료를 이용하여 준비시킨다.	
②	적합한 도뇨관과 물품을 준비한다.	필요시 보조도구(거울 등)를 준비한다.
③	손 위생을 실시한다.	
④	윤활제를 준비한다.	
⑤	• 요도입구를 세정(cleansing) 또는 소독(disinfection)한다. • 남성은 음경을 들고 포피를 살짝 들어 음경귀두를 닦는다. 음경 포피를 먼저 닦고 요도 입구를 마지막에 닦는다. • 여성은 한 손으로 음순을 벌리고 위쪽으로 올려 유지한다. 다른 손으로 대음순을 먼저 닦고 소음순을 닦은 후 마지막에 요도 입구를 닦는다.	
⑥	• 청결한 손으로 도뇨관을 잡는다. • 도뇨관을 요도 입구로 삽입하고 방광의 소변이 나올 때까지 부드럽게 밀어 넣는다. • 소변이 나오지 않는다면 치골 결합 부위를 부드럽게 눌러본다.	남자의 경우 전립선 부위에서 도뇨관이 잘 삽입되지 않는다. 이때는 대상자가 편안하게 이완하고 심호흡을 하거나 가볍게 기침하도록 한다.
⑦	소변이 나오다가 멈추면 도뇨관을 1 cm 간격으로 천천히 뺀다.	
⑧	도뇨관을 제거한다.	• 남자 21 cm • 여자 5~8 cm
⑨	• 간헐도뇨의 간격은 배뇨장애 기능적 방광용적, 잔뇨량에 따라 계획을 수립한다. • 일반적으로 도뇨량이 300~500 ml 이내로 유지되도록 한다.	
⑩	도뇨 일지를 작성한다.	

tip **간헐도뇨 소모성 재료 구입비 지원 제도**

❶ 지원 대상: 자가배뇨가 불가능한 신경인성 방광 환자로 공단에 등록된 자(상병 및 요류역학검사 결과 진단 기준을 만족하는 대상자)

❷ 급여 항목: 간헐적 자가도뇨를 위해 사용하는 소모성 재료인 자가도뇨 카테터(1일 최대 6개까지 가능)

❸ 공단에 급여 대상자로 등록된 이후에 처방전을 받아 구입한 경우에만 요양비가 지원되며, 신청방법 및 구비서류 등은 국민건강보험공단 지사 및 출장소에 문의한다.

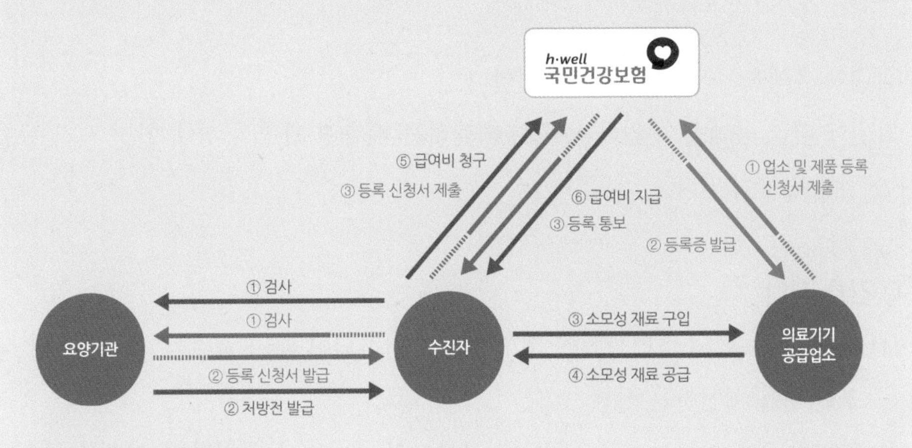

[출처: 국민건강보험공단]

Fig 4-6 **요양비 지원 처리 절차**

배변 관리 (Defecation Management)

1_ 관장

장내에 용액을 주입하는 것을 의미한다.

방법에 따라 용액을 주입하는 즉시 배출하는 배출형 관장과 장내 일정 시간 동안 보유하는 정체 관장이 있다.

1) 간호 진단

(1) 변비(Constipation): 정상적인 배변습관이 변화되어 배변 횟수가 감소되거나 굳고 건조한 변을 배설하는 상태

(2) 변비의 위험(Risk for constipation): 정상적인 배변습관이 변화되어 배변 횟수가 감소되거나 굳고 건조한 변을 배설할 위험이 있는 상태

(3) 만성 기능적 변비(Chronic functional constipation): 과거 1년 동안 적어도 세 번의 어려운 또는 비정기적인 배설이 있는 상태

(4) 지각된 변비(Perceived constipation): 변비라고 자가진단하고 완하제, 관장, 좌약을 사용하여 매일 변을 배설하려는 상태

(5) 위장관 운동 기능 장애(Dysfunctional gastrointestinal mobility): 위장계 내의 연동운동이 증가, 감소, 무력하거나 약한 상태

2) 간호 목표

(1) 정상적인 장의 배설 형태를 회복하고 유지한다.

(2) 절차에 잘 견디고 지정된 시간동안 용액을 보유한다.

(3) 연동운동을 촉진시켜 배변을 돕는다.

3) 간호 수행

(1) 글리세린 관장

① 준비물품: 1/2 Glycerine 관장액 50 cc, 50 cc Enema syringe, 방수포, 휴지, 변기, 1회용 비닐장갑, 윤활제

순서	수행절차	비고
①	손을 씻고, 방수포를 대어준다.	
②	방수포를 깔아준다.	
③	환자를 좌측 심스 체위(Lt sim's position)을 취하게 해준다(Fig 4-7).	
④	장갑을 착용한다.	
⑤	윤활제를 Enema syringe 끝에 묻혀서 천천히 50 cc를 주입한다.	
⑥	휴지로 항문을 막으면서 천천히 주사기를 빼고 15~20분 정도 후에 변기를 대주거나 화장실에 가게 한다.	항문 부위를 오므리고 있도록 한다.
⑦	방수포를 제거하고 뒷정리를 한다.	
⑧	배설량을 확인하고 기록을 한다.	

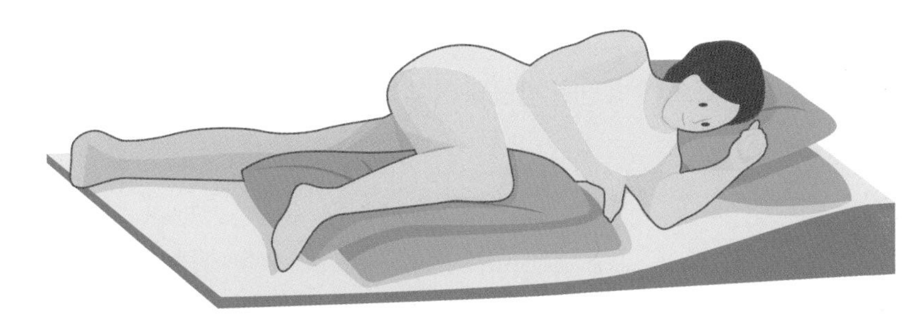

Fig 4-7 Lt sim's position

(2) 손가락 관장

Fecal impaction으로 인한 통증과 불편감을 줄이고 정상 배변을 할 수 있도록 하기 위함이다. 가정에서는 의사 처방 하에 시행한다.

순서	수행절차	비고
①	손을 씻는다. 환자에게 설명한다.	
②	환자를 좌측 심스 체위(Lt sim's position)를 취하게 해준다.	
③	환자의 둔부 밑에 방수포를 깐다.	
④	장갑을 착용 후 검지에 윤활제를 바른다.	

순서	수행절차	비고
⑤	항문에 검지를 부드럽게 넣고 배꼽 방향으로 움직인다.	
⑥	대변 주위를 부드럽게 마사지한다.	
⑦	딱딱한 덩어리가 깨지도록 손가락을 움직인다.	
⑧	대변이 항문 주위로 모이게 한 후 조금씩 제거하여 대변기에 담는다.	
⑨	Fecal impaction 제거에 대해 기록하고 양과 환자의 반응을 기록한다.	

4) 발생 가능한 문제

(1) 미주신경 실신(Vasovagal Syncope): 손가락 관장은 반드시 의사의 처방을 받은 후에 실시하여야 하며, 심한 통증, 배변, 배뇨, 기침 등 여러 가지 외부 자극에 의해 미주신경계가 활성화되어 실신이 일어난다. 증상은 심박수가 느려지고 혈압이 떨어지며, 몸에서 힘이 빠지고 하품이 나며 식은땀을 흘리게 되고 의식을 잃고 쓰러지게 된다. 그 과정에서 다칠 수 있기 때문에 주의가 필요하다.

(2) 부적절한 관장 또는 잦은 관장은 장 파열이나 직장 점막을 손상시켜 출혈이나 2차감염의 위험성이 높아지게 된다. 장 출혈은 변이 검은색이나 검붉은색으로 나오게 되는데 이런 증상이 있으면 병원을 방문하여야 한다.

배액관 관리 (Drainage Tube Management)

1_ 담즙배액관(PTBD) 관리

경피적 담즙 배액술(percutaneous transhepatic biliary drainage)로 배액관을 체외에서 삽입하여 간 내의 담도에 위치시키는 시술이다. 담즙의 배출과 감압을 위해 시행하며 소독과 세척을 통해 원활히 배액되도록 한다.

세척은 의사 처방이 있을 시 시행하며 부유물이 많아 관이 자주 막히는 경우 시행한다.

1) 간호 목표

(1) 담즙 배액이 원활하게 된다.

(2) 담즙배액관 주위 피부 감염 증상이 없다.

(3) 담즙배액관 폐색 증상 없이 기능이 유지된다.

2) 간호 수행

(1) 준비물품

일회용 드레싱 세트, 소독 솜이나 포비돈 스틱, 멸균 Y거즈, 4×4 멸균 거즈나 메딕스, 20 cc 생리식염수, 10 cc 주사기, 멸균 장갑, 위생방수지

순서	수행절차	비고
①	손을 씻는다. 환자에게 설명한다.	
②	환자에게 절차를 설명한다.	
③	위생방수지를 답즙 배액관 아래 깔아놓는다.	
④	기존 반창고와 거즈를 조심스럽게 떼어내고 튜브 주위 봉합 상태와 고정 상태를 확인한다.	봉합이나 고정 장치에 이상이 있을 경우 외부 고정 장치를 준비하여 교체한다.

순서	수행절차	비고
⑤	준비된 소독 솜으로 안에서 바깥쪽으로 원을 그리며 3회 소독 후 건조시킨다.	
⑥	Y거즈를 대고 커버드레싱을 한다.	
⑦	담즙배액관 세척은 10 cc 주사기에 생리식염수를 재고 공기를 뺀다.	
⑧	3way 주변을 소독 후 주사기를 꽂고 Off 방향이 bag쪽으로 향하게 한 후 서서히 주입했다가 다시 서서히 흡인한다.	통증이 있거나 담즙이 나오지 않으면 억지로 빼지 말고 자연배액 시킨다.
⑨	세척이 끝나면 3way를 원위치시키고 소독 솜으로 닦은 후 뚜껑을 닫는다.	Bile bag은 항상 삽입 위치보다 낮게 둔다.
⑩	Bile bag은 기관에서 정한 시기마다 3way와 함께 교체한다. 연결 Lock을 분리한 후 알코올 솜으로 입구를 닦고 담즙 주머니와 연결한다.	tube가 꼬이지 않는지 주기적으로 확인한다.
⑪	환자 상태, 배액량, 양상, 삽입 부위 등을 기록한다.	

3) 발생 가능한 문제

(1) 배액관 꼬임(Fig 4-8)

(2) 삽입 부위 감염(Fig 4-9)

(3) 고정 장치 손상(Fig 4-10)으로 인한 배액관 이탈

(4) 배액관 막힘

(5) 배액 양상 이상: 혈액성 배액, 화농성 배액, 혼탁한 배액

(6) 삽입 부위 피부 주변으로 담즙 누출

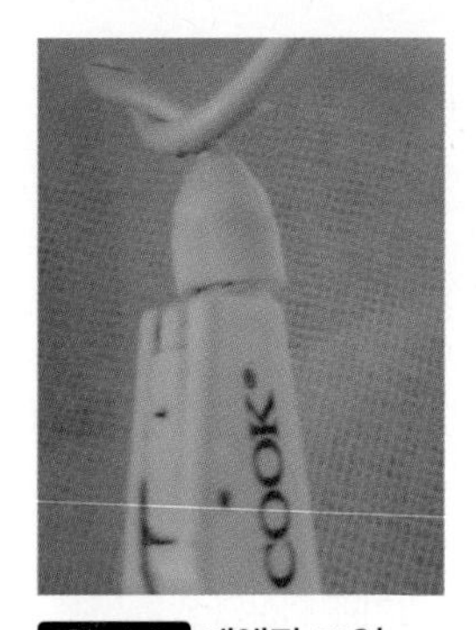

Fig 4-8 배액관 꼬임

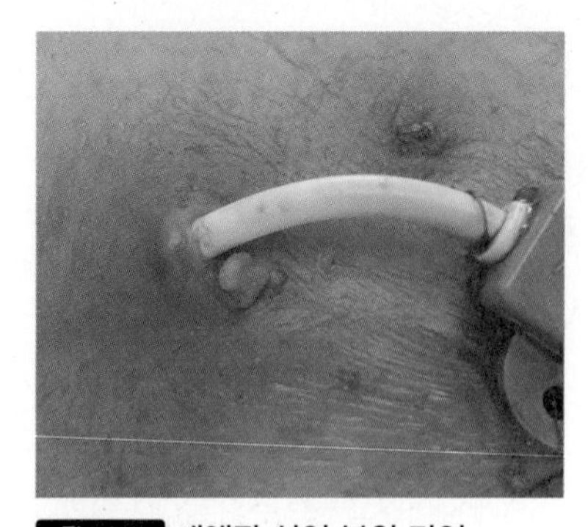

Fig 4-9 배액관 삽입 부위 감염

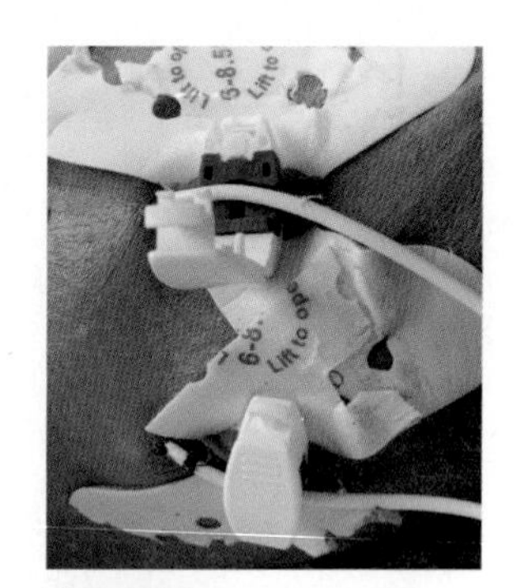

Fig 4-10 고정 장치 손상

4) 대상자 교육

(1) 배액 주머니는 항상 삽입 위치보다 아래에 놓여 있도록 한다.

(2) 배액 주머니를 비운 후에는 배액관이 꼬여있는지, 연결 부위가 느슨해지진 않았는지 확인한다.

(3) 배액관 삽입 부위에 감염 증상이 있는지 관찰한다(부종, 발적, 열감, 분비물 등).

(4) 배액관 고정 장치가 잘 부착되어 있는지 확인한다(Fig 4-12)(Fig 4-13).

(5) 배액관의 흐름이 잘되고 있는지 확인한다.

(6) 배액 양, 배액 양상 등 이상 증상을 관찰하고 이상 증상 시 의료진에게 알리도록 한다.

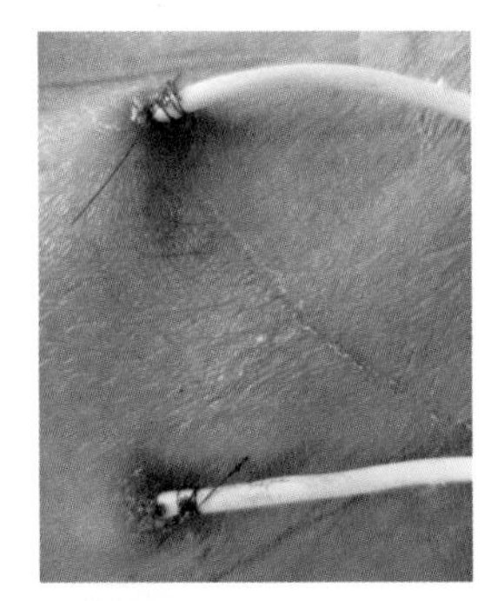

Fig 4-11 봉합 고정

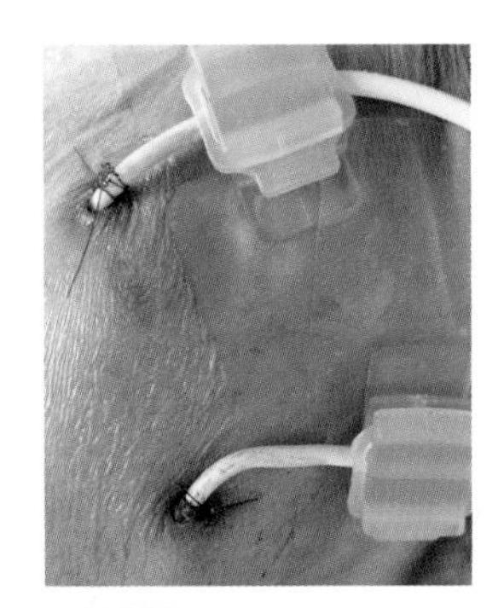

Fig 4-12 고정 장치(cure fix)

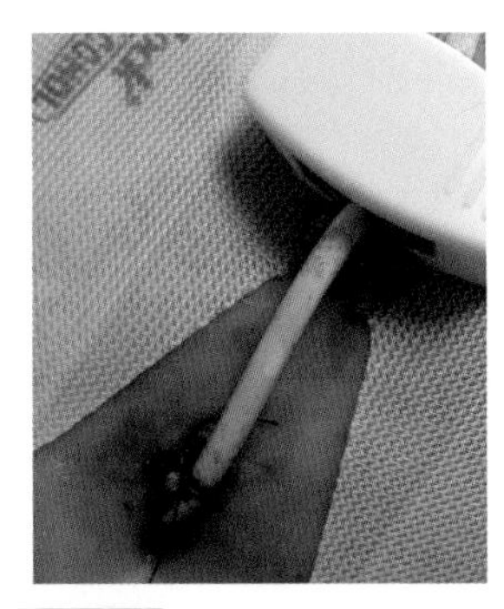

Fig 4-13 고정 장치(Stat Lock)

참고문헌

1. 김혜영, 2010, 질환별 가정간호 지침서, 포널스 출판사.
2. 서울아산병원 가정간호사업소, 2007, 아산병원 가정간호 지침서, 고려의학.
3. 유호신 외, 2010, 가정·방문간호 핸드북, 군자출판사.
4. 전시자 외, 2010, 성인간호학 상권, 하권, 현문사.

참고사이트

1. 국민건강보험공단
https://www.nhis.or.kr/

2. 병원간호사회 근거기반 임상간호 실무지침
https://khna.or.kr/

제 5 장

상처 관리

Wound Management

상처 관리 (Wound Management)

다양한 원인으로 발생하는 상처에 대한 관리를 효과적으로 하기 위해서는 대상자의 상태 개선과 함께 창상의 원인을 조절하며 적절한 치료를 하는 것이 필요하다.

1_ 상처의 사정 및 기록의 필요성

상처를 치료하고 관리하는 데 있어 상처의 평가는 매우 중요한 단계이다. 정확한 평가를 통해서 적절한 치료와 관리가 이루어질 수 있으며, 현재의 치료 과정을 평가할 수 있는 근거가 되므로 상처의 평가는 치료와 관리에 있어서 가장 먼저 시행되어야 한다. 상처의 상태를 반영한 기록은 상처의 변화 및 치유의 효과를 확인할 수 있고, 의료진들과의 의사소통을 위해서도 중요하다.

2_ 상처 관리의 원칙

1) 창상의 발생 원인을 파악하여 제거하거나 조절한다.

압력, 전단력, 마찰력, 화학적 자극, 습기, 정맥성 궤양, 동맥성 궤양, 신경병증성 궤양

2) 창상 치유를 위해 전신 상태를 향상시킨다.

심혈관 기능, 폐 기능, 영양 상태, 수분 상태, 부종 등을 사정하고 잠재적 또는 현존하는 요인을 감소시키기 위해 전신 상태를 사정한다.

3) 적절한 생리적인 국소 창상 환경을 유지한다.

(1) 적절한 습윤 상태

(2) 정상 온도

(3) 미생물의 균형: 괴사조직 제거, 적절한 창상 세척, 감염예방 및 주의, 필요 시 항균제 드레싱 사용

(4) 산도(PH): 약산성에서 중성을 유지하는 것이 치유 증진에 도움이 된다.

3_ 국소 창상 관리의 원칙과 중재

1) 괴사조직과 창상 내 이물질을 제거한다.

(1) 괴사조직은 정상적인 염증 과정을 지연시켜 창상 치유를 방해한다.

(2) 세균 증식의 배지로 작용하여 창상감염을 유발한다.

(3) 창상기저부의 사정을 방해하고 감염 증후를 간과할 수 있으므로 금기를 제외하고 제거한다.

중재	
중재	환자 상태, 창상 사정을 통해 가장 적절한 괴사조직 제거 방법 결정
	괴사조직 제거 후에도 습윤 드레싱 유지

2) 감염을 예방하고 관리한다.

창상의 감염은 치유 단계에서 염증 과정을 지연시킨다. 즉, 콜라겐 합성을 지연시키고 표피 세포의 이동을 방해하여 창상을 악화시킬 수 있다.

중재	
중재	세균을 창상 표면에서 물리적으로 제거하기 좋은 방법으로 창상의 세척
	생리식염수, 19 G 주사기, 8-15 PSI
	필요 시 균 배양 검사, 항균제 사용
	국소적인 감염 조절은 항균드레싱으로 조절

3) 사강을 채운다.

사강은 세균의 배지가 되고 농 형성을 가능하게 하므로 드레싱제로 채워야 한다.

중재	사강 부위에 드레싱제를 가볍게 채움(허혈, 과압 방지를 위해 사강의 70%만 채움)
	습윤 거즈 사용 시에는 미생물 성장 예방을 위해 과한 습함을 피하고 생리식염수를 살짝 적신 정도가 적당

4) 지나친 삼출물을 흡수한다.

많은 양의 삼출물은 창상 주위 피부를 침연(maceration)시키거나 감염성 삼출물에 의한 주위 피부 손상을 가져오므로 관리가 필요하다.

중재	삼출물 양에 따른 드레싱 제제 선택
	과도한 삼출물 관리를 위한 수집 기구 적용 및 음압을 이용한 흡인 방법 적용

5) 창상 표면과 기저부를 습윤하게 유지한다.

습윤 환경은 세포 이동을 돕고 신생혈관 생성, 결합조직의 합성 촉진, 괴사조직 자가분해, 백혈구의 창상기저부로의 이동을 촉진한다.

중재	수분 증발 투과율(moisture vapor transmission rate, MVTR)을 고려하여 습윤 드레싱 제제 선택
	삼출물이 있는 창상은 수분 증발 투과율이 높은 드레싱 적용, 과도한 습기는 창상 치유를 저해하므로 수분 증발 투과율과 삼출물 흡수 능력을 고려하여 드레싱 재료 선택

tip **수분 증발 투과율(MVTR, moisture vapor transmission rate)**

드레싱을 통해 상처 기저부로부터 외부 환경까지 습기를 배출시키는 능력

6) 창상의 가장자리를 개방된 상태로 유지한다.

창상 크기 감소에 창상의 가장자리에서의 상피화 진행 여부와 방향은 중요하며, 이상적인 창상 가장자리는 기저부와 밀착되어 개방된 상태여야 한다.

중재	창상의 가장자리가 기저부와 연결되어 있지 않거나 창상 아래로 향할 때 치유가 어렵거나 지연
	가볍게 채우는 드레싱이나 알보칠 용액 소작, 수술로 절개

7) 창상 및 주위 피부 보호

드레싱 접착이 떨어져 외부로부터 창상 및 주위 피부가 오염되지 않도록 해야 하고 과다한 삼출물이나 드레싱 재료의 과다한 습기로 인한 침연, 접착성 제품에 의한 손상을 예방해야 한다.

(1) 오염으로부터 보호

(2) 피부 박리로부터 보호

중재	드레싱 재료의 가장자리 1 cm 내로 삼출물이 나오기 전에 교환
	창상 주위 피부 보호 제품 적용
	제품 제거 시 식염수 불리기나 피부 잔여물 제거제 사용

8) 외부의 온도 변화로부터 보호한다.

창상의 정상 온도 유지는 세포 활동을 강화, 혈관수축을 줄여 원활한 혈액 공급으로 창상 치유를 촉진한다.

중재	치료 환경의 적절한 온도 유지, 환자의 보온 유지, 창상으로부터의 수분 증발 방지는 국소적 절연 효과를 가져 오므로 폐쇄(occlusive) 또는 반 폐쇄(semi-occlusive) 드레싱 적용

4_ 상처 관리의 목표

상처 관리의 목표는 치유(healing)이지만 대상자의 질환이나 전신상태에 따라 상처의 치유보다는 현 상태를 유지(maintaining)하거나 불편한 증상을 완화시키면서 치유를 지연(delayed healing)시키는 것에 목표를 둘 수도 있다. 따라서 목표는 대상자의 상태 변화에 따라 달라질 수 있다.

5_ 상처의 사정

1) 포괄적인 기초 사정

상처의 치유에 있어서 기저질환(Underlying disease), 당뇨(Diabetes), 영양 상태(Nutritional status), 비만(Obesity), 약물(Drugs), 감염(Infection), 혈관성(Vascularity), 심리적 상태 등 다양한 요소들이 영향을 미치게 되므로 상처의 평가를 시행할 때에는 대상자의 포괄적인 사정이 이루어져야 한다.

2) 상처 사정의 요소

(1) 위치: 해부학적 위치를 기준하여 사정한다(Fig 5-1).

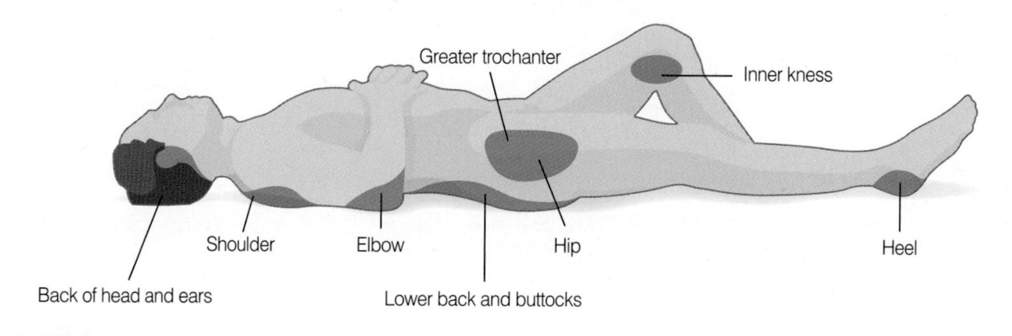

Fig 5-1 해부학적 위치

(2) 크기

① 이차원적인 방법: 가장 많이 사용하는 방법으로 길이(Length)×폭(width)

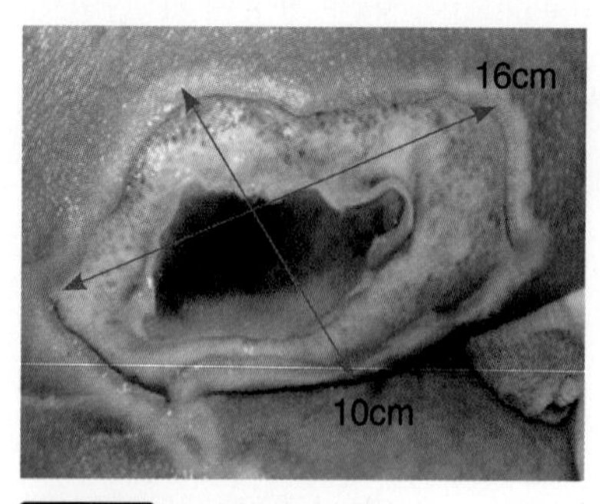

Fig 5-2 이차원적인 방법

② 삼차원적인 방법

a. 공동(Cavity)이나 동로(Sinus tract)처럼 깊이가 있는 상처의 깊이(depth)를 측정: 창상의 길이(Length)×폭(width)×깊이(depth)

b. 동로의 위치나 방향, 잠식, 크기, 모양, 깊이, 길이 측정: 잠식, 동로의 위치나 방향은 시계방향으로 표시하여 기록한다.

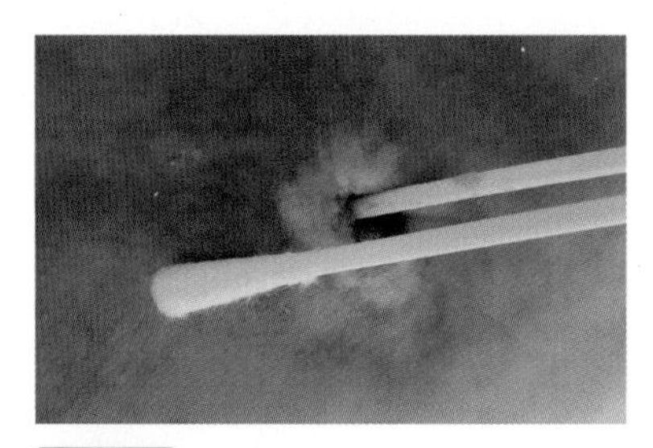

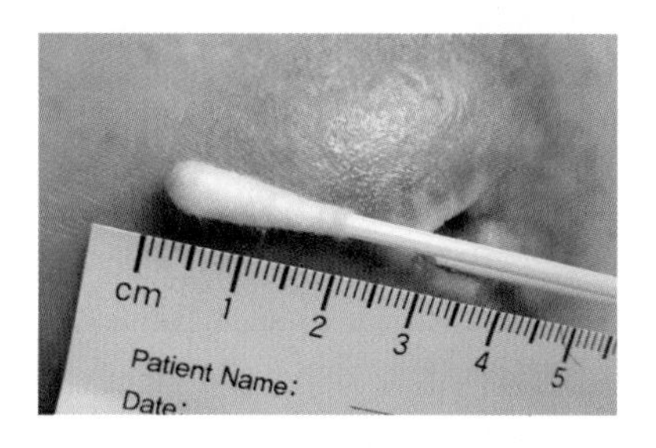

Fig 5-3 **삼차원적인 방법**

③ 디지털 평면도

a. 디지털 영상 분석 기법(Digital image analysis technique)

b. 전산상 상처 측정 기법(Computerrized wound-measuring technique)

c. 비접촉 방법(Non-contact method)

(3) 잠식이나 동로의 유무

① 잠식(Undermining): 상처 가장자리 주위의 정상 피부 아래로 조직이 파괴된 부분

② 동로(Sinus tract): 보이는 상처로부터 연장된 피하조직과 근육층을 통과하는 터널 같이 좁고 긴 홀이나 공간

(4) 조직 손상 정도

① 부분층 피부 손상

a. 표피와 부분적 진피 손상

b. 신경말단이 노출되어 통증이 심함

c. 상피 형성(Epithelialization)부터 복구

d. 초기 급성염증반응, 상피세포의 증식 및 이주, 표피층의 재건 단계

② 전층 피부 손상

a. 표피, 진피, 피하조직, 근육, 뼈까지의 손상

b. 복구는 육아조직(granulation Tissue) 발달과 상피의 폐쇄(Epithelial closure)

c. 흉터 형성(Scar formation): Granulation (Fig 5-5)

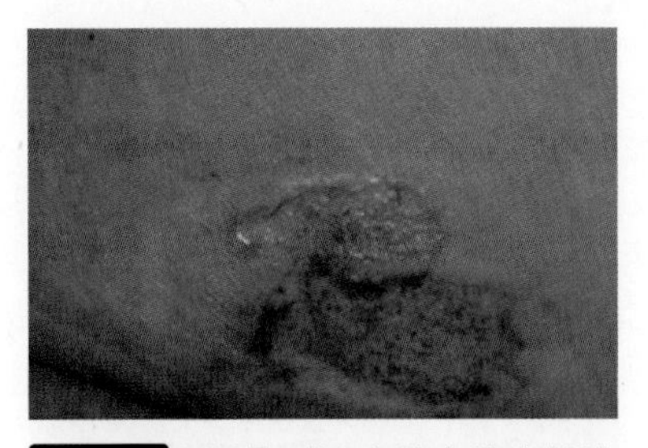

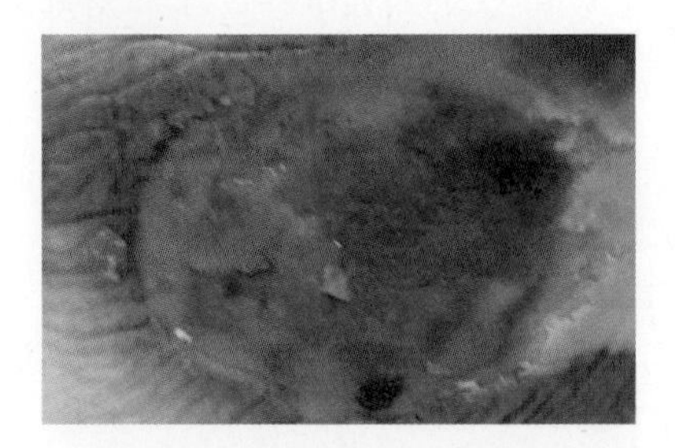

Fig 5-4 부분층 피부 손상과 상피 형성

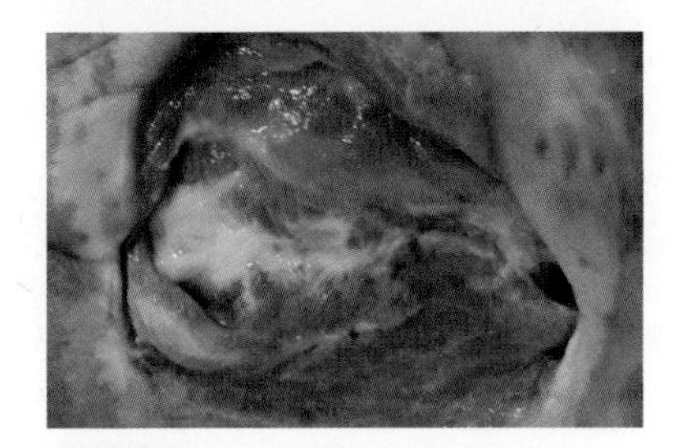

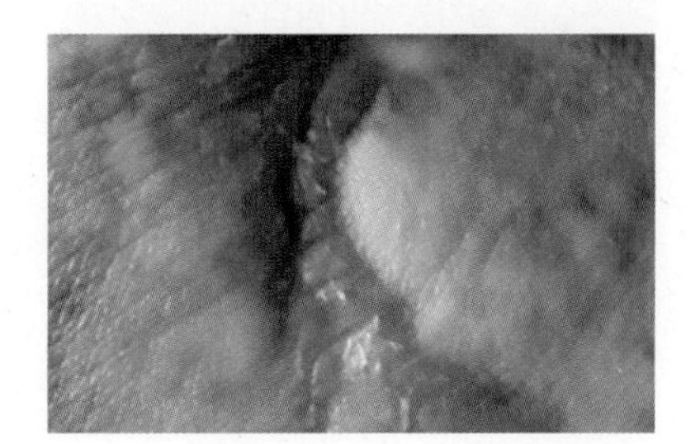

Fig 5-5 전층 피부 손상과 흉터 형성

(5) 욕창의 단계(Fig 5-6)

① 1단계 욕창(Stage 1 Pressure Injury): 비창백성 홍반 상태

② 2단계 욕창(Stage 2 Pressure Injury): 표피 및 진피의 부분적 손상 상태

③ 3단계 욕창(Stage 3 Pressure Injury): 표피와 진피는 물론 피하조직까지 손상된 상태이며 괴사조직, 공동 존재 가능

④ 4단계 욕창(Stage 4 Pressure Injury): 근막 이하의 조직 손상 상태로 근육, 건, 뼈가 노출되며 괴사조직, 공동 존재 가능

⑤ 미분류 단계 욕창(Unstageable Pressure Injury): 상처 기저부가 가려진 전층 피부 손상으로, 깊이를 알 수 없어 단계를 분류할 수 없음

⑥ 심부조직 손상(Deep Tissue Pressure Injury): 압력이나 전단력으로 인해 하부 연조

직이 손상되어 자주색, 적갈색으로 변색된 온건한 피부

⑦ 의료기기 관련 욕창(Medical Device Related Pressure Injury): 의료기기에 지속적으로 압력을 받아 피부 및 조직에 국소적인 손상이 발생한 것

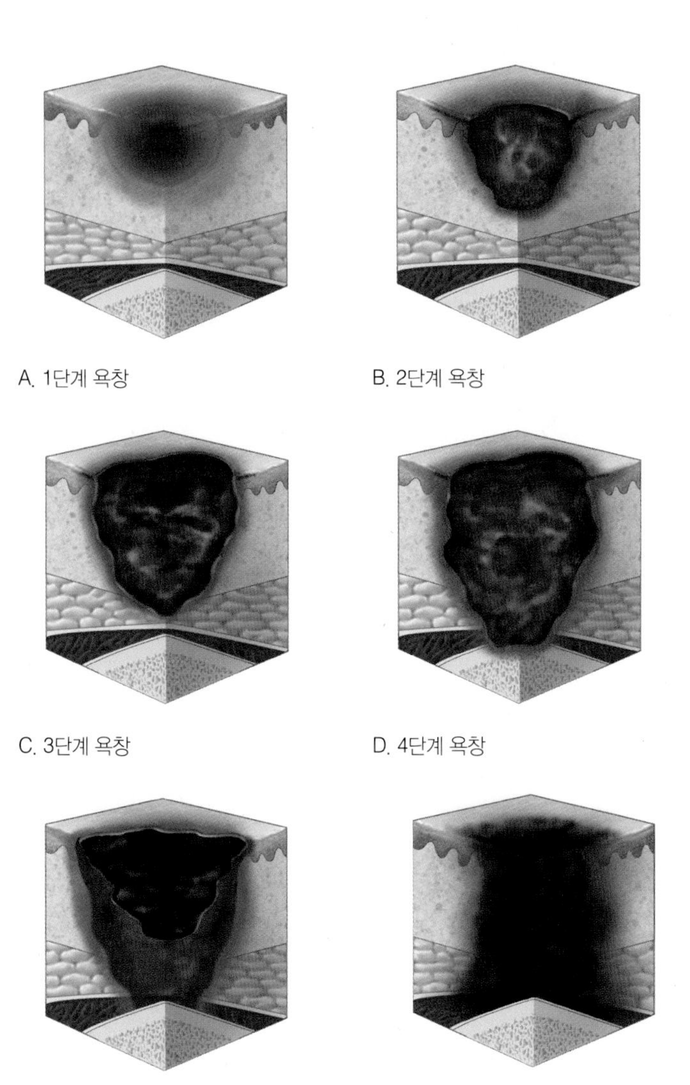

Fig 5-6 NPIAP Pressure Injury Stages

(6) 상처 기저부 색

색	상태
분홍색(Pink)	상피화(Epithelialization)
붉은색(Red)	육아조직(Granulation tissue)
노란색(Yellow)	부육조직(Slough tissue)
검은색(Black)	괴사조직(Eschar)

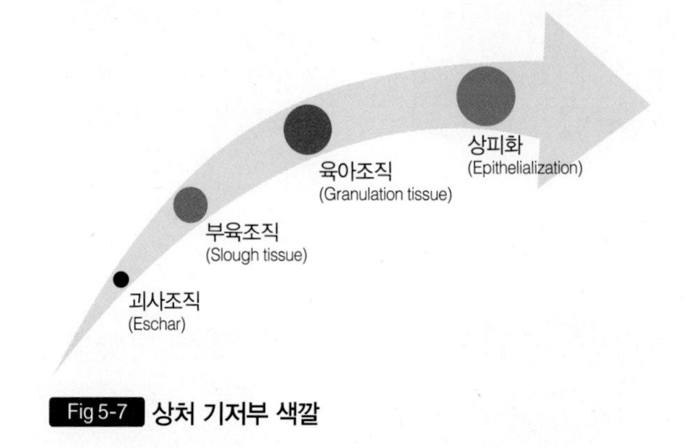

Fig 5-7 **상처 기저부 색깔**

(7) 상처의 가장자리

① 폐쇄형 가장자리(Closed wound edge): 상처 치유를 지연

② 개방형 가장자리(Open wound edge): 재상피화 촉진

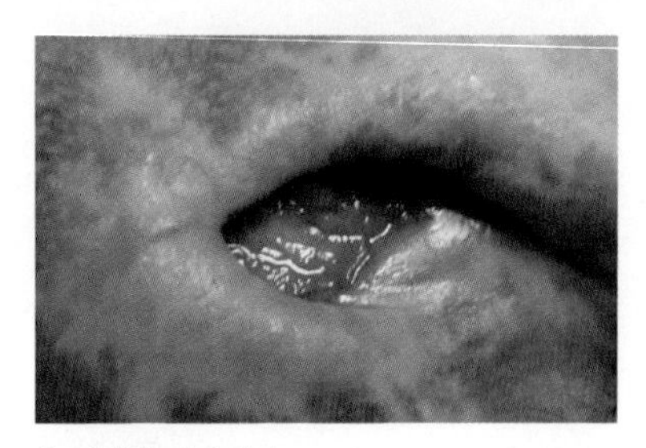

A. 폐쇄형 가장자리

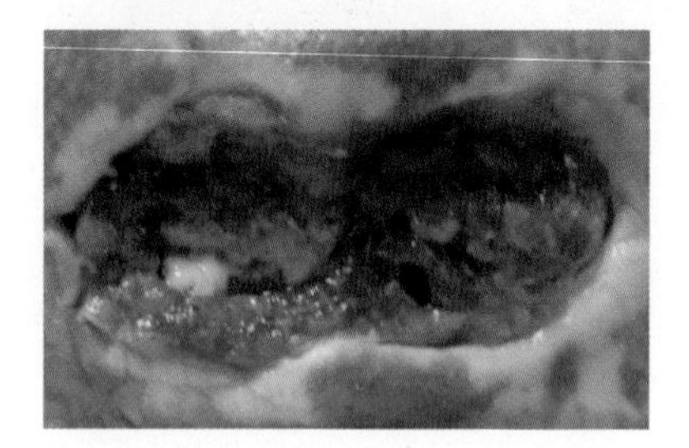

B. 개방형 가장자리

Fig 5-8 상처의 가장자리

(8) 삼출물

양(Amount)	소량(scant), 보통(moderate), 많음 또는 다량(large)
색깔(color)	장액성(serous type), 혈장성(serosanguinous type), 혈액성(sanguineous type), 화농성(purulent type)
악취(odor)	악취 유무
농도 (consistency)	Low: thin, runny High: thick, sticky

(9) 주위 피부

변색(discoloration), 침윤(maceration), 부종(edema), 단단함(induration), 홍반(erythema), 온기(warmth), 접촉성 피부염(contact dermatitis), 미란(erosion)

(10) 이물질의 존재

(11) 창상의 지속기간

① 급성: 수술 또는 외상에 의해 발생된 상처로, 상처치유 과정이 지연되지 않고 진행되는 상처

② 만성: 정상적 상처치유 과정 실패, 욕창과 같이 상처치유가 지연되는 상처, 악성 종양, 반복되는 습기 관련 피부 손상, 동맥성 궤양, 정맥성 궤양, 허혈의 결과로 생긴 상처

(12) 창상감염의 증상

구분	증상 및 징후
세균집락 정도에 따른 감염과 오염의 구분	• 상처 오염(wound contamination) - 상처에 증식하지 않는 세균, 이물질이 존재하며 피할 수 없는 상태
	• 상처세균집락 형성(wound colonization) - 상처에 증식하는 세균들이 상주하나 조직 손상, 숙주로부터 염증 반응이 없음
	• 상처세균 중증 집락화(wound critical colonization) - 균의 집락화 가속으로 숙주에 위협적이나 세균이 연조직까지 침투하지 않은 상태
	• 상처감염(wound infection) - 상처에 증식하는 세균들이 상주하며 조직 손상을 가져오고 숙주로부터 염증 반응 있음

구분	증상 및 징후		
상처감염의 핵심 요인	• 상처감염은 표면이 아닌 조직 내에서 생기며 상처 내 괴사조직, 가피, 파편조직에는 감염이 발생하지 않음 • 미생물의 침입과 증식에 의해 발생 • 숙주 반응, 조직 손상에 의해 분명해짐 • 통증(pain), 홍반(erythema), 부종(edema), 열감(heat), 화농성 삼출물(purulent exudate) 등이 전형적인 감염 증상		
상처감염 징후	국소감염	급성 상처	진단: 농양, 연조직염, 삼출물 증가, 괴사 징후: 홍반, 부종, 열감, 통증, 삼출물 증가, 독특한 냄새
		만성 상처	추가 징후: 상처치유 지연, 새로운 부위 손상, 통증, 육아조직의 변화(출혈, 검붉은색, 녹색빛 조직)
	전신감염	징후	백혈구 수 증가증(leukocytosis), 발열(pyrexia), 패혈증, CRP 수치 상승

tip 전신감염은 국소감염 증상에 고열(fever), 권태감(malaise), 관절통(aching joints), 백혈구 증가증(leukocytosis)이 동반되기도 한다.

(13) 통증

① 상처의 통증 증가 시 치유를 지연시킨다.

② VAS, NRS, VRS 등 통증 도구를 사용하여 창상 부위 통증 평가를 시행한다 (Fig 5-9).

명칭	평가법
NRS: 숫자평정척도	0 1 2 3 4 5 6 7 8 9 10
VSA: 시각아날로그척도	통증 없음 ———— 참기 어려운 통증
VRS: 간이평가척도	통증 없음 – 경도 – 중등도 – 강도 – 최대 통증

Fig 5-9 NRS, VAS, VRS 통증 도구

6_ 상처 간호 수행

1) 상처 소독 및 세척

(1) 상처 소독

상처 소독은 욕창치료의 중심 요소이다. 1960년대 이후로 상처를 공기 중에 노출시켜 건조시키는 환경을 조성하는 것보다 습윤 환경을 조성하는 것이 상처 치유를 돕는다는 사실이 받아들여지고 있다. 폐쇄 혹은 반 폐쇄적 상처 드레싱 제제는 상처 기저부를 습윤하게 하여 재상피화와 상처 치유를 촉진한다. 따라서 상처에 적용하는 드레싱 제제는 아래와 같은 기능을 해야 한다.

① 상처 드레싱 제제의 기능

a. 창상 치유에 도움이 되는 생리적 환경 조성(상처 치유 시간 개선)

b. 부종 감소를 위한 적절한 압력 제공

c. 혈액 및 조직 삼출물 흡수로 창상 기저부 습윤 환경 유지

d. 괴사조직 자가분해 촉진

e. 드레싱 적용 및 제거와 관련된 통증 최소화

f. 창상 고정 및 지지

② 상처 드레싱 제제 선택 시 권고사항

a. 상처 기저부를 습윤하게 유지하는 능력

b. 생체 균주 부담을 다룰 필요성

c. 삼출물의 특성과 양

d. 궤양의 기저부 조직 상태

e. 상처 주위 피부의 상태

f. 궤양의 크기, 깊이와 위치

g. 터널링 및 잠식 유무

h. 궤양을 지닌 대상자의 목표

급성 외상 창상 예: 열상(laceration), 찰과상(abrasion)	파상풍 주사 투여가 필요한지 평가 필요
목적	건강한 조직 손상 최소화
방법	생리식염수, 35 cc 19 G의 주사기, 8-15 PSI
청결한 창상(clean wound): 육아조직, 상피화 조직 창상	강도 높은 whirpool, 상처 세척 기구는 금지, 조심스럽게 세척
목적	증식되는 유아조직, 상피화 조직에 손상 없이 창상 세척
방법	생리식염수, 부드럽게 세척(flush gently)
괴사조직이 있거나 오염 또는 감염된 창상	개인 보호 장구 착용 필요, 과산화수소(hydrogen peroxide) 사용 금지(색전 발생 위험성)
목적	괴사조직, 미생물 제거
방법	생리식염수 또는 소독 용액, 35 cc 19 G의 주사기, 8-15 PSI

③ 궤양 주위 피부 보호

④ 드레싱을 교체할 때마다 욕창을 평가하고 현재 드레싱 계획의 적절성을 확인

⑤ 드레싱 교체의 빈도와 관련하여 제품 제조사의 권고사항을 준수

⑥ 변이나 소변 등 배설물이 침투하거나 상처의 분비물이 드레싱 아래로 배어 나오면 상처 드레싱을 교체(배설물의 침투는 감염 위험성을 증가시킨다)

⑦ 치료 계획에 일반적인 드레싱 유지 기간과 오염되거나 벗겨지는 등의 필요시 드레싱 교체에 대한 계획이 포함

⑧ 드레싱을 교체할 때마다 모든 상처 드레싱 제품이 완전하게 제거되었는지 확인(잠식이나 동로에 드레싱 재료가 남아 있으면 감염 위험성을 증가시킨다)

(2) 상처 드레싱 수행절차

번호	수행절차	내용
①	드레싱 물품 준비	청결 기법을 사용하여 손 위생을 한다.
		표준 지침(standard precaution)을 준수한다.
		소독제는 10% 베타딘, 생리식염수, 클로르헥시딘 등 평가에 따라 사용한다.
②	기존 드레싱 제거	비멸균 장갑 착용 후 기존 드레싱을 제거한다.
		기존 드레싱제에 묻은 창상 특성을 평가한다.
		기존 드레싱제를 밀폐용기에 버리고 장갑을 벗는다.

번호	수행절차	내용
③	창상 세척	멸균 장갑 착용을 착용한다.
		창상을 닦는다(Fig 5-10).
		필요시 창상을 세척한다.
		창상을 건조시키고 상처를 사정한다(상태, 크기, 분비물, 냄새 등).
		괴사조직을 제거한다.
		상처를 재소독하고 건조시킨다.
		상처 드레싱제를 부착한다.
		드레싱 오염물을 처리한다.
		손 위생을 한다.
④	기록	사용한 재료의 처방을 한다.
		상처의 사정 결과를 기록한다. (대상자 반응, 상처 상태, 치료에 대한 효과, 드레싱 과정)

(3) 상처 소독 및 세척방법

① 상처 소독

a. 소독제(생리식염수, 베타딘, 클로르헥시딘)를 사용한다.

b. 상하로 긴 상처는 위에서 아래로, 안에서 밖으로 닦는다(Fig 5-10A).

c. 원형의 상처는 안에서 밖으로 원을 그리면서 닦는다(Fig 5-10B).

② 상처 소독제

a. 생리식염수: 0.9% Nacl로 등장액이라 자극이 적으며, 세척과 수분 공급을 하는 생리용액이다. 상처에는 소독용으로 주로 사용하거나 베타딘 등 소독액으로 닦고 난 후 세척하는 용도로 주로 사용한다.

b. 베타딘: 손상받지 않은 상처, 깨끗한 상처에 사용할 때 광범위한 소독 효과를 낸다. 상처에는 1%~10% 농도의 용액을 사용하는데, 섬유아세포(Fibroblast)에 독성을 보이므로 사용 후 생리식염수로 닦아낸다. Iodine 과민 환자에게는 사용 시 주의한다.

c. 클로르헥시딘: 알코올에 비해 작용 발현이 낮으나 지속적으로 효과를 낸다. 그람(+)(-) 곰팡이 균에 효과가 있다.

③ 상처 세척

a. 상처 세척은 건강한 조직에 해를 주지 않고 괴사조직과 삼출물, 잔여물을 제거한다(Fig 5-10C).

b. 세포독성이 없는 생리식염수를 이용하며 4-15 psi로 세척한다(18-19 G, 35 cc 주사기).

c. 상처 배액이 잘되는 방향으로 환자의 자세를 취한다.

d. 조직 손상 방지를 위해 주사바늘을 상처 내로 넣지 않는다.

e. 강도 높은 세척은 깨끗한 육아조직에 상처를 입힐 수 있으므로 피한다.

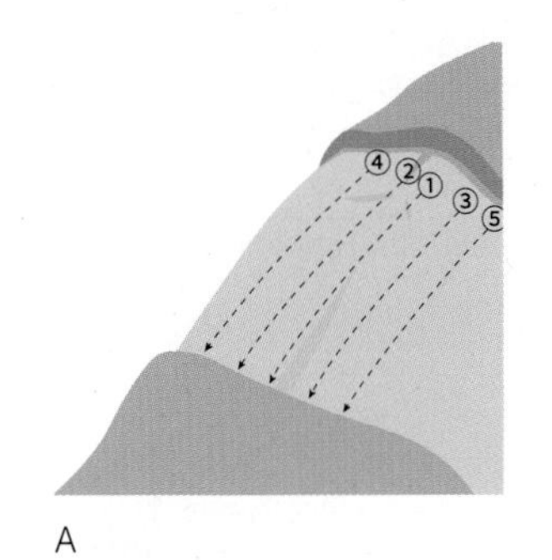

A

B

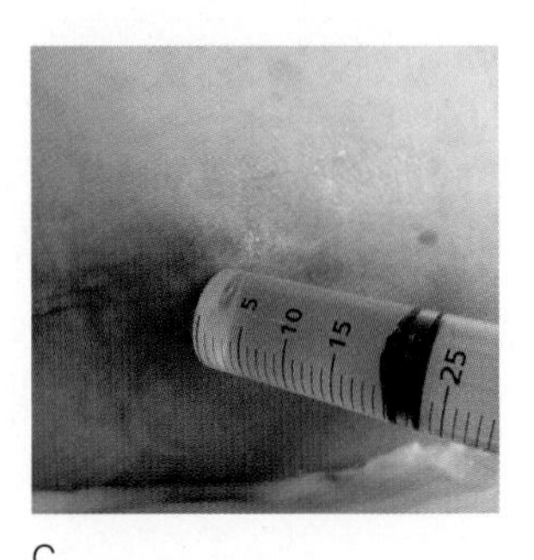

C

Fig 5-10 **상처 소독 및 세척**

(4) 드레싱 고정

번호	수행절차	내용
①	고정테이프	국소압력과 장력으로 인한 표피박리를 예방하기 위해 고정 테이프를 잡아당기지 않고 부착
②	주름, 골진 부위를 고정	피부를 부드럽게 잡아당겨 주름지지 않도록 하며 상처 기저부에 드레싱제가 정확히 밀착되게 부착한다.
③	팔, 뒤꿈치 등 모서리 부위	최대한 이완시킨 후 가위집을 넣고 겹쳐가면서 부착
④	피부가 약한 경우	가급적 붙이지 않고 자가 접착 붕대, 그물망 팬티나 탄력망 붕대 등을 이용하여 고정, 제거할 때에는 전용 제거제를 이용하여 제거

2) 괴사조직 제거

괴사조직은 회복이 불가능한 죽은 조직이기 때문에 상처 치유 과정으로 갈 수 없으므로 제거하여야 한다. 괴사조직은 세균이 증식할 수 있는 환경을 조성하므로 금기인 경우를 제외하고는 제거하는 것이 좋으며, 괴사조직 제거는 급성 또는 만성 상처로부터 괴사조직, 이물질, 감염성 세균 등을 제거하는 것이다.

(1) 괴사조직 제거의 목적

① 상처 감염을 조절하고 잠재적 감염을 예방

② 단백질 분해 효소와 시토카인 수치를 급성 상처 수준과 비슷하게 만들어 새로운 육아조직의 성장에 도움

③ 상처 기저부, 상처 주위 피부를 관찰

tip 시토카인

시토카인은 면역세포에서 분비되는 비교적 작은 단백질 또는 당단백질(glycoprotein)로서 세포 내 신호전달과 면역반응의 조절에 필수적인 작용을 담당하며 면역 세포의 방어 기전과 면역세포의 발달, 증식, 반응에 매우 중요한 역할을 한다.

(2) 괴사조직 제거의 분류

제거되는 조직의 종류에 따른 분류	• 선택적 방법 - 괴사조직만을 선택적으로 제거 - 자가분해 방법, 보존적 방법, 수술적 방법
	• 비선택적 방법 - 정상적인 조직도 제거됨 - 물리적 방법, 화학적 방법
조직의 제거 방법에 따른 분류	자가분해 방법, 보존적 방법, 수술적 방법, 물리·화학적 방법

(3) 괴사조직 제거 방법

① 자가분해 방법: 괴사조직을 스스로 녹여내는 방법

a. 적응증

– 습윤, 혈액 공급 원활, 적절한 백혈구 기능 및 충분한 중성구 수 환경의 괴사조직

tip **금기증**

중성구가 부족한 환자(500 ㎣ 이하)는 감염 위험이 높아 자가분해 유도를 위한 폐쇄형 드레싱은 세균 증식 촉진으로 악화 및 패혈증 위험을 높인다.

b. 사용 가이드

- 습윤 드레싱제의 사용은 자연적으로 이루어지는 것으로 감염되지 않고 괴사조직의 양이 적은 상처에만 권장
- 단독 또는 다른 괴사조직 방법과 병행 사용도 가능
- 다른 괴사조직 제거 방법에 비해 느리나 양, 유형, 크기에 따라 다르며 일반적으로 72~96시간 내에 발생

c. 주의점

- 빨리 상처를 깨끗하게 해야 하는 감염 진행 상황에서는 시간이 걸리는 자가분해 방법으로 괴사조직을 제거하는 일차적인 방법을 사용하지 않는다.
- 상처 감염, 혐기성 세균이 원인인 상처, 혈행이 안 좋은 경우 폐쇄형 드레싱을 적용하면 미생물의 성장을 촉진할 수 있으므로 적용하지 않는다.
- 괴사조직에서 삼출물이 많으면 상처 주위를 짓무르게 할 수 있다.

tip 자가분해 방법 사용 중 삼출물이 겔처럼 변하고 냄새가 나기도 하는데, 감염의 증상과 구분이 필요하며 사정 시 삼출물을 깨끗이 제거 후 상처 사정을 해야 한다.

tip 상처에서의 삼출물이 많아 주위조직을 짓무르게 하는 것을 예방하기 위해 상처 주위 피부에 필름이나 피부 보호판을 붙이는 것이 도움이 된다.

② 보존적 방법

소독 가위, 핀셋, 큐렛, 수술용 칼 등 멸균 기구를 이용한 느슨해진 조직 제거 방법으로 선택적 방법이며, 보존적 괴사조직 제거술(conservative sharp debridement)이라고 한다.

a. 적응증

- 괴사조직과 살아 있는 조직의 경계가 분명한 경우

b. 금기증

- 경계가 명확하지 않은 괴사조직
- 혈액응고 기전질환이나 출혈 위험성이 높은 환자의 상처
- 허혈성 궤양이 건조가피로 덮여 있는 감염되지 않은 상처

c. 사용가이드

- 괴사조직을 빨리 제거할 수 있어 치유 소요 시간을 줄일 수 있다.
- 자격을 갖춘 의료인에 의해 이루어질 수 있고 금기증과 적응증에 대해 잘 알고 있다.
- 보존적 괴사조직 제거 방법은 정확하게 수행된다면 괴사조직을 빨리 제거할 수 있다.
- 첫 방문 시 적응증이 된다면 제거하고 그 후 조금씩 제거한다.

d. 방법

- 멸균 기구 사용
- 무균술 적용
- 소독제 적용으로 감염 위험성 줄임
- 괴사조직을 단단히 잡고 제거할 부위를 정확하게 확인
- 혈관성 조직 피하면서 제거
- 괴사조직 제거 후 세척

e. 주의점

- 경계가 불분명한 경우에는 확실히 구분이 될 때 제거한다.
- 괴사조직의 크기나 양에 따라 제거하는 데 수주가 걸릴 수도 있으므로, 환자에게는 불편감을 주는 과정이라 사전 진통제 사용도 필요할 수 있다.
- 영양 상태 불량, 면역억제 상태에서는 괴사조직 후 일시적 세균혈증도 심각해질 수 있으므로 조심스러운 접근도 필요하다.

③ 수술적 방법

- 입원한 상태에서 의사에 의해 수행되는 방법으로 많은 양의 괴사조직을 가장 빨리 제거할 수 있는 방법이다. 외과적 괴사조직제거술(surgical sharp debridement)이라고도 한다.

④ 물리적 방법

괴사조직, 적은 양의 삼출물 흡수는 가능하지만 건강한 정상조직에 손상을 줄 수 있다.

- 습건식 드레싱(wet-to-dry dressing): 식염수를 적신 거즈를 상처 기저부에 적용 후 건조된 상태로 제거하는 방법이며 정상조직 손상 및 감염 위험성이 증가할 수 있다.
- 세척(irrigation): 용액의 압력으로 세척액이 상처에 닿게 하여 제거하는 방법으로, 압력은 35 ml 주사기에 19 G 바늘로 8-12 PSI (pounds per square inch)를 사용한다.

⑤ 화학적 방법

효소 제제를 이용한 효소 활용 괴사조직 제거술로 부육조직을 직접 소화시키거나 기저부의 교원질을 녹여 괴사조직을 제거한다.

3) 상처 드레싱제

(1) 창상 치유를 위한 최적의 환경 조성

가장 이상적인 드레싱제는 창상 부위에 적절한 습윤 환경을 제공해주고 세균 침범을 막아 창상 부위의 세포들이 제 기능을 활발히 발휘할 수 있도록 해주어야 한다(Table 5-1).

① 창상의 적절한 습도 유지

② 과도한 삼출물 흡수 및 조절

③ 외부 세균으로부터 창상 보호

④ 드레싱 교체 시 외상으로부터 창상 보호

(2) 드레싱제의 분류(Table 5-1)

Table 5-1 드레싱제의 분류

분류	장점	단점	주의사항
Gauze	• 경제적 • 모든 상처에 적용	• 상처에 접착 • 고급 기능이 아님 • 잦은 드레싱 교환 필요	• 접힌 상태로 사용 시 압력으로 작용 • 보플 형태로 사용
Hydrogel	• 통증 감소 • 가피를 부드럽게 함	주위 조직 과습	• 건조한 상처 • 감염이 없는 상처
Film	• 반투과성 • 상처 확인이 가능 • 탄력성 • 상처 자가분해를 위한 습윤 환경 조성	• 건조한 상처 • 감염이 없는 상처 • 피부연화	제거 시 피부 손상 및 통증 유발 가능
Hydrocolloid	• 삼출물 흡수 • 괴사조직 자가분해 가능 • 튜브 주위 피부 보호	• 폐쇄드레싱으로 감염된 상처, 허혈성 상처 • 사용 주의	육아조직이 상처 표면까지 자란 경우 사용 중지

A. Duoderm hydrpactive gel [출처: convatec]

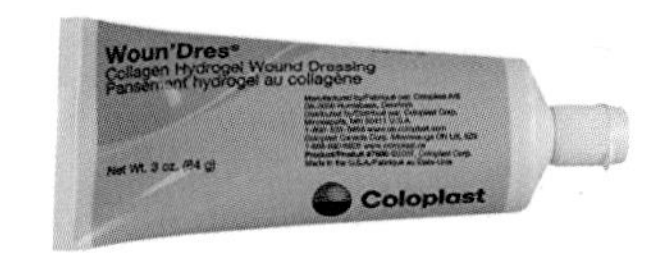

B. Collagen Hydrogel [출처: coloplast]

Fig 5-11 Hydrogel

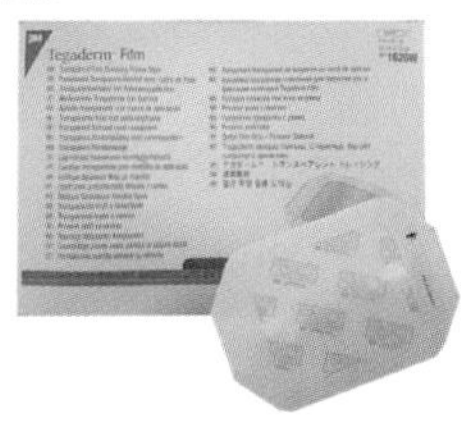

A. Tegaderm [출처: 3M]

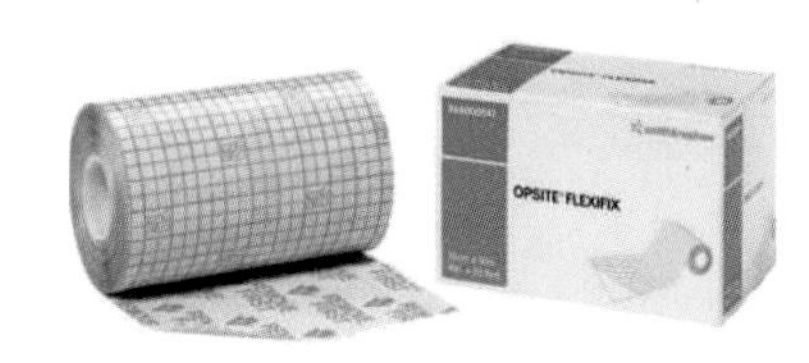

B. OPSITE FLEXIFIX [출처: Smith&Nephew]

Fig 5-12 Film

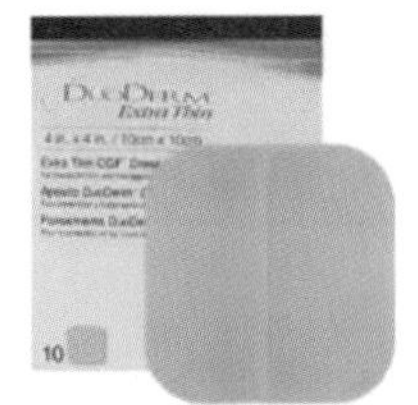

A. Duoderm Extra Thin [출처: convatec]

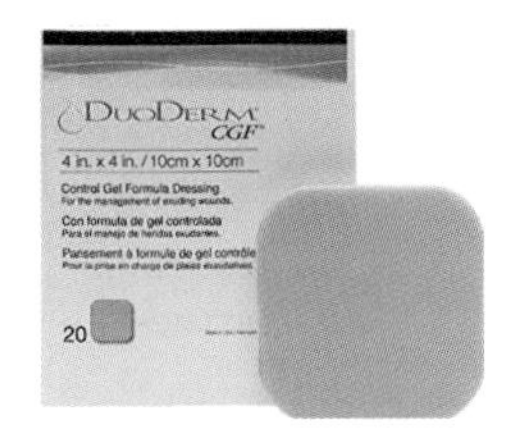

B. Duoderm CGF [출처: convatec]

Fig 5-13 Hydrocolloid

분류	장점	단점	주의사항
Alginate	• 무게 대비 15~20배 삼출물 흡수 • 지혈 작용 • 삼출물 흡수 시 겔 형성으로 습윤 유지	• over packing 금지 • 잔여 겔로 인한 감염 위험성	잔여 겔은 생리식염수 세척으로 완전 제거가 필요

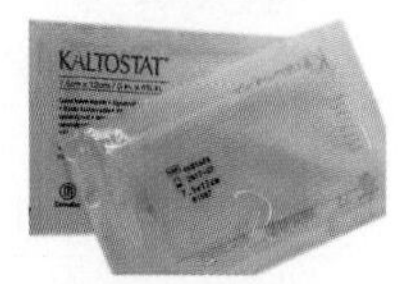

A. KALOSTAT
[출처: convatec]

B. Biatain 알지네이트
[출처: coloplast]

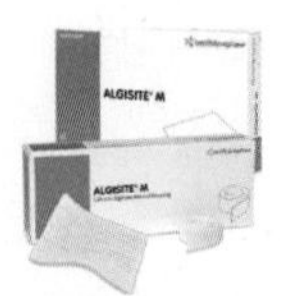

C. 알지네이트M
[출처: Smith&Nephew]

Fig 5-14 Alginate

분류	장점	단점	주의사항
Hydrofiber	삼출물 흡수 시 신속하게 겔화되어 습윤 환경 유지	• Alginate의 2배 흡수(1 g당 30 g 흡수) • 수직 방향 흡수로 주위 피부 짓무름 최소화 • 겔 형태 유지로 제거가 용이 • 상처 표면 밀착으로 상피화 촉진	• 상처보다 2~3배 크게 부착 • 건조 상처 사용 금지 • 패킹 시 끝 부분을 입구에 걸쳐 잃어버리지 않도록 유지

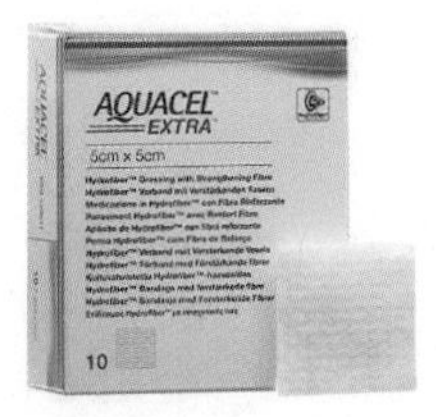

A. Hydrofiber

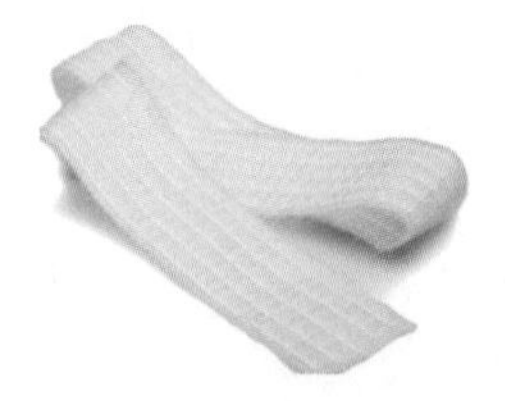
B. Aquacel [출처: convatec]

Fig 5-15

분류	장점	단점	주의사항
Foam	• 폴리우레탄 폼 3개층 구조 • 미세한 구멍이 습도 유지, 삼출물 흡수 • 상처 보온 유지	배액이 필요한 상처에는 부적합	폼드레싱제 위에 필름 적용은 수분 투과 방해로 부적절

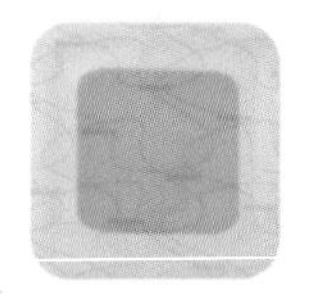
A. 어드헤시브(접착형)
[출처: coloplast]

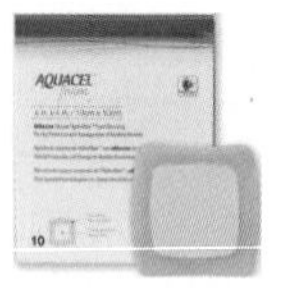

B. Aquacel foam
[출처: convatec]

C. 베타폼 D. 메디폼
[출처: Mundipharma Korea]

E. 알러빈 젠틀보더
[출처: Smith&Nephew]

Fig 5-16 Foam

분류	장점	단점	주의사항
contact layer	• 드레싱이 상처에 닿는 것을 피하기 위해 기저부에 얹어 놓는 그물망 형태의 비접착식 드레싱제 • 유연한 처치가 필요한 상처 표면 • 통풍, 혈액, 삼출물 이동 가능 • 드레싱 교환 시 접착면 그대로 유지하여 기저부 보호	• 이차 드레싱 필요 • 감염, 건조한 상처 적용 안됨	점도 높은 삼출물, 터널, 잠식 상처 권장하지 않음
항균 드레싱제	• 은 함유 드레싱제(AG+) • 항균제 방출로 치유에 필요한 생리적 습윤 환경 제공 • 은(AG+)은 항균, 항 박테리아 물질로 세균 수 감소 • 세포독성 없고 세균내성 발생 없음 • 감염 조절, 악취 감소 • 집락, 감염된 상처 적용 • 정맥성궤양, 당뇨성 발등 만성 상처 적용	• 이차드레싱 필요 • 알러지, 오일기제 제품과 사용 금지	• 멸균 증류수 적셔서 사용 • 감청색이 상처 표면에 닿게 적용 • 은 저항성 균 존재하므로 2~4주 내로 사용
	• 요오드 함유 드레싱제(Iodine) • 겔 형태의 0.9% 요오드 함유 연고 • 집락, 감염된 상처 적용 • 정맥성궤양, 당뇨성 발등 만성 상처 적용	• 이차드레싱 필요 • 요오드 과민 환자, 갑상선 환자, 임산부, 수유부, 어린이 사용 금지	0.9% 요오드가 72시간동안 서서히 배출되며 갈색이 흰색으로 되면 교환

A. contact layer 듀라터치
[출처: Smith&Nephew]

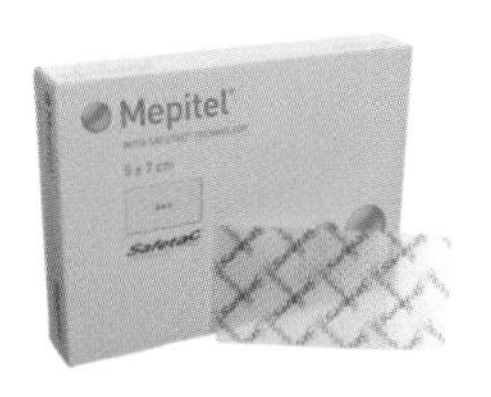

B. 메피텔
[출처: Mölnlycke]

Fig 5-17

분류	장점	단점	주의사항

A. Aquacel Extra Ag [출처: convatec]
B. Aquacel Ag [출처: coloplast]
C. Biatain 알지네이트 Ag [출처: Smith&Nephew]
D. Repigel 연고 [출처: Mundipharma Korea]

Fig 5-18 항균드레싱제

분류	장점	단점	주의사항
소수성 드레싱제	• 소수성 상호작용 이용하여 세균 제거 • 세균 독성 및 내성, 알러지 반응 위험 없음 • 삼출물 많은 상처, 세균집락 상처, 감염 상처 • 진균 상처	• 감염 상처 매일 교환 • 삼출물 있는 상처에 적용	녹색 면이 상처에 접촉함

[출처: juthis]

Fig 5-19 orbact

분류	장점	단점	주의사항
복합 드레싱제	• 단일 드레싱제에 다른 성분 물리적 결합하여 다양한 기능 구성 • 상처 주위 피부 2.5 cm 이상 덮는 크기 선택	잘라서 사용 시 고유 구조 유지 안 됨	

(3) 상처 치료 기구

국소음압치료(negative pressure wound therapy, NPWT)는 음압을 유지하는 기구를 이용해 상처에 세팅된 음압을 유지하여 간질액, 혈액 등을 흡입하는 방법이다. 이는 부종, 세균 감염을 줄이고 혈액 공급, 산소 공급을 원활하게 하며 적절한 습도 유지로 상처의 치유를 돕는다.

① NPWT (국소음압치료) 적용 절차

	적응증	사용법 및 주의점
NPWT	• 욕창, 만성 개방 상처 • 급성 외상 상처 • 수술 전·후 절단 부위 • 울혈성 궤양 • 당뇨병성 궤양 • 절개 부위	• 지침 숙지 후 적용 • 무균적 절차 적용 • 폼의 모양과 크기는 상처에 맞게 잘라서 적용 • 폼은 일회용으로 재사용 금지 • 암성 상처 적용 금지 • 출혈 위험성 질환 시 적용 주의 • 하이드로 콜로이드나 링 등을 이용하여 골진 부위 메우고 사용 • 음압 유지 확인

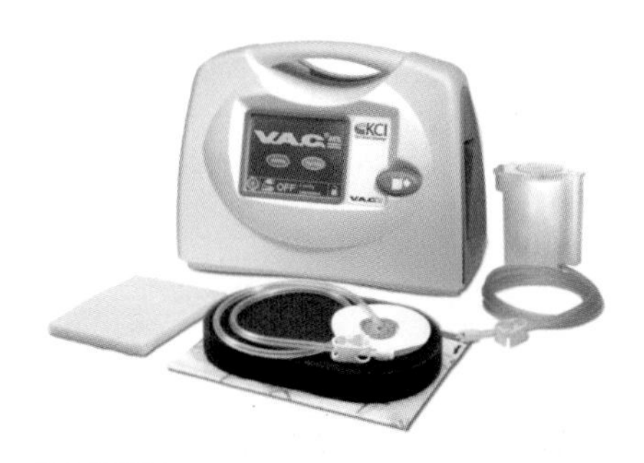

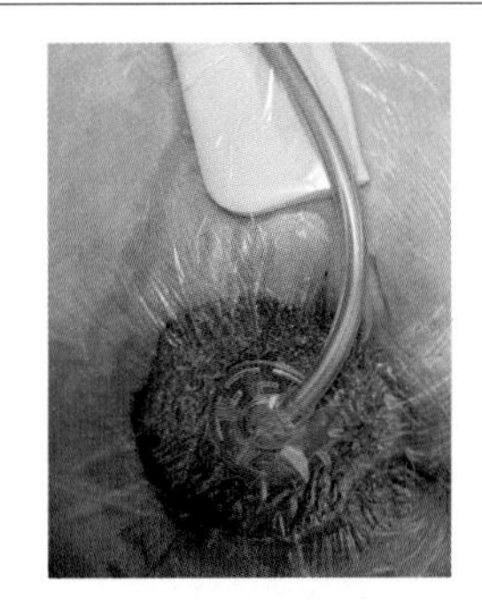

Fig 5-20 NPWT (V.A.C) [출처: 맥진양행]

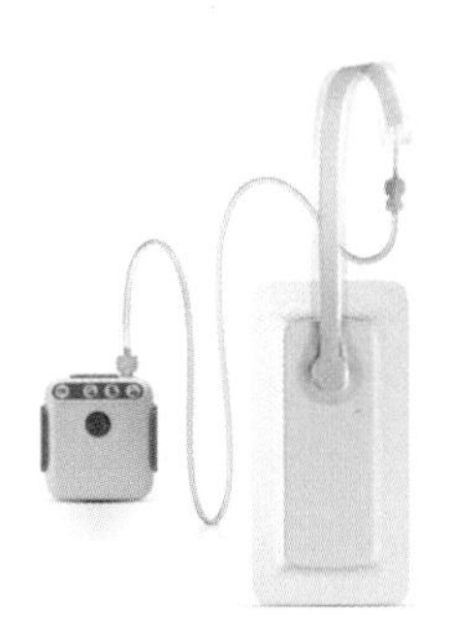
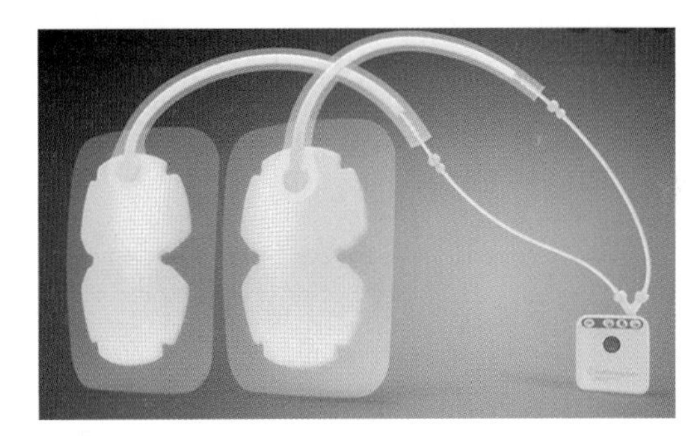

Fig 5-21 NPWT (PICO) [출처: Smith&Nephew]

4) 피부 관리 제품

	제품특성	사용법 및 주의점
피부 세척제	• 비누의 부작용을 피하면서 배변으로 인한 오염 제거 • 피부 적정 산도 유지 • 세척, 보습 동시 작용	• 세척 후 물로 닦아낼 필요 없음
피부 보습제	• 피부에 보호막 형성으로 수분 증발 억제 • 유연제는 마찰로부터의 손상 감소 • 습윤제는 각질층의 수분 함유량 증가 • 수분차단제는 피부의 수분 손실 억제 • 소양감 완화	• 부드럽게 자주 발라주어 깊숙이 흡수되게 함 • 개방 상처 사용 금지 • 발가락 사이는 바르지 않음
피부 보호제	• 유해한 자극에 피부가 노출되지 않게 막는 외용제 • 수분 차단제로 크림, 연고 형태	• 연고는 오일 포함으로 방수 차단 효과 • 피부 보호 필름은 무알콜 피부 보호 필름 사용 • 파우더는 지나친 수분 흡수로 가볍게 사용

A. 피부 세척제 [출처: 3M]

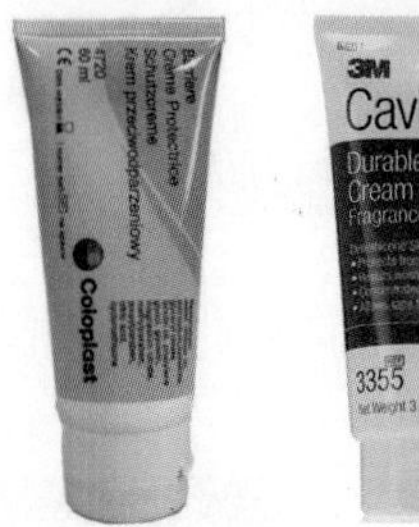

B. 피부 보습제 [출처: 3M, coloplast]

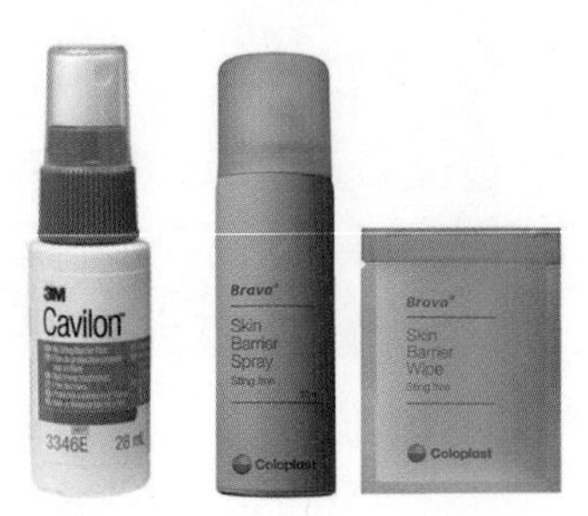

C. 피부 보호제(스프레이 코팅) [출처: 3M, coloplast]

Fig 5-22 피부 관리 제품

5) 발생 가능한 문제

(1) 상처 감염과 염증의 구분

감염과 염증의 특징		
특징	**감염**	**염증**
원인	• 병원체에 의해 발생 • 염증이 감염으로 발생	• 해로운 자극에 의한 생물학적 반응 • 자극원 제거, 손상 국소화, 손상 부위를 정상적으로 되돌리려는 방어기전
홍반(erythema)	• 경계 불분명 • 피부 변색 분명	• 경계 분명 • 피부변색 불분명
열감(heat)	전신 발열	상처 주위 피부 열감
부종(edema)	부종 및 경결(induration)	상처 가장자리의 단단함
삼출물(exudate)과 냄새(odor)	• 악취 • 삼출물은 보통 중정도에서 다량 • 장액성, 화농성, 장액농성	괴사조직 있을 때 악취, 삼출물 보통에서 소량, 혈액성, 혈장성, 장액성
통증(pain)	지속적	다양함

(2) 감염의 진단

감염이 의심될 때는 상처의 균 배양 검사를 한다.

① 배양검사 적응증

a. 감염의 증상, 징후가 있을 때

b. 치유에 진전이 없을 때

c. 화농성 배액

d. 이유 없이 많은 삼출물

② 균 배양검사 방법

a. 상처의 기저부가 공기 중에 노출된 개방 상처

상처 기저부를 생리식염수로 세척하고 가장자리를 마사지한 후 나오는 삼출물을 수집, 검사 소독 면봉으로 배양(swab culture)할 때는 Z기법을 이용한다.

b. 상처의 기저부가 공기 중에 노출되지 않은 폐쇄 상처

괴사조직으로 덮여있는 경우 괴사조직을 제거하거나 절개한 후 상처 세척 전에 삼출물을 수집한다.

c. 공기 중에 노출되지 않은 상처에 잠식이나 동로 등이 있는 경우 상처를 세척하

기 전에 삼출물을 수집한다.

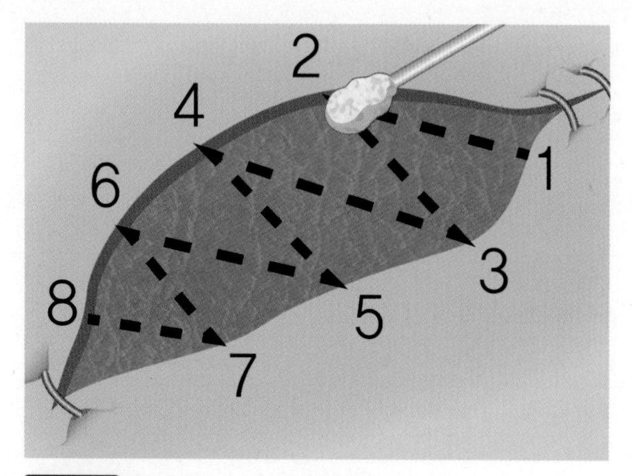

Fig 5-23 Z기법의 균 배양검사 방법

II

욕창 관리
(Pressure Injury)

1_ 욕창의 정의

욕창은 주로 뼈 돌출부에 압력(pressure) 혹은 전단력(shear), 마찰(friction) 등이 복합적으로 작용하여 발생하는 피부나 하부 조직의 국소적 손상이다(National Pressure Injury Advisory Panel, NPIAP).

2_ 욕창의 원인

1) 압력

한 단위 면적에 수직으로 걸리는 힘으로, 가장 큰 원인으로 강도(intensity), 기간(duration), 조직의 내인성(tissue tolerance) 정도에 따라 욕창이 발생한다. 이 중 압력으로 인한 욕창은 최대 압력받은 부위를 중심으로 비교적 둥근 모양이다(Fig 5-24A).

2) 마찰력

두 개의 표면이 서로 반대편으로 움직일 때 생기는 힘이며, 침대 시트 등 거친 면으로 피부를 끌어당길 때 발생하므로 마찰력에 의한 욕창은 비교적 얇고 넓은 모양이다(Fig 5-24B).

3) 전단력

압력과 마찰력 사이에 작용하는 힘으로, 침대 머리 쪽을 올렸을 때 중력에 의해 환자가 침대 아래로 미끄러지게 되고, 반대로 침대 표면에서는 환자를 미끄러지지 않게 지지하는 힘이 발생한다. 전단력에 의한 욕창은 잠식이 형성된 모양이다(Fig 5-24C).

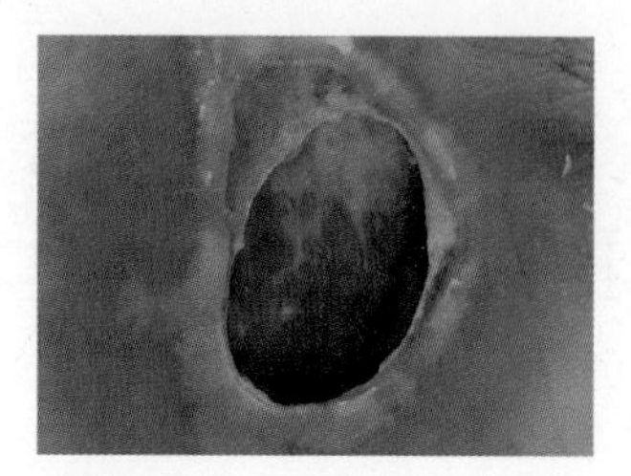
A. 압력

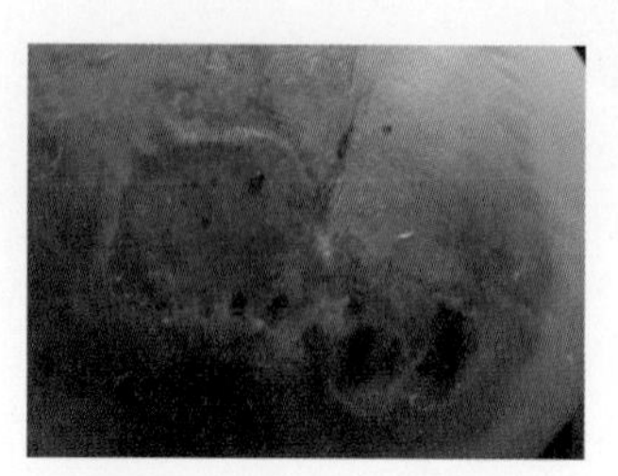
B. 마찰력

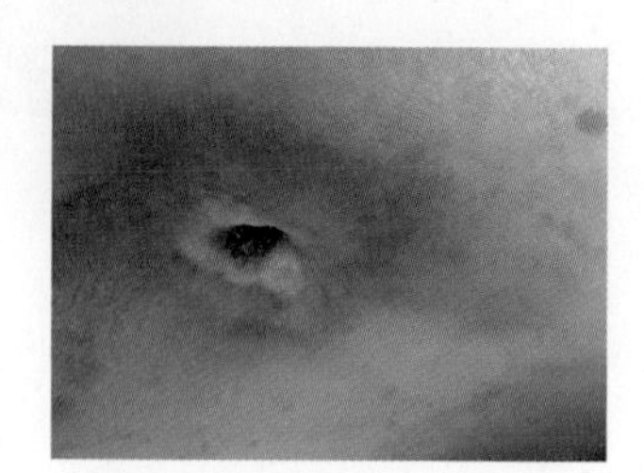
C. 전단력

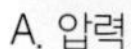
Fig 5-24 원인에 따른 욕창의 모양

3_ 욕창의 발생기전

신체 일부분에 일정 크기 이상의 압력이 지속되면 모세혈관의 폐쇄로 혈액순환량이 저하된다. 이는 조직에 국소적 허혈상태를 유발하여 세포에 산소나 영양소 공급을 차단하는데, 이때 대사산물인 노폐물이 세포에 축적되어 모세혈관 손상, 무산소증이나 저산소증으로 조직파괴를 가져오는 것이다.

4_ 욕창의 생리학적 변화

욕창의 첫 증상은 홍반으로, 피부가 압박을 받았다는 것이며 홍반의 상태에 따라 욕창이 시작된다.

1) 창백성 홍반

피부를 압박할 때 하얗게 되는 홍반(Blanching erythema)

(1) 피부에서 붉게 된 부분에 압박을 주어 눌렀을 때 하얗게 변하고 압박을 없애면 3~4초 내로 피부가 다시 붉게 변하는 증상이다.

(2) 압력이 감소되거나 없어진다면 홍반은 회복될 것이나, 충혈 상태가 지속되어 압박 시 하얗게 되지 않는 홍반(non-blanching erythema)으로 악화되면 1단계 욕창으로 분류된다.

(3) 창백성 홍반을 확인할 때, 손가락을 사용할 경우 손톱으로 인한 손상이 가해지지 않

도록 주의한다.

2) 비창백성 홍반

(1) 피부가 붉게 된 부위를 압박했을 때 하얗게 변하지 않고 피부가 계속 붉은 증상이다.

(2) 비창백성 홍반은 혈관 손상으로 혈액이 조직 내로 유출되어 울혈 상태가 되고 혈류 장애가 왔다는 심각한 증상이다. 이는 하위 조직의 파괴가 임박했거나 이미 발생했다는 것을 시사하며 욕창 1단계이다.

(3) 피부 색깔은 밝은 붉은색이거나 검붉은색 혹은 자주색을 띨 수도 있다.

5_ 욕창의 사정

1) 욕창의 분류

욕창의 분류는 미국욕창자문위원회(NPIAP)에서 조직의 손상 깊이에 따라 새롭게 분류한 여섯 가지의 '욕창 단계 시스템'을 참조하여 국내 『욕창의 예방과 치료-국제 임상실무지침서』(병원상처장루실금간호사회, 2016)에 수록된 분류이다.

(1) 1단계(Stage I) 욕창: 비창백성 홍반

① 비창백성 홍반(Non-blanching erythema)으로, 피부를 눌렀을 때 하얗게 변하지 않는 발적이 있는 피부 상태(Fig 5-25)이다.

② 검은 피부는 하얗게 되는 것을 볼 수 없으므로 주위 피부색과 다른 색을 띠는 것으로 구별할 수 있다.

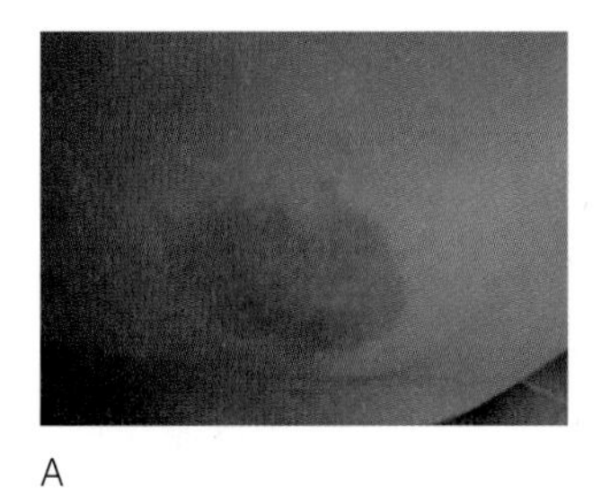
A

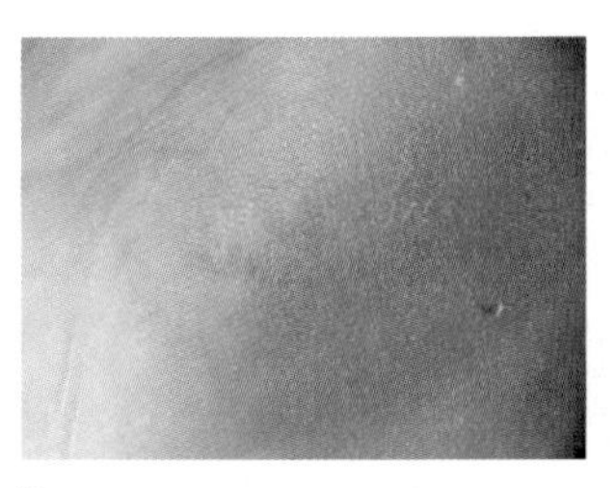
B

Fig 5-25 1단계 욕창

(2) 2단계(Stage II) 욕창: 부분층 피부 손상

① 진피의 부분층 피부 손상으로, 붉은 핑크색의 상처 기저부를 가진 얕은 개방 상처이다. 부육이나 반상출혈이 없는 궤양으로 장액성 수포가 있기도 하다.

② 진피 부위 반상출혈이 있는 경우, 2단계 욕창보다 심한 심부조직 손상을 의심해야 한다.

③ 2단계 욕창은 진피층이 복구되고 표피가 재생(regeneration)되면서 치유된다.

A

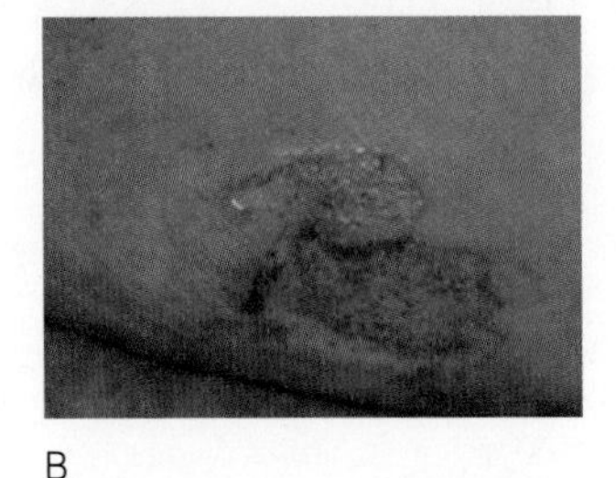

B

C

Fig 5-26 2단계 욕창

tip 2단계 욕창은 습기 관련 피부 손상이나 회음부 피부염, 피부 열상, 테이프 박리, 짓무름, 찰과상, 감염으로 인한 피부 손상과 구별해야 한다(Fig 5-27A~C).

수포의 특성이 장액성 삼출물인 경우는 2단계 욕창이지만 혈액이 섞인 수포는 심부조직 손상 의심 욕창이다(Fig 5-27D, E).

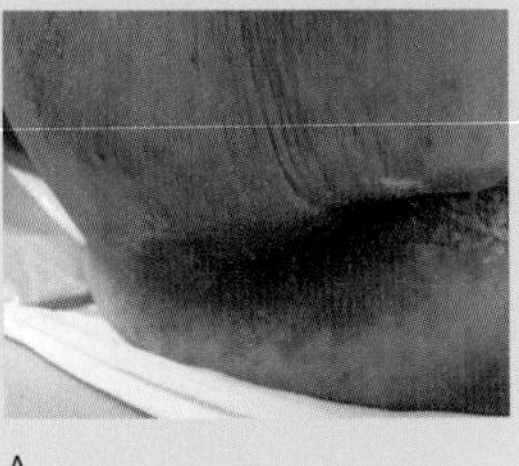

A

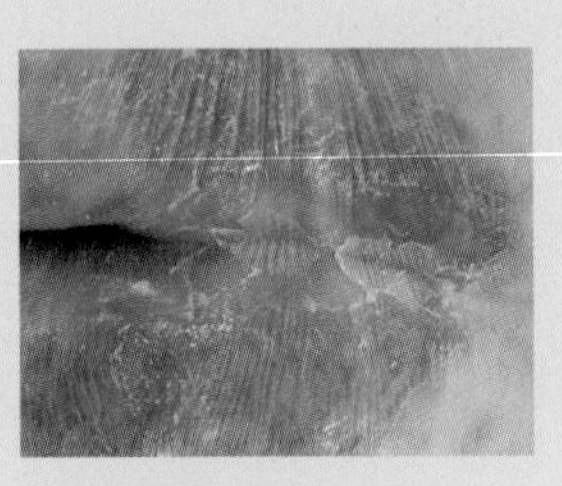

B

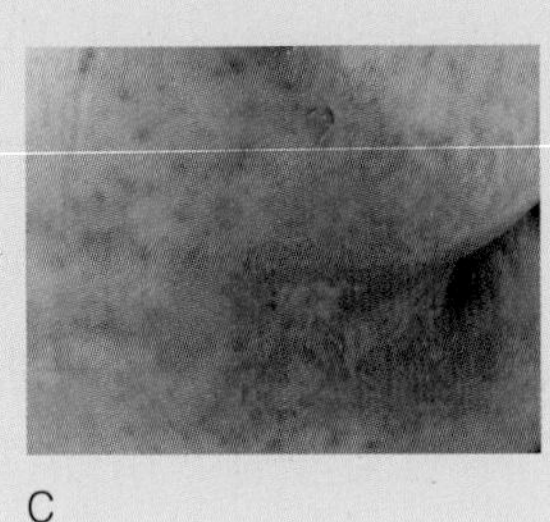

C

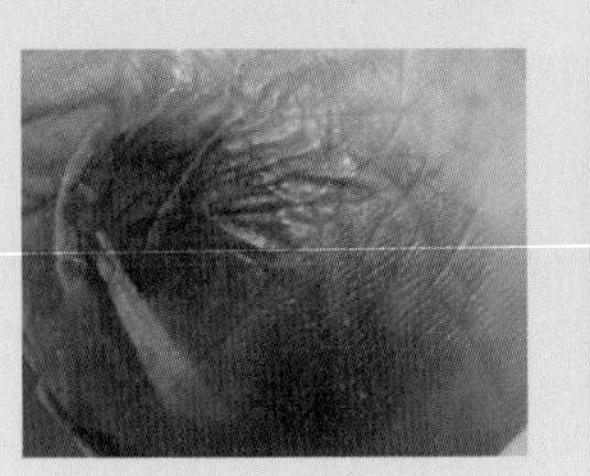

D

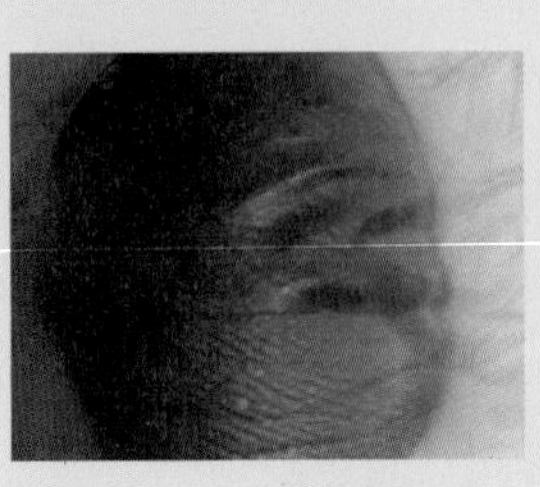

E

Fig 5-27 2단계 욕창과 구별해야 하는 피부 손상

(3) 3단계(Stage Ⅲ) 욕창: 전층 피부 손상

① 전층 피부 손상 또는 피하지방이 드러나 있을 수 있으나, 뼈, 인대 또는 근육은 노출되어 있지 않다. 부육은 있을 수 있으나 조직 손상의 깊이는 모호하지 않다.

② 잠식(necrotic tissue)과 동로(cavity)가 있을 수 있다.

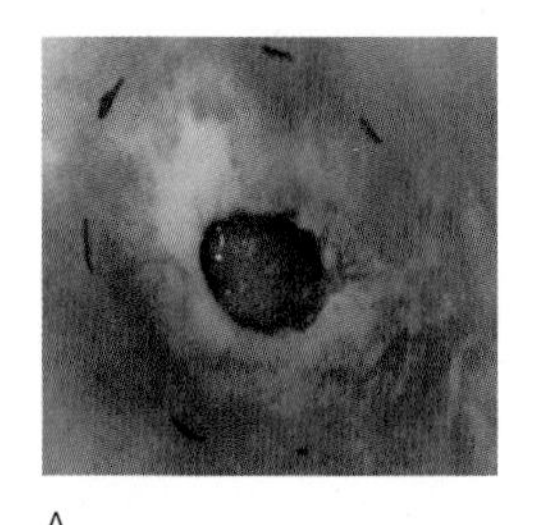
A

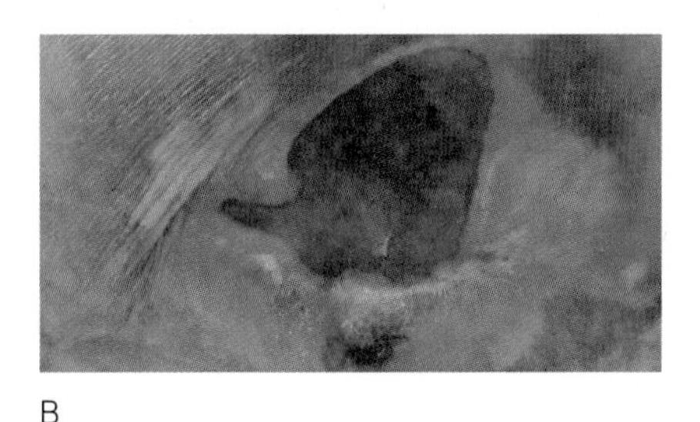
B

Fig 5-28 3단계 욕창

(4) 4단계(StageⅣ) 욕창: 전층 피부 손상

① 뼈, 인대, 근육이 노출된 전층 피부 손상으로 부육 또는 건조가피가 상처 기저부 일부에 나타날 수 있다.

② 괴사조직 및 공동이 존재할 수 있다.

③ 4단계는 해부학적 위치에 따라 조직 손상의 깊이가 달라진다. 피하조직이 없는 코, 귀, 후두부, 복사뼈 등은 얕은 상처지만 4단계가 될 수 있다.

④ 근육이나 지지구조층(근막, 건, 관절낭)까지 손상되어 골수염의 가능성이 있다.

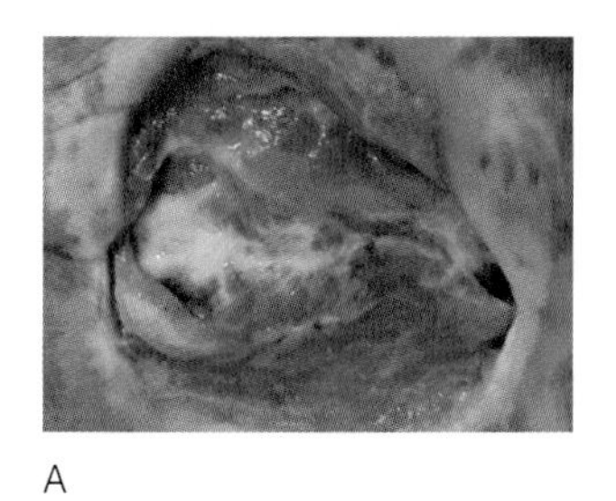
A

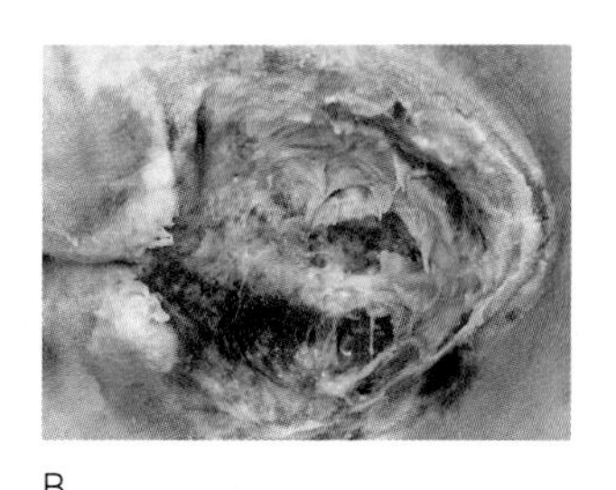
B

Fig 5-29 4단계 욕창

(5) 심부 조직 손상 의심(Suspected Deep Tissue Injury) 욕창

① 압력 또는 전단에 의해 생긴 연부조직 손상으로 온전한 피부에 자주색이나 적갈색의 변화

② 어두운 피부색에서는 구별하기 힘들 수도 있으며 더 진행되면서 얇은 건조가피로 덮일 수 있다.

③ 적절한 치료를 해도 피부 손상이 빠르게 진행되어 심부층으로 진행될 수 있다.

tip

❶ 발뒤꿈치의 가피는 '인체의 자연적 덮개'로 간주하여 제거해서는 안 된다.

❷ 심부조직 손상 욕창은 1단계 욕창과 혼돈하기 쉽다. 심부조직 손상 욕창의 색깔은 짙은 자주색으로 검은색에 가까워 1단계보다 선명하고 어두운 색이다. 구별이 어려운 경우에는 진행 과정 관찰을 위해 유성펜으로 검붉은 부위를 표시해둔다. 이때 정상 회복되는 부위는 1단계 욕창이고, 검붉은 색으로 남은 부위는 심부조직 손상 의심 욕창임을 알 수 있다.

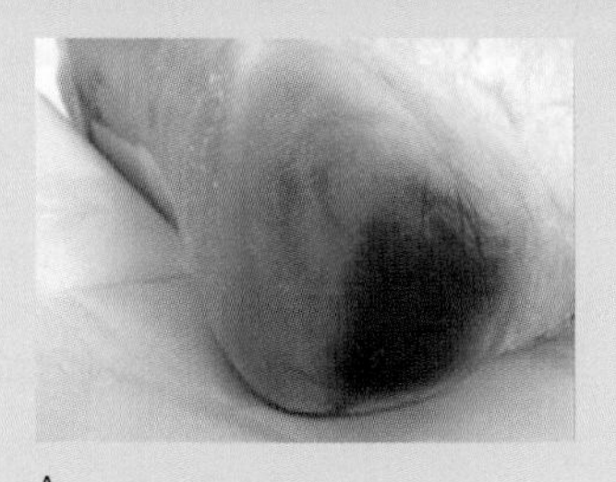
A

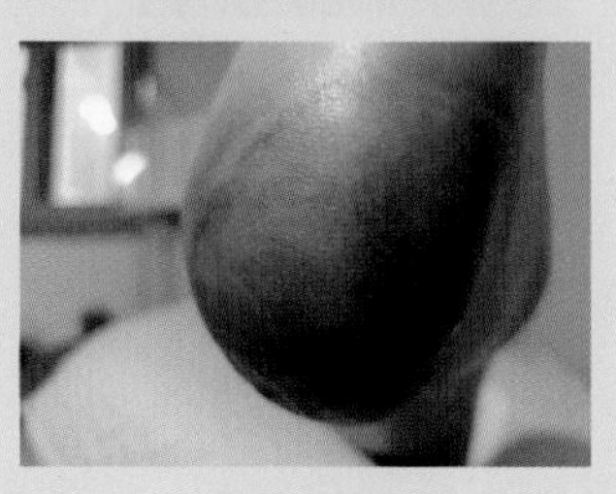
B

Fig 5-30 **심부조직 손상 욕창**

(6) 미분류(Unstageable) 욕창

① 상처의 기저부가 괴사조직으로 덮여있어 조직 손상의 깊이를 알 수 없으므로 단계를 분류할 수 없는 상태이다.

② 전층 피부 손상으로 부육(노란색, 황갈색, 회색, 초록색, 갈색)이나 건조가피(갈색, 회갈색, 검정색)가 충분히 제거되면 상처의 깊이와 욕창의 단계를 알 수 있다.

③ 심부조직 손상이므로 괴사조직을 제거한 후 상처 기저부의 노출 정도에 따라 3단계, 4단계 욕창이 된다. 따라서 상처 기저부가 노출되기 전에는 실제 깊이, 단계를 결정할 수 없다.

④ 혈액순환이 좋지 않거나 상처치유 능력이 떨어지는 경우, 괴사조직이 위험할 수 있으므로 주의한다.

⑤ 미분류 욕창은 괴사조직 아래로 농양을 형성하기 쉬우므로 염증 증상이 있는지

주의 깊게 관찰한다. 또한 괴사조직이 금기사항이라도 농양이 있을 때는 외과적 수술을 통해 제거한다.

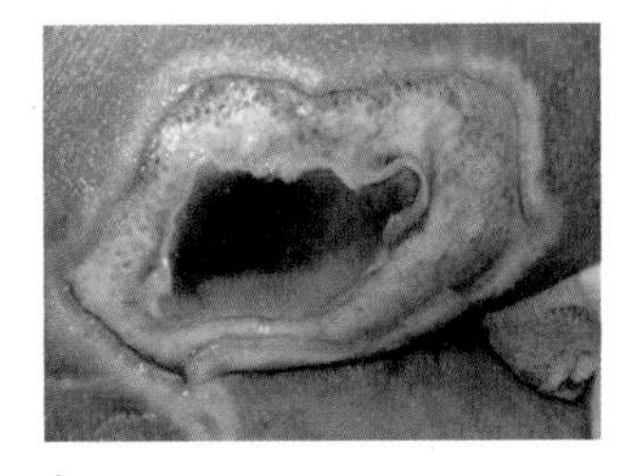
A

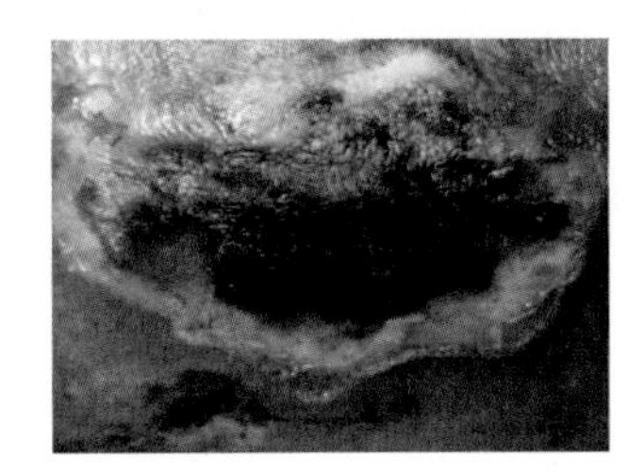
B

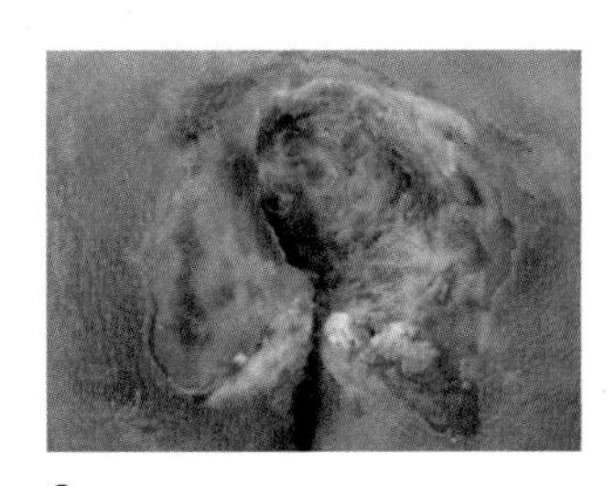
C

Fig 5-31 미분류(Unstageable) 욕창

(7) 의료기기 관련 욕창

① 의료기기에 지속적으로 압력을 받아 피부 및 조직에 국소적인 손상이 발생한 것으로, 의료기기를 적용한 피부나 점막 등 다양한 부위에 발생하기 때문에 발견이 쉽지 않고 욕창의 깊이를 정확하게 측정하기도 어렵다.

② 의료기기 관련 욕창의 요인은 일반적인 욕창 요인과 더불어 특징적으로 질환의 중증도, 승압제, 진정제 또는 근이완제 사용, 의식수준 저하 및 부종이다.

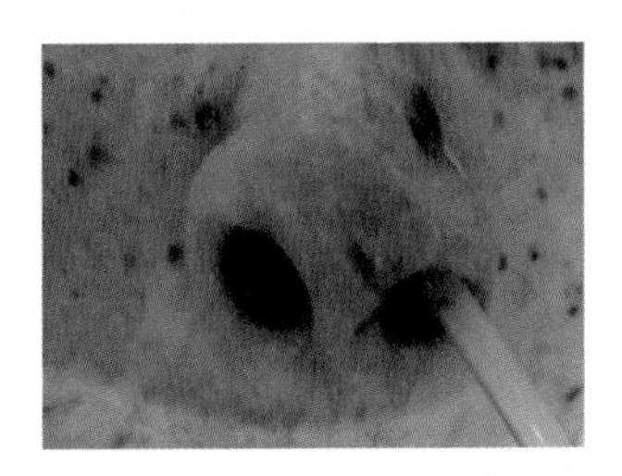
A. L-tube 고정 테이프로 인한 욕창

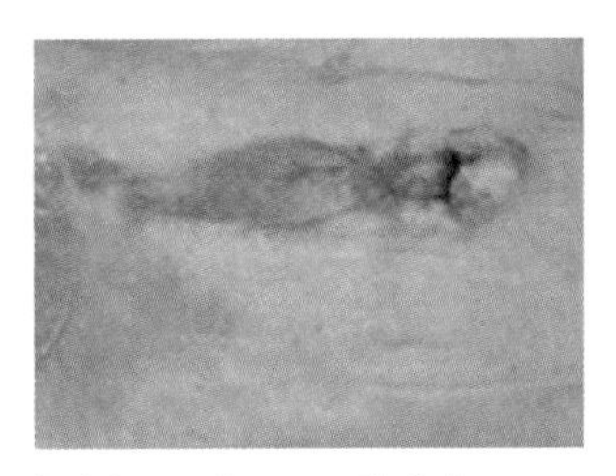
B. foley catheter 고정 테이프로 인한 욕창

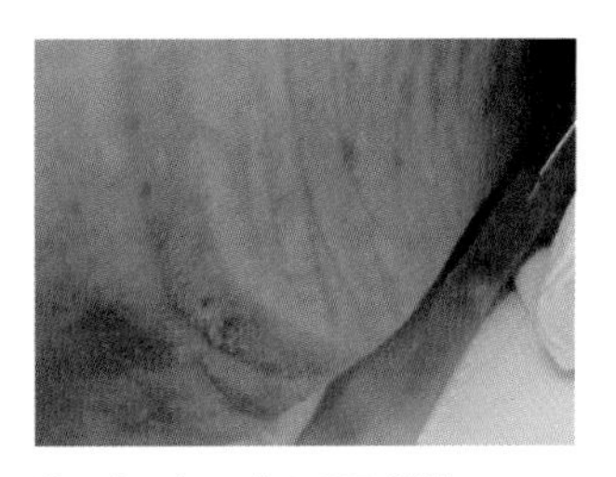
C. urine bag line으로 인한 욕창 전 단계

Fig 5-32 의료기기 관련 욕창(Medical Device Related Pressure Injury)

tip 욕창 평가 시 주의사항

❶ 단계를 나누는 욕창 평가는 욕창의 심각한 정도를 알아보는 데 유용하다.

❷ 평가 시 욕창이 치유되고 있는 경우 최초의 욕창 단계를 낮은 단계로 평가할 수 없다. 예를 들어, '4단계 욕창'이 육아조직으로 채워져도 '3단계 욕창'으로 평가해서는 안 되며, '육아조직으로 채워지고 있는 4단계 욕창'이나 '치유 중인 4단계 욕창'으로 기술하고 상피화가 완전히 된 욕창은 '치유된 4단계 욕창'으로 기술한다.

2) 욕창 발생 위험 평가 도구

욕창 발생 위험 평가 도구로 가장 많이 사용되고 있는 Braden 척도(Table 5-2)로 감각인지, 습한 정도, 기동력, 영양 상태, 마찰력과 전단력 등 여섯 개 세부항목으로 구성되어 있고, 각 항목별 점수를 합하여 최저 4점에서 23점으로 구분된다.

※경증 위험=15~18점/중증도 위험=12~14점/고 위험=10~12점/심각한 고 위험=9점 이하

Table 5-2 Braden scale

항목	1점	2점	3점	4점
감각인지 : 불편감을 주는 압력에 의미 있게 반응하는 능력	• 전혀 없음 - 의식이 저하되거나 진정제로 인해 통증 자극에 대한 반응 전혀 없음. 신체의 대부분에 감각이 떨어짐	• 매우 제한됨 - 통증 자극에 대해서만 반응함. 신음하거나 안절부절 못하는 것 외에는 불편감을 호소하지 못함. 또는 신체의 1/2 이상의 감각이 떨어짐	• 약간 제한됨 - 구두로 요구를 표현하거나 불편감을 느끼거나 돌릴 필요가 있을 때마다 하는 것은 아님	• 장애 없음 - 구두로 요구를 표현하거나 불편감을 느끼거나 돌릴 필요가 있을 때마다 하는 것은 아님
습한 정도 : 피부가 습기에 노출되어 있는 정도. 반응 없음	• 지속적으로 습함 - 땀, 소변 등으로 피부가 계속 습한 상태임. 돌리거나 움직일 때마다 축축함	• 습함 - 항상은 아니나 자주 습한 상태임. 적어도 8시간마다는 린넨을 교환해야 함	• 때때로 습함 - 하루에 한 번 린넨을 교환할 정도로 습한 상태	• 거의 습하지 않음 - 피부가 거의 습하지 않음. 정해진 간격으로 린넨을 교환하여도 됨
활동 정도 : 신체활동 정도	• 침상안정 - 계속적으로 침대에 누워있어야 함	• 의자에 앉을 수 있음 - 보행능력이 없거나 매우 제한됨. 몸을 지탱할 수 없거나 의자나 휠체어로 옮길 때 도움이 필요함	• 때때로 보행함 - 낮 동안에는 때때로 걸으나 짧은 거리만 가능함. 대부분을 의자나 침대에서 보냄	• 정상 - 적어도 하루에 두 번 정도는 산책할 수 있음

항목	1점	2점	3점	4점
기동력 : 체위를 변경하고 조절할 수 있는 능력	• 전혀 없음 - 도움 없이는 몸이나 사지를 전혀 움직이지 못함	• 매우 제한됨 - 몸을 가끔은 움직이지만 자주 움직이지 못함	• 약간 제한됨 - 혼자서 약간씩이나 자주 움직임	• 정상 - 도움 없이도 자주 자세를 크게 바꿈
영양 상태 : 평소 음식 섭취 양상	• 불량 - 제공된 음식의 1/3 이상을 먹지 못함. 또는 금식, 5일 이상, IV	• 부적절함 - 보통 제공된 음식의 1/2 정도를 먹음. 또는 유동식, 경관 유동식	• 적절함 - 대부분 반 이상을 먹음. 또는 경관유동식, TPN	• 양호 - 거의 다 먹음
마찰력과 전단력	• 문제 있음 - 이동 시 많은 도움이 요구되며 끌지 않고 드는 것이 불가능함. 종종 침대나 의자에서 미끄러져 자세를 다시 취해야 함. 경직, 경축, 초조가 계속적으로 마찰을 일으킴	• 잠재적 문제 있음 - 최소한 조력으로 움직일 수 있음. 이동 시 시트, 의자, 억제대나 다른 도구에 약간은 끌림. 때때로 미끄러지나 의자나 침대에서 대부분 좋은 자세를 유지함	• 문제 없음 - 침대나 의자에서 스스로 움직일 수 있고 움직이는 동안 몸을 들어 올릴 수 있음. 항상 침대나 의자에서 좋은 자세를 유지할 수 있음	

6_ 욕창의 호발 부위

욕창의 호발 부위는 압력이나 마찰과 전단력이 작용하는 곳이다.

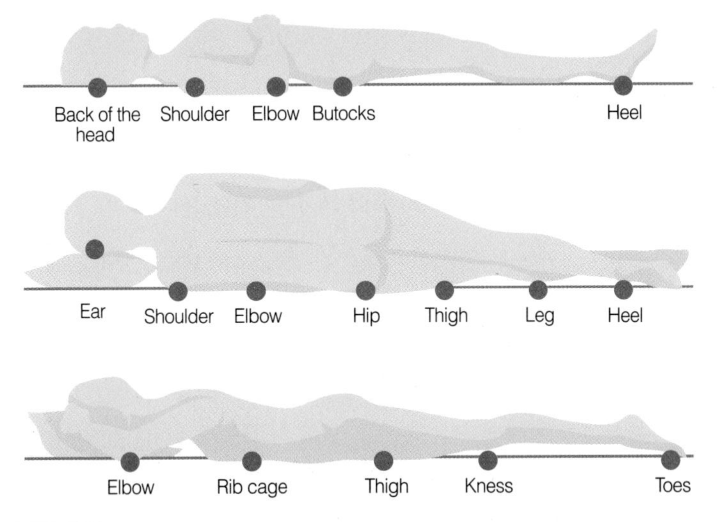

Fig 5-33 체위에 따른 욕창 호발 부위

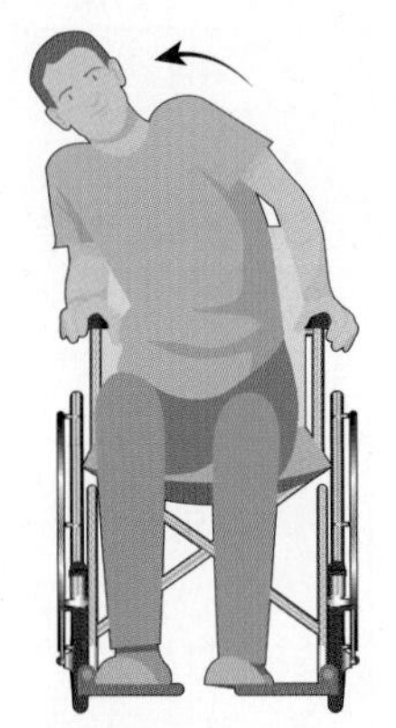
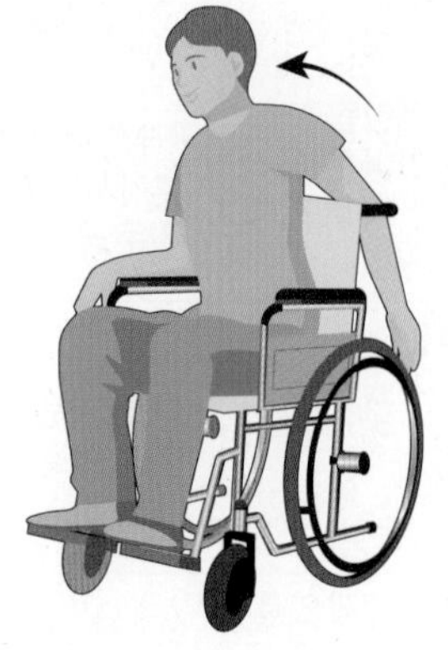
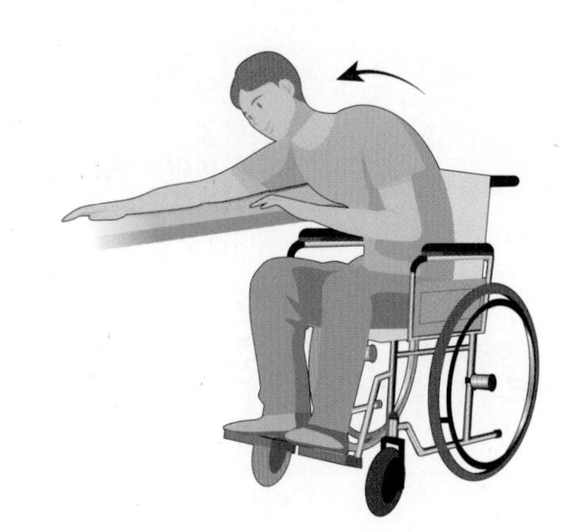

[출처: 보건복지부 욕창 예방 자세]

Fig 5-34 휠체어 환자의 욕창 예방을 위한 자세 변경

7_ 욕창 관리의 목표

1) 욕창 발생의 원인을 알고 예방법을 알고 있다.
2) 욕창의 단계를 구분할 수 있다.
3) 욕창 단계별 간호 방법을 알고 있다.
4) 욕창이 악화되지 않고 관리되고 있다.

8_ 욕창 간호 수행

욕창간호의 수행절차는 상처 관리 수기술의 과정을 참조한다.

9_ 욕창 예방을 위한 대상자와 돌봄 제공자 교육

욕창 예방의 교육 대상은 환자, 보호자, 직원, 간병인이다. 따라서 교육 수준과 항목도 대상자에 따라 다르게 구성하여야 한다. 환자와 간호하는 사람 모두가 원리, 증상, 예방법, 피부 사정, 영양공급의 중요성에 대해 이해하는 것이 중요하다.

1) 압력 최소화

(1) 체위 변경

자세 변경(position change)은 욕창 예방에서 가장 중요하다.

① 2시간마다 체위 변경을 한다.

② 자세 변경은 압력의 기간을 줄여 욕창 발생 위험을 줄인다.

③ 30° 측위로 기울이는 자세는 골반 부위 접촉면이 넓어 압력이 분산된다(Fig 5-35).

④ 앉은 자세는 누워 있는 자세보다 압력이 더 가해지기 때문에 더 자주 변경해야 한다.

⑤ 앉은 자세의 환자는 1시간마다 체위 변경을 하며, 상체를 움직일 수 있으면 팔을 이용하여 15분마다 의자에서 하체를 들었다 올리도록 한다.

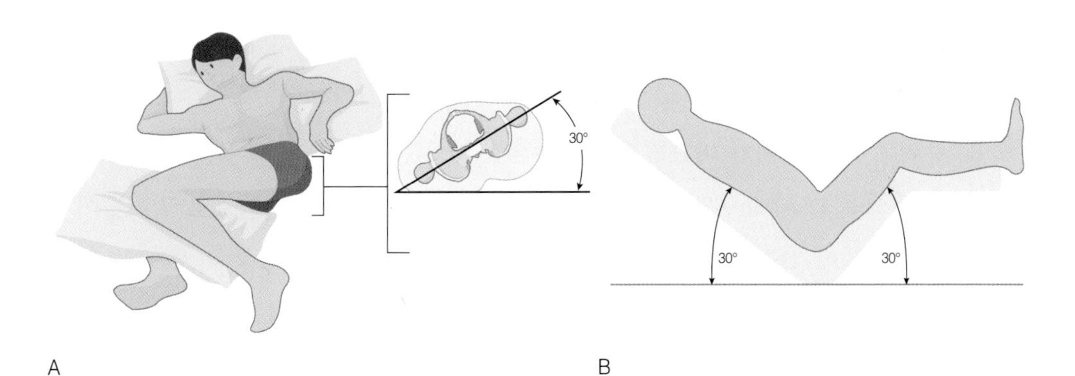

Fig 5-35 30° 체위

(2) 지지 표면

지지 표면은 환자가 누워 있거나 앉아 있을 때 접촉하여 눌리게 되는 표면이며 침대 표면과 휠체어 앉는 부분이 된다.

① 접촉면을 최대화시켜 넓은 부위로 체중을 분산시킨다.

② 공기, 물, 젤 등의 압력분산 매개체(매트리스, 쿠션)를 이용한다.

③ 지지 표면 밑으로 손을 넣어 환자의 뼈 돌출 부분이 어느 정도 촉지되는지 사정(bottoming out)한다.

(3) 실금, 실변 관리

① 피부가 과도한 습기에 노출되면 투과성이 증가되어 장벽으로서의 기능을 잃게 된다.

② 요실금, 변실금 모두가 작용 가능하며 피부염부터 심하면 궤양으로까지 악화될 수 있다.

③ 실금 환자에게 비누 사용은 각질층의 세포층 수와 두께를 감소시켜 손상받기 쉽게 한다.

④ 실금 환자의 욕창 예방을 위해 피부 전용 세척제와 습기 차단제를 사용하여야 한다.

2) 마찰력과 전단력 최소화

① 마찰력으로 인한 손상을 최소화하기 위해 환자를 잡아당기거나 끌지 않는다.

② 환자 이동 시 시트 또는 보조기구를 이용한다.

③ 상체를 올려야 하는 경우 30° 이하로 유지하고 발끝도 동일하게 올려 전단력으로 인한 욕창을 예방한다.

④ 중력에 의해 신체가 미끄러지는 방향으로 뼈와 근육층이 움직이는데, 이때 마찰력에 의해 그 자리에 정지하려고 하기 때문에 근육층이 피부 안으로 밀려들어가 피부가 찢어지게 되면서 잠식이 발생한다.

⑤ 경관식이 제공 시에는 상체를 올리고 1시간 후에는 침상 머리를 낮춘다.

⑥ 불가피하게 상체를 올리게 되면 자주 천골 부위나 미골을 평가한다.

tip 도넛 모양의 방석은 주변 조직 압력을 높이므로 사용하지 않는다.

III 하지궤양 관리 (Lower-Extremity Ulcers Management)

하지궤양은 동맥성, 정맥성, 신경병증, 림프성 질환이 복합적으로 나타난다. 기저질환이나 외상, 알레르기 반응에 대한 증상으로, 주로 혈관성 원인에서 비롯된 것이 많다. 혈액학적 질환, 혈관 질환, 당뇨, 압력 등이 원인일 수 있으므로 총체적 평가와 다학제 간 접근이 필요하다. 관리도 매우 복잡하므로 조직 관류 개선을 위한 수술, 생활방식 개선 및 건강한 생활 습관 형성을 위한 지지와 간호가 동반되어야 한다.

1_ 동맥성 궤양

1) 원인

말초동맥 질환의 발병률은 나이와 함께 증가하고 남자에게 더 많다. 동맥부전의 주원인인 죽상경화증(atherosclerosis)은 지질, 콜레스테롤 등이 축적되면서 혈관내피가 손상을 받아 판(plaque)들이 형성되고, 점점 커져서 혈류 감소와 동맥 부전을 일으켜 궤양을 발생시킨다. 이렇게 형성된 혈전이 떨어져 나와 원위부로 운반되어 색전(embolus)에 의해 소동맥이 폐색되며 동맥부전이 일어나고 궤양이 발생한다.

2) 임상적 특징

(1) 압력이나 손상으로 인한 뼈 돌출 부위, 발가락 끝에 발생한다(Fig 5-36).

(2) 상처의 모양은 경계가 분명하고, 건조한 괴사로 덮여 있다.

(3) 피부는 위축되어 있고 창백하며 차다.

(4) 동통은 다리를 올리면 더 심해지고 내리면 호전된다.

(5) 간헐적 파행(intermitent claudication), 휴식 시 통증이 있다.

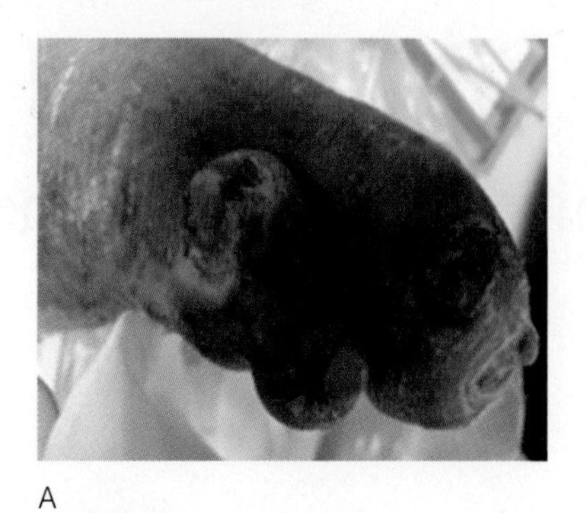

A

B

Fig 5-36 동맥성 궤양

3) 간호 사정

(1) 과거 병력

① 현재 궤양의 존재 기간

② 궤양 형성을 유발한 손상 유형

③ 사용된 치료 방법

④ 혈관 검진, 수술 과거력

⑤ 위험인자: 흡연, 고혈압, 당뇨, 고지혈증, 심근경색증, 뇌졸중 병력

(2) 신체검진 및 임상진단

① 온도 변화

② 피부색 변화

③ 사지 크기 변화, 대칭

④ 맥박 촉지: 족배동맥(dorsalis pedis purse), 후경골동맥(posterior tibial pulse), 비골동맥(peroneal purse)에서 촉지가 가능하다(Fig 5-37).

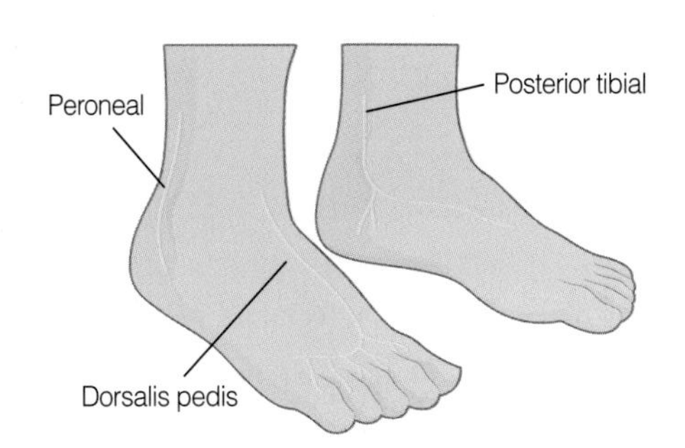

Fig 5-37 하지 맥박 촉지 부위

(3) 혈관 기능 검사

① 발목-상완 지수

② 혈류파 분석

③ 부분 압력 측정

④ 경피적 산소압

(4) 영상진단

① 동맥 초음파 스캔

② 동맥조영술

③ 컴퓨터 혈관 조영술

④ 자기공명 혈관 조영술

4) 간호 목표

(1) 동맥성 궤양의 위험인자를 관리할 수 있다.

(2) 동맥성 궤양의 일반적인 관리를 할 수 있다.

(3) 동맥성 궤양의 이상 증상을 알고 대처할 수 있다.

5) 일반적인 관리와 대상자 교육

(1) 위험 인자 관리: 금연, 당뇨 조절, 고혈압 관리

(2) 혈류 개선

① 금기가 아닌 경우 수분 섭취를 유지한다.

② 갑작스런 체온 변화에 주의한다.

③ 체중조절을 한다.

④ 규칙적 운동을 한다.

– 주 3회, 기립 자세 유지, 다리 꼬고 앉지 않기, 꽉 끼는 옷이나 신발 신지 않기

⑤ 사지의 보온을 유지하고, 흡수성 좋은 양말을 착용한다.

(3) 허혈성 통증 완화

① 진통제를 사용한다.

② 휴식 시 통증, 급성 염증 시 진료 및 치료를 한다.

(4) 피부 관리

① 비누로 부드럽게 씻고 발가락 사이를 건조시킨다.

② 습윤 로션이나 바셀린을 바른다.

③ 면양말 및 지지력 있는 신발을 착용한다.

(5) 손상 방지

① 실내화를 착용한다.

② 가골(callus)이 두꺼워 지거나 깨지는 것을 예방하기 위해 file로 딱딱한 부분을 손질한다.

③ 손상 물질이나 민감성 물질을 피한다.

④ 매일 관찰하고 작은 손상이라도 의료진에게 알린다.

2_ 정맥성 궤양

하지 정맥성 궤양(venous ulcer)은 정맥 기능 부전으로 정맥성 고혈압을 야기하여 혈관 내 물질의 누수와 부종으로 인해 궤양이 발생한다.

1) 원인

정맥성 궤양은 심부정맥 체계의 장애로부터 기인한다. 정맥혈의 흐름에 장애가 일어나면 정맥 기능 부전이 발생한다. 정맥질환은 결과적으로 정수압을 증가시켜 정맥성 고혈압을 만들고 궁극적으로 피부궤양을 일으킨다. 영양결핍, 저알부민 혈증, 부동, 손상 등도 정맥성 궤양을 발생시키는 요인이다.

2) 임상적 특징

(1) 흔히 부위는 복사뼈와 하지 비복 사이에 궤양이 발생한다(Fig 5-38).
(2) 얕고 불규칙한 경계 및 삼출물이 많다.
(3) 기립 시 통증과 부종의 악화를 보인다.
(4) 주위 피부가 축축하고 습진 양상을 보인다.
(5) 주로 malleolus와 calf 사이에 호발한다.
(6) 갈색 부종이 있으며 hard, non-pitting 양상을 보인다.
(7) 기립 시 정맥류 종창(varicosities)이 발견된다.

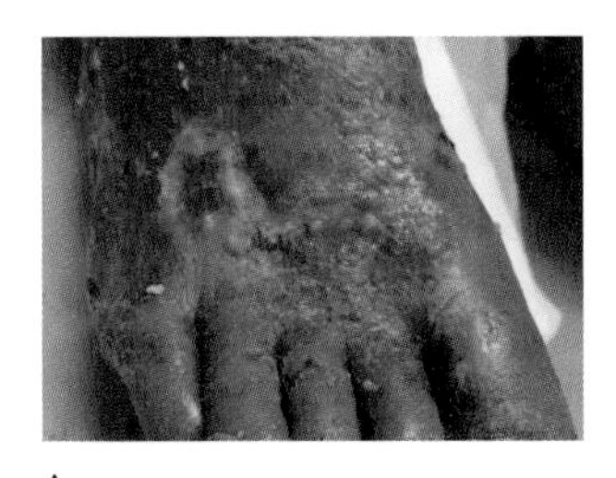
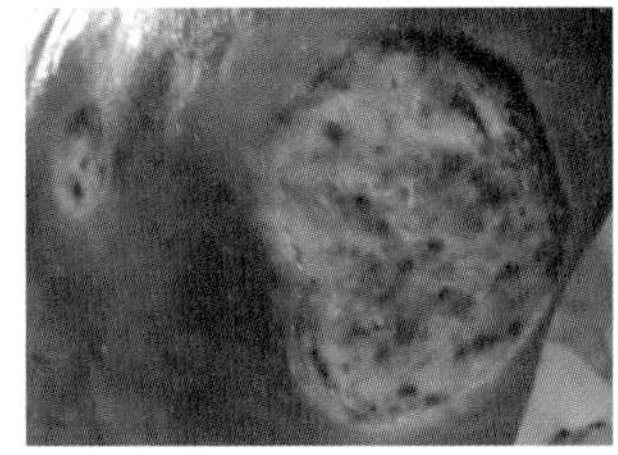
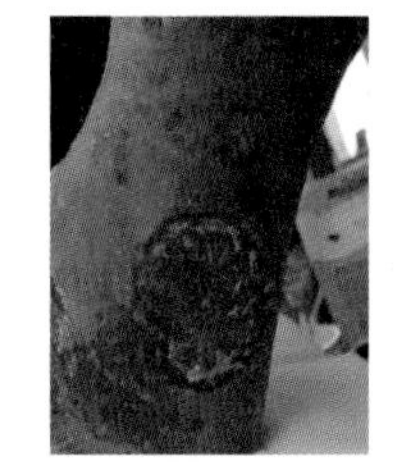

A B C

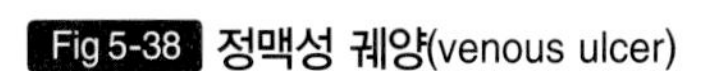

Fig 5-38 정맥성 궤양(venous ulcer)

3) 간호 사정

(1) 과거 병력

① 가족력

② 압박치료

③ 투약

④ 정맥파행증

⑤ 정맥질환과 관련된 요인

(2) 신체검진

① 피부색 변화

a. 국소적으로 불그스름한 변화, 열감, 부종, 피하지방 내 끈(cord)같은 것 촉지

b. 발목 주변 갈색의 색깔 변화와 피부궤양

c. 피부 촉진 시 두껍고 거친 느낌

② 정맥류 종창

a. 검진 시 기립자세에서 시행

b. 기립자세에서 정맥류 종창에 혈류가 고이게 한 후 관찰하며 혈전성 정맥염 유무를 관찰

③ 통증과 압통

a. 심부정맥 혈전 시 정맥의 압통이 있다.

④ 부종

a. 정맥과 림프질환, 울혈성 심부전에 의한 것이 대부분이다.

b. 다리의 일반적 형태에 변화가 있는지 시진으로 관찰한다.

c. 부종이 있다면 말초혈관 질환에 대한 가능성을 고려해보고 부종이 양측성인지, 정맥 확장이 있는지 관찰한다. 정맥 확장을 동반한 부종은 정맥기인이라 예측할 수 있다.

(3) 혈관 기능 검사

a. 정맥도플러 검사(Venous doppler examination)

4) 간호 목표

(1) 정맥성 궤양의 위험인자를 관리할 수 있다.

(2) 정맥성 궤양의 일반적인 관리를 할 수 있다.

(3) 정맥성 궤양의 이상 증상을 알고 대처할 수 있다.

5) 일반적인 관리와 대상자 교육

(1) 부종관리

① 침상안정, 하지 거상

② 압박요법은 동맥부전 정도에 따라 제한(ABI 0.5 이하의 심한 동맥부전 시 금기)

Table 5-3 Ankle–Brachial Index (ABI)

Ankle-Brachial Index (ABI)	해석
1.0~1.4	정상
0.91~0.99	경계 범위
0.70~0.90	경증 동맥부전
0.40~0.69	중정도 동맥부전
<0.40	중증 동맥부전
>1.4	하지동맥의 석회화, 경화도 증가

(2) 상처 관리

일반적인 상처 관리에 준하며 과도한 삼출물에 의한 피부연화와 피부 병변의 관리가 필요하다.

3_ 당뇨병성 족부궤양

당뇨병성 족부궤양은 당뇨의 진행에 의한 합병증인 신경병증, 혈관병증 및 혼합된 형태(신경병증-혈관병증)에 의해 발생한다.

1) 원인

(1) 당뇨성 신경병증

① Sensory: 감각신경의 손상에 의한 외상이나 압박에 의한 궤양

② Motor: 발과 근육의 퇴화, 발의 기형으로 돌출 부위 압박, callus 형성

③ Autonomic: 피부 건조나 갈라짐에 의한 감염, 비정상적 혈관 반응으로 인한 부종

(2) 당뇨성 혈관병증

죽상경화증 등에 의한 허혈성 궤양으로, 동맥성 궤양과 유사하나 구분되는 점이 있다.

2) 당뇨병성 족부궤양의 특성

욕창 등의 다른 만성 상처와 비교할 때 치유 기간이 길며, 감염 등의 합병증 발생으로 하지의 절단 가능성이 높다.

(1) 혈액순환 부전

① 혈관의 동맥경화가 흔하며 염증세포의 이동, 산소나 영양분의 공급 장애를 가져온다.

② 모세혈관 벽 이상으로 혈관 폐쇄가 없더라도 백혈구, 산소, 영양분이 모세혈관에서 조직으로의 이동 장애를 가져오기 때문에 경피산소분압 측정이 필요하다.

(2) 감염

① 면역 저항성 감소로 세균 침입에 대한 감수성 감소, 적절한 방어기전 부족으로 감염 시에도 백혈구 상승이 없을 수도 있다.

② 복합 감염이 많고 혐기성 세균이 흔하나 이는 진단이 어렵기도 하다.

(3) 세포 기능 감소

① 상처치유에 관여하는 대식세포, 섬유아세포, 각질세포 등의 기능이 저하되어 있다.

② 상처 치유의 필수인자가 부족하다.

3) 간호 사정

(1) 위험요인 사정

① 보호 감각의 손실

② 발의 변형(Charcot joint)

③ 절단(amputation)

(2) 신체 사정

① 발의 관찰

② 혈관계 사정

③ 신경감각 검사

④ 영양 상태 및 혈당 관리

(3) 당뇨병성 족부궤양의 상처 분류: Wagner Scale

상처의 깊이, 감염 여부, 허혈의 정도를 통합한 분류법으로 가장 흔히 사용하고 있다.

Table 5-4 Wagner Scale

Grade 0	전궤양성 병변(궤양이 치유된 상처, 골 기형이 존재)
Grade 1	피하조직 침범이 없는 표면적인 궤양(진피의 노출)
Grade 2	피하조직을 통과한 궤양(뼈, 인대, 건, 관절낭 등 노출)
Grade 3	골수염, 농양 동반
Grade 4	발가락 등의 국소성 괴저(gangrene)가 있는 경우
Grade 5	발의 광범위한 괴저로 진행된 경우

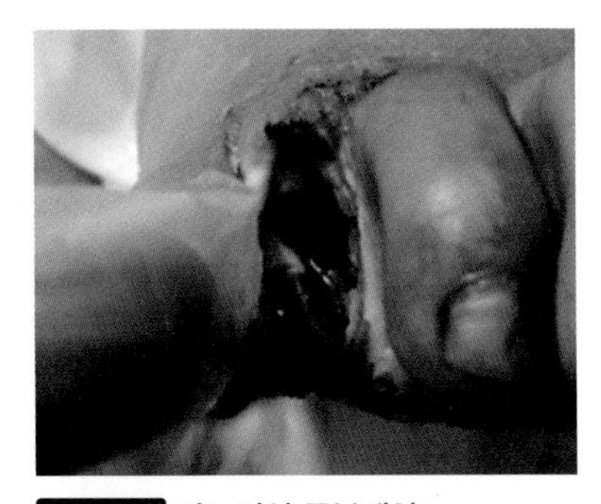

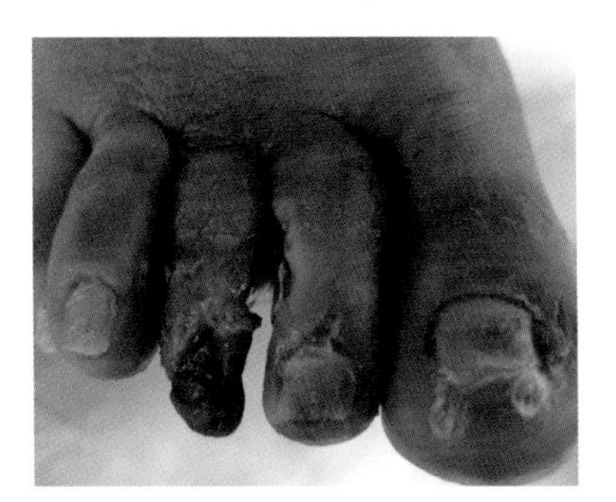

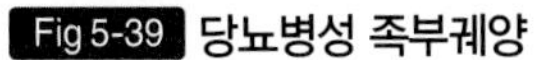

Fig 5-39 당뇨병성 족부궤양

4) 상처 관리 원칙

(1) 발생 원인 파악 및 제거

① 압력 감소

② 혈관병증 동반 시 동맥성 궤양 관리에 준한다.

③ 감염예방 및 관리

(2) 혈당관리

① 공복 혈당 관리(정상수치: 110 mg/dL)

② 당화혈색소(HbA1C) 정상치(HbA1C 정상수치: 5.7% 미만)의 2%가 넘지 않도록 유지

(3) 상처 관리

① 가골(callus): 부드러워진 상태에서 조심스럽게 제거

② pseudo-membrane 제거

③ 접착성 드레싱 재료 사용 제한

④ 발 관리 교육 및 적합한 신발 착용

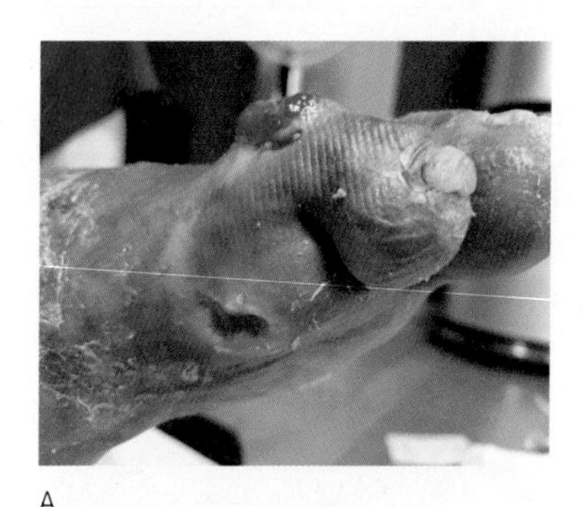

A

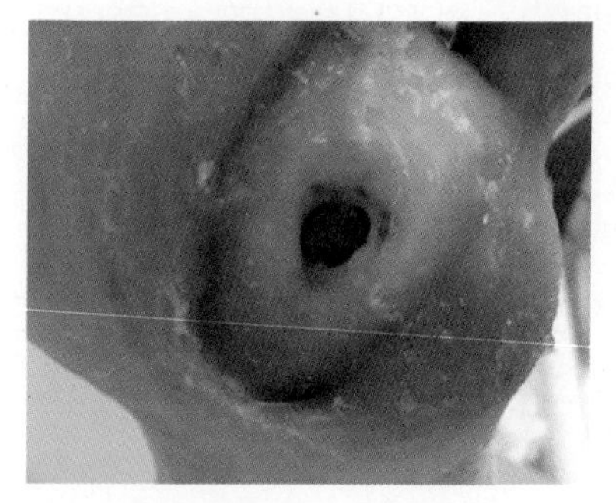

B

Fig 5-40 발 변형/종족골두 궤양

5) 간호 목표

(1) 당뇨성 족부 궤양의 위험인자를 관리할 수 있다.

(2) 당뇨성 족부 궤양의 일반적인 관리를 할 수 있다.

(3) 당뇨성 족부 궤양의 이상 증상을 알고 대처할 수 있다.

6) 당뇨환자의 발 관리 교육

(1) 매일 발을 관찰하며 이상 유무를 확인한다.

(2) 발을 깨끗이 씻고 발가락 사이를 건조하게 유지하며 보습제를 바른다.

(3) 흡수성이 좋은 양말을 신고, 신발은 앞이 둥글고 조이지 않는 것을 착용한다.

(4) 온열치료 및 화상에 주의한다.

(5) 가골, 티눈을 함부로 제거하지 않는다.

(6) 상처 발생 시 즉시 진료를 본다.

Table 5-5 하지궤양의 비교

구분	동맥성	정맥성	신경병증(당뇨성)
유발 요인	• 말초혈관 질환 • 당뇨 • 고령	• 천공계의 판막 기능 부전 • 심부정맥 혈전증의 기왕력 • 궤양 기왕력 • 고령 • 비만	말초신경병증이 있는 당뇨
사정	• 얇고 빛나며 건조한 피부 • 다리 상승 시 창백 • 청색증 • 피부 온도 저하 • 맥박 소실 혹은 감소	• 부종 • 피부색 변화 • 표면 정맥 이완 • 통증과 압통 • 혈관 기능 검사(정맥도플러)	• 감각 손실이나 저하 • 발 기형 • 맥박 촉지됨 • 발이 따뜻함 • 말초혈관 질환 동반한 경우 동맥성 궤양과 비슷함
위치	• 발가락 사이, 끝 부분 • 외측 종골 주위, 종족골 • 신발로 인한 자극, 손상 부위	• 종아리 내측면, 발목 • 종골	• 발등 • 종족 골두 • 발꿈치 아래 부분
특징	• 뼈 돌출 부위, 발가락 끝 • 압력, 손상에 의해 발생 • 경계 분명 • 건조한 괴사조직 덮임 • 상승 시 동통 심화, 내리면 호전 • 간헐적 파행, 휴식 시 통증	• 복사뼈(malleolus), 하지 비복(calf) 사이 궤양 • 얕고 불규칙한 경계 • 하지부종, 정맥류증 • 피부 축축, 갈색, 습진 같은 변화 • 통증, 부종 • 기립 시 악화, 사지 상승 시 완화 • 지방피부경화증 • 만성 림프부종 및 뼈 강직	• 통증 없음 • 편평한 가장자리 • 깊은 상처 • 봉와직염, 골수염

구분	동맥성	정맥성	신경병증(당뇨성)
보존적 치료	• 위험인자 교정(당뇨, 고혈압, 금연) • 혈류 개선(금기 아닌 경우 수분 섭취 유지, 체중조절, 규칙적 운동, 체온 유지)	• 원인 감소와 제거 • 전신상태 조정 • 부종 관리 • 약물요법 • 수술적 중재	• 당뇨 조절 • 봉와직염 치료 • 골수염 확인 • 국소적 치료 • 보조기 • 환자 교육, 지지
수술적 치료	혈관수술	피부이식	• 괴사조직 제거 • 말초혈관 질환 동반 시 혈관 수술

tip 하지궤양 환자 간호 시 주의점

❶ 하지궤양의 경우, 정맥과 동맥부전이 둘 다 있는 경우가 많으므로 동맥 상태 사정이 필수적으로 이루어져야 한다.

❷ 족배동맥 촉지 시 압박 적용이 가능하지만 도플러를 이용한 ABI 측정을 권한다.

❸ ABI＜0.8 정맥과 동맥부전이 둘 다 있는 경우, 높은 수준의 압박을 가해서는 안 된다.

❹ ABI＞0.5 심한 동맥부전을 의미하며, 압박 요법을 적용해서는 안 되고 혈관외과에 의뢰를 해야 한다. 또한 목욕, 수면, 취침 시에는 압박을 해제한다.

수술상처 관리 (Surgical Wound Management)

외과적 절개에 의한 대부분의 수술상처는 치유기전대로 합병증 없이 치유되는 급성 상처에 해당되지만, 일부의 수술상처는 상처치유가 지연되는 만성 상처의 형태로 전환되어 이차 또는 삼차 치유 양식으로 치유가 이루어질 수 있다. 만성 상처의 형태로 지연되는 수술상처는 일반적인 상처 관리 원칙에 준하여 관리가 이루어져야 한다.

1_ 상처 치유 양식

1) 일차 치유 양식

(1) 하부조직의 손상과 상처의 배액이 없어 합병증 없이 봉합된 상태로 치유되는 외과적 절개 상처가 해당된다(Fig 5-41).

(2) 상처에 채워지는 결체조직, 흉터의 최소화, 빠른 치유가 특징이다.

2) 이차 치유 양식

(1) 많은 조직 손상에 의해 개방 상태에서 결체조직으로 채워져 치유되는 형태이다(Fig 5-42).

(2) 치유 기간이 길고 흉터가 많이 남는 만성 상처가 된다.

3) 삼차 치유 양식

(1) 외과적 절개 상처에서 일정 기간 개방된 상태로 있다가 일차적 치유 양식으로 봉합되는 경우이다(Fig 5-43).

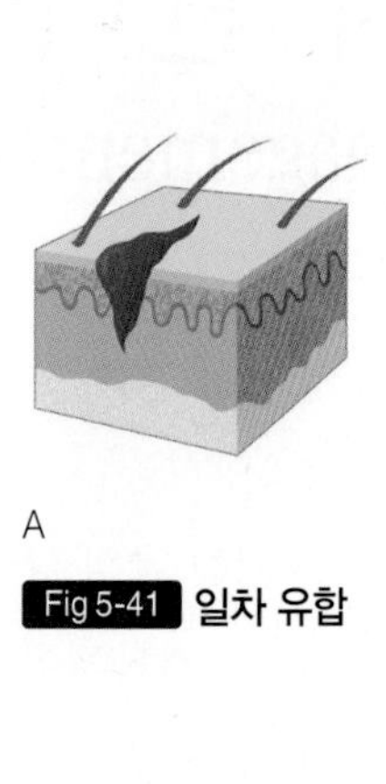
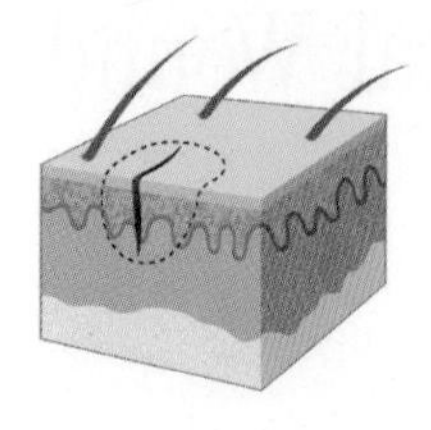
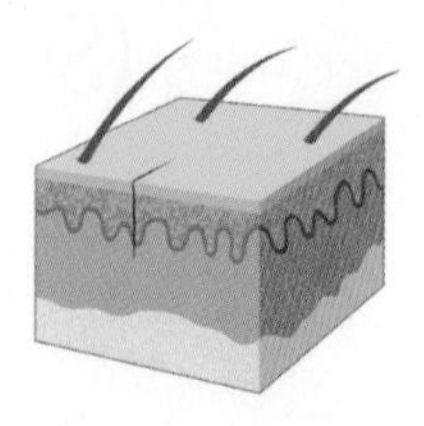
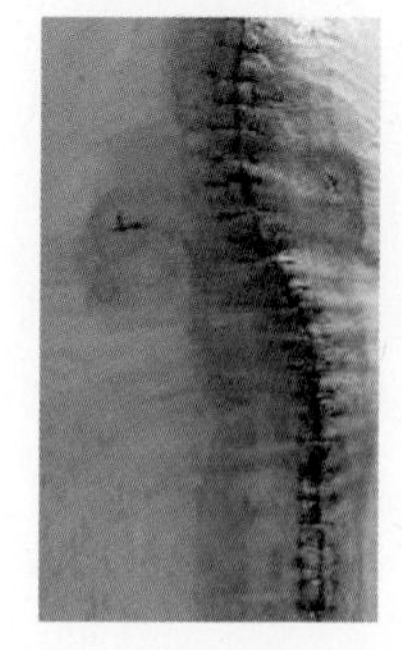

A B

Fig 5-41 일차 유합

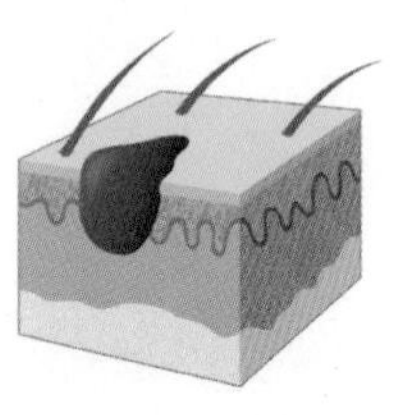
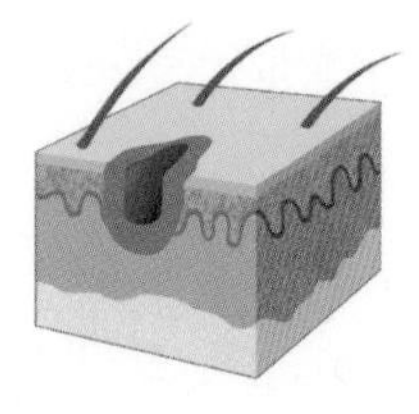
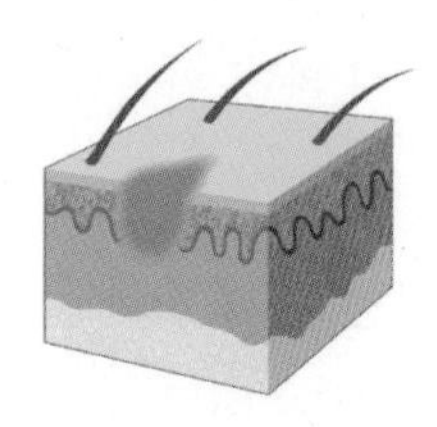
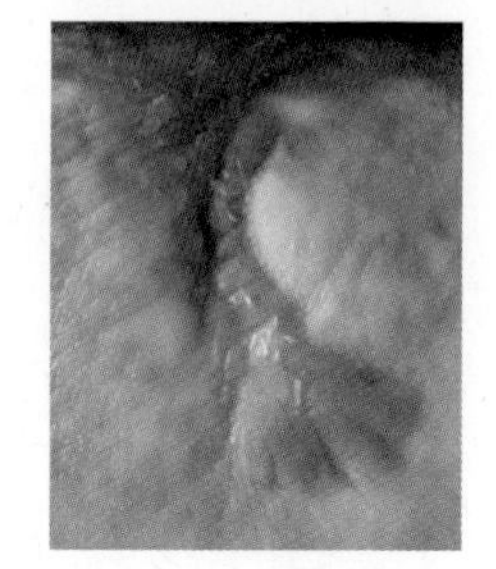

A B

Fig 5-42. 이차 유합

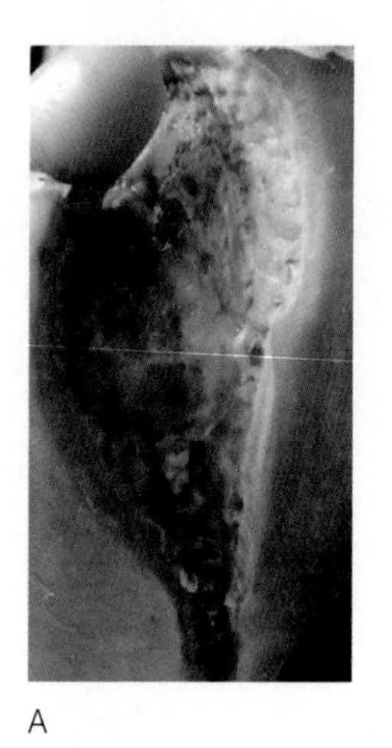
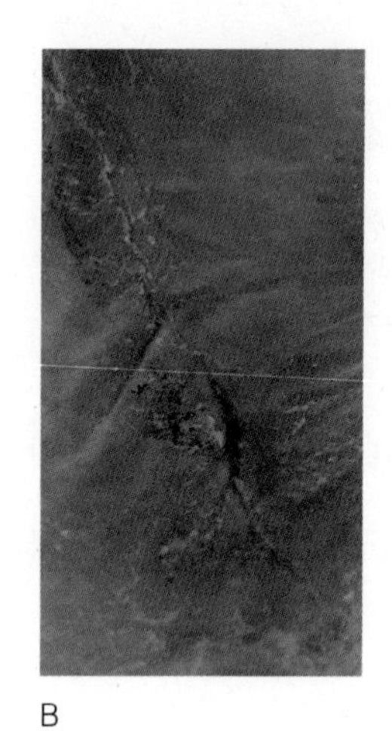

A B

Fig 5-43 삼차 유합

2_ 수술상처의 사정

1) 상처 봉합 능선

(1) 염증기 말인 상처 발생 4~6일에 교원질이 쌓이기 시작

(2) 증식기(5~15일)에 최고조로 교원질이 쌓이며 봉합 부위 양쪽 1 cm 내에 피부경결이 나타나는데, 이를 봉합능선이라 한다.

(3) 봉합능선은 수술 후 4~9일경에 봉합선을 따라 나타나며, 봉합능선이 나타나지 않을 경우 상처열개(dehiscence)의 전구증상일 수 있다.

2) 상처 사정

(1) 국소감염 증상을 사정(발적, 통증, 열감, 부종, 배액물 양상)한다.

(2) 기저질환, 당뇨, 영양 상태, 비만, 약물, 감염, 혈관성, 심리적 상태 등 다양한 요소들이 상처치유에 영향을 미치게 되므로 대상자의 포괄적인 요소를 사정한다.

(3) 상처열개를 사정하고 이에 따른 적절한 관리와 주치의 보고가 이루어져야 한다.

3_ 수술상처 관리

1) 드레싱

(1) 상처의 배액물 흡수, 오염 및 외부로부터의 손상 방지를 위해 일차 드레싱을 실시한다.

(2) 비접착성 흡수 드레싱을 사용한다.

2) 드레싱 기간

(1) 수술상처의 합병증이 없는 경우, 일차 치유 양식에 의하여 수술 후 48~72시간 이내에 재상피화 과정이 이루어져 봉합된다.

(2) 상처 봉합 후에는 일차 드레싱이 필요하지 않으나, 수술상처의 자극 감소와 환자의 심리적 안정감을 위해 드레싱을 시행할 수 있다.

(3) 상처의 분비물이 지속될 경우 드레싱은 유지되어야 한다.

4_ 봉합사 제거

1) stitch out의 시기는 주치의의 권고에 따라 이루어진다.
2) 복부 상처의 경우 보통 수술 후 5~7일경에 제거한다.
3) 상·하지의 경우 10~14일경에 제거한다.
4) 봉합사(staple 포함) 제거 후에는 상처의 열개 여부를 확인한다.
5) 심각한 열개 시에는 주치의에게 보고한다.
6) 삼출물 없는 국소적 열개 시에는 양쪽 상처의 모서리를 맞추어 sterile strip으로 고정한다.

5_ 봉합사 제거 수기술

1) 준비물

소독액(베타딘, 헥시탄), 봉합사 제거 도구(staple remover. blade), sterile strip (필요시), 비접착성 드레싱제(거즈, dressing bandage), splint 유지 환자는 필요시 탄력붕대, cotton roll

2) 목적

(1) 상처가 치유기전에 따라 잘 치유되었다.
(2) 상처 부위에 감염 증상 및 이상 증상이 없다.
(3) 봉합사 제거 후 주의사항에 대해 알고 있다.

3) 수행절차

봉합사 제거 수행절차	
①	손을 씻는다.
②	수술 상처 부위의 드레싱제를 제거한다. (접착제 부위는 피부 손상이 되지 않도록 주의하면서 제거한다)
③	상처의 상태를 사정한다. (분비물, 열개 등)

④	소독액으로 절개선을 따라 처음부터 끝까지 닦고 난 뒤 절개선 양쪽으로 닦아낸다.
⑤	한 손으로 hemostat나 forcep을 이용하여 봉합사를 살짝 들어 올려 봉합 매듭이 피부에서 들리도록 한 뒤, 다른 손으로 blade나 scissor를 이용하여 매듭 아래 봉합사를 자른다.
⑥	Hemostat나 forcep으로 봉합사를 부드럽게 잡아당겨서 제거한다.
⑦	상처의 열개가 의심되는 경우 한 개씩 건너 띄어서 제거한다. - 일부 봉합사를 남겨 둔 경우, 2~3일 후 나머지를 제거한다.
⑧	봉합사를 모두 제거 후 피부열개를 확인하고, 부분적 열개가 있는 경우 양쪽 상처의 모서리를 맞추어 sterile strip으로 고정한다. - sterile strip은 보통 2~3일 후에 제거한다.
Staple 봉합 제거 수행절차	
①	손을 씻는다.
②	수술 상처 부위의 드레싱제를 제거한다. (접착제 부위는 피부 손상이 되지 않도록 주의하면서 제거한다.)
③	상처의 상태를 사정한다. (분비물, 열개 등)
④	소독액으로 절개선을 따라 처음부터 끝까지 닦고 난 뒤 절개선 양쪽으로 닦아낸다.
⑤	Staple remover 끝을 staple에 넣고 Staple remover 양쪽 손잡이를 빠른 속도로 누르면 Staple이 요철 모양으로 구부러지게 된다. 이후 가볍게 피부와 수직으로 올려 제거한다. [상처에 울혈이 있거나 부종이 있는 경우, Staple이 있던 양쪽 끝에서 혈액이 소량 나올 수도 있으므로 이때는 거즈로 지그시 눌러준다(Fig 5-44)]
⑥	상처의 열개가 의심되는 경우 한 개씩 건너 띄어서 제거한다. (일부 봉합사를 남겨 둔 경우 2~3일 후 나머지를 제거한다)
⑦	봉합사를 모두 제거한 후 피부 열개를 확인하고, 부분적 열개가 있는 경우 양쪽 상처의 모서리를 맞추어 sterile strip으로 고정한다(Fig 5-45). (sterile strip은 보통 2~3일 후에 제거한다)
⑧	봉합사 제거 3일 후부터 샤워가 가능함을 설명하고 이상 증상 및 주의사항을 안내한다. (일부러 딱지를 불려서 뜯어지지 않도록 주의)
⑨	봉합사 제거 시 상처의 상태 및 이상 증상 등을 기록한다.

tip 최근에는 봉합사를 이용한 봉합이나 staple을 사용하지 않고 의료용 접착제(Derma bond)나 접착 밴드를 사용하기도 하므로 주치의 처방이나 수술상처를 사정 후 드레싱이나 봉합사 제거 방법을 선택하여야 한다(Fig 5-45).

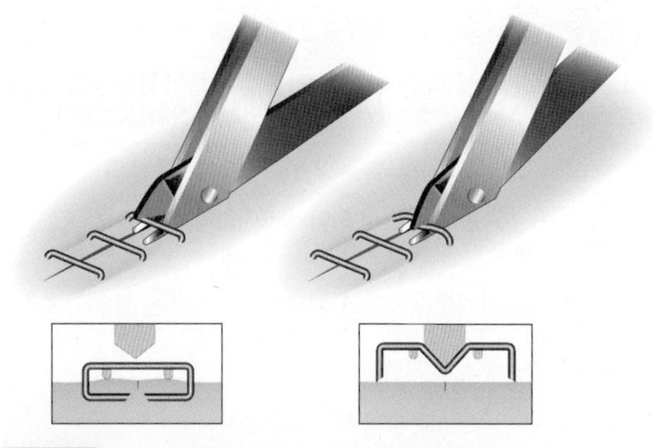

Fig 5-44 Staple remover를 사용한 봉합사 제거

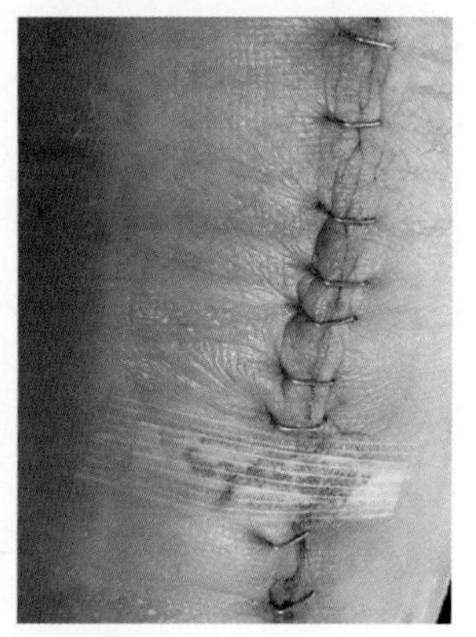

A. sterile strip 고정

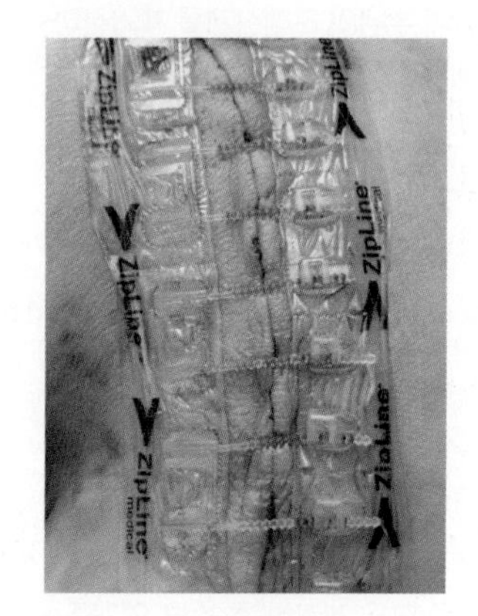

B. zip line 봉합 밴드

Fig 5-45

6_ 발생 가능한 문제

1) 수술 부위 발적, 통증, 열감, 부종, 배액물 등 국소적 감염 증상

2) 상처 열개, 누공

3) 피부색 변화, 경결 등의 혈종을 시사하는 증상

7_ 대상자 교육

1) 수술 부위의 봉합사 제거 2~3일 후부터 샤워가 가능하다.
2) 봉합사 제거 부위의 흉터를 긁거나 딱지를 강제로 뜯지 않는다.
3) 상처 부위의 감염 증상이 관찰되면 의료진에게 알린다.

장루 관리 (Stoma Management)

장루(인공항문, stoma)는 대장·소장 등의 질병으로 인해 대변 배설이 어려울 때, 복벽을 통해 체외로 대변을 배설시키기 위하여 인공적으로 만든 구멍을 말한다.

1_ 장루의 사정

1) 장루 관리의 일반적 사정

(1) 신체 사정: 시력, 손의 민첩성, 청력, 피부 상태

(2) 심리적, 정신적, 정서적 상태

(3) 문화적 배경

(4) 교육 정도

2) 장루의 특성

(1) 항상 촉촉하다.

(2) 모세혈관 분포로 색깔이 붉다.

(3) 모양은 동그랗거나 타원형이다.

(4) 소량의 점액이 분비된다.

(5) 신경이 분포되지 않아 통증이 없다.

(6) 약간의 출혈이 있을 수 있다.

(7) 모양과 크기는 장루의 종류에 따라 개인마다 다르지만 수술 후 차차 작아지기 시작하여 6~8주 후에는 일정한 모양과 크기를 갖게 된다.

(8) 항문의 괄약근과 같은 조절 능력이 없어 대변이 수시로 배출되기 때문에 주머니를

이용하여 관리해야 한다.

3) 장루의 적응증(Table 5-6)

Table 5-6 장루의 적응증

① **손상**	하행이나 S자 결장 손상, 방사선 치료 후 직장-질 누공, 괴사성 항문 직장 감염증으로 항문 주위 및 회음부에 심한 감염
② **게실질환(diverticular disease)**	장 게실(S자 결장에 흔함)로 근육층의 약한 지점을 통해 점막과 점막 하층의 탈장으로 장 천공 위험 시 장루 형성
③ **장염전(Volvulus)**	장이 꼬여 고리를 형성하면서 폐색이 되고 장 간막의 감돈(strangulation)이 생기는 경우 감압, 천공 방지를 위해 장루 형성
④ **장폐색(Bowel obstruction)**	장 폐색을 완화시키기 위해 대개 일시적으로 횡행장루를 형성
⑤ **직장암(Rectal cancer)**	항문연으로부터 2~3 cm 이내에 발생하는 악성종양의 경우 복회음절제술(Mile's operation)을 시행
⑥ **가족성 용종증 (familal adenomatus polyposis)**	선천성 질환으로 대장과 직장 전 영역 용종. 100% 악성으로 되므로 대장 적출 후 장루 형성
⑦ **궤양성 대장염 (Ulcerative colitis)**	대장에 국한된 만성 염증성 질환으로 치료하지 않을 시 악성 전환 가능성 있어 장루 형성
⑧ **크론병(Crohn's disease)**	소화기관 모든 영역 침범 및 장벽 전층 침범으로 회장과 대장에 영향 미치며 회음 항문부 병소나 누공 시 일시적, 영구적 장루 형성

4) 장루의 구조

(1) 대장암 호발 부위와 장루 유형

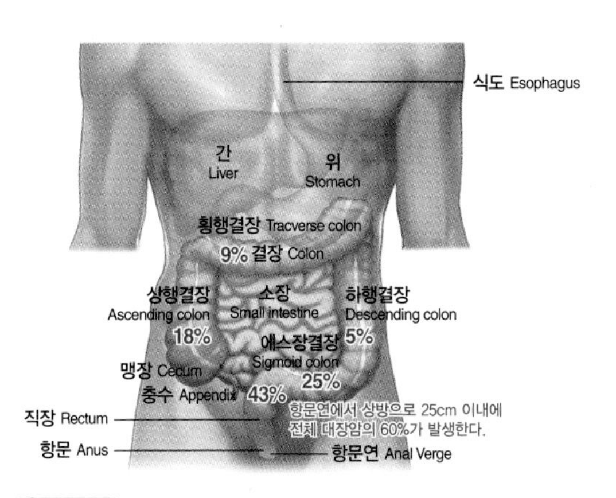

Fig 5-46 대장암 호발 부위와 장루 유형

(2) 장루는 구조 유형에 따라 말단장루(End stoma), 환상장루(Loop stoma), 이중 원통장루(Double barrel stoma)가 있다.

① 말단장루

장을 절개한 후 절제된 장의 근위부가 복부 표면으로 나오면서 만들어지는 것이다.

- 복회음 절제술은 원위부의 장이 절제되는 수술로 마일스(mile's operation) 수술로 알려짐
- 하트만 수술(Hartmann's operation)은 복부 봉합 후 원위부의 장이 복강 내에 남아 있게 되는 수술(Fig 5-47)

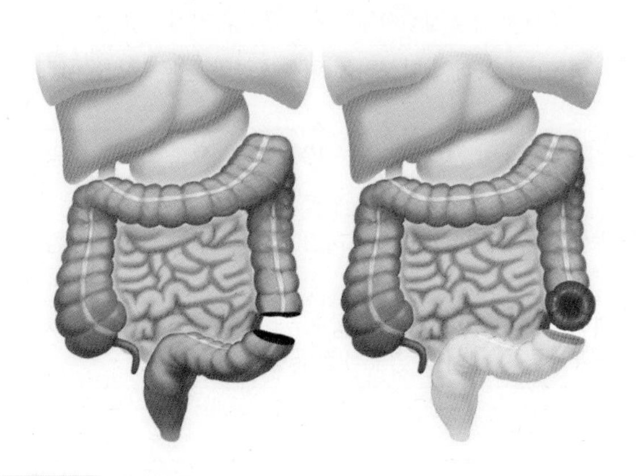

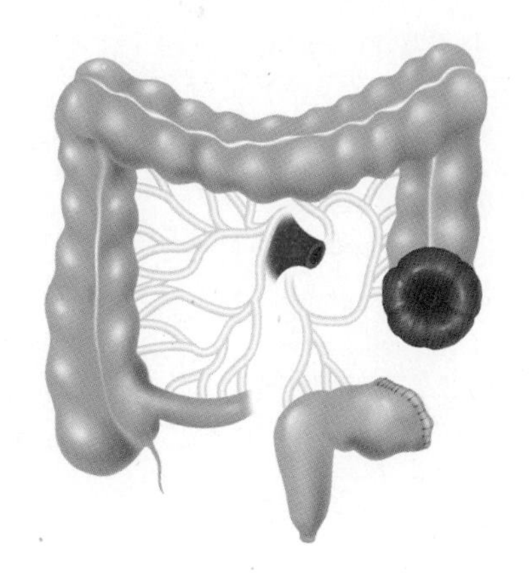

Fig 5-47 말단장루(복회음 절제술/하트만 수술)

② 환상장루

장을 복부위로 끌어당긴 후 장루가 스스로 성숙해지도록 절개만 하고 장이 다시 복강 내로 들어가는 것을 막기 위해 지지대로 고정한다(Fig 5-48).

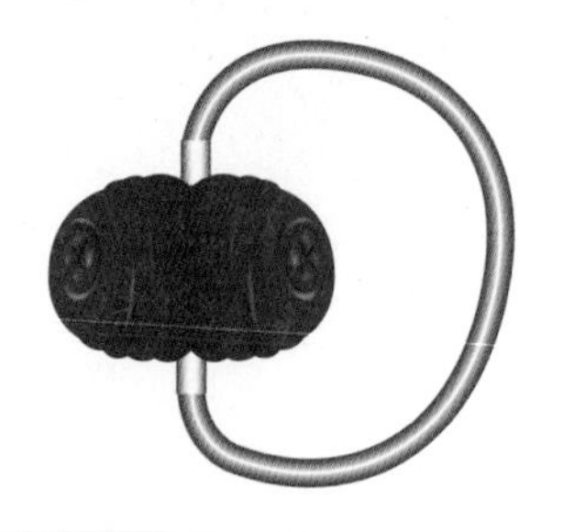

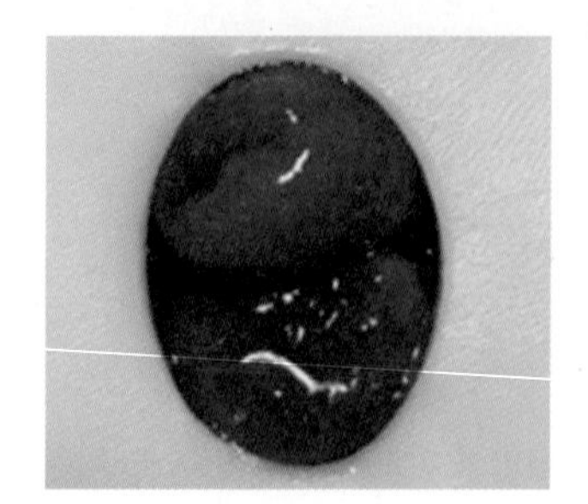

Fig 5-48 환상장루

③ 이중 원통장루

복부 위로 끌어당겨진 장루가 완전히 절개되어 두 개의 장루가 만들어진 경우이며, 근위부 장루와 원위부의 장루는 오로지 점액만을 배출하게 되므로 원위부의 점액누공이라고도 할 수 있다. 원위부의 장이 복강 내에 남겨진 장루 환자는 장루 뿐 아니라 직장으로도 대변이 나올 수 있으며 점액이 주기적으로 직장을 통해 배출될 수 있다(Fig 5-49).

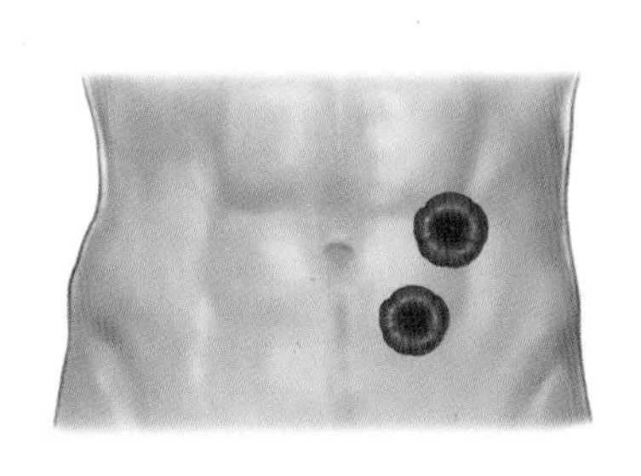

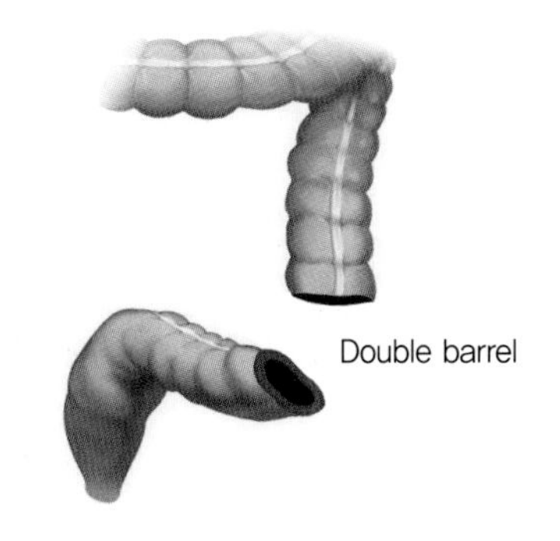

Fig 5-49 이중 원통장루

(3) 이상적인 장루의 특징

① 높이: 1~1.5 cm

a. 환자가 쉽게 볼 수 있다.

b. 배출물의 누수를 예방한다.

c. 지나치게 앞으로 돌출된 장루는 옷을 입으면 두드러진다.

d. 너무 편평한 장루는 함몰될 수 있다.

② 개구부의 위치: 장루의 가장 높은 부분

a. 배출물의 배액을 촉진한다.

b. 개구부가 피부에 근접해 있다면 누수의 위험이 높다.

③ 색깔: 선홍색

a. 원활한 혈액순환을 의미한다.

b. 일시적 색깔 변화가 나타날 수 있다(빈혈).

④ 모양: 둥근 모양

a. 원형으로 만들어진 상품화된 제품이 많으므로 쉽게 적용이 가능하다.

⑤ 신체에서의 위치: 허리 아래의 매끄러운 표면

a. 주름, 뼈 돌출 부위, 배꼽 주위는 주머니 부착을 방해할 수 있으며 허리 아래에 위치하게 되면 옷 밑으로 감추기 쉽다.

(4) 장루 배설물의 특성

유형	양(ml)	농도	PH
회장루(ileostomy)	750~1,000	치약 정도의 농도	약 알칼리성
상행결장루(ascending colostomy)	500~750	치약 정도의 농도	약 알칼리성
횡행결장루(transverse colostomy)		걸쭉하거나 반고형	약 알칼리성
하행 및 S자 결장루(descending&sigmoid colostomy)		반고형 또는 고형	약 알칼리성

2_ 장루 관리의 목표

1) 장루를 통한 대변 배설이 원활하다.

2) 장루 주위 피부가 정상이다.

3) 장루주머니 교환에 대해 알고 있다.

4) 장루 합병증을 알고 대처 방법에 대해 알고 있다.

3_ 장루 합병증

합병증	원인	임상증상	사정
장마비(Paralytic ileus)	장운동 저하, 수술 시 장 조작 및 마취, 복강 내 농양, 저칼륨혈증	장음 없고 가스, 대변통과가 안 됨	가스, 대변 배출 사정
장폐색(Intestinal obstruction)	장 유착, 대변 매복, 장 중첩	오심, 구토	부분폐색보다 완전 폐색 때 증상이 심각
장내 흡수 변화 (Altered intestinal absorption)	절단으로 인한 흡수능력 저하, 소장 소실 시 비타민 B_{12} 평생 투여	악성 빈혈, 말초 신경염	혈중 비타민 B_{12} 관찰, 보충

합병증	원인	임상증상	사정
문합 부위 누수 (Anastomosis site leakage)	문합 부위 누수, 수술 후 사망 원인 증가 원인	복부팽만, 복통, 배액관으로 대변 배출	즉각 보고, 재수술
장루괴사(Stoma necrosis)	장간막 과도한 절제로 인한 장루와 원위부에 혈액 공급 부족, 복부팽만, 비만으로 인한 장간막 긴장, 장벽 부종	장루 색깔 검거나 보랏빛이나 창백, 괴사	괴사 수준 사정
장루점막과 피부의 분리 (Mucocutaneous separation)	장루와 복부 표면 봉합선 파괴, 영양결핍, 약물, 감염, 방사선 치료	장루함몰	재봉합, 자연봉합을 위한 중재

4_ 장루 관련 상처 관리

장루는 장의 점막을 외부로 노출시켜 복부의 피부에 고정시켜놓은 상태로 수술 직후에는 허혈이나 괴사에 따른 장루 주위 피부 문제와 배설물에 의한 장루 주위 피부 벗겨짐, 수포, 궤양, 피부감염 및 부착물에 의한 피부 알레르기 등 다양한 피부 문제의 발생 가능성이 있다.

1) 장루간호 목표

(1) 장루 주위에 발생할 수 있는 상처에 대해 알고 있다.

(2) 장루 주위 피부가 깨끗하게 유지된다.

(3) 장루와 관련된 다양한 상처 관리 방법을 알고 있다.

2) 장루 관련 피부 상처

문제	원인	사정	관리
연화 및 침염	장루 주위 피부가 배설물 수분에 장시간 노출	피부 축축, 허옇게 됨, 주름지고 탄력 잃음, 회장루에 흔함	적절한 피부 보호판 교환, 교환 시 피부 건조시키기, 피부 보호필름 적용, 장루와 보호판 틈새 연고로 메움
표피박리	접착테이프, 보호판, 물리적 손상	홍반, 부종, 표피 탈락으로 분비물, 출혈, 통증	피부 보호판 제거 시 누르고 당기기 기법 사용, 피부 보호필름 적용, 잔여물 제거제, 장루 및 피부와 보호판 틈새는 연고(paste)로 메움

tip 크러스팅(crusting method) 기법

식염수 세척 후 거즈로 두드려 닦고, 장루용 파우더(스토마헤시브, 컴필파우더)를 뿌리고 가볍게 두드려준다. 이후 잔여물을 제거하고 피부 보호판을 부착하거나 파우더와 보호필름을 반복 사용하여 피부 보호를 한 후 피부 보호판을 부착한다.

문제	원인	사정	관리
접촉성 피부염	• 자극성 피부염 • 알레르기성 피부염	• 자극성 피부염: 회장루 배설물의 소화 효소, 비누, 압력, 마찰, 세척제 • 알레르기성 피부염: 보호판, 겔, 파우더, 테이프	• 자극성 피부염: 보호막이 있는 보호판 사용 • 알레르기성 피부염: 제품 종류 최소 사용, 물로만 세척
표피 비대	배설물로 인한 피부 손상 후 육아조직 과다형성되고 치료 후 비대 발생	장 점막과 피부 경계에 결절, 출혈, 통증	장루 크기 변화에 따른 적절한 기구 사용, 경계에 연고 메움으로 피부 보호, 결절 제거나 질산은 소작
진균감염 (캔디다 증)	배설물 누수, 땀, 위생상태 불량, 면역저하	소양감, 홍반, 농포 형성	항진균제 사용, 건조하고 청결하게 유지
장루점막, 피부 분리	장루 형성 시 장과 피부 봉합선 분리, 영양결핍, 당뇨, 스테로이드 사용, 장루와 피부 경계 부위 감염	허혈, 괴사, 홍반, 부종, 경결, 발열, 통증	분리된 피부 감염 예방, 국소치료
괴저성 농피증	면역체계 이상과 관련	통증 동반 구진, 소수포, 농포, 궤양, 괴사	스테로이드 사용, 장루 주머니 누수 예방, 상처 관리

3) 장루 주머니 교환 수기술

(1) 준비물

장루 주머니(원피스, 투피스, 장루에 맞는 크기), 피부 보호판(Plate), 피부 보호 연고(Paste), 피부 보호 파우더(stomahesive), 테이프, 피부 보호 필름(skin barrier film), 피부 잔여물 제거제(remover), 물티슈나 젖은 수건, 휴지, 일회용 장갑, 비닐주머니, 장루 크기 모양 틀, 유성펜, 곡선 가위

(2) 교환시간

장루 주머니 교환의 가장 좋은 시기는 장이 활동적이지 않을 때이다. 결장루는 식사 2시간 후가 가장 적절하다. 환자들 각자가 경험적으로 최적의 시간을 정하는 것이 좋다.

(3) 교환주기

① 개인마다 다르나 장루 보유자의 조절 능력을 키우기 위해 정기적인 교환을 하는 것이 좋다.

② 결장루는 문제가 없다면 5~7일마다 교환한다.

③ 좋지 않은 위치나 함몰일 경우 주 2회 정도 교환한다.

④ 장루 주위 피부가 가렵거나 화끈거림, 배설물 누수, 피부 보호판의 녹아내림, 주머니 폐쇄에도 불쾌한 냄새가 날 때에는 즉시 교환한다.

(4) 교환 절차

① 부착된 주머니와 판을 피부에서 부드럽게 제거한다. 제거할 때에는 한 손으로 피부를 눌러주어 피부 손상을 줄이고 보호판이 잘 제거가 되지 않는 경우에는 보호판 제거 스프레이를 뿌려주면 자극 없이 쉽게 제거할 수 있다.

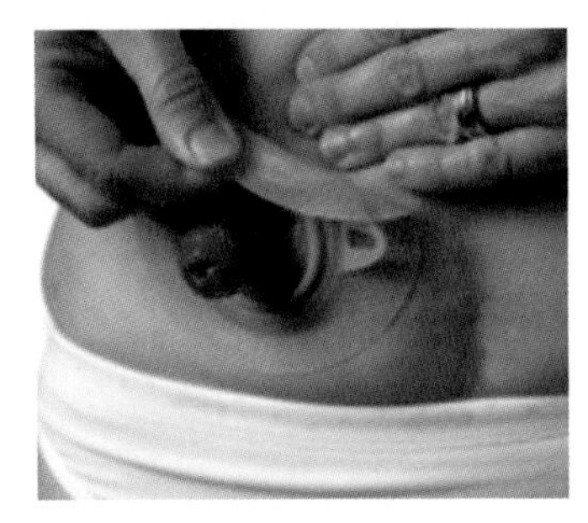
A. 출처: coloplast

B. 출처: coloplast

Fig 5-50 브라바 보호판 제거 스프레이

② 장루 주변을 클린져를 물티슈에 적셔 닦아내거나, 물티슈로 깨끗이 닦은 후 물기를 완전히 말려 준다. 클린져는 배설물을 깨끗이 제거하고 배설물로 자극된 피부의 산도를 중화시켜 손상 방지 및 손상된 피부의 재생을 도와준다.

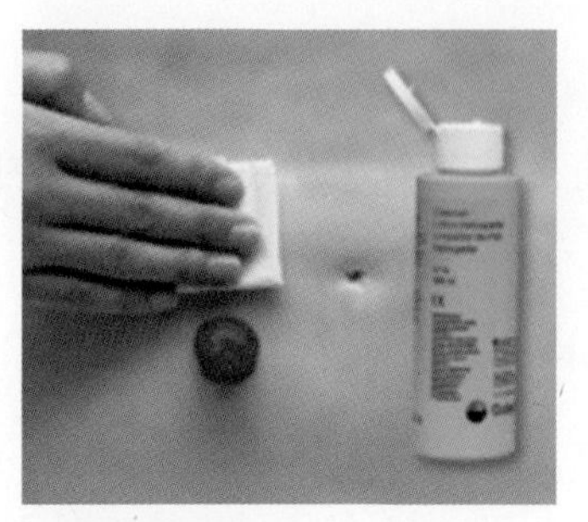

A. [출처: coloplast]

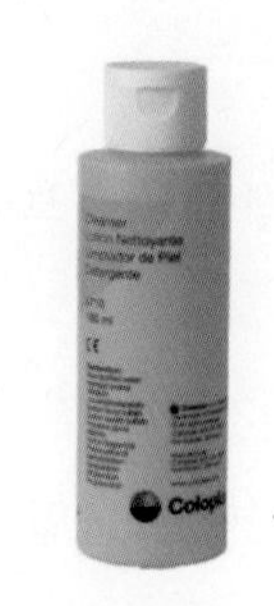

B. 출처: coloplast

Fig 5-51 클린져

③ 장루의 크기를 장루용 자를 이용해 상하, 좌우로 측정한다. 피부 보호판 뒤에 장루의 크기를 표시하고 크기대로 피부 보호판을 자른다(곡선 가위를 이용해 본이 그려진 피부 보호판을 장루 크기보다 2~3 mm 크게 오린다). 장루가 함몰인 경우에는 함몰용 제품을 사용한다. 가위로 오려진 거친 부분은 손으로 부드럽게 다듬는다.

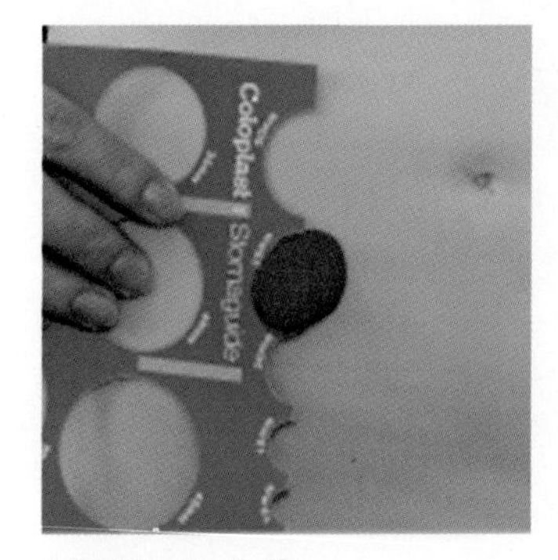

A. [출처: coloplast]

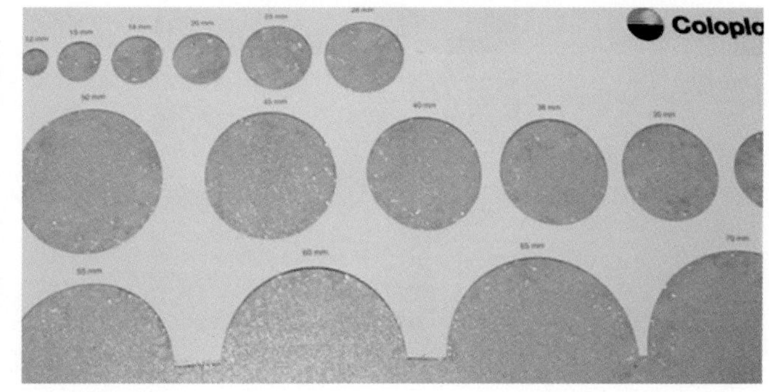

B. [출처: coloplast]

Fig 5-52 장루용 자

④ 장루 크기에 맞춰 보호판을 자르고 뒷면의 비닐을 제거 후, 오려낸 구멍 주변에 틈을 막는 연고를 적정량 바르고 공기 중에 잠시 둔다.

A. [출처: coloplast]

B. [출처: coloplast]

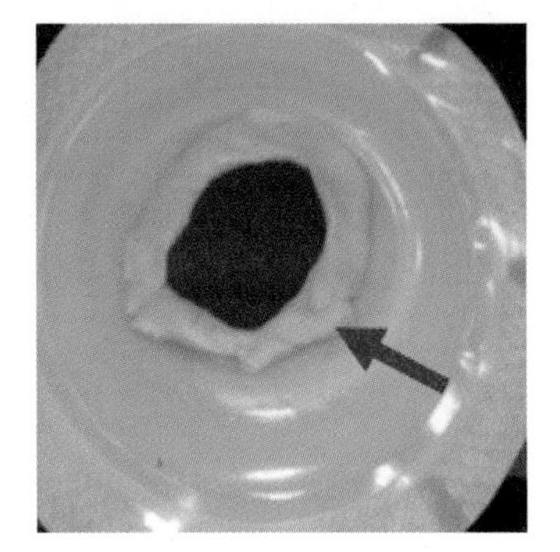

C. [출처: coloplast]

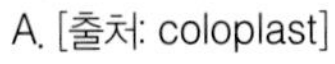
Fig 5-53 paste

⑤ 장루에서 나오는 배설물이 많이 묽거나 상처가 있는 경우에는 장루용 파우더를 장루 주변에 얇게 뿌려준다.

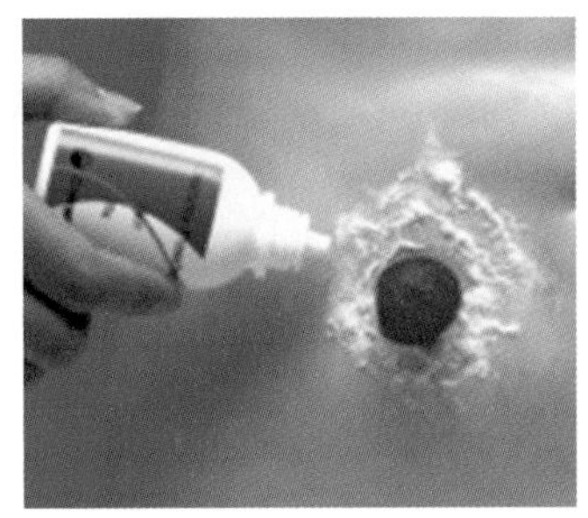

A. [출처: coloplast]

B. [출처: coloplast]

Fig 5-54 브라바 파우더

⑥ 장루 주변에 피부 보호 필름 스프레이를 뿌려 준다. 필요에 따라 피부 보호시트를 이용해 주위 피부를 보호한다.

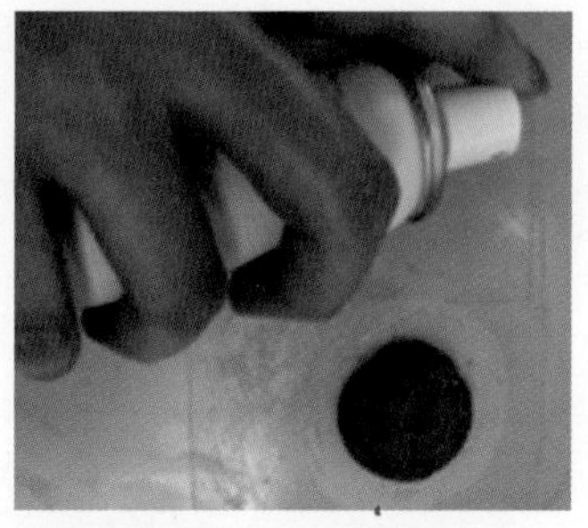

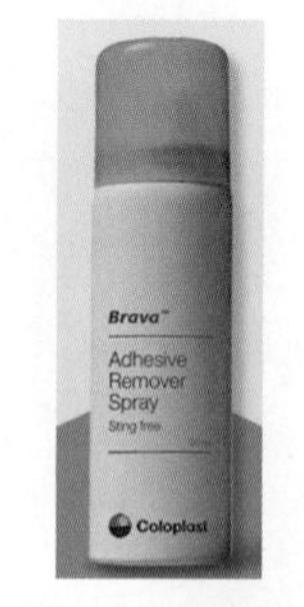

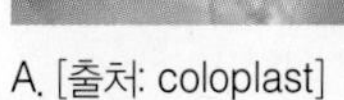

A. [출처: coloplast] B. [출처: coloplast] C. [출처: coloplast]

Fig 5-55 브라바 피부 보호판 / 리무버 스프레이

⑦ 장루 모양이 불규칙하거나 틈을 막는 연고 사용이 불편한 경우, 몰더블 링을 장루 크기만큼 늘려서 장루를 감싸주면 편리하게 사용할 수 있다.

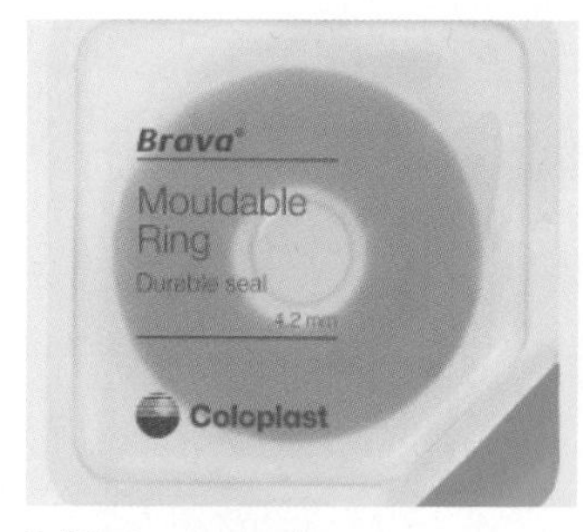

A. [출처: coloplast] B. [출처: coloplast] C. [출처: coloplast]

Fig 5-56 브라바 몰더블 링 / 페이스트

⑧ 피부 보호판을 피부 위에 얹고 보호판 장루 주변 가운데서 보호판 가장자리 쪽으로 부드럽게 문질러 준다.

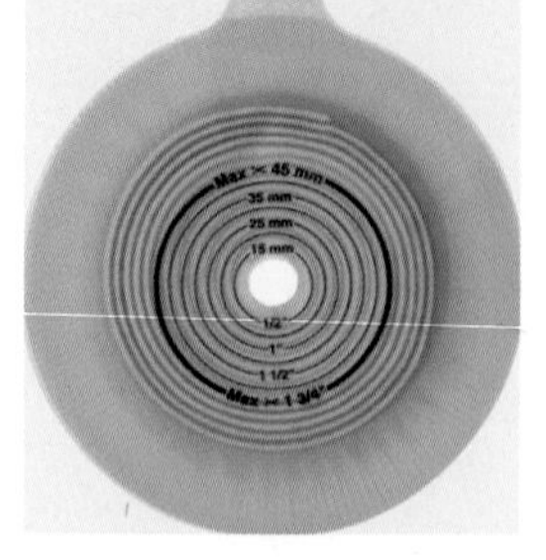

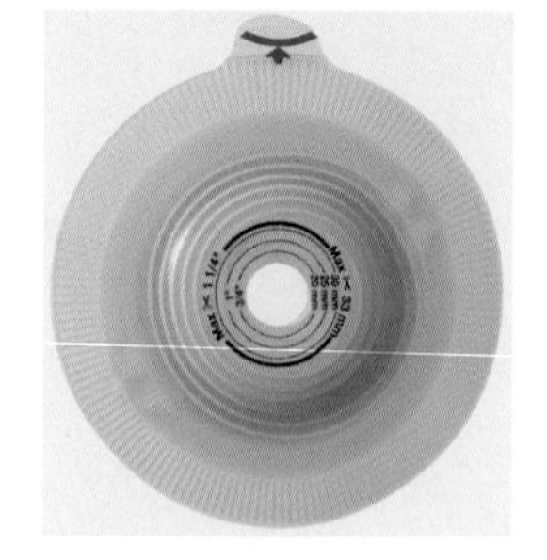

A. [출처: coloplast] B. [출처: coloplast] C. [출처: coloplast]

Fig 5-57 보호판

⑨ 주머니 끝을 먼저 잠근 후, 잠금 장치가 열린 것을 확인하고 보호판의 아래 틀에 주머니를 먼저 고정한다. 이후 링을 따라 위로 부드럽게 문질러주면 판과 주머니가 결합된다.

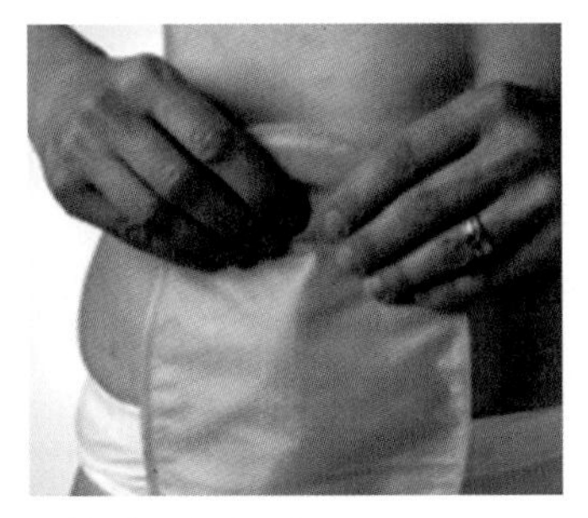
A. [출처: coloplast]

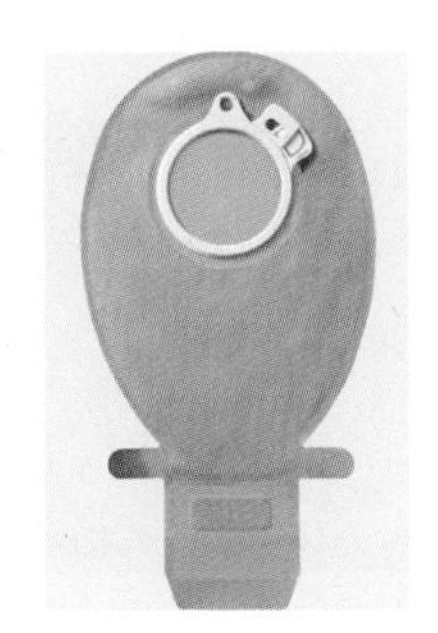
B. [출처: coloplast]

Fig 5-58 장루 주머니

⑩ 주머니 방향을 편리하게 조정한 다음 엄지와 검지를 이용해 잠금 장치를 잠근다. 주머니가 잘 부착되었는지 아래로 살짝 당겨서 확인한다. 교환 후에는 부착이 잘 되도록 5분 정도 따뜻한 손으로 살짝 눌러준다.

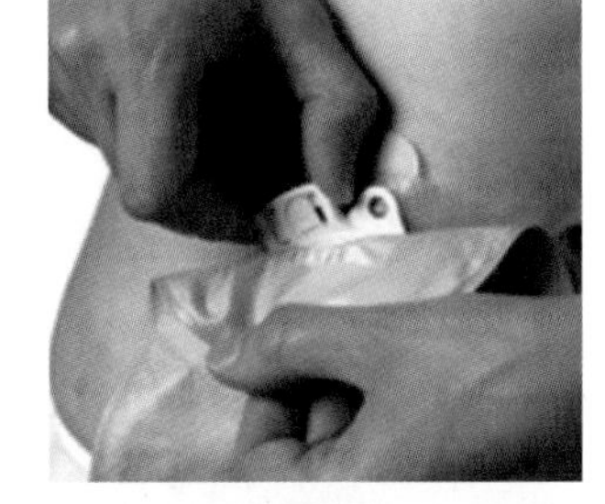

⑪ 주머니를 분리시킬 때는 잠금 장치의 가운데를 손톱 끝으로 눌러서 연다. 센슈라 장루 주머니는 잠금장치를 연 상태에서 360° 회전이 되므로, 원하는 방향으로 주머니의 위치를 조절할 수 있다.

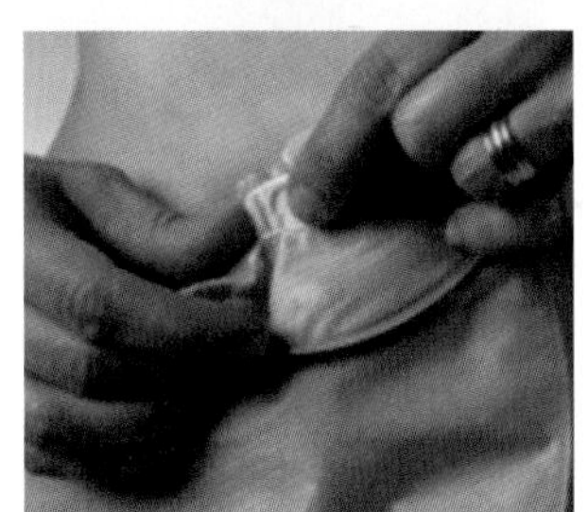

⑫ 주머니의 고리를 함께 잡고 다른 손으로 부착판을 누르면서 약간 위로 잡아당기면 분리가 된다.

⑬ 장루 상태, 장루 주위 피부 상태, 배설물 양상, 환자 상태 등을 기록한다.

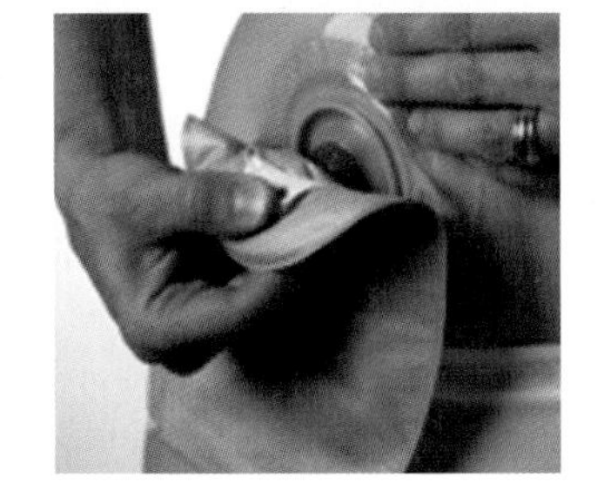

(5) 장루 주머니 비우기와 잠그기

① 벨크로 날개를 열고 밑 부분을 잡으며 벌린다.

② 변을 비운다.

③ 티슈로 배출구 부분을 닦아 준다.

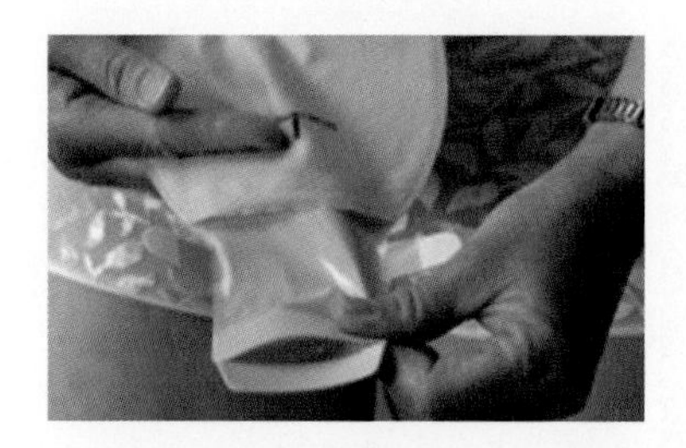

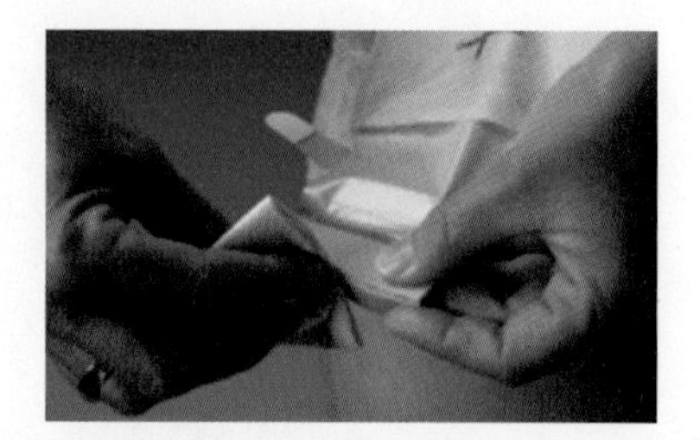

④ 주머니 끝 부분을 선이 그려져 있는 쪽으로 접은 후 같은 방향으로 두 번 더 접는다.

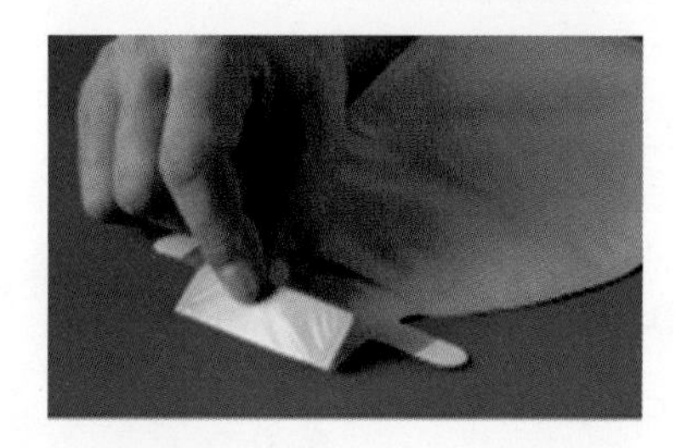

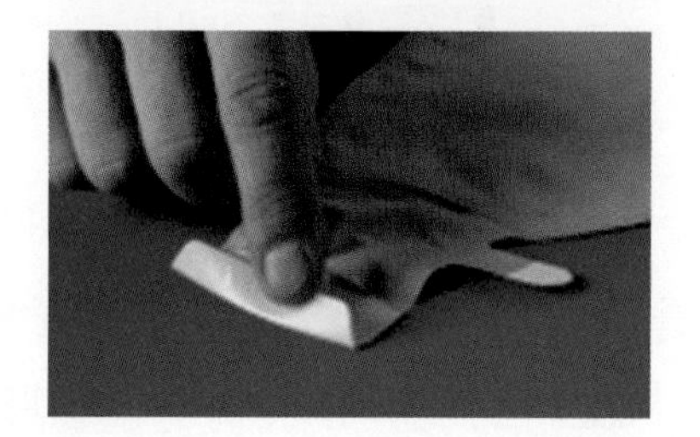

⑤ 벨크로가 있는 날개를 접어서 고정시킨다.

5_ 장세척

하행결장이나 S자결장루 보유자에게는 장세척 방법에 대한 안내가 이루어져야 한다. 장세척은 정확한 지식과 세심한 주의가 필요하므로 장세척 시행 여부와 시작하는 시기는 반드시 의료진과 상의한다.

1) 원리

장루 속으로 세척액을 주입함으로써 대장을 팽창시키고, 대장 벽의 장관신경총(enteric plexus)을 자극하여 대장의 수축을 유발함으로써 배변하도록 하는 것이다.

2) 효과

(1) 불규칙하게 나오던 변과 가스로 인한 불편감을 감소시킨다.

(2) 변비를 예방할 수 있어 복압 상승으로 생길 수 있는 장루 탈출, 탈장을 방지할 수 있다.

(3) 배변조절이 되고 가스와 냄새를 줄여주며 장루 주머니를 계속 부착하지 있지 않고 간단한 테이프나 장루캡, 미니 장루 주머니를 착용하기 때문에 장루 보유자가 삶의 질을 높일 수 있다.

3) 적응증

(1) 하행결장이나 S자결장루인 경우

(2) 정상적 장기능이 회복된 경우: 규칙적 장운동이 있는 경우

(3) 장세척 절차를 배우고 수행 능력이 되는 경우

4) 금기

(1) 장루 탈출이나 탈장이 발생한 경우: 대장천공 위험이 있다.

(2) 어린이인 경우: 대장의 의존성이 생길 수 있다.

(3) 복부나 복강 내 방사선 치료를 받는 경우: 대장천공 위험이 있다.

6_ 병원 방문이 필요한 경우

1) 2~3시간 이상 복통이 지속되는 경우

2) 장루의 과다한 출혈

3) 심한 피부 손상

4) 장루 모양 변화 및 색깔 변화

5) 5~6시간 이상 계속되는 물변 배설

7_ 대상자 교육

1) 장루 보유자의 관리 시 점검 목록

(1) 환자용 교육자료(주머니 교환 절차, 교환 횟수)

(2) 장루관리 목록(제품 이름과 크기)

(3) 추후 외래 방문 예약(제품 잔여량 확인 및 처방)

(4) 장루 전문간호사의 연락처

(5) 병원 및 가정간호(방문간호) 팀 연락처

(6) 지지그룹 연락처

2) 장루 보유자의 식생활

구분	종류	관리 방법
냄새 유발 음식	달걀, 커리, 쿠민 및 칠리파우더 식품, 마늘, 아스파라거스, 생선, 알콜	• 크랜베리 주스, 파슬리, 버터 우유, 요거트는 냄새를 감소시킴 • 방취 처리 주머니 사용
가스 유발 음식	맥주, 탄산음료, 유제품, 양파, 오이, 버섯, 콩류, 시금치, 옥수수, 양배추, 브로콜리, 케일 등 십자화과 야채류	• 음식을 꼭꼭 씹게 함 • 결장루 보유자의 경우 음식이 가스를 생성하기까지 약 6시간 정도 소요됨 • 가스제거용 필터 사용
변비 유발 음식	바나나, 쌀, 빵, 감자, 땅콩버터, 사과잼, 치즈, 국수	• 충분한 수분 섭취
변을 묽게 하는 음식	콩류, 초콜릿, 생과일, 생야채, 튀김, 양상추, 브로콜리, 시금치, 포도주스	• 연식 섭취 • 변비 유발 음식 섭취 • 수분, 전해질 보충

요루 관리
(Urostomy Management)

신장에서 생성된 소변은 신배, 신우, 요관을 거쳐 방광에 모아져 요도를 통해서 배출된다. 그러나 비뇨기계의 악성종양, 외상, 폐쇄성 요로병변 등으로 소변의 배출 경로에 문제가 생길 경우 경로를 바꾸어 주는 시술을 요로전환술(Urinary diversion)이라고 한다.

요루(urostomy)는 장관을 이용한 요로 전환술의 결과로 복벽에 생기는 개구부를 말하며 이용하는 장관에 따라 요루의 종류는 다양하다.

1_ 요루 종류

1) 회장 도관

가장 많이 행해지며 회장의 말단부를 이용한다. 요관을 방광에서 떼어 회장에 붙인 뒤 회장의 한쪽은 봉합하고 다른 쪽은 복벽으로 개구부(요루)를 낸다. 배액이 용이하며 신진대사의 문제가 적으나 요관 회장문합 부위에서 역류가 잘 일어난다.

2) 공장 도관

다른 장의 이용이 어려울 때 시행하나 소변의 재흡수로 인한 대사의 문제가 많다.

3) 대장 도관

일반적으로 어린이에게 시행하며 개구부의 협착은 적으나 stone 발생과 역류가 많다.

2_ 요루 관리의 목표

1) 요루를 통한 소변 배출이 정상이다.
2) 요루 주위 피부가 정상이다.
3) 요루 관리에 대해 알고 있다.
4) 요루 합병증과 대처 방법을 알고 있다.

3_ 요루 교환 수기술

1) 목적

(1) 요루를 통한 원활한 소변 배출이 되도록 수행하기 위함이다.
(2) 요루 관리를 통한 피부 문제가 없으며 요루 주머니 교환을 안전하게 수행한다.

2) 준비물품

요루 주머니, 피부 보호판, 장루 크기 측정 모양틀, 유성펜, 곡선 가위, 피부 보호용 연고, 피부 보호용 파우더, 피부 보호용 필름, 젖은 수건이나 휴지(물티슈), 일회용 장갑, 역류 방지 벨트

3) 간호 수행

순서	요루 주머니 교환 수행절차
①	손을 씻고 필요한 준비물을 환자 가까이에 준비한다.
②	한 손으로 피부를 누르면서 한 손은 부착된 주머니를 부드럽게 제거한다.
③	젖은 수건이나 물티슈로 요루와 주위 피부를 닦아내고 건조시킨다. (심지를 요루에 대고 소변이 흡수되게 한다. 필요 시 털을 제거하고 잔여물이 제거 안 될 경우 제거제를 이용한다)
④	요루 모형판이나 자 등을 이용하여 요루의 크기를 측정한다. (크기가 고정된 경우에는 기존 측정된 것을 사용한다)
⑤	피부 보호판 뒷면에 요루의 모형을 그린 후 가위로 오려내어 요루 크기에 맞춘다. (피부 보호판은 요루 크기보다 3~5 mm 크게 오린다)

순서	요루 주머니 교환 수행절차
⑥	피부 보호판 뒷면의 종이를 제거하여 접촉면 노출 후 피부 보호판에 연고(paste)를 바르거나 요루 주위에 바른 후 알콜 성분이 증발될 때까지 기다린다.
⑦	피부 보호 연고 사용 전에 피부 보호필름을 요루 주위에 뿌리거나 바른다. 요루 주위 피부가 손상된 경우 피부 보호 파우더를 함께 사용하여(크러스팅 기법. TIP 참조) 피부 간호를 한다.
⑧	피부 보호판 개구부의 가운데 부분이 요루 위에 오도록 한 후 눌러서 붙인다.
⑨	투피스인 경우 피부 보호판에 주머니를 맞추어 끼운다.
⑩	주머니가 제대로 부착되었는지, 누수되는 부분은 없는지 확인한다.
⑪	교환 날짜를 적어 표시하고 소변이 누수되기 전에 교환한다.
⑫	환자 상태, 요루 상태, 요루 주위 피부, 배설물 양상 등을 기록한다.

tip

크러스팅 기법(Crusting method)

장루나 요루 주위 피부에 잔여물이 없도록 닦고 피부 보호 파우더를 요루 주위 피부 또는 손상된 피부에 가볍게 뿌린다. 뭉쳐진 것은 면봉으로 펴주고 피부 보호 필름을 뿌리는 과정을 3~5회 반복한다.

A. 브라바 파우더

B. 브라바 베리어 크림

C. 스킨 베리어 필름

Fig 5-59 [출처: coloplast]

4_ 발생 가능한 문제

1) 요루(urostomy) 관련 피부 손상 및 합병증

소변에는 효소가 없고 본질적으로 피부에 무해하지만 노출 기간이 길어지면 피부의 연화를 유발하고 표피의 증식, 그리고 미네랄 성분이 침전되어 요루와 요루 주위에 결정체가 쌓인다. 이는 알칼리성 소변에서 잘 생긴다.

(1) 요루 관련 피부 손상 및 합병증 관리

피부 손상 및 합병증 예방을 위해서는 알칼리성 소변을 예방하여야 하며 적절한 수분 섭취를 권장하고 요도감염 시 신속한 대처가 필요하다.

요루 관련 합병증	원인	문제해결 방법
요산 결정체	알칼리성 소변	• 금기가 아니라면 1,500 ml~2,000 ml/day 수분 섭취 • 감염 증상과 징후 평가
요석	• 농축뇨 • 만성적 요도감염 • 요도의 산도 변화	• 금기가 아니라면 1,500 ml~2,000 ml/day 수분 섭취 • 소변 산도 조정
요로 감염	요도감염으로 인한 세균 증식	• 충분한 수분 섭취 • 역류 방지용 주머니 • 요 정체 예방 및 주머니 자주 비우기 • 옆구리 통증, 열, 탁한 소변 등 관찰
피부 손상	• 소변 노출 • 피부 보호판	• 피부 보호 제품을 사용하여 피부 노출 최소화 • 소변에 저항성 있는 보호판 사용

5_ 요루 보유자의 교육

교환 및 주의사항과 이상 증상 등 일반적인 지침과 함께 식이, 수분 섭취, 야간 배액, 요도감염 예방, 요석 형성 예방, 요의 산성화 유지에 대한 교육이 필요하다.

1) 식이

(1) 특별히 제한하지는 않으나 소변의 알칼리화로 세균감염, 악취, 피부 손상 등이 나타날 수 있으므로 금기가 아니라면 1일 1,500 ml~1,800 ml의 수분 섭취를 해야 한다.

(2) 아스파라거스, 생선, 양념류는 냄새를 증가시킨다.

2) 주머니 비우기와 야간 배액

(1) 주머니 끝 분출구 조작을 통한 소변 비우기를 교육한다.

(2) 야간 배액 시스템을 이용한 배액 방법을 교육한다. 관이 꼬이지 않게 하고 항상 방광 아래에 위치하게 한다.

3) 요도계 감염 예방

(1) 요루는 역류 방지 시스템이 없으므로 항상 요도감염의 위험성이 있다.

(2) 요루 주위 세균 증식 감소를 위해 역류 방지용(antireflex pouch) 주머니를 이용하며 자주 비워준다.

(3) 요 정체로 인한 세균 증식으로 상행감염이 발생할 수 있으므로 정기적으로 신우조영술(intravenous pyelography)을 시행하여 요 정체 여부를 확인한다.

(4) 요로감염 시 냄새가 심하며 뿌옇다. 그리고 옆구리 통증, 열, 무기력, 식욕저하, 오심, 구토 등의 증상이 나타나며, 이러한 증상 시 즉시 병원에 알리도록 한다.

4) 요석 형성의 예방

농축뇨, 만성적인 요도감염, 요의 산도 변화가 요인이며 충분한 수분 섭취를 강조한다.

5) 소변의 산성화 유지 및 알칼리화 방지

성인의 정상 소변 산도: PH 5.5~6.0으로 약산성을 유지하도록 한다.

[일상으로의 복귀(컨바텍 자료 참조: https://www.convatec.co.kr)]

1. 평소 즐기던 스포츠나 야외 활동을 계속할 수 있습니까?

– 장(요)루 환자도 활동적인 생활을 하는 것이 가능하고, 또 그렇게 해야만 합니다. 다만, 장(요)루가 손상될 수 있는 복싱, 레슬링, 축구와 같은 접촉성 운동은 피하는 것이 좋습니다.

2. 장(요)루 주머니에서 누출이 발생할 수 있습니까?

– 장(요)루 주머니에는 견고한 필름이 사용되어 누출을 최소화합니다. 누출의 가능성을 감소시키기 위해 장(요)루 주머니를 정기적으로 교체, 신체(원피스 시스템의 경우) 또는 피부 보호판(투피스 시스템의 경우)에 단단히 부착되어 있는지 확인하십시오.

3. 장루 주머니에서 악취가 발생하기도 합니까?

– 숯 필터가 장치된 주머니의 사용은 제취와 가스 방출을 도와줍니다. 식단조절로 악취와 가스를 최소화할 수 있으며 장루 주머니에 탈취제를 사용할 수도 있습니다. 모든 인체에서는 소리와 악취가 발생하기 마련입니다. 민망할 경우도 있겠지만 그로 인해 정상적인 생활을 할 수 없을 것이라고 두려워하지는 마십시오.

4. 성관계는 가능합니까?

– 장(요)루를 보유한다고 연인 혹은 배우자와 멀어지는 것은 아닙니다. 만족스럽고 친밀한 관계가 얼마든지 가능합니다. 대화와 신뢰는 치유 과정의 핵심입니다.

– 연인 혹은 배우자와 느끼는 바를 공유하고 상대방이 걱정하는 부분에 대해 적절하게 답변하십시오. 또한 파트너에게 성관계가 장(요)루에 아무 피해를 끼치지 않는다는 사실을 숙지시키십시오.

– 시간을 가지고 이해하고 긍정적인 태도를 견지하면 상호 만족스러운 성관계를 즐길 수 있을 것입니다.

5. 친구들과의 관계가 소원해지지는 않겠습니까?

- 친구들과의 관계는 매우 중요합니다. 도움이 필요한 때 믿고 의존할 수 있는 사람들이 주위에 있으면 심적으로 안심할 수 있습니다.
- 대부분의 장(요)루 보유자가 가족, 친구, 동료들에게 자신의 상태에 대해 이야기하는 것을 어색해 하지만, 대화를 나눌 수 있는 사람은 언제나 여러분 가까이 있다는 것을 기억하십시오.
- 누구와 이야기할 지는 환자가 결정할 문제이지만, 사랑하는 사람들과 신뢰를 유지하는 것은 상호 간에 큰 도움이 됩니다.

6. 옷을 새로 구입해야 합니까?

- 장(요)루 주머니는 신체 구조에 맞추어 평평하게 유지되므로, 대부분의 경우 옷을 입어도 표가 나지 않습니다. 따라서 새로운 옷을 구입하지 않아도 되고 속옷 안쪽이나 바깥쪽에 특수한 속옷-주머니를 착용할 필요도 없습니다.
- 장(요)루가 허리선 근처에 있는 경우 타이트한 바지나 밸트에 압박받지 않도록 하십시오.
- 타이즈를 신을 때는 유연하고 신축성이 뛰어난 것을 선택하십시오.
- 운동용품을 착용할 때는 한 치수 크게 선택하십시오.
- 수영을 할 때 여성의 경우에는 원피스 수영복, 남성의 경우에는 복싱 스타일의 수영복 바지를 착용하면 더 편안하게 느낄 것입니다.

6_ 병원을 방문해야 하는 경우

1) 2~3시간 이상 지속되는 복통
2) 심한 피부 자극, 혹은 심한 궤양
3) 요루의 색깔 변화
4) 요루 크기와 모양의 커다란 변화
5) 요루의 과다한 출혈

7_ 요루 주머니(leg bag) 종류

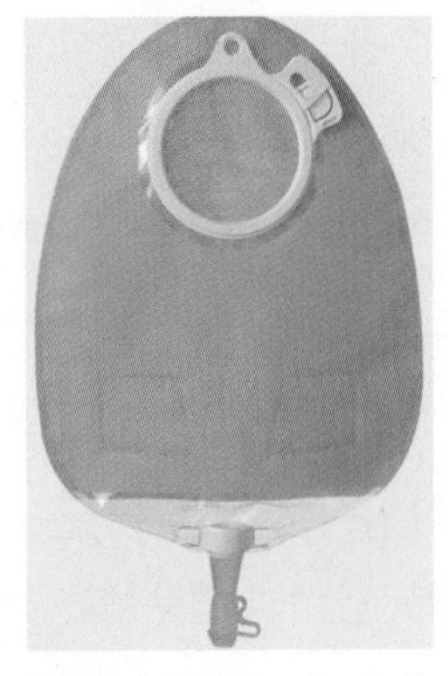

A. 요루 주머니 [출처: coloplast]

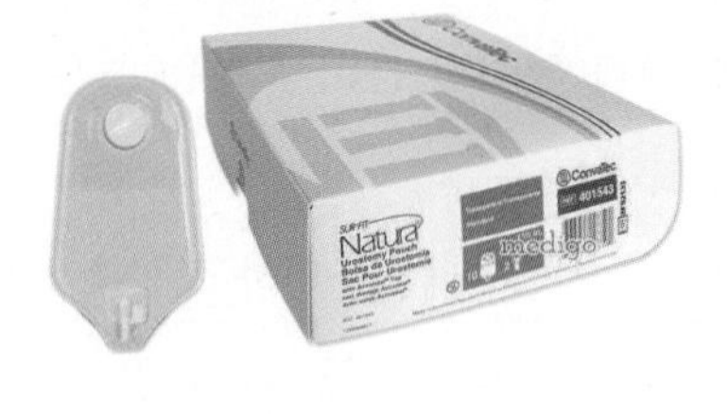

B. 투명 요루 주머니 [출처: convatec]

Fig 5-60

참고 문헌

1. 가정간호학회지: 제18권 제1호, 2011년 6월 J Korean Acad Soc Home Care Nurs Vol. 18 No.1, 32-39, June, 2011, 송종례 외.
2. 글로벌 건강과 간호 제10권 제1호, 2020년 1월 Global Health Nurs Vol. 10 No. 1, 44 -53, January 2020, 당뇨병성 발궤양 위험분류체계의 타당도 검증, 이은주·김묘성.
3. 김용구, 허지원, 김계현, 오강섭, 신영철: 한국판 Edinburgh Postnatal Depression Scale의 임상적 적용. J Korean Neuropsychiatr Assoc, 47(1):36-44, 2007.
4. 당뇨병성 족부 궤양의 치료, 서동교, 이호승, J Korean Foot Ankle Soc. 2014 Mar; 18(1):1-7. Korean. Published online March 11, 2014. https://doi.org/10.14193/jkfas.2014.18.1.1
5. 당뇨병성 족부궤양 환자의 치료형태 및 가정간호 연계. 송종례, 한승환, 이영아, 김미영, 채선미.
6. 박경희: 그림으로 보는 상처 관리, 군자출판사, 2010.
7. 박경희: 그림으로 보는 상처 관리, 군자출판사, 2019.
8. 박지원 외: 상급가정간호 지침과 실제2, 군자출판사, 2010.
9. 병원상처장루실금간호사회: 욕창의 예방과 치료-국제 임상실무지침서, 마인드북스, 2016.
10. 서울아산병원 가정간호 사업실: 서울아산병원 가정간호 지침서, 고려의학, 2010.
11. 이혜옥 외: 상처 관리, 포널스출판사, 2009.
12. 저자 Lewis 외, 편역 신경림 외, 성인간호학.
13. 제 2 형 당뇨 환자에서의 당뇨병성 족부궤양 기여요인, 박서진, 양태영, 이준영, 김진희-Korean Journal of Adult Nursing, 2018 -kjan.or.kr
14. 중환자실 의료기기 관련 욕창의 위험요인, 구미지 외, Korean Acad Nurs Vol.49 No.1, 36 https://doi.org/10.4040/jkan.2019.49.1.36

참고 사이트

1. 대한 당뇨 발 학회
http://www.dmfoot.or.kr/

2. 대한창상학회
http://www.woundcare.or.kr/

3. 한국장루협회
http://www.ostomy.or.kr/

제 6 장

재활 간호

Rehabilitation Nursing

호흡재활 (Respiratory Rehabilitation)

1_ 호흡재활

호흡문제가 있는 환자의 재활은 교육 및 다양한 기법과 기구를 이용한 포괄적이고 집중적인 치료를 통해 호흡질환의 증상을 완화시키고 조절하며 호흡장애로 인한 합병증을 예방하는 데 도움을 주는 것이다. 호흡재활의 주 대상은 만성 폐쇄성 폐질환이나 신경근육계 질환자로 입원환자, 퇴원환자, 가정에 있는 장기간 침대에서 지내는 대상자까지 포함된다.

호흡재활은 산소화 문제가 주원인인 폐쇄성 질환(예 만성 폐쇄성 폐질환, 노인 환자)군과 환기 장애가 주 장애인 제한성 폐 질환(예 신경근육계 질환, 척수손상)군의 두 가지로 분류하여 접근한다. 호흡재활의 구성요소는 환자 교육, 호흡 재교육, 이완 요법, 기도 분비물 관리, 재조건화 운동, 환기 보조, 심리 및 영양 상담이 있으며, 다학제적으로 이루어지는 통합적 접근이 필요하다. 재활치료를 통해 환자의 운동능력을 증가시키고 심리적인 안정감을 높여 일상생활에서 최적의 기능 수행 능력을 발휘하도록 하는 것이다.

1) 만성 폐쇄성 폐질환 대상자의 호흡재활

만성 폐쇄성 폐질환에서는 호흡근 기능에 장애가 생기고 호흡근에 가해지는 부하는 증가하기 때문에 호흡곤란과 고탄산혈증 등이 나타난다. 환자에게 기관지 확장제나 소염제 투약 등의 내과적 치료가 기본이지만, 증상을 완화시키기 위해서는 호흡근에 가해지는 부하를 줄이고 호흡근의 기능을 증진시킬 수 있는 방법과 운동능력을 향상시킬 수 있는 치료를 병행해야 한다.

(1) 일상생활에서의 자세

폐질환 환자는 호흡이 어려움을 인지하면 공포와 두려움으로 불안함을 느끼고 긴장하며, 이로 인해 호흡 근육이 긴장되어 호흡이 점차적으로 빠르게 된다. 또한 호흡근의 질량 감소로 근력 발생이 감소해 기능적으로 폐의 잔기 용적이 증가하고 호흡 시 과팽창을 증가시켜 호흡의 효율이 떨어진다. 따라서 환자의 호흡 양상과 호흡에 대한 두려움을 이완시키기 위하여 옆으로 눕거나 semi-Fowler 자세를 취한다. 일반적으로 앉거나 서 있는 경우 상체를 앞으로 구부리고 상지를 고정시키면 횡격막과 흉곽의 움직임이 향상되고 호흡 보조근의 사용이 감소하는 등 호흡의 효율성이 증가한다.

(2) 호흡 재훈련

만성 폐쇄성 폐질환 환자는 호흡수 증가와 호흡곤란 증상이 있다. 이것은 폐조직의 탄성 되감기(elastic recoil) 기능이 감소하여 병적으로 부피가 늘어나므로, 횡격막이 이완할 때 돔형을 이루지 못하고 평평해져 호흡의 효율이 떨어져 나타난다. 환자는 보상기전으로 늑간근과 보조근을 사용하게 되어 호흡은 짧고 얕은 양상을 보인다. 따라서 가능한 느리고 깊은 호흡양상을 이루도록 해야 하는데, 이를 위해 횡격막 호흡(복식호흡)과 입술 모으기 호흡법('Pursed-lip' breathing)을 시행한다. 자세한 내용은 간호 수행을 참조한다.

(3) 기도 분비물 관리

대부분의 만성 폐쇄성 폐질환 환자는 흉곽의 유순도와 호흡근력의 감소로 기침의 효율성이 감소하고 환자는 호흡곤란을 증가시키는 경련성 기침이 발생할까봐 두려워한다. 이로 인해 객담을 적절하게 제거하지 못하고 폐의 각 분절에 응축이 되어 점점 배출이 어려워진다. 환자의 의학적인 상태와 환경에 따라 적절한 도구 등을 이용하여 기도 청결을 할 수 있도록 한다.

① 효과적인 기침

Huff coughing은 환자들이 쉽게 배울 수 있는 기침법으로, 객담을 큰 기관지로 이동시키는 데 효과적인 방법이다. 등을 구부리고 편안히 앉은 자세에서 횡격막 호흡으로 코를 통해 공기를 깊게 흡입한 후, 2~3초간 숨을 멈춘 상태에서 강하고 빠르게 숨을 내쉰다. 정상적인 기침이 나올 때까지 한두 차례 반복한다. 환자가 힘들어 하지 않는다면 3~5회 반복한다.

② 체위배액

체위배액은 분비물이 축적되어 있는 폐의 각 부위에 따라 특정한 체위를 취하도록 하여 중력에 의해 작은 기도에서 큰 중앙 기도로 분비물을 이동시키는 방법이다. 자세는 환자의 상태에 따라 결정한다. 체위배액 전 분무형 기관지확장제 사용이나 수분 공급을 충분히 해주면 원활한 배출에 도움이 된다.

③ 타진

몸 바깥에서 가하는 충격이 기도 안에서 에너지 파동을 일으켜 기관지 벽에 붙어있는 기도 내 분비물을 떨어뜨려 객담의 이동을 촉진한다. 체위배액 요법 시 같이 시행하면 객담 배출 효과를 높일 수 있다. 두드리기는 컵 모양의 손으로 손목의 굴곡과 신전을 이용하여 시행한다(Fig 6-1). 시중에서 구입할 수 있는 컵을 사용할 수 있고, 배액시킬 부위를 전후로 원형을 그리면서 3~5분간 두드리며, 통증 부위, 손상 부위, 수술 부위, 뼈 돌출 부위는 피한다.

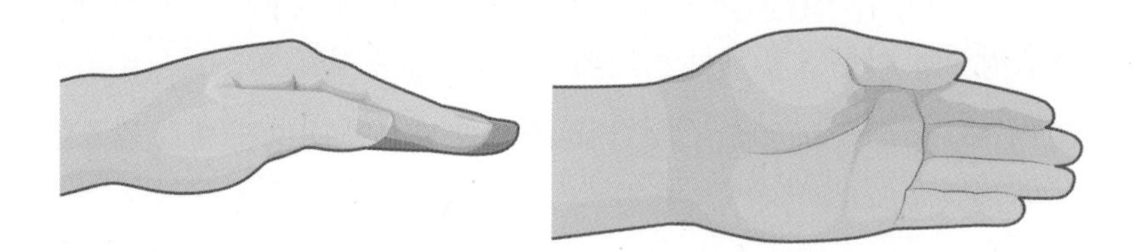

Fig 6-1 타진 적용 시 손 모양

④ 진동

진동은 손이나 진동기(vibrator)를 사용하여 호기에 시행하는 것으로, 분비물을 큰 기도로 이동하도록 도우며 체위배액법, 타진과 병행하여 적용하면 효과적이다. 환자가 숨을 내쉬는 동안 손바닥을 적용 부위에 대고 손과 팔 근육에 반복적으로 힘을 주며 가볍게 누르듯이 시행한다. 손으로 시행할 수도 있으며 낮은 빈도와 높은 빈도를 선택하여 적용할 수 있게 제작된 기계적 진동기를 이용할 수도 있다 (Fig 6-2).

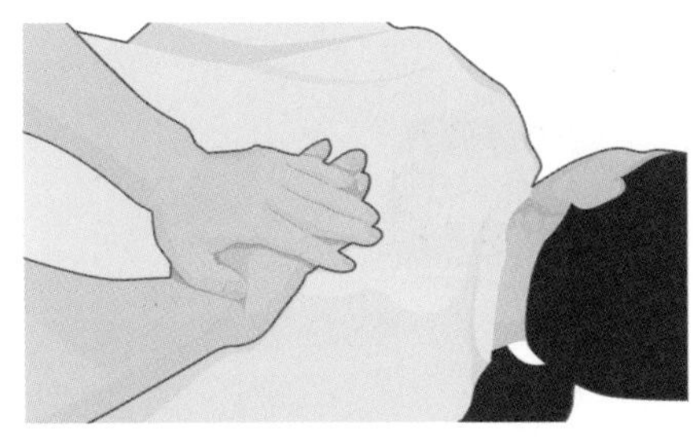

A. 손에 의한 진동 기술 적용

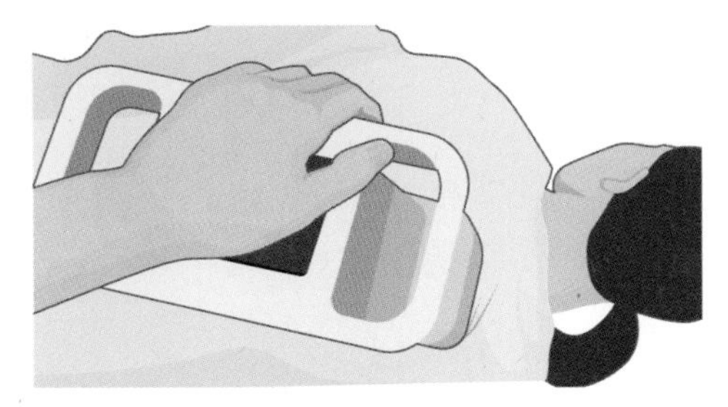

B. 기계적 진동기를 이용한 진동 적용

Fig 6-2 **손과 기계를 이용한 진동**

⑤ 흔들기

흔들기는 호기 동안 흉곽에 리드미컬한 진동을 주는 기술로, 진동에 비해 더 큰 진폭으로 가슴을 흔들어 주는 방법이다(Fig 6-3).

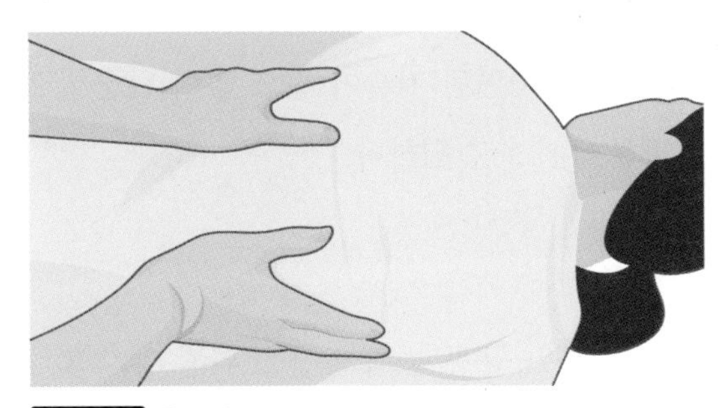

Fig 6-3 **흔들기**

⑥ 기침 유발기

폐에 양압을 가하여 공기를 충분히 주입시킨 후, 순간적으로 음압을 가하여 강력한 호기력을 발생시키는 것으로 흡기근과 호기근의 기능을 대신하여 기침을 유발시키는 기기이다(Fig 6-4). 기침 유발을 통해 기관지-폐의 분비물을 효과적으로 제거한다. 보통 30~50 cmH_2O의 압력으로 흡기를 시키고, 호기 역시 30~50 cmH_2O의 음압으로 시행하며 4~5주기를 반복하게 된다. 국민건강보험 공단의 기침유발기의 지원 가능 여부는 희귀난치 질환, 중추신경계 질환에 따라 다르므로 담당 의사와 상의한다.

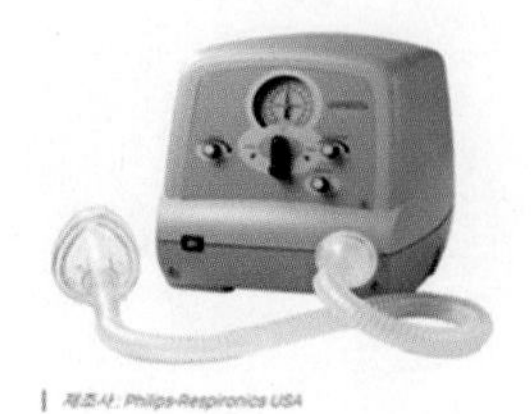

[출처: Vitalaire Korea 홈페이지(https://www.vitalaire.co.kr)]

Fig 6-4 기침유발기

⑦ 고빈도 흉벽 진동

환자가 착용하는 조끼에 공기 진동 발생을 1초에 25회까지 일으키며 조끼에 공기를 넣어주고 빼면서 흉부에 진동을 일으키고, 이러한 작용이 기관지 벽에 붙어 있는 객담을 떨어뜨려 분비물 제거를 도와주는 기구이다. 특별한 체위변경과 호흡 방법이 필요 없으며, 숙련된 기술이 필요 없이 단순히 조끼를 입고 작동시키기만 하면 되기 때문에 매우 간편하다.

(4) 운동치료

만성 폐쇄성 폐질환자들의 경우, 운동 능력 향상을 위해 상지 및 호흡근의 훈련도 운동과 하지의 지구력 및 근력 강화 훈련이 추천된다. 대표적인 운동은 걷기, 트레드밀 운동, 자전거 타기, 수영 등의 유산소 운동으로 운동 시작과 끝에는 준비 운동과 마무리 운동을 포함한다. 운동은 생리적인 변화 이외에 긴장감과 호흡곤란의 감소, 그리고 동기 유발 등의 영향이 있을 수 있으며 환자에게 적절한 운동은 담당 의사와 재활치료사로부터 처방을 받아 시행한다.

(5) 환기 보조

일부 만성 폐쇄성 폐질환 환자의 급성 악화기에 비침습적 기계환기를 사용하여 호흡근의 휴식, 폐유순도(compliance)의 향상을 통해 증상을 완화시킨다. 낮 동안 인공호흡기를 사용하지 않고 생활하다가 밤 동안 인공호흡기를 사용하여 호흡근의 휴식을 돕고 야간에 환기가 저하되는 것을 개선할 수 있다.

(6) 영양요법

만성 폐쇄성 폐질환 환자는 대부분 노인으로, 노화와 관련된 근육 감소가 있으며 이는 체중 감소와도 관련이 있다. 노화로 인한 식욕 감소와 음식을 씹고 삼키는 과정에서의 에너지 소모로 호흡곤란이 발생한다. 또한 폐질환과 관련된 염증으로 대사율이 증가되어 환자가 적당한 식이를 섭취함에도 불구하고 체중이 감소할 수 있고, 장기적인 영양상태의 불량은 만성 폐쇄성 폐질환 악화 빈도를 증가시킨다. 따라서 호흡곤란을 감소시키고 에너지를 보존하기 위한 식사 전략과 일상생활에서 활용 가능한 방법을 안내하고, 가능하다면 영양사에게 의뢰한다.

2) 신경근육계 질환 대상자의 호흡재활

신경근육계 질환 환자는 호흡 근육의 근력이 약화되어 있어 폐를 충분히 팽창시키지 못하므로 폐의 탄력성이 감소된다. 폐의 탄력성이 감소되면 호흡 시 많은 힘(노력)이 들어가게 되고, 이것은 이미 약해진 호흡근의 피로도를 누적시켜 호흡이 더욱 힘들어진다. 이로 인해 폐 용적이 감소되어 호흡 능력이 떨어지며 환기부전과 기도 내 분비물 제거 장애가 발생한다. 신경근육계 질환은 진행성이며 난치성인 경우가 많지만 적절한 시기에 적절한 치료를 시행하면 합병증을 예방하거나 감소시킬 수 있다. 신경근육계 질환에서는 적극적인 재활치료를 시행하여 잔존 기능을 최대화하고 독립적 기능과 보행을 가능한 연장시키고 유지하는 것, 신체 기형을 예방하는 것, 그리고 사회생활을 유지하고 삶의 질을 높이는 것을 목표로 하고 있다.

척수손상 환자는 호흡에 관여하는 신경과 근육의 손상으로 호흡근 근력이 약화되는데, 이로 인해 기침 기능의 감소와 기도 내에 가래가 정체되어 신경근육계 질환과 유사한 양상으로 제한성 폐질환이 발생한다. 척수 손상 부위에 따라 폐 기능의 잔존 정도와 합병증의 예측이 가능하다. 제1경수~제4경수 손상 환자의 84%, 제5경수~제8경수 손상 환자의 60%에서 호흡기계 합병증이 발생하며 척수손상 환자의 80%가 호흡기계 합병증으로 사망한 것으로 나타났다. 환자의 척수 손상 부위에 따른 환기부전에 대해 적절한 평가를 시행하고, 이를 근거로 환기를 보조해주고 기도 내 분비물 제거를 효율적으로 해줌으로 합병증을 최소화하는 것이 중요하다.

(1) 호흡근 강화를 위한 운동

호흡근의 강화운동으로 호흡근의 지구력을 향상시켜 호흡기능을 개선시킬 수 있다. 그러나 호흡근 근력이 심하게 약화된 경우(폐활량이 정상인에 비해 70% 이상 감소된 경우)는 호흡근의 피로를 증가시킬 수 있기 때문에 호흡근 강화 운동은 주의를 해야 한다. 호흡근 훈련에서 흡기 저항 운동기구를 사용할 때는 전문의의 지시에 따라야 한다.

(2) 폐의 탄성 유지를 위한 운동

신경근육계 질환 환자는 호흡 근육의 근력 약화로 폐를 충분히 팽창시키지 못하기 때문에 폐의 탄력성이 감소된다. 따라서 질병 초기부터 폐의 탄력성을 유지하기 위해 공기 누적 운동(air stacking exercise)을 지속적으로 시행한다. 그리고 폐활량이 감소되어도 기침 유도법(보조기침법)으로 필요한 공기를 주입할 수 있어 폐의 팽창력은 유지할 수 있다. 공기 누적 운동은 간호 수행을 참조한다. 호흡재활 중 입술 오므리기 호흡과 횡격막 호흡도 같이 시행한다.

(3) 설인두 호흡

인공호흡기가 고장난 경우, 임시방편으로 혀와 인두 근육을 이용하여 '개구리가 꺼억꺼억거리며 공기를 들이 쉬는 것처럼' 공기를 덩어리로 삼키듯이 폐에 누적시키는 호흡법을 통해 호흡을 유지할 수 있다. 1회 호흡 시 6~9회(10~15초 동안)를 반복한다.

(4) 기침유발 운동

제한성 폐질환 환자들은 호흡 근육 약화로 인해 기침기전이 정상적이지 않으므로 기침기전을 고려한 보조기침법을 통해 기도 내 분비물을 제거해야 한다.

센 기침을 발생시키기 위해서는 기침 전 폐에 공기가 충분해야 한다. 그러나 환자는 호흡 근육의 약화로 공기를 충분히 스스로 들이 마시지 못하기 때문에 배를 밀어주는 방법으로는 센 기침을 유도하기 어렵다. 따라서 환자에게 스스로 흡입할 수 있는 최대한의 공기를 들이 마시게 한 후 앰브백을 통해 추가적으로 공기를 넣어준 다음, 최대한 힘차게 기침을 하게 함과 동시에 배를 밀어주어 기침을 강하게 할 수 있도록 도와주는 도수조작 기침법을 시행한다. 도수조작 기침법은 간호 수행을 참조한다. 만성 폐쇄성 폐질환 환자에서 소개한 기침 유발기와 Huff coughing도 제한성 폐질환 환자의 기침에 도움이 된다.

(5) 인공환기

신경근육계 환자는 호흡근의 기능이 점차적으로 약해져 호흡근력 약화로 인한 폐포 저환기가 지속되면 고탄산혈증으로 인한 수면장애, 두통, 기면 현상, 악몽, 불안감 등의 증상을 호소하게 된다. 이 시점에서는 인공호흡기를 이용하여 환기 보조를 해주어야 증상을 완화시킬 수 있다. 마스크나 마우스피스를 이용한 비침습적 환기 보조 방법으로는 간헐적 양압 환기법(intermitent positive pressure ventilation)이 주로 사용되고 있으며, 이러한 비침습적 환기 보조를 통해 환기부전 초기 환자뿐만 아니라 만성 폐포 저환기 환자의 최대 흡기압을 증가시키고, 폐활량을 일시적으로 증가시키거나 안정화시킬 수 있다. 또한 비침습적 기계환기법으로 폐포 저환기 증상 완화, 혈액가스 소견 정상화, 호흡근 지구력 증가, 호흡기 합병증 발생 가능성 및 입원 빈도 감소 등의 이점을 얻을 수 있으며, 신경근육계 질환의 진행 속도에 따라 기관절개를 수개월 내지 수년간 연기시킬 수 있다고 하였다.

질병의 초기부터 체계적인 치료로 분비물 제거와 감염 예방을 적절히 하면 호흡기를 사용하게 되더라도 기관절개술을 시행하는 시점을 늦출 수 있으며, 경우에 따라서는 기관절개를 시행하지 않을 수도 있다. 그러나 침습적 인공호흡기의 사용은 호흡마비가 발생한 긴급한 상태에서 시작하는 경우가 많고, 이로 인하여 환자의 의사와 상관없이 침습적으로 인공호흡기를 적용하는 경우가 많다. 침습적 인공호흡기는 환자가 말하는 것과 먹는 것을 어렵게 하며, 기관절개관 관리 및 기관절개관 자체로 인한 분비물의 증가와 감염원의 제공으로 합병증이 증가된다. 또한 환자가 의존적인 상태로 침상 내에 제한된 생활을 하게 되며 비용과 돌봄에 대한 부담이 발생하므로, 신중하게 고려되어야 한다. 환자에게 인공호흡기에 대해 충분한 정보를 제공하고 질병의 진행에 따라 인공호흡기를 적용할 것인지에 대한 사전의사결정을 하도록 한다. 통상적으로 침습적 인공호흡기를 장착한 환자들은 삶의 질이 개선되며 오래 생존하는 것으로 나타났다.

2_ 간호 사정

일반적인 상태를 포함하며 호흡기계 문제를 중심으로 종합적인 상태를 사정한다.

호흡기계 문제를 가지고 가정에 있는 환자의 문제를 빠른 시간 이내에 파악하는 것이 중요하므로 아래의 Table 6-1 을 참조하여 사정한다.

Table 6-1 호흡재활 환자의 사정

활력 증후	□ 혈압	□ 맥박	□호흡	□ 체온	
의식 상태	□ 명료	□ 기면	□ 혼미	□ 반의식	□ 무의식
GCS	□ Eye	□ Movement	□ Verbal		
의사소통	□ 원만함	□곤란함	□불가능함		
정서 상태	□ 안정	□ 불안정	□ 우울	□ 무기력	□ 기타
일상 수행능력	□ 독립적	□ 부분의존적	□ 완전의존적		
근력 정도	우상지 ______	좌상지 ______	우하지 ______	좌하지 ______	
폐음	□ clear	□ grunting	□ wheezing	□ crackle	□ rale
호흡곤란	□ 무	□ mild	□ moderate	□ tolerable	□ severe
기침	□ 무	□ 유			
객담	□ 무	□ 유	□ 색깔 white/ yellow/ pink/ green/ BTS		
객담 양상	□ 묽음/ 진함/ 거품 섞임		□ 정도 거의 없음/ 적음/ 보통/ 많음/ 매우많음		
산소 사용	□ O2 ________ (L/min)		□ 경로		
기계환기	□ Bi-PAP	□ TRILOGY	□ INTEGRA	□ CAROT	□ 기타
순환 상태	□ 정상	□ 심계항진	□ 부정맥	□ 심잡음	□ 기타
부종	□ 무	□ 유	□ 부위	□ 정도 1+/ 2+ /3+ /4+	
식이 상태	□ 상식	□ 죽식	□ 미음	□ 금식	
	□ 섭취량 _______ (day)		□ 혈당 _______ (mg/dl)		□ 체중 ___ kg
	□식욕부진	□ 연하곤란	□ 저작 곤란	□ 오심	□ 구토
장음	□ 정상	□ 미약	□ 과항진	□ 기타	

3_ 간호 문제

1) 비효율적 호흡 양상
2) 비효율적 기도 청결
3) 가스교환 장애
4) 지식 부족

4_ 간호 목표

1) 산소포화도가 정상 수준이다.
2) 호흡이 편안하며 호흡수가 정상이다.
3) 분비물의 배출이 용이하고 분비물이 감소한다.
4) 일상생활의 수행이 가능하다.
5) 장기간의 치료 방법에 대한 지식과 활동 방법을 알고 있다.

5_ 간호 수행

만성 폐쇄성 폐질환 환자의 장기간의 간호에서 가장 중요한 것은 교육으로, 환자가 자신의 질환을 스스로 관리하도록 교육한다.

1) 입술 모으기 호흡법

숨을 깊게 들이쉰 후 천천히 입을 통해 숨을 내쉼으로 기관지를 넓혀 공기가 폐 안에서 잘 확산되게 하며, 흡기보다 호기를 길게 하여 이산화탄소의 배출 시간을 늘리고 세기관지 허탈과 공기 축적을 방지한다. 횡격막 호흡보다 환자가 배우기 쉽고 교육하는 것도 쉽다.

① '하나~ 둘~'을 세면서 코로 천천히 숨을 들이마신다.

② 촛불을 끄듯이 입을 오므리고 '하나~ 둘~ 셋~ 넷~'을 세면서 천천히 내쉰다. 이때 숨을 내쉬는 시간이 들이 마시는 시간의 2배가 되도록 천천히 내쉰다.

2) 횡격막 호흡

효과적이지 못한 잦은 호흡으로 위축된 호흡근과 횡격막의 강화를 위해 복식호흡을 하는 것으로, 최대로 흡기하고 흉부의 부속근 대신 횡격막을 사용하여 호흡하여 호흡수를 감소시킬 수 있다. 그러나 중등도 또는 중증 만성 폐쇄성 폐질환 환자에게는 적합하지 않다.

① 누워서 한 손은 가슴에, 한 손은 배에 얹는다.

② 숨을 충분히 내쉬고 입을 다문 후, 코로 깊게 숨을 들이 쉬어 복부가 부풀게 한다. 이 때 가슴 위에 얹은 손으로 가슴이 가능한 움직이지 않는 것을 확인한다.

③ 입을 모으며 천천히 숨을 내쉬면 배가 오므라드는데, 이 때 가슴은 되도록 움직이지 않게 한다.

④ 측위, 좌위, 걸을 때 등 여러 가지 자세에서 복식호흡을 연습해 본다.

3) 공기 누적 운동(폐 팽창 운동)

공기 누적 운동은 폐가 흉곽조직의 구축으로 인해 충분히 팽창되지 못해서 발생하는 폐의 쪼그라짐을 예방하는 목적으로 시행되며, 특히 폐활량이 정상에 비해 50% 이상 감소한 경우에 더욱 중요하다. 이러한 운동은 환자에게 스스로 흡입할 수 있는 최대 용량의 공기를 들이 마시게 한 후 마스크를 통해 앰부백으로 공기를 최대한 추가 주입하는 것으로, 한번에 10~15회, 하루 2~3회 시행하도록 한다.

① 환자를 편안하게 눕힌다.

② 환자가 스스로 흡입할 수 있는 최대 용량으로 숨을 들이 마시게 하고 숨을 잠깐 참게끔 한다.

③ 앰부백을 마스크와 연결하여 환자의 입에 대어 놓는다.

④ 숨을 참은 상태에서 숨을 바로 내뱉지 말고 다시 들이쉬라고 하면서 앰부백을 서서히 짜며 공기를 넣는다.

⑤ 환자가 폐가 충분히 팽창된 느낌을 신호로 알릴 때까지 2~5회 반복한다.

⑥ 3초 정도 유지 후에 그냥 내쉬거나 보조적 기침법을 이용하여 객담을 배출할 수 도 있다.

4) 도수조작 기침법

보조자가 손을 이용하여 환자의 복부를 압박하면서 흉부쪽으로 밀어 올리기를 해줌으로써 기침을 유도하는 방법이다.

① 시행자의 손바닥을 환자의 명치 부위를 중심으로 가슴 아래 복부에 좌우 대칭으로 가볍게 올려놓는다.

② 환자는 코로 숨을 최대한 들이 마신다.

③ 환자가 숨을 내쉴 때 시행자가 손바닥으로 복부를 압박하면서 동시에 흉부 위로 올리기를 하여 기침을 유도한다. 압력을 가할 때는 환자가 아프지 않도록 하고 손바닥 전체에 힘이 균일하게 가해지도록 한다.

5) 영양

만성 폐쇄성 폐질환 환자는 식사 중 혹은 식사 후 소화 과정에서도 호흡곤란이 있어 적절한 영양 섭취가 불가능하기 때문에, 최대한 적은 양으로 열량을 낼 수 있는 음식 섭취가 도움이 된다. 식사 시 공기를 함께 섭취하거나, 위의 과팽창으로 인한 횡격막의 부적절한 위치, 약물의 부작용(예, corticosteroid, theophylline) 때문에 식사 시 쉽게 포만감을 느끼거나 헛배가 부른 느낌을 호소할 수 있다.

① 식사 30분 전에 휴식을 취하고 식사 전에 기관지 확장제를 사용한다.

② 식사 전후 1시간 동안에는 운동과 치료를 피해야 한다.

③ 하루에 5~6회로 나누어 소량씩 자주 먹도록 한다.

④ 환자가 처방된 산소요법을 받고 있다면, 식사 시 비강 카테터를 이용하여 산소를 공급해준다.

⑤ 걷기나 낮 동안 침상 밖으로 나오는 등의 활동은 식욕을 자극할 수 있고, 체중을 증가시킬 수 있다.

만성 폐쇄성 폐질환 환자 중 저체중 환자는 추가적인 단백질과 열량이 필요하다. 고열량·고단백, 중간 정도의 탄수화물, 중간 이상의 지방을 포함한 식이가 권장되고, 식간에 고단백 고열량의 영양보충제를 섭취하도록 교육한다.

6) 금연 교육

금연이 만성 폐쇄성 폐질환의 진행을 늦출 수 있는 유일한 방법이기 때문에 환자에게 금연을 조언하는 것이 매우 중요하다. 간호사는 환자의 흡연 습관 및 건강과의 관련성을 재평가하고 교육한다.

7) 사회심리 상담

만성 폐쇄성 폐질환 환자와 가족은 질병이 진행될수록 돌볼 수 있는 능력의 감소와 사회활동을 위한 에너지의 감소, 그리고 실직 등 많은 생활양식의 변화를 겪는다. 환자는 질환의 주된 원인이 흡연이라는 것을 알게 되면서 죄의식을 포함한 사회적 고립으로 인한 외로움, 부정 및 증가하는 의존성으로 인한 분노 감정을 느낀다. 또한 보호자는 환자의 질병이 진행됨에 따라 돌봄의 부담감이 점차 증가할 수 있다. 환자와 가족의 정신 건강문제를 해결하기 위해 상담이 필요하며 지역사회 정신보건센터, 보건소 등의 자원을 연계한다.

6_ 대상자 교육

1) 산소를 사용하는 대상자

(1) 집안의 모든 문에 '금연' 표시를 부착한다.

(2) 산소통을 사용하는 경우, 항상 잔량을 확인한다.

(3) 화재 시 산소를 끄는 방법과 대처 방법을 알아둔다.

(4) 화염이나 불꽃이 발생하는 물건 가까이에 산소통이나 산소발생기를 두지 않는다.

2) 흔한 호흡 문제 예방을 위한 교육

(1) 감기나 기관지염 감염자와 접촉을 피하고 일반적인 물품을 만진 후 철저한 손 씻기

를 한다.

(2) 호흡기 감염 등 치료가 필요한 증상은 가급적 빨리 치료한다.

(3) 먼지나 향수에 노출되지 않도록 주의한다.

(4) 알코올과 진정제 투약 시 주의한다.

(5) 외래 진료나 입원 등 정기검진 모니터링을 규칙적으로 한다.

(6) 매년 10~11월에 인플루엔자 예방접종을 한다. 필요한 경우 폐렴 예방접종을 한다.

(7) 감염병 유행 시에는 질병관리청 등의 권고사항을 따른다.

3) 인공호흡기 장착 환자 교육

(1) 환자와 가족에게 변수 세팅, 사용법과 관리법을 교육한다.

(2) 인공호흡기 알람의 의미와 조치해야 할 사항을 설명한다.

(3) 응급 시에 대처법과 도움을 얻을 수 있는 방법을 설명한다.

(4) 산소를 취급하는 경우는 안전하게 사용하는 방법을 교육한다.

(5) 장비에 따라 청결하게 혹은 소독하는 방법을 시범보이며 교육한다.

(6) 의료진에게 알릴 환자의 증상이나 문제에 대해 정보를 제공한다.

(7) 인공호흡기 회사, 의료진의 연락처를 환자 가까운 곳에 배치한다.

(8) 정전 시 사용할 수 있는 보조 전원장치(여분의 배터리) 등을 준비한다.

(9) 정전 시 비상전력을 사용할 수 있도록 아파트 관리실 등에 사전에 연락한다.

(10) 정전이나 기계 문제 발생에 대비하여 앰부를 환자 곁에 항상 배치하도록 한다.

(11) 앰부 사용방법을 교육한다.

tip

가정에서 앰부 사용 방법

인공호흡기가 작동을 하지 않는 경우 또는 환자의 호흡이 없는 경우 앰부백을 사용합니다.

❶ 119에 신고를 합니다. 두 명이 있다면 다른 보호자가 합니다. - 산소발생기가 있는 경우, 앰부에 산소줄을 연결하고 산소량을 가장 높게 합니다.	
❷ 엄지와 집게손가락을 사용하여 마스크의 윗부분을 중심으로 'C'를 만들고, 마지막 세 손가락은 턱의 뼈 부분 바로 아래를 눌러 공기가 새어나가지 않도록 합니다. 마스크는 뾰족한 부분이 코의 위쪽으로 가도록 환자의 코와 입 위에 놓습니다.	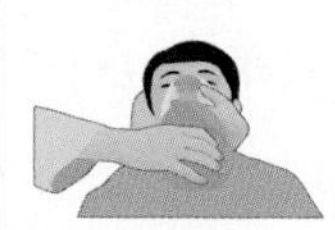
❸ 머리를 뒤로 젖히고 턱을 위로 올려 기도를 열어줍니다.	
❹ 기관절개관이 있는 환자는 마스크를 떼어 내고 기관절개관에 바로 연결합니다.	
❺ 환자가 숨을 들이 마실 때 앰부의 주머니를 눌러줍니다.	
❻ 앰부의 주머니를 한 손으로 잡고 1/3만큼 누릅니다.	
❼ 가슴이 올라오도록 1~2초 이상 눌렀다가 뗍니다.	
❽ 6초마다 한 번씩(1분당 10번) 눌러줍니다.	
❾ 올라왔던 가슴이 내려가고 앰부의 주머니가 원래 모양대로 돌아오면 다시 주머니를 눌러줍니다.	
❿ 숨을 쉴 때마다 가슴이 고르게 오르내리는 것을 지켜봅니다.	
⓫ 산소포화도 측정기가 있는 경우, 정상으로 돌아오는지 수치를 확인합니다.	

- 앰부백은 항상 환자의 침대 옆에 두고 마스크와 백이 조립되어 있는지 확인한다.
- 평소 주기적으로 앰부의 주머니를 눌러보면서 터지거나 바람이 새는 곳이 있는지 이상 유무를 확인한다.
- 앰부백을 사용 후 물로 세척하지 않는다.
- 앰부백은 사용 후마다 권장 소독액(알코올)으로 닦아내고 청결하게 보관한다.

심장재활 (Cardiac Rehabilitation)

1_ 심장재활

심장재활(Cardiac Rehabilitation)은 심장질환 환자가 질병에 의해 상실되거나 감소된 기능을 향상시키는 것을 목표로 하며, 질병 이전의 일상생활로 복귀할 수 있도록 도와줌으로써 환자의 삶의 질을 높이는 데 목적이 있다. 심장재활은 운동요법, 건강교육, 영양상담, 금연 프로그램, 정신사회적 상담 프로그램이 포함된 통합적 재활 프로그램이다. 우리나라는 2017년 심장재활 프로그램에 대해 의료보험이 적용되기 시작하였고 심장재활의 대상자는 Table 6-2 와 같다.

Table 6-2 심장재활 대상자

1. 심장 수술 또는 시술 환자
2. 심박기(Pacemaker), 삽입형 제세동기(ICD), 심장 재동기화 치료기(CRT) 등을 삽입한 환자
3. 급성 심근경색증, 불안정성 협심증으로 입원치료를 받은 환자
4. 보상된 심부전(Compensated Heart Failure) 환자
5. 말초동맥 질환으로 수술 및 중재시술, 약물치료를 받은 환자
6. 약물로 조절되는 심방·심실성 부정맥, 심실세동·심장정지 경험자
7. 선천성 심장질환자
8. 우심실 부전이 예상되는 주요 폐 수술을 시행한 환자

심장재활 프로그램의 제공자로 의사, 간호사, 물리치료사는 반드시 포함되어야 하며, 병원에 따라 영양사, 운동치료사, 사회사업가 등이 추가로 포함된 다학제 팀이 접근하고 있다. 프로그램에는 심장재활 교육, 심장재활 평가, 심장재활 치료가 모두 충족이 되어야 의료보험 수가의 적용이 가능하다. 심장재활의 기원은 운동요법에서 출발하였기 때문에 체계적이고 지속적인 운동 프로그램이 중요하며, 의료보험 적용 기준은 Table 6-3 과 같이

자세하게 정하고 있다.

Table 6-3 심장재활치료 요양급여 내용

1. 환자 상태에 따라 적절히 실시하되 입원환자는 1일 2회, 외래환자는 최대 36회까지 인정
2. 물리치료사 1인이 최대 4인의 환자에게 동시 시행할 수 있으며, 환자 1인당 60분 이상 실시한 경우 인정

심장재활은 일반적으로 4단계로 구분되어 1단계 심장재활은 중환자실과 일반 병동에서 입원 중에 시행하고 2단계 이후는 퇴원 후 외래나 가정(지역사회)에서 시행하며 심장재활의 단계는 Table 6-4 와 같다.

Table 6-4 심장재활의 단계

단계	활동 정도	장소	시기
1단계(phase I)	1.5 MET~5 MET	중환자실/일반 병실	5~14일
2단계(phase II)	5 MET 이상	병원/특수의료클리닉	1~3개월
3단계(phase II)	5 MET 이상 시 참여	지역사회센터	6~12개월
4단계(phase IV)	8 MET 이상이 목표	지역사회센터	가정에서 계속

심장재활 환자의 활동 정도는 대사당량 방법(Metabolic equivalent method, MET)으로 나타내며, MET는 운동의 에너지 값을 결정하는 데 사용한다. 일상생활에서의 에너지 소비량에 따른 운동의 강도, 즉 활동 정도를 나타내므로 환자의 단계에 따른 활동 정도를 교육하는 것이 중요하다. 작업 활동 및 여가 활동의 에너지 소비량은 Table 6-5 와 같다.

Table 6-5 작업 활동 및 여가 활동의 에너지 소모량

METS	작업 활동	여가 활동
1	• 바느질하기 • 마루 청소하기	• 똑바로 누워 있기 • 앉아있기 • 식사하기 • 대화하기
2~4	• 탁상 작업, 타이프치기 • 운전 • 가벼운 용접 • 실내 목수일 • 물청소, 왁스 칠하기 • 손 공구 사용하기 • 기계 조립하기 • 기중기 조종하기 • 주유소 일 • 운전하기 • 라디오 조립하기 • 재봉질하기 • 트랙터로 밭 갈기 • 서서 다림질하기 • 자루 걸레질하기	• 카드 게임 • 활쏘기 • 편자 던지기 • 비행기 조종 • 볼링 • 보트에서 낚시하기 • 카트(cart)로 골프치기 • 원반던지기 • 정원 가꾸기 • 승마 • 자전거 타기(6 mph) • 걷기(2~3 mph) • 음악 연주하기 • 그림 그리기, 앉아 있기 • 침상용 변기에 앉아 있기 • 걷기 • 샤워하기
5~6	• 벽돌 직공 • 페인트 칠 • 도배 • 기압식 기구 조절 • 65 lbs 들기 • 목공일하기	• 스케이트 타기 • 복식 테니스 경기 • 춤추기 • 낚시 • 배구 • 자전거 타기(8 mph) • 걷기, 조깅하기(4 mph) • 골프
7~8	• 삽으로 땅파기 • 배관공 • 손도끼, 톱 쓰기 • 눈 치우기 • 65~86 lbs 들기 • 잔디 깎기	• 배드민턴 • 테니스 • 스키 • 수영 • 사냥 • 자전거 타기(11~12 mph) • 걷기, 조깅하기(5 mph) • 카누, 카약 • 크로스 컨트리 • 보조 기구나 목발로 걷기 • 계단 오르기
9~10	무거운 짐 지고 계단 오르기(7.5 kg)	• 핸드볼 • 축구

* 1 MET: 1 kcal/kg/hour * mph: miles per hour

2_ 간호 사정

간호사는 처방 받은 심장재활 프로그램과 프로그램의 수행을 포함하여 건강력을 사정한다. 대상자의 일상적인 생활습관, 심리, 사회, 직장복귀 등에 대한 사정도 중요하다.

1) 처방 받은 운동의 진행 상태 확인(빈도, 시간, 강도, 운동의 종류)
2) 혈압, 맥박, 호흡 양상
3) 체중 변화
4) 투약 이행 및 부작용
5) 영양상태를 반영한 식사 등
6) 교육 내용 수행 점검(운동요법, 식이요법, 약물요법, 체중 감소, 금연 등)
7) 심리적인 상태

3_ 간호 문제

1) 흉통
2) 심박출량 감소
3) 지식 부족
4) 여가활동 참여의 감소
5) 비효과적인 건강 관리
6) 불안
7) 절망감
8) 성 기능 장애

4_ 간호 목표

1) 안정된 활력징후가 나타난다.
2) 생활양식의 변화가 나타난다.
3) 심장재활의 내용을 이해하고 중요성을 인지한다.
4) 환자의 정신적 건강 상태를 향상시킨다.

5_ 간호중재

심장재활의 목표는 미래에 발생할 수 있는 위험을 줄이고, 환자들이 스스로 상태를 이해하도록 도와 생활방식을 바꾸도록 돕는 것이다. 간호사는 환자의 개별 위험 요소에 대해 적절한 조언을 제공하고 환자가 운동 프로그램에 참여하도록 격려한다.

1) 운동요법 시 간호중재

(1) 활력징후, 체중, 영양상태, 활동 정도를 사정한다.
(2) 발등 부종, 피부 색깔, 피부 온도, 호흡음, 흉통, 활동 정도를 사정한다.
(3) 투약 이행을 확인한다.
(4) 처방에 따른 재활프로그램을 확인한다.
(5) 치료 일정에 대한 환자의 이행 정도를 평가한다.
(6) 기존의 교육받은 내용을 확인하고 재교육한다.
(7) 사회심리적인 상태에 따른 상담을 하고 전문가에게 의뢰한다.
(8) 필요 시 지역사회 기관을 연계한다.
(9) 웹 기반 프로그램 소개 등 정보를 제공한다.
(10) 간호기록은 다음의 내용을 포함한다.
① 활력 징후
② 신체 사정 결과
③ 흉통, 부종, 호흡곤란 유무

④ 약물 부작용
⑤ 활동 정도
⑥ 재활 프로그램 이행 정도
⑦ 환자 및 가족 교육 내용
⑧ 교육에 대한 대상자의 반응
⑨ 다른 건강관리 전문직과의 의사소통 내용

2) 위험인자 교정을 위한 간호중재

(1) 금연이 절대적으로 필요함을 교육한다.
(2) 혈중 콜레스테롤 수치를 저하시키는 식사 조절에 대해 교육한다.
(3) 고혈압의 유발 요인과 정기적인 혈압 측정 등의 혈압관리에 대해 교육한다.
(4) 체중 조절로 관상동맥 질환의 위험요인을 조절할 수 있음을 교육한다.

3) 정서·사회적 간호중재

(1) 정신사회적 상태에 대해 평가를 수행한다.
(2) 환자의 재활 상태에 따른 업무 복귀에 대해 상담한다.
(3) 가족 관계에 문제가 있는 경우, 가족 전체의 기능 상태에 대해 상담한다.
(4) 의사, 간호사, 사회사업가 등 다학제로 구성한 통합된 접근을 한다.
(5) 필요시 지역사회의 적절한 자원에 대한 정보를 제공하거나 연계한다.

6_ 대상자 교육

가정으로 방문하는 간호사의 역할은 심장재활 환자의 지식수준을 평가하고, 환자의 상태에 따른 목표 달성을 위해 다양하고 적절한 정보를 제공하는 것이다. 국내에서는 2020년 심장질환 대상자를 위한 재택 의료 시범사업이 시작되어 외래에 방문하는 환자와 보호자를 대상으로 상담 및 관리가 이루어지고 있다. 국외에서는 지역사회의 심장재활 환자에 정보통신 기술을 이용하여 원격 모니터링 서비스를 제공하기도 한다. 자가 관리를 위한 온라인 리소스에는 의료 정보, 대화형 의료 커뮤니케이션 애플리케이션이 포함되어 지속적인 관리를 한다. 또한 모니터링 장치를 통해 증상 또는 활력징후 등의 생체정보를 전산시스템으로 전송하여 환자의 상태를 관리하기도 한다. 심장재활 환자에 대한 대상자 교육의 목표는 미래의 문제 위험을 줄이고, 환자들이 그들의 상태를 이해하도록 돕고, 더 나은 건강을 지지하기 위해 생활방식을 바꾸도록 돕는 것이다.

1) 운동 전 일반적인 주의사항

(1) 심박수와 목표심박수를 측정하는 방법을 알아야 한다.
(2) 아프거나 열이 있을 때는 운동을 중지한다.
(3) 바깥 날씨가 너무 춥거나 더울 때는 야외 운동을 삼가하고 가정에서 하는 운동으로 대체한다.
(4) 운동 시각은 식사 전이나 또는 식후 1~2시간이 지난 뒤로 한다.
(5) 카페인, 알코올, 흡연은 삼가한다.
(6) 감정적으로 격한 상태가 되거나 많이 피로할 때는 안정되기 전까지 운동을 삼가한다.
(7) 혼자서 고립된 공간보다는 친구나 동반자와 함께 운동한다.

2) 운동을 중지해야 할 경우

(1) 가슴 통증이 증가될 때
(2) 정신 혼란이나 어지러움이 있을 때
(3) 심하게 숨이 많이 찰 때
(4) 심하게 힘이 빠지거나 피곤해질 때
(5) 식은땀이 날 때
(6) 심장이 불규칙하게 뛰고 가슴이 두근두근거릴 때
(7) 속이 메스껍거나 토할 것만 같을 때

3) 협심증이나 관상동맥 질환 후 심장재활 환자는 협심증 증상이 나타나면 니트로글리세린을 휴대하여 사용한다. 때에 따라서 운동 전에 니트로글리세린을 미리 사용할 수도 있다. 5분 간격으로 세 차례 사용하고 통증이 가라앉지 않는다면 병원을 방문한다.

뇌척수 재활 (Cerebrospinal Rehabilitation)

1_ 뇌척수 재활 정의

뇌척수 재활(Cerebrospinal Rehabilitation)은 뇌와 척수신경에 발생한 질환 또는 손상으로 인하여 장애가 발생한 대상자에게 신경학적 회복을 촉진하고, 다양한 합병증을 최대한의 신체적, 정신적, 사회적 능력과 잠재력 능력을 되찾기 위한 회복기 재활을 걸쳐 성공적인 지역사회 복귀를 돕는 것이다[출처: 대한재활의학회, www.karm.or.kr].

1) 뇌 기능

뇌의 각 부분의 기능이다(Table 6-6).

Table 6-6 뇌 기능

영역		기능
대뇌 (Cerebrum)	전두엽(frontal lobe)	표현 언어(말하기), 인격, 감정, 문제 해결, 판단, 행동 억제 등
	측두엽(temporal lobe)	기억, 언어 이해(수용 언어), 청각, 조직 등
	두정엽(parietal lobe)	공간 지각(깊이 지각), 크기·모양·색상 식별, 시각적 지각, 감각
	후두엽(occipital lobe)	시각적 정보를 받아들이고 해석
소뇌(Cerebellum)		균형 및 조절, 숙련된 움직임, 시각적 지각 등
뇌간 (Brain stem)	중뇌(midbrain)	• 호흡, 심박수, 의식, 흥분, 수면 사이클 등 • 감각신경로, 운동신경로 위치 • 제3~12 뇌신경 기능
	교뇌(pons)	
	연수(medullar oblongata)	
뇌하수체(Pituitary gland)		호르몬 분비, 생식과 발육
송과선(Pineal gland)		내분비선, 생체 리듬 조정
간뇌 (Diencephalon)	시상(Thalamus)	감각신경이 지나가는 통로
	시상하부(Hypothalamus)	자율신경계 연결, 뇌하수체에 신경섬유의 전달

영 역	기 능
척수(Spinal cord)	척추 내에 존재하는 운동, 감각 신경
왼쪽 뇌	분석, 논리적, 정확성, 조직, 분리, 신체의 오른쪽 제어
오른쪽 뇌	창조, 상상적, 직관적, 개념, 공감, 비유적, 신체의 왼쪽 제어

[출처: 미국뇌손상협회, http://www.biausa.org]

2) 척수 기능

척수는 신경의 섬유다발로 척추관 안에 위치하며 두개골에서 골 반대까지 분포하고 있고, 뇌에서부터 각 기관과 근육까지 정보를 전달하는 경로이다. 척수 손상은 신경 손상 레벨에 따라 영구적인 마비를 나타낸다(Table 6-7).

Table 6-7 척수 기능

레벨	척수 손상 레벨에 따른 가능한 기능
C1~C3	일상생활은 거의 완전 의존 상태
C4	제한적 식사 동작, 재활보조도구를 이용한 컴퓨터 사용
C5	제한적 자조활동(옷 입고 벗기, 면도하기, 칫솔질, 세수하기)
C6	보조기 및 도구가 준비된 경우에는 자조활동 독립적 수행
C7	자조활동 독립적 수행
C8~T1	모든 자조활동 독립적 수행
T4~T6	모든 일상생활 동작 독립적 수행
T9~T12	보조기를 착용한 실내 보행(운동 훈련용)
L1~L4	보조기를 착용한 기능적 보행(실내 보행용)
L4~L5	짧은다리 보조기를 착용하여 목발을 사용한 기능적 보행(실외 보행용)
S1이하	보조기를 착용한 기능적 보행

[출처: 보건의료인을 위한 재활심리학, Chapter 17, 척수손상, 2016]

2_ 사정

1) 뇌척수 단면도

뇌척수의 구조 및 단면도의 이해가 필요하고, 각 영역별 구조는 Fig 6-5 와 같다.

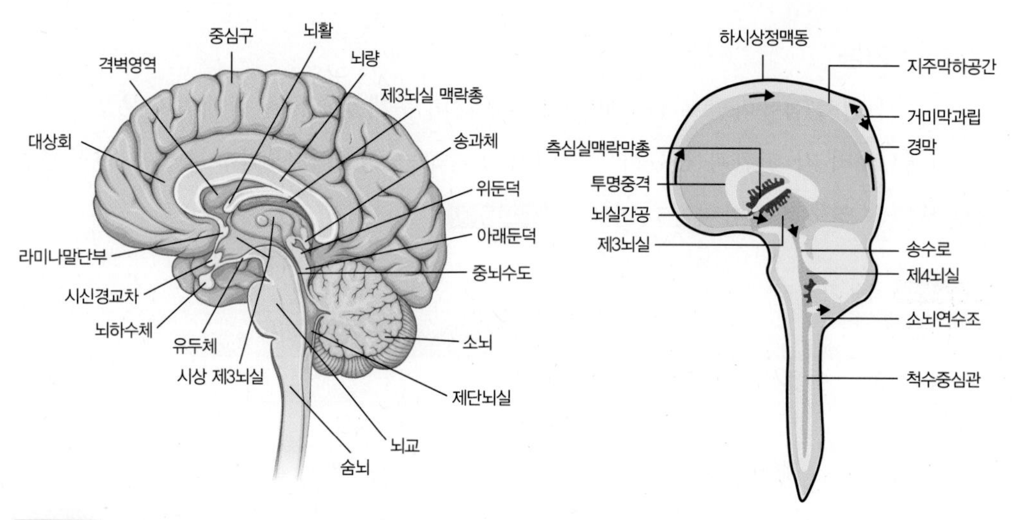

Fig 6-5 뇌척수 구조 및 단면도

2) 뇌척수 손상에서 일어나는 장애

(1) 반신마비

① 좌측이나 우측의 반신이 마비, 발병 직후에 이완성, 시간이 지나면 경직이 온다.

② 마비된 반신의 경우, 다양한 감각이 둔해지거나 통증이 나타나기도 한다.

(2) 언어장애

① 실어증

a. 브로카 실어증(Broca's aphasia; motor aphasia, 운동 실어증): 좌측후하 전두엽(브로카 영역) 손상, 단어는 이해할 수 있지만 말하는 것, 쓰는 것, 스스로 의사 표현을 할 수 없다.

b. 베르니케 실어증(Wernicke's aphasia; sensory aphasia, 이해 실어증): 후상 측두회

(베르니케 영역) 손상, 말하는 것은 가능하지만 듣는 것을 이해하지 못한다.

c. 전실어(Global): 왼쪽 대뇌반구, 중대뇌동맥 손상, 말하는 것도 불가능하고, 알아듣는 것도 불가능하다.

② 구음장애

– 혀, 입술, 목 등이 마비되어 발음이 잘 되지 않는 느낌으로, 말을 잘할 수 없다.

(3) 실조증

① 의도적 움직임을 수행할 때 근육을 협력적으로 사용하지 못하는 증상이다.

② 걷기가 힘들고 어지러우며 균형 감각이 약해지고 몸이 뜻대로 움직이지 않는다.

(4) 의식장애

① 의식수준 장애 정도에 따라 5단계로 분류: 각성(alert), 혼돈(confusion), 기면(drowsiness), 혼미(stupor), 혼수(coma)

② 혼수 환자의 신경학적 검사를 평가한다.

(5) 경련

– 전신 또는 국소의 근육이 자신의 의사와는 관계없이 급격히 수축하는 현상이다.

(6) 배뇨장애

– 방광의 근육을 수축시키고 괄약근을 이완시키는 기능에 장애가 올 수 있다.

(7) 시력장애

– 한쪽 눈 또는 양쪽 눈 모두가 갑자기 보이지 않고, 사람이 둘로 보이거나 일그러져 보인다.

(8) 실인증과 실행증

① 실인은 보거나 손에 닿았던 것을 인식할 수 없는 상태이다.

② 실행은 무언가를 해야만 한다는 것을 잊지 않았음에도 그것을 할 수 없게 되는

것이다.

(9) 의욕장애와 감정의 변화

① 지금까지 일을 열심히 해왔는데 갑자기 의욕을 잃어버리거나 힘이 없어진다.

② 온화했던 사람이 갑자기 쉽게 분노하거나 우울 상태가 된다.

(10) 기타

– 주의력 저하, 성격의 변화, 기억력 저하, 치매 등

3) 진단검사

① 자기공명촬영(Magnetic Resonance Imaging, MRI)

② 컴퓨터화된 X선 단층촬영(Computer Tomography, CT)

③ 확산텐서영상(Diffusion Tensor Imaging, DTI)

④ 양자선 방출 단층촬영(Positron Emission Tomography, PET)

⑤ 신경학적 검사, 신경전도검사, 신경심리검사, 뇌척수액검사

4) 신경계 평가

(1) 신체기능

① 도수근력 검사

운동 시 작용하는 근육, 근육군의 역할과 안정성, 지지력 등을 0~5점 척도로 측정하며, 근력의 정도에 따라 Table 6-8과 같이 등급을 분류한다.

Table 6-8 도수근력 검사의 등급 판정

단계	상태	근력의 정도
0	Zero	아무런 근육 수축도 느껴지거나 보이지 않는다.
1	Trace	근육 수축은 보이지만, 동작은 일어나지 않는다.
2	Poor	중력이 감소 상태에서 완전한 관절가동범위까지 움직인다.
3	Fair	중력에 저항하여 완전한 관절가동범위까지 움직인다.
4	Good	중등도의 저항과 함께 중력에 저항하여 완전한 관절가동범위까지 움직인다.
5	Normal	정상(근력, 관절가동범위)

② 관절가동범위

각도계(goniometer)를 사용하여 관절을 움직일 때 관절가동범위를 측정한다.

③ 근긴장도(Muscle tone)

수동적으로 관절을 움직였을 때 느껴지는 저항의 정도를 측정한다.

(2) 감각

① 시각

시력, 눈의 추적, 눈의 움직임, 시각적 집중, 시야 범위 등 측정한다.

② 촉각

온도 감각, 통각, 두 점 구별검사, 압박, 가벼운 접촉 등 측정한다.

③ 촉각지각

시각을 차단한 상태에서 사물을 만져보고 그 사물의 이름을 말하게 한다.

(3) 인지

① 기억력

우리의 환경에서 주어지는 자극에 대하여 선택적인 집중을 하고 정보를 받아들여 저장, 유지, 회상하는 능력이다.

② 집중력

외부나 내부의 자극에서 한 가지 자극에 집중하는 선택적 집중력이며, 이는 스트룹 검사(stroop reading test)로 평가한다.

(4) 지각

감각에 대한 인체의 반영으로 몸과 환경에 대한 정보를 조절하고 분석하는 능력이다.

① 편측무시

뇌 시각로의 손상 없이 반대측에 주어지는 자극에 대한 반응이 나타나지 않는 것이다.

② 신체도식

신체의 자세와 각 신체 부분의 관련성을 지각하는 것이다.

(5) 인지·지각 기능 평가

① 한국판 간이 정신상태 평가(Mini-mental state examination-K, MMSE-K)

짧은 시간 내에 인지능력을 평가할 수 있는 판별검사로 인지 기능장애의 정량적 평가이다.

② 알렌 인지수준 검사(Allen cognitive level test, ACLT)

일상생활에서 많이 사용하는 도구를 이용하여 환자의 인지수준을 평가한다.

③ 한국판 치매 평가 검사(Korean dementia rating scale, K-DRS)

치매환자의 진단 및 경과를 측정하기 위해 만들어진 평가도구이다.

5) 일상생활 활동(Activities of Daily Living, ADL) 평가도구

(1) 한글판 수정 바델지수(Korea Modified barthel index, K-MBI) 점수 체계

일상생활에 있어서 완전의존, 최대보조, 중등보조, 최소보조, 완전독립의 5단계로 Table 6-9와 같이 구분된다.

Table 6-9 한글판 수정바델지수 점수 체계

한글판 수정바델지수 점수 체계					1
	1	2	3	4	5
항목	과제를 수행할 수 없는 경우	최대의 도움이 필요한 경우	중등도의 도움이 필요한 경우	최소의 도움이나 감시가 필요한 경우	완전히 독립적인 경우
개인위생	0	1	3	4	5
목욕하기	0	1	3	4	5

한글판 수정바델지수 점수 체계					1
	1	2	3	4	5
항목	과제를 수행할 수 없는 경우	최대의 도움이 필요한 경우	중등도의 도움이 필요한 경우	최소의 도움이나 감시가 필요한 경우	완전히 독립적인 경우
식사하기	0	2	5	8	10
용변처리	0	2	5	8	10
계단 오르기	0	2	5	8	10
옷 입기	0	2	5	8	10
대변 조절	0	2	5	8	10
소변 조절	0	2	5	8	10
보행	0	3	8	12	15
의자차	0	1	3	4	5
의자/침대 이동	0	3	8	12	15
범위	0 ◀			▶	100

수정판 바델 지수의 일반적인 사용지침	2
1	평가항목의 과제를 수행할 수 없는 경우는 1로 분류하고, 바델 점수는 0점에 해당한다.
2	보호자에게 거의 대부분을 의지하는 경우, 또는 누군가 곁에 있지 않으면 안전에 문제가 있는 경우는 2로 분류한다.
3	보호자에게 중등도로 의지하는 경우, 또는 과제를 끝까지 수행하기 위해 보호자의 감시가 필요한 경우는 3으로 분류한다.
4	보호자의 도움이나 감시가 최소로 필요한 경우는 4로 분류한다.
5	• 완전히 독립적으로 과제를 수행할 수 있는 경우에는 5로 분류한다. • 환자의 과제 수행 속도가 느린 경우, 그 기능의 수행을 위해 다른 사람의 도움을 필요로 하지 않는다면 점수를 아래 단계로 분류하지 않는다.

[출처: K-MBI 대한뇌신경재활연구회]

(2) 클레인 벨

직접적인 관찰과 면접을 통해 대상자의 수행 여부에 따라 점수를 기록한다.

(3) 기능적 독립 척도

① 대상자가 어느 정도 자립하고 있는지에 대한 기능적 자립도를 평가한다.

② 18문항, 1~7점 척도, 완전 독립(7점)부터 안전 보조(1점)로 측정한다.

(4) 한국형 일상생활 활동, 수단적 일상생활 활동 평가

① K-ADL은 옷 입고 벗기, 세수, 목욕, 식사, 이동, 화장실 이용, 대소변 조절로 구성되어 있다.

② K-IADL은 가정 및 지역사회에서 수행하는 몸단장, 집안일, 식사 준비, 빨래하기, 근거리 외출, 교통수단 이용, 물건 사기, 금전 관리, 전화 사용, 약 챙겨 먹기로 구성되어 있다.

6) 치료

– 약물치료, 외과적 치료, 재활치료

3_ 간호 사정

1) 신체검진

(1) 신경계 검진

① 뇌 신경(Cranial nerves) I - XII

② 의식수준(Mental status) 및 고위 대뇌 기능: 인지 기능, 기억력, 사고력, 감정 상태 등

③ 상지·하지 운동계와 감각계: 위축, 긴장도, 근력, 감각 등

④ 반사 기능: Deep tendon reflex (DTR), Superficial reflex, Pathologic reflex

⑤ 조정기능: 운동, 감각, 소뇌 기능의 통합

(2) 정신기능검사

① 외모, 행동: 자세, 위생 상태, 얼굴 표정, 사람과의 관계 등

② 언어: 스스로 말하기, 이해하기, 따라 말하기, 이름 대기 등

③ 감정: 언어적, 비언어적 행동 관찰

④ 사고과정과 지각: 논리적, 일관성 등

(3) 뇌척수 손상과 합병증

① 오른쪽 편마비: 실행증, 실인증, 실어증, 실독증, 실서증, 입체 인식 불능

② 왼쪽 편마비: 반맹, 지남력 장애, 운동계획 장애

③ 영양, 폐렴, 욕창, 성기능, 배뇨·배변 이상

2) 과거 병력, 이전 지식과 경험 상황

(1) 병의 진행 상황, 증상, 가족력 등 확인

(2) 약물 복용 관리

(3) 심혈관계, 혈압 측정 및 만성질환 상태

(4) 개인의 건강습관과 신념: 식이, 운동, 수면, 스트레스 대처 양상

3) 환경적 요인

(1) 물리적 환경 특성: 낙상 위험성, 가옥구조, 화장실 및 거실 상태

(2) 사회·경제적 상태: 가족지지, 직업, 재활 관련 장비, 자원 등

(3) 심리·정서적 측면, 종교적 신념, 문화, 가치

4_ 간호 문제

1) 활동의 지속성 장애

2) 앉는 자세와 선 자세의 균형 장애

3) 잠재적 낙상 위험성

4) 감각-인지 기능 장애

5) 일상생활 유지 결핍

6) 안전에 대한 판단력 감소

7) 자가간호 결핍

8) 잠재적 피부 손상 위험성

9) 좌절, 우울, 불안, 정서장애

10) 비효율적 이행

11) 사회·경제적 적응 장애

12) 비효율적 가정관리

5_ 간호 목표

1) 뇌척수 손상 환자의 삶의 질이 향상된다.

2) 최적의 신체기능을 유지하도록 돕는다.

3) 옷 입기, 식사하기, 화장실 가기 등 독립적으로 기능을 수행한다.

4) 균형, 근력, 관절의 유연성이 유지 및 증진된다.

5) 관절의 구축이나 부동 증후군 등 합병증을 예방한다.

6) 안전한 환경 제공으로 낙상 위험성이 감소된다.

7) 환자의 만족감이 향상된다.

8) 자신감의 회복과 활동성을 유지한다.

9) 재활에 영향을 주는 주 돌봄자 혹 가족 간호를 수행한다.

10) 지역사회 재활 프로그램을 통한 적응을 촉진한다.

6_ 간호 수행

재활간호(Rehabilitation Nursing)는 만성질병이나 신체적 장애로 손상 받은 개인이 장애에 적응하고, 최고의 잠재성을 성취하며, 생산적이고 독립적 삶을 지향하도록 돕는다(미국재활간호사회, ARN).

1) 신체적, 치료적 간호

(1) 뇌척수질환 발생 초기에는 욕창, 연하장애, 요실금, 배변 기능 장애 등에 대해 주의 깊게 관찰해야 하며, 합병증 예방을 위한 신체적 간호는 성공적인 재활에 중요한 변

수이다.

(2) 운동 및 감각 기능의 변화로 성기능 장애가 올 수 있어, 상담과 치료 방법을 알려준다.

(3) 하반신이나 양쪽 다리를 움직일 수 있는 경우가 적으므로 주의해서 움직이도록 의식적으로 소리를 내준다.

(4) 편마비 환자들은 넘어져 마비된 쪽의 대퇴골 경부가 골절되는 경우가 발생한다. 편마비와 대퇴부 골절 모두 침대에 누워 지내게 되므로 낙상 예방 활동을 수행한다.
※ 낙상에 대한 표준 간호 프로토콜을 확인하며, 체위변경 보조 장치가 필요할 수 있다.

(5) 고령 환자는 주변 사람이 도와주지 않으면 좀처럼 스스로는 움직일 수 없는 경향이 있어 주변에 있는 사람이 확실하게 환자 스스로 움직일 수 있도록 도와준다.

(6) 첨족*이 발생하면 교정이 어려우므로 예방 활동을 수행한다.
* 첨족(talipes equinus)
– 첨족은 아킬레스건이 짧아져 발가락 끝이 발바닥 쪽으로 굽어진 채 굳어져, 원래 상태로 돌아가지 못하는 상태이다. 서거나 걷는 것이 어려워진다.
– 예방하는 스트레칭 방법: '발 교정대'라고 불리는 경사진 교정대 위에 서서 마비되지 않은 다리를 띄우듯이 하면, 마비된 쪽 아킬레스건이 신전된다.

(7) 의사소통 도구로 필기구, 시청각 레코더, 컴퓨터, 호출벨, 대체 의사소통 등을 사용한다.

(8) 약물 복용, 영양 관리, 진료 및 치료 계획에 대해 점검한다.

(9) 정기적인 검진을 통해 뇌 건강을 점검한다.

2) 영적, 정서적 간호

(1) 자택에서 편안하게 몸을 움직일 수 있을 것이며, 보다 친숙한 집에 돌아감으로써 환자의 회복에 또 하나의 동기부여가 될 것이다.

(2) 시간은 걸리지만 조금씩 천천히 회복되므로 인내하며 열심히 훈련을 지속할 필요가 있다.

(3) 의식적, 상징적, 개인의 가치를 존중하며 안위 활동을 격려한다.

(4) 새로운 취미를 갖거나, 좋아하는 음악을 들어 기분을 전환시킨다.

(5) 다양한 이완요법으로 긴장과 스트레스의 수준을 낮춘다.

(6) 치매, 우울 상태라고 생각되면 정신과 의사에게 상담을 받는다.

3) 사회적 간호

(1) 지팡이를 사용하여 걸을 수 있게 된다면 외출을 고려한다.

(2) 다양한 사람들 사이에서 역할을 수행하는 기분을 갖는 것이 도움이 된다.

(3) 간병하는 사람이 있는가, 누가 간병할 것인가, 그리고 간병을 담당한 사람이 그 간병 일을 견뎌낼 체력과 능력을 가지고 있는가를 평가한다.

(4) 재활을 위한 이동 접근성, 효율성, 기간, 치료 등을 주기적으로 점검한다.

(5) 가정에서 학대 유무를 평가하고, 적시에 보고할 수 있도록 한다.

(6) 재활상담, 심리치료, 가족치료, 사회 적응훈련, 재활 전화상담실 운영 등을 연계한다.

(7) 지역사회에 기반을 둔 뇌졸중 그룹 모임을 제공한다.

4) 가족 간호

(1) 가족 및 주 돌봄 제공자의 신체적·정서적 건강 상태, 대처 능력을 평가한다.

(2) 환자와 가족이 수용할 만한 삶의 질을 얻도록 돕고, 가족 역할 변화에 적응한다.

(3) 대상자의 가능성을 강조하고 가족의 강점과 대상자의 역량을 향상시킨다.

(4) 재활 프로그램, 가족 자조모임 등의 참여를 통한 자신감을 가진다.

(5) 멀티미디어, 인터넷, 스마트폰 등 매체 활용을 통한 교육자료를 제공한다.

5) 경제적 측면 상담

(1) 재활은 장기적이고 지속적으로 이루어지므로 비용에 대한 계획을 세운다.

(2) 가족의 재정적 자원 이용과 계획을 할 수 있도록 운영을 지지한다.

(3) 직업재활 훈련, 국가에서 운영하는 재활 회사, 교육의 보조지원 시스템을 이용한다.

(4) 재활 운동기구 대여, 보장구 및 재활용품 처방 및 구입 등을 연계한다.

(5) 지역사회 자원을 활용한다(장애인 차량, 심부름 대행, 동행서비스, 낮 병동 등).

6) 재활훈련 시 고려해야 할 주의사항

(1) 재활은 '무리해서 움직이는 운동'같은 것이 아니라 건강해지기 위해 필요한 운동으

로, '부족한 운동을 보충하는 것'이라고 생각한다.

(2) 끈 없는 신발이나 매직테이프로 탈부착할 수 있는 신발을 적용한다.

(3) 잠옷이나 티셔츠와 반바지 등 움직이기 편한 복장을 착용한다.

(4) 같은 자세를 유지하지 않도록 주의하며 운동을 해서 스스로 침대에서 뒤집기할 수 있는 체력을 기르고, 제대로 영양 섭취를 하여 피하지방과 근육이 줄어들지 않게 한다.

(5) 처음에는 침대에서 뒤엎기, 일어났다 앉기, 보행을 최우선 과제로 삼는다.

(6) 우선 '서고' 그 다음 순서로 '걷는 것'을 목표로 한다.

(7) 등의 근육은 앉기, 서기, 걷기 모든 운동에 사용할 수 있다.

(8) 실생활에 필요한 기능을 수행하기 위해 자주 훈련한다.

(9) 화장실을 스스로 가기 위해서는 하반신의 힘을 강하게 만든다.

(10) 지금까지는 전혀 문제 없었던 집안의 문턱이나 카펫, 매트 같은 것들로 인해 균형을 잃을 수 있으므로 낙상에 주의해야 한다.

(11) '이동'에 보조가 필요한 환자에게는 리프트 사용을 고려한다. 그리고 보조장치 (Assistive Device) 사용법을 교육한다.

7_ 대상자 교육

1) 일상생활 활동

– 식사, 개인위생, 이동, 화장실, 목욕, 보행, 옷 갈아입기, 계단 오르기, 요의, 변의 등

– 마비되지 않은 쪽 손을 사용하여 식사, 세면, 화장실, 목욕, 옷 갈아입기 등 일상생활의 여러 가지 동작이 가능하도록 한다.

(1) 옷 갈아입기

① 셔츠 입는 방법

a. 마비된 쪽 팔을 먼저 넣고, 마비되지 않은 쪽 손으로 당겨 어깨까지 가져온다.

b. 마비되지 않은 쪽 손을 등으로 가져가 셔츠를 잡아당겨 편다.

c. 마비되지 않은 쪽 팔을 넣는다.

d. 셔츠 앞쪽을 잠근다.

※ 벗을 때는 마비되지 않은 쪽을 먼저 벗고, 마비된 쪽 팔을 뺀다.

② 바지 입는 법

a. 마비된 쪽 다리를 바지에 넣는다.

b. 마비되지 않은 쪽 다리를 바지에 넣고, 전체를 가능한 위로 잡아당겨 편다.

c. 마비되지 않은 쪽 다리에 힘을 주어 허리를 들어 올리고 바지를 당겨 올린다.*

* 이것을 할 수 없을 때는 좌우 방향 교대로 잡아당겨 올려도 된다.

(2) 화장실 이용하기

① 휴대용 화장실로의 이동 방법

a. 화장실을 마비되지 않은 쪽에 침대와 나란히 가져다 둔다.

b. 손잡이, 이동 바를 잡고 일어나 화장실에 앉는다.

c. 손잡이에 몸을 기대면서 방향을 바꾼다.

d. 화장실에 앉는다.

② 화장실에서 손잡이 사용 방법

a. 화장실을 사용해야 할 때는 마비되지 않은 쪽에 손잡이가 있는 화장실을 사용한다.

b. 손잡이와 벽 사이에는 팔을 넣고, 몸이 안정화되면 바지를 편하게 벗거나 변기에 안전하게 앉도록 한다.

(3) 계단을 오르는 훈련

① 마비되지 않은 쪽 손으로 난간을 잡는다.

② 마비되지 않은 쪽 다리로 계단을 한 칸씩 올라간다.

③ 마비된 쪽 다리를 당겨 올려, ②에서 올린 다리 옆에 맞추어 둔다.

④ 이 과정을 반복한다.

(4) 계단을 내려가는 훈련

① 마비되지 않은 쪽 손으로 난간을 확실히 잡는다.

② 마비된 쪽 다리를 한 칸씩 아래로 내려둔다.

③ 마비되지 않은 쪽 다리를 내려두어, ②에서 내려둔 다리 옆에 맞추어 둔다.

④ 이 과정을 반복한다.

(5) 휠체어 이용

① 휠체어에 테이블을 장착하여 식사를 한다.

② 마비되어 있지 않은 팔과 다리를 사용하여 휠체어를 이동시킨다.

③ 발 받침에는 마비된 다리만 올려두고, 마비되지 않은 다리로 바닥을 찬다.

④ 마비되지 않은 팔로 휠체어를 이동시킨다.

2) 침대에서 할 수 있는 재활 3가지 스텝

(1) 1스텝

① 마비된 쪽으로 몸을 뒤척인다. 마비되지 않은 팔로 침대 난간을 잡고, 힘껏 당기면서 몸을 뒤척인다.

② 마비되지 않은 쪽 다리를 쫙 편 채, 10~15 cm 정도 들고 5초간 유지한다. 다음에는 마비된 쪽 다리를 10~15 cm 들고 5초간 유지한다. 양쪽을 교대로 반복한다.

③ 양 무릎을 세우고 엉덩이를 들어 브리지를 만든 후 5초간 유지한다. 다음엔 엉덩이를 내리고 5초간 쉰다. 이 과정을 반복한다.

(2) 2스텝

① 마비되지 않은 쪽으로 몸을 뒤척인다.

② 침대 머리 쪽 기둥을 마비되지 않은 손으로 잡고, 머리 쪽으로 몸 전체를 당겨 올라간다. 그리고 다음으로는 오른쪽으로, 왼쪽으로 몸을 이동시켜 본다.

(3) 3스텝

① 마비되지 않은 쪽 다리로 마비된 다리를 걸어 들어올려 침대 밖으로 이동시킨다. 그 후 다시 침대 안쪽으로 이동시킨다.

② 마비되지 않은 다리로 마비된 다리를 걸어서 들어올려 침대 밖으로 이동시키고,

마비되지 않은 쪽을 마비된 쪽 발 밑에 받쳐준다. 이후 마비되지 않은 쪽 무릎을 세워 천천히 상반신을 일으켜 앉는 자세를 취한다. 마비되지 않은 팔로 침대 손잡이를 잡고 앉은 자세를 유지한다.

③ 균형을 유지하며 앉은 자세를 유지한다.

3) 지팡이를 짚고 걷는 재활

(1) 지팡이 종류

① 사이드 워커(walker cane)

② 사각(네 다리) 지팡이

③ T자 지팡이

(2) 방법

① 삼점보행

a. 지팡이를 한 보 앞에 둔다(지팡이).

b. 마비된 쪽 다리를 한 보낸다(환측).

c. 마비되지 않은 쪽 다리를 한 보 전진시킨다(건측).

② 이점보행

a. 마비되지 않은 쪽 다리를 한 보 앞에 낸다.

b. 지팡이와 함께 마비된 쪽 다리를 앞으로 낸다.

③ 보행 훈련

a. 근력 강화, 균형 훈련, 평행봉 및 지팡이를 사용한 보행을 한다.

b. 일상생활 활동을 수행하는 데 필요한 관절 가동 범위 를 연습한다.

c. 선 자세에서 하지에 체중을 주는 것을 통해 근 활동을 통합한다.

d. 일어서기와 앉기[Standing up (STS) and Sitting down (SIT)]를 수행한다.

e. 바로 선 자세와 보행 연습은 주당 3회씩 30분간 실시한다.

f. 같은 동작을 끊임없이 반복한다.

g. 필요시 보행 보조도구를 처방받아 사용한다.

4) 경직된 손가락 펴주는 법

(1) 굳어져 펴지지 않는 상태의 손가락을 확인한다.

(2) 손가락이 어느 정도까지 펴지는가를 확인한다.

(3) 잘 펴지지 않으면 손목을 손바닥 쪽으로 직각에 가깝게 굽혀준다.

(4) 손가락을 편 채로 손목을 펴준다.

(5) 손가락 사이를 벌려준다.

5) 견관절 아탈구(Shoulder Subluxation) 예방 및 어깨관절 운동

(1) 앉은 자세에서 마비측 손으로 물건에 닿을 수 있도록 뻗기를 수행한다.

(2) 손을 사용하여 물건을 잡고 잡은 것을 유지한다.

(3) 양 상지를 사용하도록 물건의 크기와 무게를 증가시킨다.

(4) 손 안에서 물체를 움직인다.

(5) 특정 과제를 위해 양 손을 사용한다.

(6) 탄력 밴드 운동을 통해 근력을 증가시킨다.

(7) 어깨 통증을 예방하기 위한 적절한 중재를 한다.

(8) 15분씩 하루에 두 번, 능동적인 손가락과 손목 굴곡, 신전 연습을 한다.

6) 언어, 의사소통, 인지기능 재활 교육

(1) 기억력 훈련으로 시간차 회상, 소거법, 오차 배제 학습, 현실 지남력 치료, 회상 치료가 있다.

(2) 말 대신 몸짓이나 그림으로 구성된 차트 등은 이해할 수 있다.

(3) 가정 활동 과제로 인지재활 워크북을 활용한다.

(4) 인지 기능은 집중력, 기억력, 문제 해결 능력을 높이는 인지훈련을 지속적으로 한다.

(5) 효과적인 의사소통 수단, 대안적인 방법으로 쓰기, 음성 발생 컴퓨터 장치 등을 사용한다.

(6) 주의사항

① 대화를 짧게 끊어서 해주고, 천천히 알아듣기 쉽게 설명한다.

② 환자가 가장 이해하기 쉬운 의사소통 방법을 찾는다.

③ 연이어 질문하거나, 급하게 화제를 바꾸거나, 틀린 것을 지적하는 것은 금물이다.

④ 단어를 천천히 발음한다.

7) 신체역학의 원칙

대상자를 이동시킬 때 역학적 이점을 이용하면 자신과 대상자를 서로 보호하게 됨으로써 수년간 간호할 수 있는 능력이 향상된다.

[신체역학의 세 가지 원칙(O'Sullivan, 2007)]

1. 당기기보다는 밀기가 더 안전하다. 밀기에서는 다리, 가슴, 팔의 근육을 사용할 수 있지만 당기기는 허리만을 이용하기 때문에 심각한 부상으로 이어진다.
2. 하중을 가깝게 위치시킨다. 물체나 사람을 들어 올리거나 수동적 관절범위 운동을 제공할 때에 수행할 활동을 가능한 자신의 몸에 밀착하여 수행한다.
3. 굽힘과 뒤틀기 또는 뻗기와 뒤틀기를 동시에 하지 않는다. 굽힘과 뒤틀기 동작에서는 신체역학이 약화되어 근육 긴장, 척추관절의 손상, 추간판의 압박 증대 등의 위험이 있다.

8) 집으로 퇴원 시 준비사항

(1) 간병하는 사람의 건강을 환자의 건강과 같은 비중으로 생각한다.

(2) 일상생활 관련 동작 10항목을 자립적으로 할 수 있는가, 간병을 필요로 하는가, 간병을 필요로 하는 단계는 어느 정도인가를 파악한다.

(3) 이동과 화장실, 욕실 관련 훈련과 필요한 물품을 준비한다.

① 욕조 옆의 손잡이, 목욕 보드, 높이를 조절할 수 있는 의자, 미끄럼 방지용 매트를 준비한다.

② 손잡이와 화장실 휴지는 마비되지 않은 쪽에 위치하도록 설치한다.

③ 행동이 좀 더 편한 양변기로 바꾼다.

④ 더운 물의 온도를 조절할 수 있는 샤워기로 바꾼다.

⑤ 비상용 벨을 설치한다.

(4) 화장실, 목욕탕, 계단, 현관에는 손잡이를 설치한다.

(5) 계단 끝단에 미끄럼 방지용 타일 설치, 발바닥을 비춰주는 조명 또는 밝은 색 조명을 설치한다.

(6) 문턱 제거, 경사로 설치, 밝은 조명, 막대형 레버 손잡이 등 주택을 개선한다.

(7) 보행을 방해하지 않도록 가구를 배열한다.

(8) 침대를 선택하는 방법이다.

① 앉은 상태에서 바닥에 두 발이 딱 닿을 수 있는 높이로 조절한다.

② 매트는 단단하고 평편한 것이 좋다.

③ 반드시 침대에 '사이드 바'가 있는 것을 선택한다.

④ 낙상을 예방하는 이동 바 등이 필요하다.

[발생 가능한 문제]

자율신경 반사부전

제6 흉수 이상의 척수 손상 환자가 유해한 자극을 받아서 교감신경 반사 반응이 갑자기 일어나는 경우에 나타난다.

① 관련 요인

a. 척수손상 환자들에게 발생하는 독특한 증상이며, T6 이상 손상 환자의 90%에서 발병한다.

b. 손상 부위 이하의 신체에 가해지는 모든 유해성 자극에 의해 일어난다.

c. 방광과 장의 팽창에 의해서 가장 흔하게 일어난다.

② 증상

a. 파고드는 발톱, 너무 조이는 옷의 착용, 상처, 감염, 성행위, 임신, 골절, 심부정맥혈전증 증상은 기저혈압보다 20~40 mmHg 이상 상승된 혈압과 동반되는 두통이다.

b. 서맥, 얼굴 홍조, 소름, 비충혈, 손상 부위 이상 신체 부위에서의 발한이 있다.

③ 간호처치

a. 예방이 가장 중요하며, 방광, 장, 피부의 관리를 매일 한다.

b. 자율신경 반사부전의 자극이 되는 요소를 신속히 확인하고 제거한다.

c. 환자의 혈압을 확인하고, 혈압이 높다면 환자의 머리를 올리고 다리를 내려야 한다.

d. 몸에 딱 붙거나 조이는 옷을 제거하고 방광과 장을 비운다.

e. 조명이나 TV를 끄고 최대한 차분한 분위기를 만든다.

f. 의사에게 알리고 5분 간격으로 혈압을 확인하다.

[출처: Paralyzed Veterans of America/Consortium for Spinal Cord Medicine, 2001]

[병원 방문이 필요한 경우]

1. 통증이나 이상 증상이 발생하면 바로 의료진에게 상담을 받는다.
2. 배뇨, 배변 장애가 새롭게 나타나는 경우, 검사 및 진료를 위해 내원한다.
3. 피부 손상 또는 욕창 등 합병증이 발생했을 경우, 조기에 치료를 받는다.
4. 응급 상황을 인식하고, 사전에 알고 있는 응급조치를 취하고 담당의료진 등에 연락을 한다.
5. 입원한 병원이 집에서 먼 경우에는 갑자기 상태가 나빠졌을 때 30분 안에 갈 수 있는 곳에 단골 주치의를 만들어 두고, 자가 점검을 통해 관리하는 것도 중요하다.

참고 문헌

1. 강남세브란스병원 호흡재활센터: 제16회 호흡재활 WORKSHOP, p167-212, 서울.
2. 국민건강보험 요양급여 고시 2017-15호, 제7장 이학요법료, 2017.
3. 김경 외: 심장호흡 물리치료.p344-354, 서울, 정담 미디어, 2017.
4. 김금순 외: 성인간호학 II, p1153-1298, 경기도, 수문사, 2016.
5. 김영미, 조정선, 지역사회중심재활을 기반으로 한 서비스가 뇌졸중 환자의 기능과 삶의 질에 미치는 영향, 재활복지, Vol.17 No.3. 2013.
6. 김영범·오태영: 치매 및 뇌졸중 환자의 인지기능 향상을 위한 인지재활훈련, 서울, 학지사, 2018.
7. 김옥수 외 편역: 성인간호학. 11판, p415-455, 서울, 2020.
8. 대학서림편집부: 신경계 질환별 물리치료, 서울, 대학서림, 2021.
9. 대한신경과학회: 신경학, 서울, 범문에듀케이션, 2017.
10. 대한심장호흡물리치료학회: 심장호흡계 물리치료 중재학, 2판. p237-276, 서울, 범문에듀케이션, 2014.
11. 대한지역사회작업치료학회: 아동과 가족을 위한 지역사회 작업치료 실행, 경기도, 수문사, 2013.
12. 미요시 세이도: 권승원 옮김, 뇌졸중 재활, 이렇게 일어나 걸어보자!, 서울, 청홍, 2016.
13. 박종욱: 만성난치질환 아는 만큼 이긴다, 서울, 매일경제신문사, 2014.
14. 박흥석: 재활 환자 간호, 대한간호협회 가정간호사회 보수교육, 2018.
15. 보건복지부 공고 제2020-709호 "심장질환 재택의료 시범사업 참여기관" 공모
16. 서울대학교병원 가정간호사업팀: 가정에서 앰부 사용법 환자용 교육자료, 2021.
17. 서울대학교병원 가정간호사업팀: 신환 사정도구, 2014.
18. 소희영 외: 재활간호학, 서울, 정담미디어, 2015.
19. 소희영: 재활간호. p355-375, 서울, 현문사, 1999.
20. 양영애 외: 작업치료학개론, p149-178, 서울, 에듀팩토리, 2014.
21. 오명화 외: 작업치료의 이해, p154-196, 서울, 범문에듀케이션, 2016.
22. 유성훈 외: 보건의료인을 위한 재활심리학, p161-188, 서울, 범문에듀케이션, 2016.
23. 유호신 외: 가정·방문간호 핸드북, 서울, 군자출판사, 2010.
24. 윤은자 외: 성인간호학 9th ed. 경기도, 수문사, 2020.
25. 이동엽 외: 지역사회 물리치료, 서울, 박영사, 2014.
26. 정천기 외 : 사람 뇌의 구조와 기능, 서울, 범문에듀케이션, 2014.
27. 정한영 외: Development of the Korean Version of Modified Barthel Index (K-MBI): Multi-center Study for Subjects with Stroke, 대한재활의학회지, 31권 3호 p283-

297, 2007.
28. 차경미 외: 지역사회보건간호학 I · II, p570-586, 서울, JMK, 2017.
29. 피터레빈 지음, 우촌심뇌혈관연구재단 옮김: 뇌졸중 거뜬히 회복하기, 제주, 꿈꿀자유, 2017.
30. 한태륜 외: 재활의학 6th ed. 서울, 군자출판사, 2019.
31. 한태륜, 방문석, 정선근: 재활의학, 6판, p943-965, 파주, 군자출판사, 2019.
32. 허준: 뇌혈관 전문의사 뇌졸중 이야기, 경기도, 피톤치드, 2017.
33. 허춘웅: 우리나라 사람들이 제일 두려워하는 뇌졸중 굿바이. p138-140, 경기도, 피톤치드, 2014.
34. 현대건강연구회: 자율신경 실조증 치료법, 경기도, 태을출판사, 2018.
35. 황문숙, 이미경, 송종례, 오은경: ALS 환자 호흡간호 매뉴얼, p99-106, 서울, 현문사, 2013.
36. 황옥남 외: 재활간호의 이론과 실제, p235-275, 서울, 현문사, 2015.
37. 황현숙, 양영애: 지역사회 재활, 작업치료, 물리치료, 재활간호. 서울, 영문출판사, 2011.
38. American Heart Association: What Is Cardiac Rehabilitation?. American Heart Association, 2020. Avaliable from: URL: https://www.heart.org/-/media/files/health-topics/answers-by-heart/pe-abh-what-is-cardiac-rehabilitation-ucm_300341.pdf?la=en
39. European Journal of Preventive Cardiology, 2016 European Guidelines on cardiovascular disease prevention in clinical practice, 2016, Vol. 23(11) NP1-NP96, DOI: 10.1177/2047487316653709
40. Ferullo, S.M., Green, A.: Update on concussion: Here's what the experts say. Journal of Family Practice, 59(8), 428-433, 2010.
41. Janet H. Carr, Roberta B. Shepherd: 이인희 옮김, Stroke Rehabilitation, 범문사, 2004.
42. Kate Olson: Oxford handbook of cardiac nursing, Oxford, Oxford University Press, 2020
43. Kolt GS, Andersen MB: Psychology in the physical and manual therapies, Churchill Livingstone, Edinburgh, 2004.
44. Kristen L. Mauk , 소희영 외(옮긴이): 재활간호학. 서울, 정담미디어, 2015.
45. Leah Dvorak, Paul Jackson Mansfield: 김미현 외 옮김, (재활전문가를 위한) 필수 신경해부학, 영문출판사, 2013.

46. Love, L.: Cardiovascular and thermoregulatory control, In Nursing practice related to spinal cord impairment , A core curriculum, pp145-158, 2001.
47. O'Sullivan, S: Musculoskeletal physical therapy, National physical therapy examination review & study guide p66-67, Evanston, IL:International Educational Resources, 2007.
48. Paralyzed Veterans of America/Consortium for Spinal Cord Medicine: Acute management of autonomic dysreflexia, individuals with spinal cord injury presenting to health-care facilities, Washington, DC: Author, 2001.
49. Richard T. Roessler, Stanford E. Rubin, Phillip D. Rumril, Jr. 지음, 이상훈 옮김: 재활상담과 사례관리, 학지사, 2019.
50. Rodger, S.: Occupational performance coaching, Enabling occupational performance in families, Paper presented at the World Federation of Occupational Therapy meeting, Santiago Chile, 2010.
51. WHO, Implementation tools Package of Essential Noncommunicable (PEN) disease interventions for primary health care in low-resource settings, 2013.
52. WHO, Technical package for cardiovascular disease management in primary health care Team-based care, 2018.
53. WHO-ICRC Basic Emergency Care approach to the acutely ill and injured, p155 -156

참고 사이트

1. 국립신경장애 및 뇌졸중연구소
http://www.ninds.nih.gov

2. 대한 숨연구회
http://www.breatheasyclub.com/

3. 대한뇌신경재활연구회
http://www.ksnr.or.kr

4. 대한뇌졸중학회
http://www.stroke.or.kr

5. 대한물리치료학회
http://www.kpt.or.kr

6. 대한작업치료학회
http://www.ksot.kr

7. 미국뇌손상협회
http://www.biausa.org

8. 미국뇌졸중협회
http://www.strokeassociation.org

9. 미국재활간호사회
http://www.rehabnurse.org

10. 미국직업치료협회
http://aota.org

11. 미국척수손상협회
http://asia-spinalinjury.org

12. 실어증 환자의 성건강 사정 도구 관련 정보
http://www.aphasia.ca

13. 온라인 정신건강교육 및 지원 관련 정보
http://www.helpguide.org

14. 장애아동, 장애인 교육 옹호
http://www.wrightslaw.com

15. 장애아동을 위한 가족 지원
http://www.ifspweb.org

16. 한국 ALS (근위축성측삭경화증)협회
http://www.kalsa.org/

17. 한국재활간호학회
http://www.kasren.or.kr

18. 한국지역사회간호학회
http://www.kchn.or.kr

19. 홈헬스케어서비스
http://www.healthstarhomehealth.net

20. National Caregivers Library
http://www.caregiverslibrary.org

제 7 장

통증관리
Pain Management

통증관리 (Pain Management)

1_ 통증의 종류

1) 통증의 지속기간에 따른 종류

(1) 급성통증과 만성통증 비교

Table 7-1 급성통증과 만성통증 비교

구분	급성통증	만성통증
발생 지점	분명(6개월 이내)	불분명(6개월 이상)
원인	수술, 외상, 급성질병	질병 과정의 지연
기간	예측 가능, 제한적	예측 불가, 무제한적
신체반응	교감신경 자극 증상 (심한 발한, 혈압 상승, 심박동과 호흡수 증가, 흥분, 신경과민, 공포 등)	교감신경 자극 증상 없음
감정	불안	우울
행동	회복될 때까지 활동 감소	생활방식 및 기능의 변화
치료	질병이나 손상의 치료 일시적 진통제 사용	원인에 대한 치료 없이 규칙적으로 예방적 진통제 사용, 심리사회적 지지

(2) 암성통증

급성 통증 또는 만성 통증일 수 있음(암의 진단적 절차 및 치료 관련)

(3) 만성 비암성통증

암과 연관이 없는 지속적인 통증, 만성통증 증후군, 복합부위통증증후군(Complex Regional Pain Syndrome, CRPS)

2) 통증의 근원에 따른 분류

(1) 체성 통증(침해성 통증)

표재성 통증(피부), 심부 통증(근육, 결체조직), 찌르는 듯한 박동성, 누르는 압박감 등으로 표현

(2) 내장 통증(연관통)

내부 장기 통증으로 위치가 애매하며 경련성(cramping) 또는 체성통과 유사한 양상(둔하게, 우리함, 쥐어짜는 듯)으로 표현

예 충수염 시 배꼽 주위 피부 통증

(3) 신경병증성 통증

신경의 손상에 의한 통증으로 화끈거리거나(burning) 저린 듯한(tingling), 콕콕 찌름, 무딤, 전기 통하는 양상으로 표현(말초신경계 또는 중추신경계의 손상과 관련)

(4) 방사통

통증이 느껴지는 부위가 직접적 발생 부위에서 멀지만 신경분절에 속해 있어 통증이 전달되는 것

(5) 정신성 통증(원인이 매우 다양함)과 원인불명 통증

3) 지역사회에서 발생할 수 있는 통증

(1) 수술 후 통증

수술 후 통증은 가정에 있는 대상자의 수술 후 회복에 매우 중요한 요인이 된다. 통증이 잘 회복되는 게 중요하다. 통증 측정 도구를 정확하게 이해하고 객관적으로 적용한다. 약물적 통증 중재 뿐 아니라 비약물적 중재 방법도 적용해 본다.

(2) 뇌졸중 후 통증

뇌졸중 후 어깨 통증, 신경인성 통증(시상성 통증 혹은 중추성 통증)이 가장 많이 겪는 통

증으로, 저리고 쑤시는 통증과 작열통 등이 반복적으로 나타난다. 신경인성 통증 약물요법으로는 항우울제, 항경련제들이 주로 쓰인다.

(3) 관절 통증과 허리 통증

정밀한 검사를 통해 통증의 원인을 파악하고 진료를 본다.

(4) 대상포진

대상포진은 피부 증상이 미미한 경우, 다른 질병들과 혼동하기 쉽다. 대상포진과 허리 디스크는 유사점이 있다. 대상포진은 자세와 상관없이 통증이 발생하나, 디스크는 앉거나 서 있을 때 통증이 발생하고 누워있을 때는 통증이 거의 없다. 대상포진은 발생하고 3개월이 지난 후에도 파괴된 신경이 복구되지 않아 만성 통증으로 남아 있게 된다.

(5) 치은염·치주염

잇몸이 붓거나 염증이 발생되고, 양치를 해도 구취가 심해지며, 치아와 잇몸 사이에 고름이 나오는 것이 특징이다. 증상이 심할 때는 작은 자극에도 쉽게 통증을 느낀다. 연령이 높을수록 발병률이 높으며, 40대 이상 장년층의 경우 약 80~90%가 증상을 경험한다고 한다.

2_ 통증 사정

통증 사정은 가정에 있는 대상자가 보고한 내용을 신뢰하는 것으로 시작하며, 가정에 있는 대상자가 통증이라고 표현하면 그것이 통증이고, 개인마다 통증에 대한 역치, 내성이 다르며 대상자마다 다른 통증 정도를 호소할 수 있으므로, 표정이나 타인의 짐작 등으로 통증을 판단하지 않도록 한다.

인지장애, 어린이, 노인과 같이 의사소통에 문제가 있는 경우는 가족의 설명을 통해 통증의 단서를 얻을 수 있다.

1) 통증의 초기 사정

가정에 있는 대상자를 처음 방문했을 때 PQRST와 통증력(pain history)을 사정한다. 가정에 있는 대상자마다 통증을 관리하기 위한 여러 방법을 사용한다. 통증 계획의 효율성을 위해 어떤 방법을 사용하고 있는지와 과거에 어떤 대처를 했는지 물어보는 것이 중요하다.

Table 7-2 통증의 PQRST

P	통증의 위치 (Position)	통증이 있는 부위는 어디인가? 신체의 다른 부분으로 통증이 퍼져 나가는가?
Q	통증의 양상 (Quality)	통증이 어떻게 느껴지는가? 통증과 동반되는 다른 증상이 있는가?
R	통증 완화 및 악화 요인 (Relieving or aggravating factor)	통증을 유발하거나 악화시키는 요인이 있는가? 통증을 완화시키거나 감소시키는 요인이 있는가?
S	통증의 강도 (Severity)	통증이 얼마나 심한가? 가장 심할 때, 가장 편안할 때의 통증 점수는 얼마인가?
T	통증의 시기 (Timing)	통증이 언제 시작되는가? 통증이 일정한가, 간헐적으로 오는가? 통증이 갑자기 시작되는가, 점진적으로 심해지는가?

(1) 통증의 위치

통증 부위가 한 곳 이상일 수 있으므로 가정에 있는 대상자가 신체 그림에 통증이 있는 부위를 표시하는 방법을 사용한다(Fig 7-1).

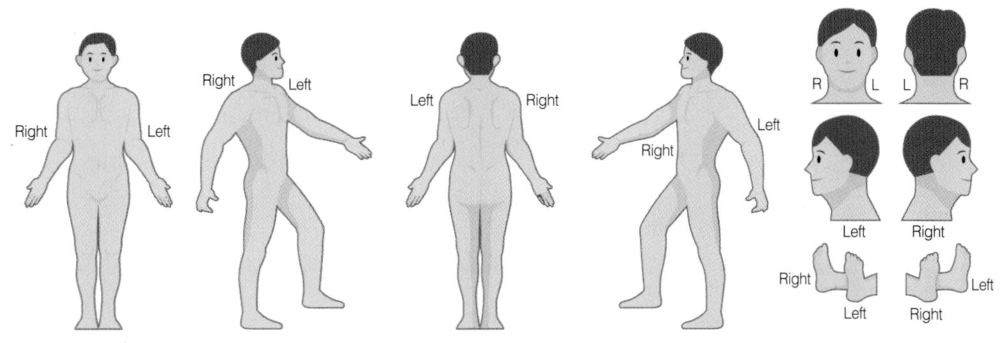

※ 대상자 또는 간호사가 통증 부위를 원으로 그리고 가장 아픈 곳에 X 표시한다. 여러 부위일 경우 a, b, c, d 순서로 표시한다.

Fig 7-1 통증의 위치

[출처: The University of Lowa College of Nursing (2002). Evidence-Based Guideline: Acute pain manage-ment in the elderly. The University of Lowa College]

(2) 통증의 양상

통증의 느낌이 날카로운지, 둔한지, 욱신욱신 쑤시는지, 타는 듯한지, 저리는 듯한지, 칼로 벤 것처럼 아픈지 등 가급적 가정에 있는 대상자가 통증의 특성을 자신의 말로 표현하도록 하고, 가정에 있는 대상자의 표현 그대로 기록하여 통증의 양상과 원인 파악이 가능하도록 한다.

(3) 통증 완화 및 악화 요인

통증을 완화시키거나 악화시키는 특정한 상황, 자세, 요인 등을 가정에 있는 대상자에게 질문하여 파악한다.

① 완화 요인: 마사지, 열 또는 냉 요법, 이완 요법 등

② 악화 요인: 자세 변경, 특정 활동, 실내 온도, 방광 팽만 등

(4) 통증의 강도

통증의 강도는 치료 결정(긴급 정도, 진통제의 종류, 투여 방법, 용량 조절, 속도)에 매우 중요하다. 연령 및 상황에 따라 통증 등급 등을 이용하여 객관적으로 평가한다.

- 숫자 통증 등급

  의사소통이 가능하고 수 개념을 이해하는 12세 이상 대상자에게 사용한다(Fig 7-2).

  통증 없음(0), 경도(1~3), 중등도(4~6) 및 심함(7~10)

Fig 7-2 **숫자 통증 등급(Numeric Rating Scale)**

[출처: AHCPR(Agency for Health Care Pollicy and Research).(1992). Acute pain managrment: Operative or medical procedures and trauma.(AHCPR Pub. No.92-0032).
Rockville, MD: Agency for Health Care Policy and Reasearch, Public Health Service, U.S. Department of Health and Human Services]

(5) 통증의 시기

통증의 시작 및 지속시간을 질문하여 기록한다.

(6) 통증력

가정에 있는 대상자의 현재의 통증과 과거 통증 경험을 사정한다.

① 가정에 있는 대상자가 과거에 경험했거나 또는 현재의 통증 여부와 그 영향

② 이전에 통증 조절을 위해 사용하여 효과가 있었거나 또는 없었던 방법

③ 약물 남용을 포함한 아편유사제(opioid), 항불안제 또는 다른 약물에 대한 가정에 있는 대상자의 태도와 사용

④ 가정에 있는 대상자가 통증을 표현하거나 기술하는 방법

⑤ 가정에 있는 대상자의 통증관리 방법에 대한 지식, 기대 및 선호도

(7) 통증 관련 신체증상 관찰

가정에 있는 대상자를 관찰하거나 대화를 통해 관련 신체증상이 있는지 관찰한다.

① 한숨이나 신음과 같은 발성

② 이를 악물거나 찡그린 얼굴과 표정

③ 행동 변화(잦은 체위 변경, 느린 움직임, 강직, 절뚝거림)

④ 장시간 누워 있는 것을 포함한 신체 기능 제한

⑤ 급성 통증의 경우 호흡수, 맥박, 혈압 증가, 동공확대

2) 통증 재사정

통증 초기 사정 후 위치, 양상, 강도 세 가지를 반드시 포함하여 통증을 다음과 같이 재사정하고 통증 초기 사정 기록지와 연계하여 통증의 변화 양상을 파악하도록 한다.

(1) 통증 재사정 기준 강도: 5점 이상(WHO 3단계 진통제 사다리 중등도 기준 점수에 근거, 해당 병원의 통증 관리 규정 또는 지침에 근거하여 변경 가능함)

(2) 통증 재사정 시점: 경구약을 투여했을 때는 투약 1시간 이후, 비경구 약물 투여 시에는 투약 15분 후[출처: 보건복지가족부 국가암관리사업지원단 암성통증관리위원회, 2008]

(3) 통증 재사정 간격: 통증이 5점 이상일 때 최소한 8시간마다 시행

단, 수술 및 침습적 수술을 받은 대상자, 중환자, 진통제를 투약하고 있는 대상자는 통증 강도와 상관없이 최소한 8시간마다 재사정하고, 대상자의 상태 및 상황에 따라 필요시 추가 사정한다.

3_ 통증관리

1) 간호 목표

(1) 통증은 없거나 감소되었다고 구두로 표현한다.

(2) 통증의 원인을 정확하게 이해한다고 말한다.

(3) 통증관리 계획에 동의한다.

(4) 이전과 같은 일상생활을 수행할 수 있다.

2) 간호 수행

(1) 물품 및 기구

처방된 진통제, 통증 사정 도구, 통증 자가 기록 일지

(2) 간호 수행 평가

① 가정에 있는 대상자와 신뢰관계를 확립한다.

② 가정에 있는 대상자의 자가 보고서는 가장 신뢰할 수 있는 통증지침이다(통증은 주관적임). 가정으로 방문하는 간호사는 자가 보고서를 존중해야 한다.

③ 가정에 있는 대상자의 통증 조절을 위해 가능한 모든 일을 할 것이라는 확신을 준다.

④ 관찰은 가정에 있는 대상자가 대화할 수 없는 상태가 아닌 한, 가정에 있는 대상자 자가보고서로 대체할 수 없다.

⑤ 사정은 신체적·생리적 측면에서 평가해야 한다.

⑥ 방문할 때마다 통증의 강도를 통증 도구를 이용하여 사정하며 이때 통증 부위,

완화 인자, 악화인자도 같이 사정한다.

⑦ 통증의 원인을 증명할 수 없을 때 정신적인 원인으로 돌리지 않는다.

⑧ 동일한 통증 역치는 존재하지 않는다.

⑨ 통증 내성은 여러 가지 요인(유전, 에너지 수준, 대처기술, 통증에 대한 선 경험)에 따라 다양하게 분류될 수 있다.

⑩ 통증관리에 약학적 원리를 적용하고, 진통제는 가능하면 경구나 패치 형태로 제공한다.

⑪ 적절한 혈중농도를 유지하기 위해서 투약은 지속적이고 일정한 간격으로 제공한다.

⑫ 작용을 최소화하고 약물의 효과를 극대화하기 위해 약물은 충분히 제공한다.

⑬ 통증 조절을 위해 전환 요법(음악, 명상요법, 대체요법 등)을 사용한다.

3) 가정간호 대상자 교육

(1) 통증 관리를 위한 목표를 설명한다.

(2) 마약에 대한 잘못된 생각을 시정하는 교육을 제공한다.

(3) 마약을 포함한 진통제와 부작용 조절약제의 사용법을 교육한다.

(4) 가정에서도 통증 사정 도구의 사용법을 알려주고 매일 통증 등급을 기록하는 자가 기록 일지를 쓰도록 교육한다.

(5) 약물에 대한 부작용을 교육하고 가정간호사에게 알려야 할 내용을 보고하도록 안내한다.

4_ 암성통증 환자 관리

1) 암성통증의 일반 원칙

(1) 모든 암 대상자 진료 시 반드시 통증 유무를 확인한다(Fig 7-3).

(2) 통증 평가 도구를 사용하여 통증 유무를 선별하고 통증 강도를 측정하여 기록한다.

(3) 기존에 통증이 있었던 환자와 새로이 통증을 호소하는 대상자를 포함하여 통증을 호소하는 모든 대상자에게 포괄적으로 통증 평가를 시행한다.

(4) 효과적인 통증 관리를 위해 대상자와 가족에게 가정에서도 평가도구를 사용하도록 교육한다.

2) 암성통증에 대한 포괄적 통증 평가 항목

(1) 통증 병력: 관련 요인(P), 특성(Q), 위치/방사통(R), 강도(S), 시간적 양상(T)

(2) 현재의 통증 치료력, 치료에 대한 반응, 돌발 통증 유무

① 약물 치료의 종류, 용량, 경로 및 기타 시도한 통증 치료 종류, 진통 효과와 부작용을 평가한다.

② 돌발 통증 유무 및 유발 요인을 평가한다.

(3) 통증 외의 암 관련 증상 평가

(4) 현재 암의 상태 및 암 치료적 평가

(5) 다른 동반 질환 및 암 진단 이전의 만성 통증 병력

(6) 정신 사회적 평가

(7) 통증 및 통증 조절에 대한 지식 및 오해

① 통증이 있다는 것은 질병이 악화됨을 의미한다.

② 진통제는 중독되기 쉽다.

③ 초기부터 진통제를 사용하면 나중에 통증을 조절할 수 없다.

④ 통증은 가능하면 참고 못 견딜 때만 진통제를 사용해야 한다.

⑤ 진통제를 사용하면 몸에 해롭다.

⑥ 통증을 호소하면 의사가 암 치료에 집중하지 못하게 된다.

(8) 통증 조절에 대한 대상자의 기대 정도 및 통증이 일상생활에 미치는 영향 평가

(9) 신체검진

(10) 혈액·영상 검사 등 적절한 검사

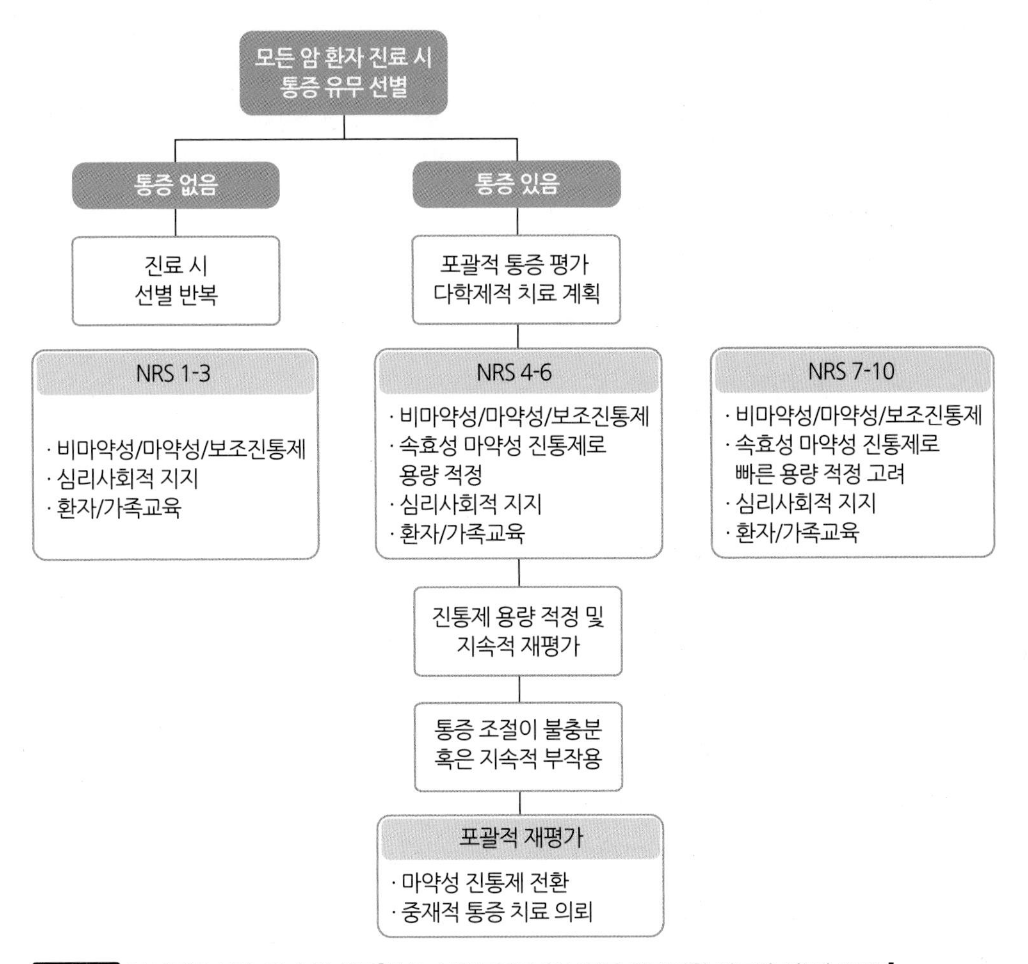

Fig 7-3 **암성통증 선별, 평가 및 치료[출처: 보건복지부 암성통증 관리지침 권고안 제6판 2015]**

3) 암성 통증 치료 원칙

(1) 마약 진통제 사용의 6단계

① 진통제 종류의 선택: 통증 강도에 따른 WHO 3단계 진통제를 선택하거나 추가한다(Fig 7-4).

② 투약 경로의 선택: 경구, 경피, 정맥, 직장, 피하, 척수강 등

③ 투여 간격의 선택: 규칙적 시간 간격(8시간 혹은 12시간 등)

④ 투여 용량 선택: 적절성 여부 자주 평가, 통증 조절이 잘 되지 않으면 진통제 종류를 바꾸거나 용량을 증가시킨다.

⑤ 보조 진통제 사용: 스테로이드 등

⑥ 관리: 주기적 관찰 및 평가(효과 및 부작용 등), 가정에 있는 대상자가 조절되지 않는 부작용을 호소하는 경우, 통증이 3 이하면 용량을 25% 감량하여 사용한 후에 재평가한다.

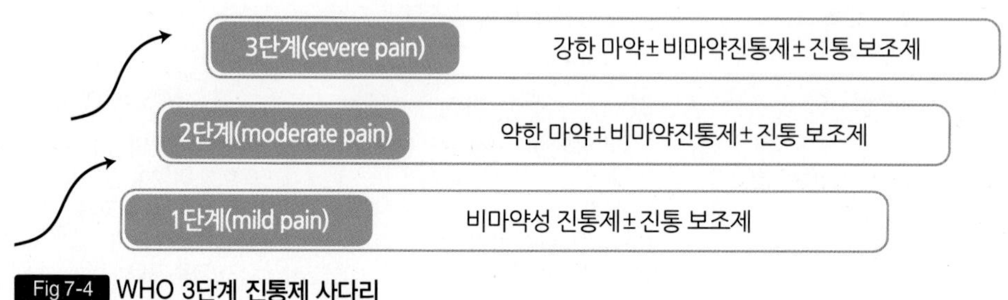

Fig 7-4 WHO 3단계 진통제 사다리

(2) 진통제 일일 용량 조절 원칙

① 용량 조절 시 그 전 24시간 동안 투여용량의 25~50%씩 증감한다.

② 응급이 아닌 경우 48시간 간격으로 증량한다.

③ 돌발성 통증 시 용량은 하루 용량의 10~20%로 투여한다. 경구 속효성 제제 투여 1시간 후에 통증을 재평가한다.

④ 외래에서 진통제 처방 시 통증 정도에 따라 수일에서 수주마다(예 1~4주) 재평가한다.

(3) 동등 진통 용량의 전환 원칙

① 다른 약제로 바꾸는 경우, 첫 용량은 불완전한 교차내성을 고려해서 동등 진통 용량의 50~75%로 투여한다.

② 전에 사용하던 진통제로 통증 조절이 불충분하였던 경우, 새 약제의 초회 용량을 동등 진통 용량의 100~125%로 투여한다.

(4) 진통제 사용 시 주의사항

① 간 기능 이상 용량 조절 시 증량 간격을 길게 하거나 용량을 소량씩 증가시킨다.

② 신장 기능 이상시 정상 용량의 50%로 감량한다.

5_ 마약성 진통제

1) 일반 원칙

(1) 가정에 있는 대상자마다 적절한 마약성 진통제의 종류, 용량, 투여 경로를 개별화하여 선택한다.

(2) 진통제 투여 경로는 경구를 우선으로 하되, 상황에 따라 적절한 경로를 선택한다.

(3) 적정 용량은 부작용 없이 통증이 조절되는 용량으로, 가정에 있는 대상자마다 개별화하여 투약한다.

(4) 통증 강도의 어느 단계에서나 마약성 진통제를 투여하여 통증을 조절할 수 있다.

(5) 신기능·간 기능 저하, 만성 폐질환, 호흡기 합병증, 전신 쇠약 대상자의 경우 용량 적정에 주의한다.

(6) 서방형 진통제를 주기적으로 투여하고, 돌발 통증에 대비하여 속효성 진통제를 처방한다.

(7) 고용량의 진통제 필요시 복합 성분 마약성 진통제보다 단일 성분 마약성 진통제를 투여한다.

(8) 마약성 진통제 용량을 충분히 증량해도 통증이 지속되거나 지속적인 부작용 발생 시 통증을 재평가하고 진통제 전환(Rotation), 보조 진통제 투여, 중재적 통증 치료 등을 고려한다.

2) 마약성 진통제의 종류

암성 통증 치료를 위해서는 순수 작동제(Morphine, Oxycodone, Hydromorphone, Hydrocodone, Fentanyl, Codein, Tramadol)를 투여한다. 단, Pethidine은 반복 투여 시 대사 산물 축적으로 발작 및 부정맥 발생 위험이 있어 만성 암성통증 조절에 사용하지 않는다.

Table 7-3 국내 시판 마약성 진통제

성분명	제형	비고
Morphine	경구 서방형/속효성 주사제	신기능 저하 시 주의
Oxycodone	경구 서방형/속효성 주사제	
Oxycodone/Naloxone 복합	경구 서방형	
Hydromorphone	경구 서방형/속효성	
Hydrocodon/Acetaminophen 복합	경구속효성	
Fentanyl (신기능 저하 시 안전)	경피 패치, 경점막 속효성, 주사제	경점막 제제: 최소 용량 제형으로 투여 시작하여 증량
Codein	경구 속효성	신기능 저하 시 주의 최대 240 mg/day
Codein/Ibuprofen/Acetaminophen 복합	경구 속효성	신기능 저하 시 주의
Tramadol	경구 서방형, 주사제	Tramadol 성분 최대 400 mg/day TCA/SSRI 병합 투여 시 주의
Tramadol/Acetaminophen 복합	경구 서방형/속효성	
Buprenophine (고용량 마약성 진통제 투여 중인 환자에게 투여 시 금단증상 발생의 위험이 있음)	경피 패치	최대 20 ㎍/hr
Tapentadol	경구 서방형/속효성	

3) 마약성 진통제 용량 적정(Fig 7-5)

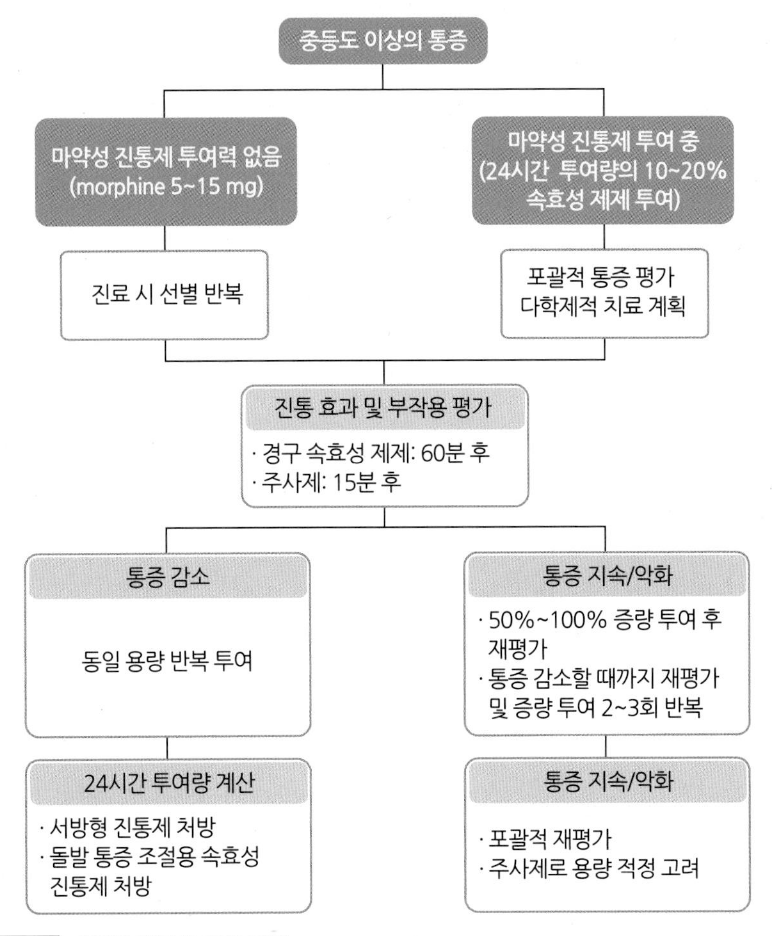

Fig 7-5 마약성 진통제 용량 적정
[출처: 보건복지부 암성통증 관리지침 권고안 제6판 2015]

4) 돌발 통증 관리

(1) 돌발 통증에 대비하여 속효성 진통제(이전 24시간 투여된 마약성 진통제의 10~20%)를 처방한다.

(2) 특정 상황에서 발생하는 통증은 통증을 유발하는 상황(예 움직일 때)이 발생하기 전에 미리 속효성 진통제를 투약한다.

(3) 펜타닐 경점막 속효성 제제는 경구 모르핀으로 60 mg/day (혹은 동등 진통 용량의 다른 마약성 진통제) 이상의 용량으로 1주일 이상 투여한 대상자의 돌발 통증 조절을 위

해 투약한다. 마약성 진통제를 처음 사용한 대상자에게는 사용하지 않는다.

(4) 돌발성 통증에 사용되는 경점막 흡수형 펜타닐

① 액틱구강정 6가지(200 ㎍, 400 ㎍, 600 ㎍, 800 ㎍, 1200 ㎍, 1600 ㎍)의 용량

a. 복용 직전, 포장을 벗겨 입 안에 넣고 뺨과 아랫잇몸 사이에 위치시킨 후, 사탕처럼 약물을 가끔씩 이동한다. 절대로 씹거나 삼키면 안 되고, 점막에 비벼 가며 15분간 복용한다.

b. 초기 200 ㎍ 1회 1정, 1일 최대 4회 투여, 재투여 시에는 15분 간격으로 투여한다.

② 펜토라 5가지(100 ㎍, 200 ㎍, 400 ㎍, 600 ㎍, 800 ㎍)의 용량

a. 암 대상자들은 입마름이 심하거나 연하곤란 등 음식물을 삼키기 어려울 수 있는데, 이때 양쪽 볼 점막과 설하를 이용하여 약물을 흡수시킬 수 있다. 쪼개거나 빨아먹거나, 씹거나, 삼켜서도 안 되고 가만히 약물을 녹이도록 한다. 15~25분간 뺨과 잇몸 사이에 놓아두어야 하며 30분 후에도 구강 내에 약이 남아 있으면 물 한 컵과 함께 삼킬 수 있다.

b. 초회 용량인 100 ㎍부터 복용할 수 있는데, 복용 후 30분이 지났는데도 통증이 지속되면 같은 용량을 한 번 더 투여하고 반대편 구강에 동일한 방법으로 흡수시킨다. 계속 사라지지 않는다면 최소 4시간 간격을 두고 용량을 한 단계씩 높여 복용할 수 있다.

③ 앱스트랄설하정(100 ㎍, 200 ㎍, 300 ㎍, 400 ㎍)

a. 씹거나, 빨거나, 삼키지 않으며 정제가 완전히 녹도록 한다. 정제가 완전히 녹을 때까지 음식물을 먹거나 음료를 마시지 않도록 한다. 입이 마른 대상자의 경우는 정제 투여 전 물로 구강을 적신 후 복용하도록 한다.

b. 초회 용량은 100 ㎍이며 15~30분 이내에 효과가 없으면 약물을 한 번 더 투여하고, 다음 통증 시에는 초기 용량을 늘릴 수 있으나 1회 800 ㎍까지 투여 가능하다. 2시간 간격으로 투여할 수 있고 1일 4회까지 투여 가능하다.

5) 마약성 진통제 전환

통증이 적절하게 조절되지 않거나 지속적인 부작용 발생 시 또는 투여 경로 변경 필요 시 다른 종류의 마약성 진통제로 변경을 고려한다.

(1) 지난 24시간 동안 투여한 마약성 진통제 총량을 계산한다.

(2) 동등 진통 용량표(Table 7-4)를 이용하여 사용할 마약성 진통제 용량을 계산한다.

Table 7-4 동등 진통 용량표(단위: mg)

마약성 진통제	정맥·피하	경구	정맥·피하 : 경구
Morphine	10	30	30:1:3
Oxycodone	10	15~20	1:1.5~2
Hydromorphone	1.5	7.5	1:5
Hydrocodone	-	30~45	-
Codein	-	200	-

(3) 통증 조절이 잘 되고 있는 경우, 새 약제의 용량은 처음 계산한 총 용량에서 25~50% 감량 투여한다.

(4) 통증 조절이 불충분한 경우 새 약제의 용량은 처음 계산한 총 용량에서 100~120% 감량 투여한다.

(5) 펜타닐 경피패치로 진통제를 전환한다(Table 7-5).

Table 7-5 펜타닐 경피 패치 동등 진통 용량표

펜타닐 경피 패치	정맥·피하 Morphine/24 hr	경구 Morphine/ 24 hr
12 ㎍/hr	10 mg	30 mg
25 ㎍/hr	20 mg	60 mg
50 ㎍/hr	40 mg	120 mg
75 ㎍/hr	60 mg	180 mg
100 ㎍/hr	80 mg	240 mg

① 가급적 안정적인 통증 조절 용량이 정해진 후 펜타닐 경피패치로 전환한다. 초기 용량은 25 ㎍/hr를 초과하지 않으며 3일마다 12 또는 25 ㎍/hr씩 증가시킨다.

② 펜타닐 경피패치로 전환 후 8~24시간 내 속효성 진통제를 미리 처방하여 필요시

투약한다.

③ 펜타닐 경피패치 사용 시 주의점

a. 움직임이 적고 털이 없는 부위 가슴 상부, 팔 위쪽 평평한 부위에 완전히 건조한 상태에서 부착한다. 땀이나 수분이 있다면 수분을 닦아낸다.

b. 피부에 문제가 있거나 면도한 직후에는 붙이지 않는다.

c. 혈액을 통해 전신으로 흡수되므로 아픈 부위에 붙일 필요는 없다.

d. 부착한 날짜와 시간을 꼭 기록하여 72시간마다 교환한다. 같은 자리에 연속으로 붙이지 않는다(피부 자극이 심해질 수 있다).

e. 패치를 붙인 다음 물로 손을 씻으며 패치 부착 자리에 열을 가하지 않도록 한다. 전기담요, 히터, 사우나를 주의하며 뜨거운 욕조에 들어가지 않도록 한다. 직사광도 피해야 한다. 체내 온도가 높을수록 이 약물의 흡수율이 증가하여 치료 목적 이외의 용량이 체내에 흡수될 수 있어 부작용 및 중독의 위험이 커질 수 있다.

f. 패치를 뗀 후 접착면을 반으로 접어서 주의해서 폐기한다. 패치가 들어 있던 파우치에 싸서 버리는 것이 안전하다. 어린이나 애완동물의 손에 닿지 않도록 주의한다. 사용하지 않는 패치는 약국이나 병원에 반환한다. 패치 제거 후에도 물로 손을 닦는다.

g. 부착 후 진정, 호흡 억제 등의 부작용을 관찰한다.

h. 약물의 발현시간이 8~10시간으로 길고, 제거 후에도 10시간까지 지속적으로 혈중에 남아 있기 때문에 통증의 악화로 용량 또는 진통제 변경 시 주의한다.

6) 중독, 내성, 신체적 의존 및 안전성 관리

(1) 마약성 진통제를 장기간 투여 시 내성 및 신체적 의존이 발생할 수 있으나, 중독과는 구분해야 한다.

(2) 통증이 있는 대상자에게 마약성 진통제를 투여하는 경우, 중독은 드물다.

(3) 암성 통증 대상자에게 마약성 진통제를 처방하는 한편, 오남용 예방을 위해 주기적인 평가 및 대상자 교육이 필요하다.

7) 마약성 진통제 부작용 관리

(1) 마약성 진통제의 흔한 부작용은 변비, 구역·구토, 진정·졸림, 섬망, 호흡 억제, 배뇨 장애, 소양감, 입 마름 등이 있다. 이를 미리 예상하고 적극적으로 관리한다.

(2) 변비를 제외한 대부분의 부작용은 시간이 지나면 내성이 생겨 호전된다. 예방적 완하제를 사용한다.

(3) 부작용이 지속되면 용량 감량 혹은 마약성 진통제 전환을 고려한다.

6_ 진통 보조제

보조제 중 일부는 그 자체만으로 진통 효과를 기대할 수 있으며, 주로 진통제와 병용하여 진통 효과를 높이고 다른 진통제로 인한 부작용을 경감시킨다. WHO 3단계 진통제 사다리 중 어느 단계에서도 사용 가능하다. 마약 진통제로 조절하기 어려운 뼈 전이 통증, 신경병증 통증 등을 조절하기 위하여 투여되는 Bisphosphonate, 항우울제, 항경련제, Ketamine, Corticosteroid 등이 포함된다.

참고문헌

1. 대한통증학회, 통증의학 (제5판), 군자출판사, 2018.
2. 보건복지부, 말기환자 호스피스 완화의료 진료 권고안 P17-23, 2020년.
3. 분당서울대병원 간호교육파트, 수술환자의 통증 및 피부통합성 관리, 2020년 2월.
4. 서울아산병원 가정간호사업실, 서울아산병원 가정간호지침서, 도서출판 고려의학, 2007.
5. 암성 통증관리지침 권고안 6판 개정과정, 2020년 4월 24일.
6. 유호신 외, 가정·방문간호 핸드북, 군자출판사, 2010년 7월.
7. 통증간호 실무 지침서 및 요약본 병원간호사회.
8. SEIDEL·BALL·DAINS, MOSBY'S GUIDE TO Physical Examination, 엘스비어코리아, 2006.
9. EBS 명의 수두바이러스의 공격 대상포진, 2021년 7월 30일.
10. Lewis 외 신경림외 성인간호학 I Medical-surgical Nursing, 7e 편역, 2010년 1월 25일.

참고사이트

1. 식약의약품안전처
   https://www.mfds.go.kr/

제 8 장

임종 간호와 사별 가족 간호

End-of-life Care and Bereaved family Care

임종 간호 (End-of-life Care)

삶의 마지막 과정인 임종 시기에 가정으로 방문하는 간호사의 간호 목표는 환자가 느끼는 불편감을 최대한 편안하게 해주고 인간의 존엄성을 유지하면서 삶을 잘 마무리할 수 있도록 돕는 것이다. 이 시기에 적절한 고통 완화와 임종 준비가 되지 않으면 임종 이후에도 남아 있는 가족은 환자의 어려웠던 상황을 오랫동안 기억하게 될 것이므로 편안한 임종을 할 수 있도록 준비시키는 것은 매우 의미 있는 일이다. 환자가 사망 후 일어날 과정에 대해 설명하여 가족의 충격을 완화시켜주고 임종의 순간을 평화롭고 존엄하게 맞이할 수 있도록 돕는다.

1_ 임종 및 말기 환자 돌봄 목표

임종환자의 불필요한 고통을 줄이고 편안한 임종을 돕는 것은 남아 있는 가족에게 좋은 사별 경험을 하게 하여 환자와의 좋은 기억으로 추억할 수 있도록 한다.

1) 에너지 상태를 유지하도록 한다.
2) 일상적인 활동이 안전하도록 한다.
3) 개별적 돌봄 목표를 달성하기 위한 맞춤형 돌봄을 제공한다.
4) 배설 상태나 위생 상태를 확인하여 청결하고 편안하게 해준다.
5) 환자와 가족의 의사결정을 돕고 최대한의 조절력을 유지하도록 한다.
6) 개별적으로 생각하는 의미 있는 삶을 지지하고 그렇게 할 수 있도록 한다.
7) 통증을 비롯하여 오심, 구토, 호흡곤란, 전신권태감 등 말기에 나타나는 증상을 조절한다.

8) 신체증상의 조절뿐 아니라 정신적, 사회적, 영적 측면도 중시하여 환자를 전인적인 돌봄이 되도록 한다.

9) 환자의 임종이 예견되는 시간부터 사별 후까지 가족의 슬픔 치료도 중요하므로 환자와 가족에게 정서적 지지를 제공한다.

2_ 임종 전 간호

임종의 징후들이 나타날 경우에 가족들에게 임종과정에서 나타나는 신체적 변화에 대해 차분하게 설명을 해야 한다. 임종 장소를 가정으로 하는 것에 대해 가족들의 협의 결과를 확인해야 상태 변화에 따라 병원으로 언제 모실 것인지를 결정할 수 있다. 가정에서 임종을 원하는 경우 환자 상태를 신중히 평가하여 가족과 충분한 상담을 거쳐 임종 계획을 수립한다.

1) 임종 준비

(1) 임종이 가까워오면 가족에게 임종 증상을 설명한다(Table 8-1).

Table 8-1 임종기에 나타나는 증상

임종기 구분	증상
임종 7일전부터 24시간 전까지 증상	• 혼돈, 혼란, 가래 끓는 소리, 오심, 안절부절, 통증 • 호흡곤란과 혼수는 임종 시에 현저하게 악화 • 점차 악화되는 쇠약감(극도의 피로감과 식욕 저하) • 누워서 지내며 대부분 수면 상태임 • 연하 곤란과 식사 및 물의 섭취 감소 • 비가역적 원인과 관련된 섬망
임종 임박 시 나타나는 대표적인 증상	• 숨은 가쁘고 깊게 몰아쉼 • 목에서 그르렁거리는 가래(Death rattle)가 끓다가 점차적으로 호흡이 길어지면서 숨을 쉬지 않는 호흡 양상의 변화(Cheyne stokes breathing) • 손발이 차가워지고, 식은땀을 흘리며 점차로 피부색이 창백해지거나 퍼렇게 변함 • 몸의 근육들이 이완되어 몸이 축 처지고 턱이 아래로 처지면서 입이 다물어지지 않을 수 있음 • 의식이 점차적으로 흐려지고 혼수상태에 빠짐 • 소변과 대변을 조절하는 근육이 이완되어 소·대변을 보기도 함 • 맥박이 약해지고 혈압이 서서히 떨어지다가 심장이 멈춤

(2) 환자와 가족이 현재 임종에 대해 어느 정도 수용하며 대처하고 있는지를 확인하기 위하여 임종 및 장례 준비 여부를 확인하여야 한다(Table 8-2).

Table 8-2 **임종 및 장례 준비에 대한 확인**

내용	비고
임종 장소 결정(가정, 병원)	
영정사진 준비	
장례식장과 장지 결정	
임종 후 깨끗하게 갈아입힐 옷과 속옷	
상주와 장례위원 등 장례 절차 결정	
사보험 가입 여부 및 발부받을 서류	
사망진단서 발급 안내	
임종 후 알려야 할 친척과 지인, 단체 연락처	

(3) 임종 및 장례 준비 여부를 평가할 때 아래와 같은 사항을 평가하여 환자의 뜻에 따라 임종과 장례 준비를 할 수 있도록 도와야 한다.

① 임종 및 장례 준비에 대한 평가에는 가족의 의사 일치 여부를 확인한다.

② 환자가 자신의 임종 및 장례 방법에 대한 주체적인 의사표현을 했는지 여부를 확인한다.

③ 사전연명의료의향서나 연명의료계획서(Table 8-3)를 작성하지는 않았지만 환자의 결정 능력이 상실되었을 때 환자의 사후 바람이 있는지 보호자에게 확인하여 사전 돌봄 계획 수립과 돌봄 가이드로 정한다.

Table 8-3 사전연명의료의향서와 연명의료계획서

구분	사전연명의료의향서	연명의료계획서	비고
정의	19세 이상인 사람이 자신의 연명의료 중단 등 결정 및 호스피스에 관한 의사를 직접 문서로 작성한 것(법 제2조제9호)	말기 및 임종 과정에 있는 환자의 의사에 따라 담당 의사가 해당 환자에 대한 연명의료 중단 등 결정 및 호스피스에 관한 사항을 계획하여 문서로 작성한 것(법 제2조제8호).	'말기(end of life, end stage of disease)'는 적극적인 치료에도 불구하고 근원적인 회복의 가능성이 없고 점차 증상이 악화되어 수개월 이내에 사망할 것으로 예상되는 상태를 말한다(법 제2조제3호). 환자연명의료결정법의 절차와 기준에 따라 말기 진단을 위해서는 담당 의사와 해당 분야의 전문의 1명으로부터 의학적 진단을 받아야 한다.
대상	19세 이상의 성인	말기 환자 또는 과정에 있는 환자(연령 제한 없음)	
작성방법	본인이 직접 작성	환자의 요청에 의해 담당 의사가 작성	
작성기관	보건복지부 지정 사전연명의료의향서 등록기관	의료기관윤리위원회 설치 등록된 의료기관	
설명의무	등록기관 소속 담당자	담당 의사	
효력 발생	시스템 등록 후 효력 발생	작성 즉시 효력 발생	

(4) 여건이 된다면 대상자의 종교에 따른 영적 돌봄 및 종교 예식을 제공한다.

① 가톨릭: 병자성사, 대세, 임종 전 기도, 필요시 신부님 및 수녀님 연락

② 개신교: 임종 전 기도나 예배, 필요시 목사님 연락

③ 불교: 불경 봉독, 임종 전 예불, 필요시 스님 연락

(5) 함께 할 수 있는 마지막 시간임을 인지시키고 의미 있는 시간을 갖도록 한다.

① 유언을 남길 수 있으면 녹음하거나 기록으로 남김

② 화해하지 못한 사람이 있었다면 화해하도록 도움

③ 마지막으로 만나고 싶은 사람을 만나게 함

④ 환자와 마음을 함께 하며 곁에 있어주도록 함

⑤ 조용한 이야기를 들려주거나 자주 만져주고, 욕창을 예방하고 환자가 편안할 수 있도록 최소한 두 시간마다 뒤척여 주도록 함

(6) 임종이 임박했을 때의 징후 및 증상들이 인지되면 임종 전 함께 할 가족들에게 알리고 임종 시기에 적절한 돌봄을 제공할 수 있도록 미리 교육되어야 한다.

(7) 임종이 예견되는 증상 및 징후에 대해 충분히 교육하여 간호사가 없을 때 임종을 맞이하더라도 당황하지 않고 평안한 가운데 임종을 맞이하도록 하며 환자를 깨끗하게 보내드릴 수 있도록 한다.

(8) 임종을 앞둔 환자의 돌봄에 있어서 임종을 앞둔 환자 개개인의 상태에 맞게 적절한 돌봄이 제공되어야 한다.

2) 임종 대상자 사정

(1) 신체 상태

① 통증(정도, 원인, 부위, 강도)

② 위장 관계(식욕부진, 연하곤란, 갈증, 설사, 변비, 복수, 오심, 구토)

③ 호흡기계(호흡곤란, 기침, 가래)

④ 신경계(의식 상태, 감각상실, 마비)

⑤ 피부계(욕창, 소양증, 두드러기)

⑥ 비뇨기계(빈뇨, 배뇨곤란, 배뇨 시 통증, 요실금, 감염)

⑦ 출혈 유무

⑧ 전해질 불균형 유무

⑨ 수면 상태

⑩ 약물복용 상태

(2) 정서·심리·영적 상태

① 예견되는 슬픔 반응

② 영적 요구

③ 종교적 지지원의 여부

④ 환자와 가족의 대인관계 양상

3) 간호 문제

(1) 신체적인 문제

① 쇠약감, 피로감, 활동의 감소

② 순환 기능의 변화

③ 수면 증가, 의식변화

④ 섭취량의 감소

⑤ 입 마름

⑥ 통증

⑦ 호흡 양상의 변화

⑧ 가래 끓는 소리(Death rattle)

⑨ 배뇨곤란 및 실금(변)

⑩ 자가간호 결핍

⑪ 임종 과정 중 예기치 않은 급작스런 상태 변화

(2) 정서적인 문제

① 대처능력 변화(개인, 가족)

② 사회적 고립

③ 혼돈, 말기 섬망

④ 무력감, 절망감

⑤ 영적 고뇌, 슬픔 반응 장애

4) 간호 목표

(1) 신체적·사회적·심리적·영적으로 편안하다.

(2) 임종을 수용하고 삶을 정리한다.

5) 임종 단계에 발생 가능한 문제에 대한 간호 수행

(1) 쇠약감, 피로감, 활동의 감소: 욕창 예방을 위한 체위 변경

(2) 순환 기능의 변화: 보온 유지, 온열기구 사용 금지

(3) 수면 증가, 의식 변화: 정상적인 사람에게 대하듯 차분하고 부드럽고 명확한 어조로 대하기

(4) 수분과 음식 섭취량의 감소: 전해질 음료나 스포츠 음료, 맑은 국물이나 과일, 야채 주스 등으로 전해질 균형을 유지하고 메스꺼움을 줄일 수 있음

(5) 입 마름

① 입안을 상쾌하게 해주기 위해 작은 얼음조각이나 주스 얼린 것을 입에 넣어주기

② 구강 간호, 작은 스프레이에 생수를 넣어 조금씩 뿌려주기

(6) 통증

① 적절한 통증 조절

② 얼굴을 찡그리거나 몸을 뒤척일 때는 다른 증상이나 불쾌감에 대해 평가하기

(7) 혼돈, 말기 섬망

① 편안하게 생각하는 사람이 곁에 있어주기

② 공포나 잘못된 인식을 갖지 않도록 설명하고 원인적 요소 제거하기

③ 환자를 대할 때는 혼돈이 없는 정상인을 대하듯 하기

(8) 호흡 양상의 변화

① 처방에 의한 항불안제, 수면제, 항콜린제 투여

② 환자의 불안을 줄여주기 위해 가장 편안하게 생각하는 사람이 옆에 있어주기

③ 임종기 환자의 호흡곤란 증상 완화를 위해 관행적으로 산소 투여를 시작하지 않기

④ 호흡곤란의 원인이 이미 알고 있는 저산소증에 의한 것이거나, 임상적으로 저산소증이 의심이 되는 경우에는 산소 투여 고려

(9) 가래 끓는 소리

① 환자는 의식이 저하되어 있는 경우가 많아서 가래가 있음을 고통으로 느끼지 않으므로 흡인기를 사용하기 보다는 상체 올려주기

② 연구개의 근육이 약해져 목에서 부딪히는 소리가 그르렁거리는 소리로 날 수도 있으나 이는 임종의 자연스러운 과정임을 인식시키기

(10) 배뇨곤란 및 실금(변)

① 임종이 임박하였을 때는 필요시 도뇨관 삽입

② 의식이 있는 환자는 기저귀를 해야 한다는 사실을 받아들이기 어려울 수 있으므로 환자의 심리상태 이해해 주기

(11) 임종 과정 중 예기치 않은 급작스런 상태 변화: '급작스런 상태 변화'가 있을 수 있음을 설명하기

6) 대상자 교육

(1) 죽음의 증상과 징후 등을 설명한다.

(2) 언제 의료진에게 알릴 것인지 설명한다.

(3) 약물의 투여 목적, 용량, 작용, 부작용을 설명한다.

(4) 환자에게 나타나는 각종 증상들의 조절 방법을 설명한다.

(5) 환자를 편안하게 해 줄 수 있는 안위 간호에 대해 교육한다.

(6) 병원에서 임종을 원하는 경우, 병원으로의 이동 시기를 설명한다.

(7) 주간호 제공자를 위한 정서적 지지에 대해 가족에게 설명한다.

(8) 임종이 다가오면 가족들이 해야 할 일들에 대해 구체적으로 설명한다.

(9) 임종 후 가족들이 해야 할 일들과 서류 준비, 장례 절차에 대해 설명한다.

3_ 임종 시 간호

1) 임종이 다가올 때 가족이 해야 할 일

(1) 환자가 가능한 말할 수 있도록 돕는다.

① 임종 전에 하고 싶은 말을 다하도록 돕는다.

② 적개심이 있는 사람과는 용서하고 화해하도록 한다.
③ 사후세계에 대한 두려움과 공포에 대해 표현하도록 돕는다.
④ 유언을 하지 않았다면, 의식이 저하되기 전에 유언을 할 수 있도록 돕는다. 환자가 의사소통이 가능할 때 영상편지나 가족사진을 촬영하는 것도 좋다.

(2) 환자가 편안할 수 있도록 지속적으로 돌본다.
① 이 시기에는 의료진과 상의하여 기본적인 약만 사용하고 나머지는 모두 중단한다.
② 환자를 깨끗하게 해 준다. 가능할 경우 따뜻한 물수건으로 부분 목욕을 자주 해 준다.
③ 먹을 수 있으면 음식을 제공하지만 사레가 들리면 호흡곤란이나 폐렴에 걸릴 수 있으니 무리해서 음식물 섭취를 권하지 않는다. 입이 마르면 젖은 거즈나 작은 수건으로 입을 적셔줄 수 있다.
④ 환자가 편안함을 느낄 수 있도록 주변을 정리정돈하고 청결을 유지한다.
⑤ 환자와 신체적 접촉을 통해 환자가 아니라는 생각을 할 수 있도록 한다.

(3) 환자의 종교에 맞게 영적인 돌봄을 제공한다.
① 임종 전 예배나 미사를 가족과 함께 드리고 환자를 위해 지속적인 기도를 한다.
② 종교적 상징물이나 성물(십자가, 염주 등)을 조용하게 틀어 놓는다.
③ 성가나 불경 테이프, 명상 음악 등을 조용하게 틀어 놓는다. 단 중간 중간 휴식시간을 둔다.
④ 필요시 기도하러 가정방문하는 교우를 초청하여 환자를 위해 지속적인 기도를 하도록 한다.

2) 임종 확인

가족들이 가장 쉽게 인지할 수 있는 임종 증상으로는 심장이 뛰지 않고 숨을 쉬지 않는 것이다. 항문이 열려 대소변이 나오기도 하고 반응이 없으며, 눈은 어떤 한 점에 고정되어 있고 눈꺼풀은 약간 열려 있으며 깜빡거리지도 않는다. 입은 약간 벌어져 있으며 턱은 늘어져 있다. 의학적으로는 혈압이 측정되지 않으며 호흡이 없고, 심첨부의 맥박을 측정할 수 없으면 죽음이 일어난 징후로 받아들여지고 있다.

[사망 판정의 3징후]

1. 호흡정지
2. 심정지
3. 동공 확대와 대광반사 소실

4_ 임종 후 간호

환자가 임종한 이후, 돌봄의 초점은 환자에게서 가족에게로 전환되어야 한다. 가족을 포함해서 함께 있는 모든 사람이 작별 인사를 할 수 있는 시간을 갖도록 해준다. 모든 사람이 서로 손을 잡아 주고, 안아주고, 고인을 만질 수 있게 해 준다. 이렇게 함으로써 고인의 옆에 있는 동안 사람들은 갑작스런 비통한 감정을 어느 정도 가라앉히고 어떤 일이 벌어진 것인지에 대한 자각과 함께 새로운 감정을 갖게 된다.

1) 임종 후의 돌봄은 관련된 절차에 따라 법적 제도적 측면 및 환자와 가족의 문화적, 종교적 선호를 고려하여 정중하게 이루어져야 한다.

2) 임종 후 가족들이 사별로 인한 슬픔을 극복할 수 있도록 적절한 정서적, 사회적, 영적 돌봄을 제공한다. 필요시 가능한 종교의식, 장례 절차, 장지 계획 등을 돕는다.

3) 사후처치

① 수액이 있다면 제거한다.

② 몸을 깨끗하게 하여 미리 준비한 옷으로 갈아입히고 손과 발을 가지런히 감싼다.

③ 병원(응급실)으로 옮겨 사망 판정을 받고 장례식장으로 이동하도록 한다.

tip 가정에서 사망 후 사망 판정을 받기 위해 병원으로 이송 전 알아두기

❶ 임종 후 갈 장례식장의 연락처를 알아둔다.

❷ 가정 임종 가능성이 있는 경우 임종 가능성에 대한 사인 판단에 도움이 될 수 있도록 의사소견서를 미리 준비하도록 한다.

❸ 119 구급대는 사망으로 추정되면 경찰 입회 하에 사망 확인 과정이 있으므로 시간이 지연될 수 있다.

❹ 민간 구급대에 연락하면 병원 응급실로 가서 사망 판정을 받을 수 있다.

4) 사망진단서 발급 안내

48시간 이내에 병원 진료 받은 곳이 있다면 방문한 병원에서 사망진단서 발급이 가능하다. 사망진단서(사체검안서) 발급 요건 및 구비서류는 Table 8-4와 같다.

Table 8-4 사망진단서 발급 요건 및 구비서류

발급자	발급 가능 요건	발급 요청시 필요 서류
환자의 친족 (환자의 배우자, 직계존속·비속 또는 배우자의 직계존속)	1순위	① 발급 요청자의 신분증 사본 ② 환자와의 관계를 증명하는 서류(가족관계증명서 또는 등본 등)
환자의 형제자매	2순위 (환자의 친족이 없는 경우)	① 발급 요청자의 신분증 사본 ② 환자와의 관계를 증명하는 서류(가족관계증명서 또는 등본 등)

* 사망신고 기간: 사망일로부터 1개월 이내
* 사망신고 기관: 가까운 구청 혹은 고인의 주소지가 속한 주민센터
* 사망진단서 발급 시 주민등록상의 주소와 다른 경우 사망신고를 할 수 없음

사별가족 간호 (Bereaved family care)

사별 간호는 가족들이 사별로 인한 슬픔과 변화에 잘 대처하도록 도움을 주는 것으로써 가족이 병적 슬픔, 비정상적 슬픔의 과정으로 이행되는 것을 예방할 수 있어 유가족의 성숙한 삶과 건강하고 밝은 사회를 이루는 데 중요한 과업이라고 할 수 있다.

1_ 사별가족 돌봄을 제공하는 목적

1) 사별로 인한 충격을 완화시킨다.
2) 사망한 환자의 가족들이 사별로 인한 슬픔과 고통을 건강하게 극복할 수 있도록 돕는다.
3) 가족의 위기를 효과적으로 대처하여 정상적으로 재조정된 삶을 살아갈 수 있도록 돕는다.
4) 슬픔의 과정과 단계들을 거치는 동안 남겨진 가족들 사이의 유대관계를 강화하고 안녕과 조화를 유지한다.

2_ 사별가족 사정

1) 일반적인 정보를 수집한다.
2) 신체 상태를 평가한다.
3) 고인과의 관계 양상을 파악한다.
4) 사회/경제적 상태를 파악한다.

5) 영적 요구가 무엇인지 파악한다.

6) 병적 슬픔 상태로 변하지 않는지를 파악한다.

3_ 사별 과정의 변화

1) 사별 전(예견된 슬픔) 단계: 실제 죽음이 발생되기 전에 겪는 슬픔

환자와 가족이 임종에 예상되는 일련의 일을 의논할 수 있도록 지지하여야 한다. 예를 들어 가족과의 화해, 유언, 장기기증, 장례 절차, 묘지 선정, 재산 정리 등 임종 이후 발생할 수 있는 일에 대하여 미리 가족들에게 설명함으로써 도움을 준다.

2) 초기(회피) 단계: 쇼크, 급성 슬픔기, 충격과 멍한 상태(수주 또는 수개월)

급성 슬픔을 겪게 되는 가족에게 무기력함과 무감각, 비현실감의 상태가 정상적인 반응임을 알리고 고인의 죽음과 관련된 이야기를 경청하고 지지한다. 일상적 생활을 관리할 수 있도록 관심과 조언이 필요할 수 있으며, 불면증과 같은 여러 가지 신체반응이 나타날 수 있음을 알려주고 충분한 휴식을 취하도록 권한다.

3) 중간(고통직면) 단계: 상실로 인해 발생되는 어려움과 변화에 직면하는 단계

마음으로 고인을 보내는 데에는 많은 시간이 필요한 어려운 일임을 인지하도록 하고 고인과 관련된 이야기를 경청한다. 상실의 고통을 자연스럽게 받아들일 수 있도록 지지하고 돕는다. 또한 일상생활에서 급격한 감정 변화는 일시적 현상으로 나타날 수 있는 것임을 알려준다. 규칙적인 운동과 식사, 충분한 수면을 권하고 불안 증상이 지속될 경우 의료진과 상의하도록 한다. 고통을 극복하는 방법으로써 유가족 모임 참여와 고인의 유품 정리를 통해 새로운 삶에 대한 시작을 준비해 나가도록 지지한다.

4) 적응(조정) 단계: 상실감의 고통으로부터 회복되고 새로운 삶의 역할에 대해서도 적응하는 단계

고인에 대한 정서적인 집착, 공허감, 슬픔의 강도나 간격이 전처럼 강하고 자주 발생하지 않으므로 죄책감과 고인을 배신한 것 같은 두려움이 발생할 수도 있으나, 너무나 자연스러운 과정이니 받아들이도록 한다. 내면세계에서 힘이 생기는 것을 느끼게 되면 이제 슬픔이 끝나가고 있다는 신호이다. 고인의 죽음과 관련된 고통스러운 상념들을 떠나보내고, 고인이 기쁘고 건강했을 때 누렸던 행복한 때의 기억들로 그 자리를 다시 채우는 시기이다. 장기간의 슬픔 여정 동안 몸이 많이 쇠약해져 있을 수 있으므로 규칙적인 운동, 균형 있는 식사를 한다. 새로운 사람들이나 이전에 친했던 다른 사람들을 만나 사회적 활동, 취미생활을 시작하도록 한다. 가치관, 철학, 신념 등이 위협을 받아 삶의 방향이 흔들릴 수 있으므로 삶의 의미를 다시 재창조할 수 있도록 영적인 활동(좋은 글과 책, 기도, 명상)을 한다. 새롭게 세운 목표들을 집중적으로 실행할 단계이므로, 그동안 미뤄왔던 중요한 결정사항들을 하나씩 선택하여 이를 실천해 보도록 한다.

4_ 사별의 극복

1) 사별 후에 나타나는 반응에 영향을 주는 요소

환자의 나이나 투병 과정, 갑작스런 임종이나 출혈 등의 급변으로 인한 임종 여부, 사별자의 개인적 성격, 건강 상태, 나이, 성별, 성격과 사회적 역할, 극복하는 방식, 죽음의 환경, 문화적, 종교적 혹은 영적 배경, 개인의 과거 상실 경험, 고인과의 관계성, 다른 위기나 스트레스 등에 따라서 달라질 수 있다.

2) 사별의 극복 과정에서 해야 할 일

사별가족 중재는 그들의 생활에 심각한 영향을 미치는 문제점들을 해결할 수 있도록 가족들을 도와주고, 임종 전 돌봄과 임종 시기에 적극적인 돌봄을 통하여 고인과의 이별 과정이 매우 의미 있는 시간들이 될 수 있도록 도와주며, 가족들이 임종의 순간까지 최선을 다하였다는 것을 강조한다. 또한 상실에 대한 슬픔을 적극적으로 표현하도록 격려하고 사별에 대한 슬픔은 특별한 일이고 매우 중요한 일이라는 점을 인식시킨다.

3) 사별의 극복 과정에서 하지 말아야 할 일(또는 천천히 해야 할 일)

사랑하는 가족을 죽음이라는 되돌릴 수 없는 사건으로 이별을 한 뒤에는 분별력이나 감정이 정상적이지 않을 수 있는데, 이때 성급하게 무엇인가를 결정하는 것은 올바른 선택이 아닐 수 있다. 갑작스러운 가출, 출가, 결혼, 입양, 이사 등은 좀 시간이 지난 뒤에 신중하게 결정하도록 조언하고 일상생활에서 평소에 하지 않던 큰 변화를 갑자기 시도하거나 늘 하던 것들을 회피하지 않도록 돕는다. 부정적인 충동이 심하거나 슬픔과 고통이 일정 기간 이상 지속되면 전문적인 사별 돌봄 프로그램의 참여나 사회적지지 단체, 또는 의료적인 도움을 받도록 한다.

참고문헌

1. 국립암센터·중앙호스피스센터: 일반병동에서의 임종돌봄 사례집, p3-202, 2018.
2. 노유자, 한성숙, 안성희, 김춘길: 호스피스와 죽음, 서울, 현문사, p337-351, 1995.
3. 대한의학회: 말기와 임종과정에 대한 정의 및 의학적 판단지침, 2016.
4. 모니카 렌츠, 전진만 옮김: 어떻게 죽음을 마주할 것인가, 서울, 책세상, p29-80, p119-123, 2017.
5. 보건복지부, 국립암센터, 한국호스피스완화의료학회: 임종돌봄 임상진료지침 최종 권고안 5, p7-57. 2020.
6. 서울성모병원 간호부: 서울성모병원 신규간호사 교육지침서, p101-102, 2021.
7. 유호신, 황문숙, 김혜영, 추진아, 이주영, 윤영미: 가정-방문간호 핸드북, 파주, 군자출판사, p497-513, 2010.
8. 이은옥, 허대석, 조명숙, 권인각, 김덕희, 정연이 편역: 말기환자의 가정간호, 서울, 현문사, p259-379, 1995.
9. 이종은: 비암성말기환자 돌봄안내서, 청주, 한국보건산업진흥원, p3-8, 2017.
10. 이종은: 편안한 임종준비교육, 청주, 한국보건산업진흥원, p2-6, 2017.
11. 정극규, 윤수진, 손영순: 알기 쉬운 임상 호스피스·완화의료, 서울, 마리아의작은자매회, p396-436, 2016.
12. 조유향: 개정판 호스피스, 서울, 현문사, p184-191, p216-219, 1994.
13. 조현: 호스피스·완화의료, 서울, 계축문화사, p19-51, p102-104, 2017.
14. 한국호스피스협회: 호스피스 총론, 서울, 한국호스피스협회, p85-87, p139-145, p244-251, p297, 2015.
15. Registered Nurses' Association of Ontario: End-of-life care during the last days and hours. Registered Nurses' Association of Ontario. p13-64. 2011.

참고사이트

1. 국가생명윤리정책원: 사전연명의료의향서 Q&A
   https://blog.naver.com/konibp/222689004355

2. 사회복지법인 초정노인복지재단 홈페이지: 사망관련신고 양식
   http://cjnoin.or.kr/?page_id=1950

3. 서울성모병원 홈페이지: 제증명발급안내
   https://www.cmcseoul.or.kr/hospitalguide.issued_doc.sp

제 9 장

산모 및 신생아 간호

Postpartum Home Care

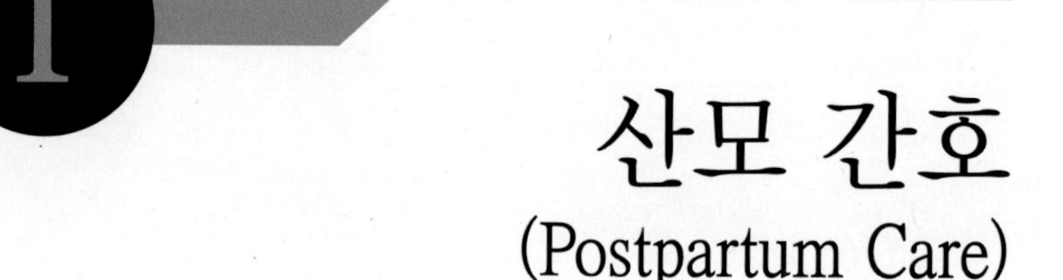

산모 간호 (Postpartum Care)

산모와 신생아를 위한 가정간호 서비스는 가정간호를 통해 산모와 신생아의 조기퇴원을 지원하고 출산 가정을 간호하려는 것이었다. 하지만 시설 중심의 산후조리 문화가 활발해지면서 출산 가정을 위한 가정간호 방문 서비스는 점차 감소하였다. 그러나 최근 산후조리시설의 감염과 사회적인 감염 상황이 반복되자 가정에서의 산후조리 문화가 다시 형성되고 있다. 가정으로 방문하는 간호사는 산모와 신생아의 신체적, 정서적 안녕 상태를 확인하고 합병증을 조기에 발견하며 부모들이 새로운 역할에 잘 적응하도록 도울 수 있다. 보건소를 중심으로 취약 계층 출산 가정에 산모·신생아 건강관리사를 파견하여 산모의 건강 회복을 돕고 신생아를 보살펴 주는 서비스가 시행되고 있다. 따라서 가정으로 방문하는 간호사는 출산 가정에서 활용할 수 있는 지역사회 자원을 확인하고 필요한 서비스를 연계할 수 있어야 한다.

산모란, 분만 직후부터 6주간의 산욕기(puerperium, postpartum) 과정에 있는 여성을 말한다. 산욕기 동안에는 분만한 여성의 신체기관이 임신 이전의 상태로 되돌아가며, 생식기관의 퇴축과 수유를 위한 유방의 변화가 함께 일어난다. 따라서 산모 간호란 산욕기 간호라고 할 수 있다.

1_ 간호 사정

1) 산과력 사정

산모의 임신, 출산에 대한 기왕력을 산과력을 통해 확인한다. 매우 민감한 개인정보이므로 산모의 가족일지라도 정보가 유출되지 않게 개인정보 보호에 신경 써야 한다.

(1) F (full term birth) 또는 T (term birth): 37주 이후 만삭분만의 수

(2) P (preterm birth): 20~37주 사이 조산의 수

(3) A (abortion): 자연, 인공유산의 수 → (0, 0)

(4) L (living child): 생존해 있는 아이의 수 → (0, 0) 아들, 딸

2) 신체 사정

(1) 자궁

산모가 방광을 비우고 무릎을 세워 누운 상태에서 검진한다. 간호사는 손을 따뜻하게 하고 산모가 놀라지 않게 배꼽과 치골 사이를 위에서 아래 방향으로 촉지한다. 간호사는 단단하게 뭉쳐 있는 자궁저부를 촉지할 수 있어야 한다. 자궁은 수축하면서 작아지고 매일 1 cm 정도씩 하강하여 분만 후 10~12일 정도 경과하면 복부에서 촉지되지 않는다. 수축으로 인한 산후통은 분만 후 3일 정도 지나면 많이 감소한다.

(2) 오로

자궁 내에 고여 있던 분비물과 혈액이 질을 통해서 분비되는 것을 오로라고 한다. 분만 후 적색(rubra)에서 4~10일 후 갈색(serosa), 이후 옅은 노란~흰색(alba)으로 변하면서 점차 양이 줄어들며 3~6주 후에 없어진다. 양과 색깔의 변화 속도는 개인 차이가 있으나 변화가 역행해서는 안 된다. 색이 점차 연해지고 양이 점차 줄어야 한다.

(3) 유방

유방울혈이 생기지 않았는지 사정한다. 분만 후 첫 일주일 동안 젖이 불고 유방의 혈액과 림프액의 순환이 저하되면서 유방이 무거워지고 유즙분비가 잘 되지 않아 유방이 돌처럼 단단해지고 통증과 열을 동반하는 유방울혈이 생길 수 있다. 적절히 모유수유를 하거나 유방을 비워내야 유방울혈을 예방할 수 있다.

(4) 회음부

옆으로 누운 자세에서 아래 다리 위의 반대편 다리를 약간 굽혀 올린 상태에서 관찰하며, 절개 부위의 봉합 상태와 열상, 치질 여부, 회음부의 위생 상태와 좌욕 혹은 연고 사용

을 확인한다.

3) 심리적 사정

(1) 산모의 심리적 변화

① 소극기

분만 후 첫 2~3일로, 산모는 보살핌과 보호가 필요하다. 산모는 먹고 자는 것이 가장 중요하고 수동적이며 의존적이고 모든 행동이나 사고가 자기중심적이다.

② 적극기

분만 후 3~10일이 되면 분만으로 인한 피로가 회복되며 모성으로서의 새로운 역할을 독립적이고 자율적으로 수행하려고 노력하는 시기이다. 산모가 자신의 역할을 적절히 수행하고 확신을 가질 수 있도록 교육과 격려가 필요하다.

③ 상호적응기

분만 후 10일~6주로, 산모는 아기에 대한 환상적 이미지를 버리고 실제 모습을 수용하며 아기와의 상호의존적 과정을 거치고 자신의 새 역할을 규명해 나간다.

(2) 산후 우울증

분만 후 스트레스와 호르몬의 변화로, 산모의 약 85%가 경험한다. 대개 분만 후 2~4일 내에 시작하고 3~5일째 가장 심하며 2주 이내에 호전된다. 대부분 자연 소실되지만 약 10~20%의 산모들은 치료가 필요한 우울증이나 정신병으로 이행되기도 한다. 증상은 우울, 짜증, 눈물, 불안, 걱정 및 기분 변화가 있으며 무기력하고 집중하지 못한다. 또한, 아기를 보살피기 어려워지며 잠을 못 자거나 잠만 자는 등의 수면패턴 변화가 있다. 더불어 식욕이 떨어지고 성욕을 상실하며, 가족과 남편에게 화를 내고 짜증을 낸다. 그러므로 산모의 충분한 휴식과 가족의 배려가 필요하다(Table 9-1). 산후 우울증 측정도구를 이용하여 산후 우울증을 측정하고 위험군으로 분류되는 산모는 본인 동의 하에 정신보건(건강증진)센터 의뢰 또는 정신건강의학과 상담을 안내한다.

Table 9-1 한국판 에딘버러 산후우울 척도(K-EPDS)

최근 출산을 하셨다면, 출산 후의 감정 상태에 대하여 답하여 주시기 바랍니다. 다음 10 문항에 대하여 오늘 뿐만 아니라, 지난 일주일 전체를 볼 때 감정이 어떠했는지 가장 잘 표현해 주는 문장에 체크하세요.

질문	점수	질문	점수
1. 나는 사물의 재미있는 면을 보고 웃을 수 있었다.		6. 요즘 들어 많은 일들이 힘겹게 느껴졌다.	
① 예전과 똑같았다.	(0점)	① 대부분 그러하였고, 일을 전혀 처리할 수 없었다.	(3점)
② 예전보다 조금 줄었다.	(1점)	② 가끔 그러하였고, 평소처럼 일을 처리하기가 힘들었다.	(2점)
③ 확실히 예전보다 많이 줄었다.	(2점)	③ 그렇지 않았고, 대개는 일을 잘 처리하였다.	(1점)
④ 전혀 그렇지 않았다.	(3점)	④ 그렇지 않았고, 평소와 다름없이 일을 잘 처리하였다.	(0점)
2. 나는 어떤 일들을 기쁜 마음으로 기다렸다.		7. 너무 불행하다고 느껴서 잠을 잘 잘 수가 없었다.	
① 예전과 똑같았다.	(0점)	① 대부분 그랬다.	(3점)
② 예전보다 조금 줄었다.	(1점)	② 가끔 그랬다.	(2점)
③ 확실히 예전보다 많이 줄었다.	(2점)	③ 자주 그렇지 않았다.	(1점)
④ 거의 그렇지 않았다.	(3점)	④ 전혀 그렇지 않았다.	(0점)
3. 일이 잘못될 때면 공연히 자신을 탓하였다.		8. 슬프거나 비참하다고 느꼈다.	
① 대부분 그랬다.	(3점)	① 대부분 그랬다.	(3점)
② 가끔 그랬다.	(2점)	② 가끔 그랬다.	(2점)
③ 자주 그렇지 않았다.	(1점)	③ 자주 그렇지 않았다.	(1점)
④ 전혀 그렇지 않았다.	(0점)	④ 전혀 그렇지 않았다.	(0점)
4. 나는 특별한 이유 없이 불안하거나 걱정스러웠다.		9. 불행하다고 느껴서 울었다.	
① 전혀 그렇지 않았다.	(0점)	① 대부분 그랬다.	(3점)
② 거의 그렇지 않았다.	(1점)	② 자주 그랬다.	(2점)
③ 가끔 그랬다.	(2점)	③ 가끔 그랬다.	(1점)
④ 자주 그랬다.	(3점)	④ 전혀 그렇지 않았다.	(0점)
5. 특별한 이유 없이 무섭거나 안절부절 못하였다.		10. 자해하고 싶은 마음이 생긴 적이 있다.	
① 꽤 자주 그랬다.	(3점)	① 대부분 그랬다.	(3점)
② 가끔 그랬다.	(2점)	② 가끔 그랬다.	(2점)
③ 거의 그렇지 않았다.	(1점)	③ 자주 그렇지 않았다.	(1점)
④ 전혀 그렇지 않았다.	(0점)	④ 전혀 그렇지 않았다.	(0점)

- K-EPDS (Korean version of Edinburgh Postnatal Depression Scale)
- 검사 결과
  - 0~8점(정상), 9~12점(상담 필요), 13점 이상(심각한 산우 우울증)

2_ 간호 수행

가정으로 방문하는 간호사는 산모 상담 및 주치의의 의뢰 내용을 고려하여 방문일을 결정하고 적어도 퇴원 72시간 이내에 첫 방문을 실시한다. 대부분 산모는 24시간 내 방문을 원하나, 기관의 상황에 맞게 방문 계획을 세운다. 산후 조력자가 있는 시간대에 방문을 하면 간호사와 가족 모두에게 도움이 된다. 가정에 있는 산모에게 적용하는 간호의 내용은 다음과 같다.

1) 산모의 사정
2) 필요시 유방 간호
3) 회음부 간호
4) 제왕절개 산모 시 처방에 따라 봉합사 제거
5) 산모의 상태에 따른 조치
6) 산모의 건강관리 교육
7) 필요시 지역사회 자원의 연계 및 의뢰

3_ 대상자 교육

1) 응급치료가 필요한 산욕기 위험한 합병증

(1) 자궁 출혈

오로와는 다르게 선홍색의 질 출혈이 보인다. 30분 내에 패드 1장 이상을 적신다면 바로 응급실로 가야 한다. 산후 6~14일 사이의 출혈은 자궁에 태반 조각이 남아 있어 생기는 자궁 수축 부전으로 인한 출혈일 수 있다.

(2) 산욕기 감염

상처 부위가 벌어지거나 분비물이 나오는 경우, 감기 증상 없이 38 ℃ 이상의 고열, 오한, 떨림 등의 증상이 있는 경우도 응급이다. 산후 감염은 회음부와 외음부, 질, 자궁 내막

등 생식기 전반에서 발생할 수 있고 생식기에서 발생한 감염이 전신에 퍼질 수 있다.

(3) 혈전색전성 질환

분만 후, 특히 제왕절개 수술 후 발생 위험이 높다. 분만과 수술 과정 동안 혈액 응고인자가 활성화, 혈관벽의 손상, 혈액의 정체로 인해 유발된다.

① 혈전성 정맥염: 일측성 하지 부종 및 통증

② 폐색전증: 매우 위험하다. 증상은 흉통, 호흡곤란, 빈호흡, 객혈이다.

(4) 산후 자간증

자간증은 보통 산전에 많이 발생되나, 산후에도 발생되는 경우가 보고되고 있다. 동반되는 증상은 심한 두통, 경련, 눈앞에 불빛이 반짝이는 증상, 명치 통증, 심한 안구통증 등이다.

2) 산모와 가족교육 내용

개인위생과 간호, 유방 간호, 회음부 청결과 좌욕, 오로 관찰, 성생활, 영양, 산후 운동과 휴식에 대해 교육한다.

4_ 평가 및 기록

산모의 건강사정 기록, 제공된 간호, 교육내용과 교육에 대한 이해 정도, 의뢰 관련 내용, 임상검사 결과, 가족 기능 및 엄마와 아기와의 상호작용에 대해 평가 후 기록한다.

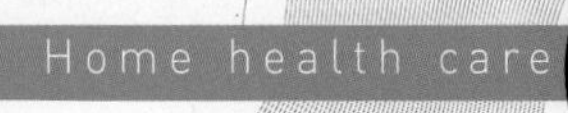

신생아 간호 (Newborn baby Care)

신생아기는 출생 후 첫 한 달 동안을 말한다. 부모는 이 시기에 아기와 애착관계를 잘 형성하고, 아기가 안전하고 건강하게 성장 및 발달을 할 수 있도록 신생아 간호에 대한 교육을 받아야 한다. 퇴원 후 가정에서 관리되어야 할 신생아기의 가장 흔한 질환은 황달로, 아기가 충분한 영양을 섭취하고 다른 병적인 질환을 동반하지 않는다면 건강하게 회복할 수 있다.

1_ 간호 사정

1) 활력증후 측정

신생아의 호흡은 불규칙하므로 정확히 1분간 호흡수를 측정하여 평가하며, 정상 호흡수는 30~60회/분이다. 심박수는 청진기를 이용하여 심첨부에서 청진하여 측정한다. 심박수의 정상 범위는 120~160회/분이다. 울음은 호흡과 심박수를 상승시키고 수면은 감소시킨다. 우는 동안에는 심박수가 분당 190회까지 상승하기도 하고 잠자는 동안에는 분당 70~90회까지 감소하기도 한다. 귓구멍이 아직 작으므로 고막 체온계는 사용하지 말고 겨드랑이에서 체온을 측정한다. 액와 체온으로 신생아 정상 체온 범위는 36.5~37.4 ℃이다.

2) 섭취와 배설

(1) 신생아와 영아의 섭취량

신생아가 하루에 섭취해야 할 수유량은 대략 체중(kg) 당 150 ml이고 1회 수유량은 하루 수유량을 수유 횟수로 나눈 양이다. 예를 들어 신생아의 체중이 3.2 kg이고 하루 8번 수유한다고 한다면, 아기의 하루 수유량은 3.2 kg×150 ml=480 ml이고 한 번 수유량은 480 ml/8=60 ml가 된다.

Table 9-2 개월 수에 따른 수유량

개월 수	1회 수유량(ml)	1일 수유 횟수	하루 총 수유량(ml)
0~2주	60~80	8~10	500~600
3~4주	100~120	7~8	720
1-2개월	120	6~7	720~840
2-3개월	150	6	900
3~5개월	180	5~6	900~1,100

신생아는 성장 속도가 빨라지면서 수유 요구량이 늘게 되는데, 아기가 더 먹으려고 하면 한 번 먹을 때 10~20 ml 더 늘려 주면서 수유간격을 점차 줄이면 된다. 아기가 점차 크면서 이유식도 하고 밤중 수유도 줄기 때문에 체중이 많이 나가는 아기가 아니면 하루 수유량은 1,000 ml 이하에서 유지된다.

(2) 배설

신생아는 미색의 소변으로 푹 젖은 기저귀가 하루 6개 이상 배출이 되어야 한다. 모유수유를 하는 아기는 모유 섭취량을 정확히 알 수 없기 때문에 소변 기저귀 개수로 섭취량을 가늠할 수 있다. 대변은 아기가 모유를 먹는 경우는 변이 묽고 횟수가 잦아 하루 7~8회 또는 그 이상일 수도 있고 분유를 먹는 아기는 하루 1~3회의 되직하고 단단한 변을 보게 된다. 모유수유를 하는 아기가 소변량이 충분하지 않고 체중이 일주일에 150~200 g 이상 증가하지 않는다면 모유량이 부족한 것일 수도 있으므로 혼합수유를 고려해 보아야 한다.

3) 황달

(1) 신생아 황달

신생아 황달(neonatal jaundice)은 빌리루빈이 피부에 침착되어 노랗게 되는 것으로 신생아기의 흔한 질환이다. 대부분의 경우 양성 경과를 보이지만, 경우에 따라 신경계에 손상을 일으키는 핵황달을 일으킬 수도 있어 주의를 요한다. 신생아 황달의 주요 원인은 신생아가 가진 태아 헤모글로빈이 성인 헤모글로빈에 비해 수명이 짧고 신생아 간의 빌리루빈 제거 능력이 저하되어 있어 신생아의 빌리루빈 수치가 높아지게 되고 피부에 황달을 발생시킨다. 이런 이유에서 발생하는 신생아의 생리적 황달은 생후 2~3일에 나타나기 시작해 생후 7일을 전후하여 사라진다.

(2) 황달 관찰하기

방 안의 온도를 확인하고 간호사의 손을 따뜻하게 한 후 밝은 곳에서 신생아의 옷을 벗기고 아기의 피부를 눌러서 피부가 노랗게 된 범위를 확인한다. 대개 황달이 신생아의 얼굴과 목까지 있는 경우는 수치가 안정적인 경우가 많으나 황달이 가슴과 배까지 내려온 경우는 황달 수치가 경계선에 있거나 정상 범위를 벗어나는 경우가 많다. 황달이 넓게 퍼진 경우는 아기의 수유량, 모유수유 여부, 대소변 배설량, 아기의 전신 상태를 고려하여 황달의 위험성을 평가하여야 한다.

2_ 간호 수행

1) 신생아 사정

2) 제대 간호

3) 처방에 따른 경피적 황달 측정

4) 신생아 상태에 따른 조치

5) 신생아 돌보기 교육

3_ 산모와 가족 교육

1) 황달

(1) 신생아 빌리루빈의 정상 범위는 2~12 mg/dL이다.

(2) 황달 수치가 정상 범위 근처이면서 하루 동안 푹 젖은 기저귀가 6개 이상 배출되고, 모유나 분유를 잘 빨고 쳐지지 않으며 잘 먹는 경우라면 경과를 지켜보도록 한다.

(3) 황달 수치가 정상 범위를 벗어나고 한 번에 3시간 이상으로 잠을 자면서 모유나 분유를 잘 먹지 못하며 기저귀가 충분히 배출되지 않는다면 병원에 내원하도록 한다.

2) 감염

(1) 신생아기의 정상 체온 범위는 액와 체온으로 36.5~37.4 ℃이다.

(2) 신생아는 체온조절 능력이 미숙하여 주변의 온도에 따라 체온이 변한다. 따라서 방안의 온도를 적정하게 유지하여 정상 체온을 유지할 수 있게 해야 한다.

(3) 신생아기에 발열을 동반하는 패혈증, 뇌막염, 폐렴 등의 감염성 질환이 생길 수도 있기 때문에 신생아의 체온을 측정하고 모니터하는 것은 중요하다.

(4) 신생아의 체온이 38 ℃ 이상 측정되면, 먼저 이불이나 속싸개를 느슨하게 벗긴 다음 시원한 방으로 옮긴다. 그리고 미지근한 물수건으로 닦은 뒤에 체온을 다시 측정해 본다.

(5) 아기가 젖을 먹고 난 후, 졸릴 때, 울고 난 후, 배변을 하고 난 후 체온이 38 ℃ 이상 오른 것이라면 20분 정도 쉬게 한 후 다시 측정해 본다.

(6) 열이 떨어지지 않고 38 ℃ 이상의 열이 2시간 이상 지속된다면 응급실을 방문해야 한다.

출산 가정에 필요한 수기술
(Skills needed for childbirth families)

1_ 제왕절개수술의 봉합사 제거

1) 제왕절개술

제왕절개술(Cesarean section)이란, 복벽과 자궁벽의 절개를 통해 태아를 분만하는 것을 말한다. 제왕절개술의 복부 절개 방법으로는 배꼽 밑 정중선 수직절개와 반월형 횡절개가 있다. 배꼽 밑 정중선 수직절개는 복부 절개 방법 중 가장 빠른 방법으로, 빠른 분만이 필요하거나 비만한 여성에게 유리하다. 복부 반월형 횡절개는 배꼽 아래의 치모선 부위에서 피부와 피하조직을 하부횡곡선형으로 절개하는 방법이다. 이 절개의 장점은 다른 절개 방법보다 미용상으로 우수하다는 점이다. 이런 이유로 많이 시행되고 있지만, 수술 후 상처 벌어짐이 생길 위험도 있다. 하지만 최근에는 반월형 횡절개를 시행하여도 수술 후유증이나 부작용이 거의 없어 많이 사용된다. 정상적 피부봉합은 수술 후 5~7일째 제거하고 비만한 산모, 제왕절개술을 2번 이상 받은 경산모 등 피부봉합의 분리가 염려되는 경우에는 수술 후 7~10일에 제거한다.

2) 제왕절개술의 피부봉합 방법

일반적으로 제왕절개의 복부 절개를 반월형 횡절개로 실시한 후 피부 봉합은 표피 하 연속 봉합법(Subcuticular running sutures), 일명 American Sutures라는 봉합법을 사용한다 (Fig 9-2). 이는 창상이 깨끗하고 선상으로 예리하며 상처 가장자리에 죽은 조직이 없어야 가능한 봉합 방법으로, 흉터를 최소화하기 위해 선택할 수 있는 방법이다. 피하층에서 피부와 수평한 방향으로 연속해서 봉합하는 방법으로, 절개선을 가로 지르는 흉터가 남지 않는다.

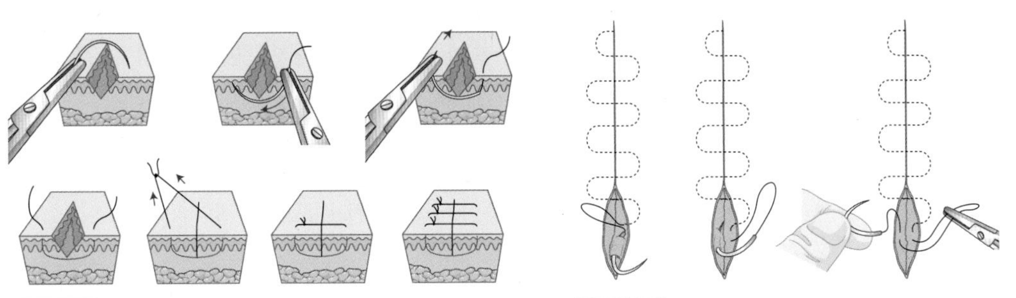

Fig 9-1 단순피부봉합법

Fig 9-2 표피 하 연속 봉합법

3) 준비물품

소독솜(베타딘볼 또는 2% 클로르헥시딘 알코올 솜 또는 베타딘 스틱), 봉합사 제거 도구(소독 가위나 12번 blade, forcep이나 kelly), 거즈, 자극이 적은 테이프(실리콘 베이스 테이프 또는 종이 테이프), 소독 장갑, 드레싱 세트, 일회용 드레싱 세트의 플라스틱 forcep은 힘을 주면 부러질 수 있어 스테인레스로 된 forcep이나 kelly를 준비한다.

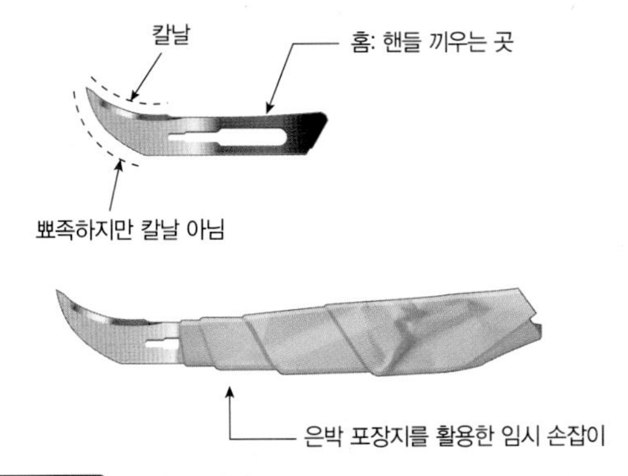

Fig 9-3 12번 블레이드(blade)

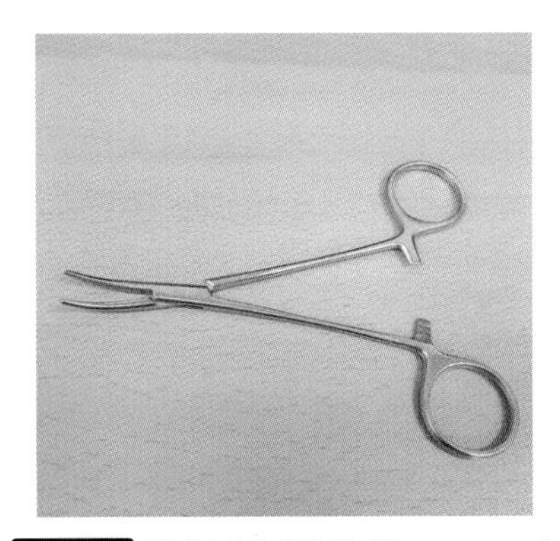

Fig 9-4 끝이 구부러진 켈리(Curved Kelly)

4) 간호 목표

안전하고 편안하게 제왕절개 봉합사를 제거하고 상처관리 교육을 한다.

5) 간호 수행

(1) 프라이버시가 유지되고 춥지 않은 장소에 산모를 앙와위(Supine Position)로 눕게 한 후 복부가 이완될 수 있도록 무릎을 세우고 수술 부위를 노출한다.

(2) 기존 드레싱을 제거하고 수술 절개선에 벌어짐, 삼출물, 홍반, 통증 등의 감염 증상이 없는지 확인한다. 또한 수술 봉합 방법을 확인한다(Fig 9-5A).

(3) 소독솜을 이용하여 제왕절개 수술 부위를 소독한다.

(4) 수술 절개선 중앙 피부에 올라와 있는 봉합사를 12번 blade로 걸어서 끊거나 소독 가위로 절단한다(Fig 9-5B).

(5) 절개선 양쪽 끝에 동그랗게 매듭 지어져 있는 고리를 forcep이나 kelly로 단단히 잡고 한쪽씩 당겨서 제거한다(Fig 9-5C, D). 이 때, 산모가 긴장하지 않도록 천천히 심호흡하게 한다.

(6) 봉합사 제거 후에는 절개 부위를 다시 소독하고 거즈를 적용하고 고정한다.

(7) 편안한 자세를 취해주고 blade와 사용한 물품을 안전하게 정리한다.

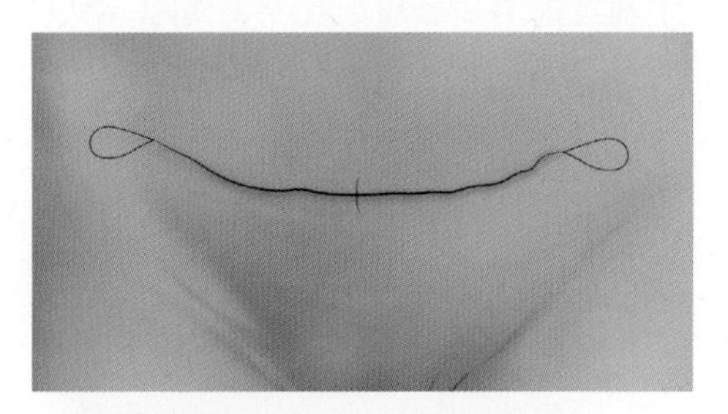

A. 수술 부위를 확인하고 피부 봉합 방법을 확인한다.

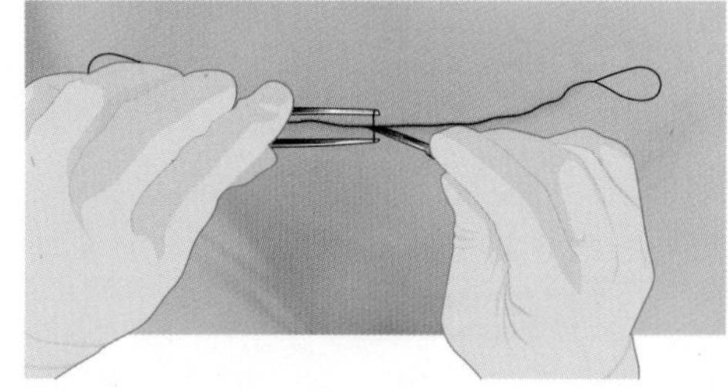

B. 가운데 봉합사 끊기

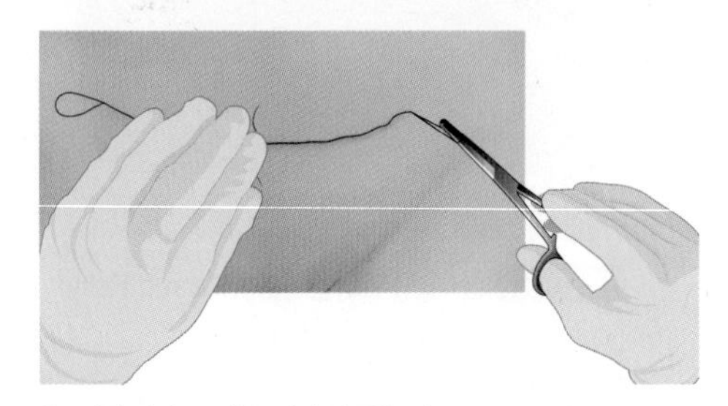

C. 가장자리 고리를 단단히 잡는다.

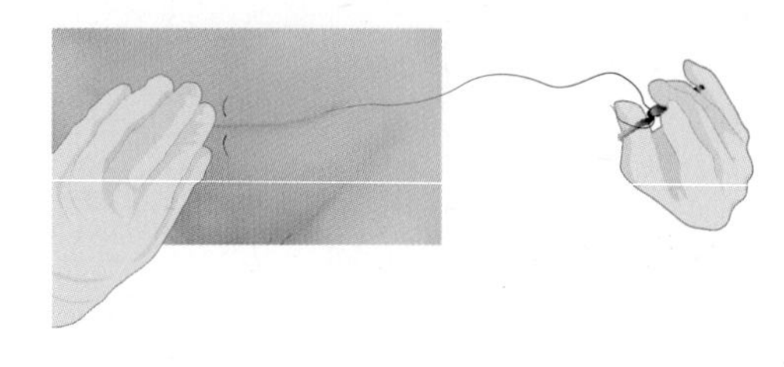

D. 수술 봉합사를 당겨서 뺀다.

Fig 9-5 제왕절개 수술 봉합사 제거하는 방법

6) 기록사항

수술 상처의 사정, 봉합사 제거 관련 사항, 대상자 교육

7) 대상자 교육

(1) 봉합사 제거 2일 후부터 샤워가 가능하다. 통목욕은 실밥 제거 1개월 후 상처가 깨끗이 아문 것이 확인되면 가능하다.

(2) 상처가 벌어지거나 분비물이 생기는 경우에는 지체 없이 의사의 진료를 봐야 한다.

(3) 봉합사 제거 1~2주 후 수술 절개 부위 건조가피가 다 떨어지면 흉터 예방을 위한 시트나 겔을 사용할 수 있다.

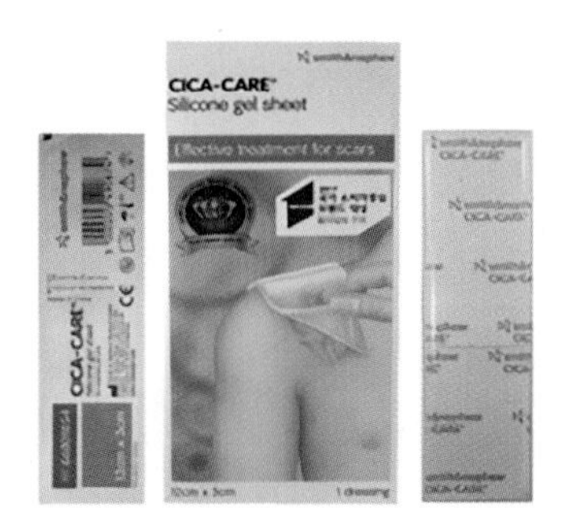

A. 시트 타입[출처: www.Smith-nephew.co.kr]

B. 겔 타입[출처: www.menariniapac.co.kr]

Fig 9-6 흉터 완화 치료제

8) 발생 가능한 문제

(1) 수술 절개 부위에 steri stip이 절개선에 적용된 경우에는 봉합사만 제거하고 봉합테이프는 그대로 둔다. 절개선 피부의 상피화가 완전해지면 1~2주에 걸쳐서 서서히 떨어진다. 봉합 테이프를 유지한 채 2일 후부터는 샤워를 해도 무방하다.

(2) 제왕절개수술을 반복해서 받은 경우에는 봉합실이 잘 안 빠질 수도 있다. 그러면 무리하게 당기지 말고 1~2일후 부종이 더 감소한 후에 시도하면 잘 빠질 수도 있다. 무리하게 당겨서 실이 끊어질 수도 있으니 여러 번 시도해도 빠지지 않는다면 산부인과 의사에게 의뢰한다.

2_ 산후 운동

1) 골반저근육 강화하기(Kegel exercise)

(1) 효과

분만 후 요실금 예방, 질 수축의 효과가 있다.

(2) 방법

① 다리를 어깨 너비로 벌리고 양손은 골반 위에 댄다.

② 숨을 들이마신 상태로 질 주위를 5~10초 동안 당기는 느낌으로 수축한다.

③ 숨을 천천히 내쉬면서 5~10초 동안 이완한다.

④ 한 번에 8~10회 반복하면서 하루 3번 실시한다.

⑤ 동작에 익숙해지면 차츰 반복 횟수를 늘린다.

⑥ 앉거나 누워서도 같은 방법으로 실시할 수 있다.

2) 산후체조

(1) 효과

산후체조는 분만 시 늘어난 복벽과 골반 및 근육의 수축력을 회복시키고, 혈액순환을 좋게 하며, 배뇨, 배변 작용과 자궁수축을 돕고, 산후의 긴장과 피로를 회복시키는 데 도움을 준다. 산후체조를 통한 근육 강화 운동은 산모의 체형을 정상으로 회복시키며 정신적인 측면에도 유용하다. 산후체조는 분만 후 첫째 날부터 시작하여 점차적으로 운동의 양을 증가시키되 산모에게 무리가 되지 않게 하여야 한다.

(2) 방법

분만 후 첫째 날부터 시작하여 점차적으로 운동의 양을 증가시키되 무리한 운동은 하지 않도록 한다.

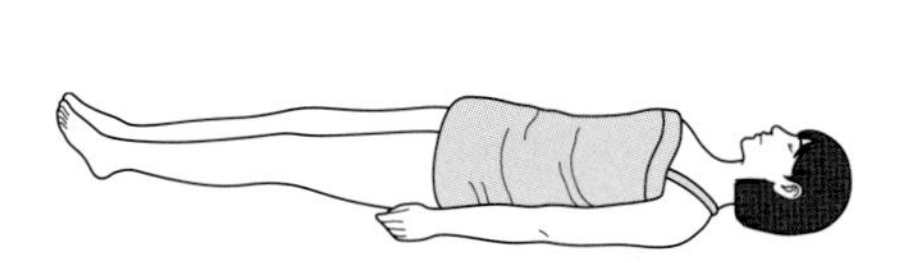

운동 1: 산후 제1일부터 시작
심호흡을 5회하는데, 복부로부터 깊은 호흡을 한다.

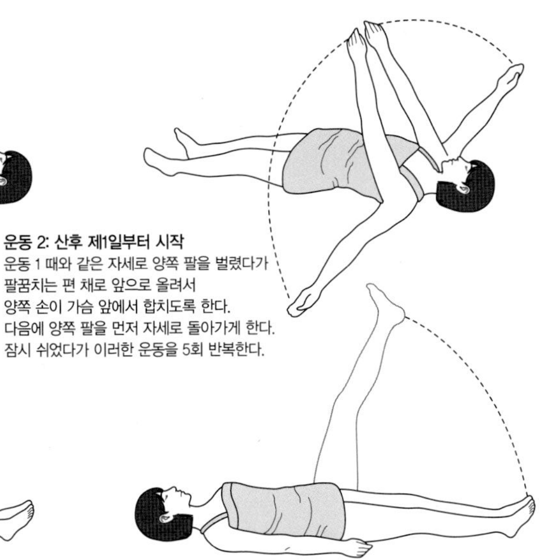

운동 2: 산후 제1일부터 시작
운동 1 때와 같은 자세로 양쪽 팔을 벌렸다가
팔꿈치는 편 채로 앞으로 올려서
양쪽 손이 가슴 앞에서 합치도록 한다.
다음에 양쪽 팔을 먼저 자세로 돌아가게 한다.
잠시 쉬었다가 이러한 운동을 5회 반복한다.

운동 3: 산후 제3일부터 시작
베개를 베지 말고 누워서 머리를 들어서 턱이 가슴에 닿도록 한다.
이때 몸의 다른 부분은 움직이지 말아야 한다. 이 운동을 10회 반복한다.

운동 4: 산후 제5일부터 시작
우측 다리를 높이 드는데, 발을 쭉 펴고 무릎도 펴야 한다.
들었던 다리를 천천히 내리는데 복부 근육을 사용하고
손을 움직이지 말아야 한다. 좌측 다리를 교대로 운동하는데,
5회씩 반복한다. 그 다음에 이 운동이 익숙해지면
두 다리를 한꺼번에 올리는 운동을 한다.

운동 5: 산후 제8일부터 시작
우측 다리를 올려 허벅다리를 배에 닿도록 하며 또 발이 엉덩이에 닿도록 한다.
그 다음에 다리를 쭉 펴서 아래로 내린다.
좌우다리를 교대로 이 운동을 하는데 5회씩 반복한다.

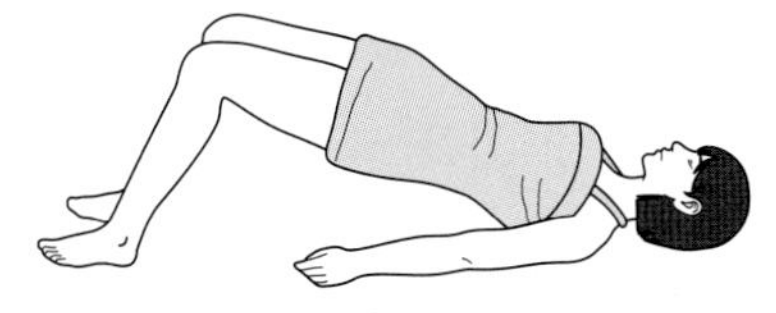

운동 6: 산후 제10일부터 시작
양쪽 다리를 벌리고 발을 바닥에 붙인 상태에서 다리를 들어
거의 무릎이 직각이 되게 세운다. 둔부를 들어서
발바닥과 어깨로만 몸을 의지하게 한다.
이 자세에서 양쪽 무릎에 힘을 주어 배의 근육을 수축시킨다.

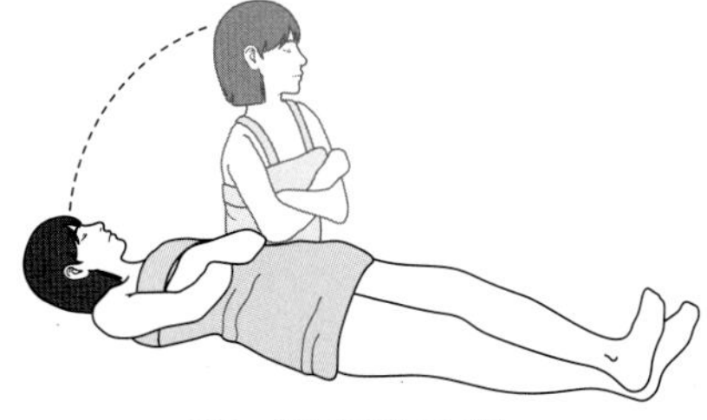

운동 7: 산후 제12일부터 시작
베개를 베지 않고 바로 누워 가슴 앞에 양쪽 팔을 모은 다음 머리와 어깨를 들어서 바로 앉는 운동이다.
이 운동이 익숙해지면 양쪽 손을 머리 뒤에 대고 이와 같은 운동을 한다. 이 운동을 할 때 양쪽 발을 꼬고 하면 더욱 쉽다.

운동 8: 산후 제15일부터 시작
매일 아침 저녁으로 소변을 보고 나서 2분간씩
슬흉위(양쪽 무릎을 세우고 가슴을 바닥에 대는 자세)를 취한다.
이 자세를 점차적으로 2분에서 5분까지 늘리고 매일 2번씩 한다.

Fig 9-7 산후체조

3_ 신생아 황달 측정하기

1) 목적

퇴원 후에도 지속되는 신생아 황달 관리를 위해서 황달 측정기(Jaundice Meter)를 이용하여 비침습적인 방법으로 빠르게 황달을 측정하고 관리한다.

2) 준비물품

황달 측정기(Jaundice Meter), 알코올 솜

3) 간호 목표

정확한 방법으로 신생아 황달 수치를 측정하고 관리한다.

4) 간호 수행

(1) 황달 측정기 사용하기

① 측정 탐침을 신생아의 흉골(sternum)과 이마(forehead)에 수직으로 놓고 '딸깍' 소리가 날 때까지 누르면 황달 수치, 즉 빌리루빈 수치가 화면에 표시된다.

② 측정 전후에 감염예방을 위해 알코올 솜으로 탐침을 닦는다.

③ 사용 전에 충전상태를 확인하고 사용하지 않을 때는 거치대에 놓고 충전시킨다.

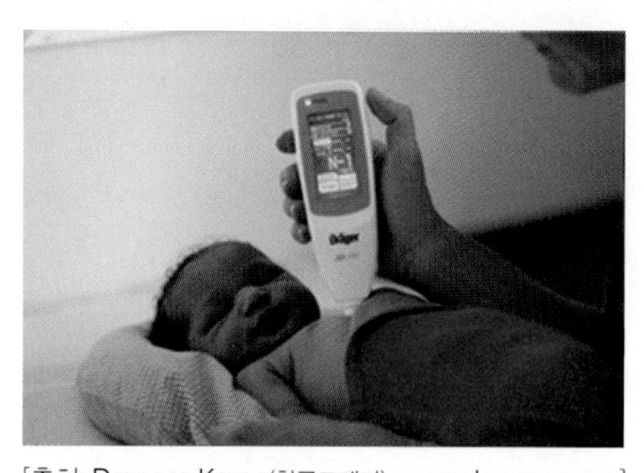

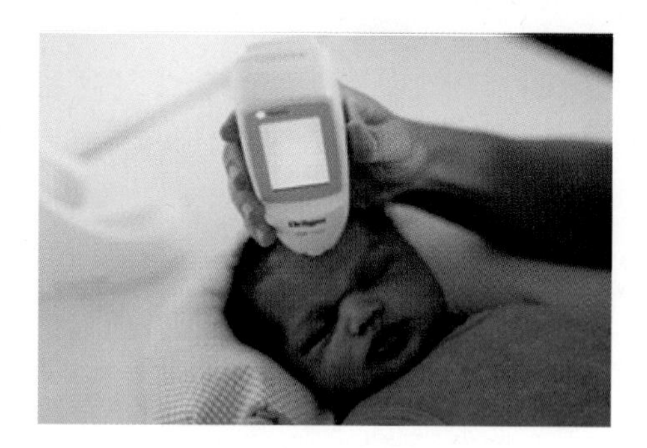

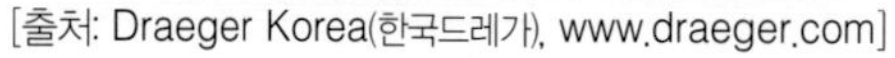

[출처: Draeger Korea(한국드레가), www.draeger.com]

Fig 9-8 황달 측정기 사용

(2) 황달 측정기 사용 시 주의사항

① 고빌리루빈혈증 확진을 위해서는 혈액 빌리루빈 검사를 반드시 같이 해야 한다.

② 생후 14일까지의 신생아에게 사용한다.

③ 신생아의 흉골(sternum)과 이마(forehead)에서만 측정한다.

④ 전자기 방해를 받으면 오작동될 수 있다. 무선 통신장치(휴대폰), 자기공명검사(MRI), 의료전기 장비(제세동기)와는 30 cm 이상의 거리를 유지한다.

⑤ 측정 시에 빛이 발산되므로 탐침이 눈을 향해 있는 상태에서는 사용하지 않는다.

⑥ 기기가 안정적으로 작동하는 온도 범위는 10~40 ℃이다. 영하의 날씨에서 외부로 기기를 가지고 나갈 때는 주의를 요구한다.

⑦ 기기의 성능을 확인하기 위해 매일 사용하기 전에 체커(Checker)를 이용하여 체크(Check)해야 한다.

5) 대상자 교육

신생아의 정상 빌리루빈 수치(2~12 mg/dL)와 측정된 빌리루빈 수치를 부모에게 알리고 생리적 황달이 호전될 수 있게 충분히 수유하고 대소변 배설량을 관찰하도록 교육한다. 필요한 경우, 소아과 진료를 위해 내원하도록 안내한다.

4_ 모유수유

1) 준비물품

등받이가 있는 의자, 베게, 쿠션, 수유쿠션, 발 받침대, 수건

2) 간호 목표

(1) 산모는 어깨, 목 부위에 통증을 유발하지 않는 바른 자세로 모유수유를 할 수 있다.

(2) 산모는 교차 요람식 자세와 풋볼 자세로 자세를 변경하며 모유수유를 할 수 있다.

(3) 모유수유와 관련된 유방울혈, 유선염, 유두 통증 등의 합병증이 없다.

(4) 아기는 충분히 모유를 섭취하고 정상적으로 체중이 증가한다.

3) 간호 수행

(1) 모유수유 전 준비

① 수유 전에 기저귀를 교환하고 손과 유방을 깨끗이 닦는다.

② 아기가 배고파 울기 전 배고픈 신호를 보낼 때 수유를 한다. 아기가 울면 모유수유가 충분히 되기 어렵다.

③ 아기의 배고픈 신호는 입맛을 다시며 좌우로 고개를 흔들고 손가락을 입으로 가져가는 행동 등이다. 손가락으로 아기의 아랫입술 주변을 톡톡 건드리면 입을 벌리고 먹으려고 한다.

④ 산모는 등받이가 있는 의자에 앉아서 허리를 편 자세로 수유를 하도록 하며 베게나 쿠션, 수유쿠션, 수건, 발 받침대를 이용하여 아기가 엄마 가슴에 오도록 수유 자세를 만든다. 수유를 위해서 산모가 목과 어깨를 숙이거나 까치발을 들지 않도록 한다. 나쁜 자세로 반복해서 수유를 지속하면 관절의 통증으로 모유수유가 어려워진다.

⑤ 아기가 원할 때마다 또는 젖이 불 때마다 자주 모유수유를 해야 유방울혈과 유방염을 예방할 수 있다.

(2) 젖 물리기

① 신생아는 아직 모유수유에 익숙하지 않아서 교차 요람식 자세로 엄마가 아기의 머리를 잡고 젖 무는 것을 도와주는 것이 좋다.

② 아기 머리를 잡은 손목을 돌려 아기의 얼굴이 수유할 유방을 보게 한다. 이 때 아기는 자연스럽게 고개를 약간 든 상태가 되고 아기의 귀, 어깨, 엉덩이가 일직선이 되게 팔로 아기를 감싼다. 아기의 배와 엄마의 배가 마주보게 밀착한다.

③ 젖을 물릴 때는 유륜까지 깊숙이 물려야 유두에 상처가 나지 않고 유방이 잘 비워진다.

a. 수유하는 유방 쪽 손바닥으로 가슴 밑을 받치고 엄지손가락으로 유륜의 끝 쪽을 눌러 유륜을 납작하게 만든 후 아기 입속에 깊이 넣어 주는데, 엄마의 손가락이 위아래 유륜을 가리지 않아야 유륜까지 아기가 물 수 있다. 엄마의 손 모양은 C자형이 된다.

b. 유두로 아기의 입술을 자극하여 아기가 크게 입을 벌릴 때 유두를 아기의 입 방향으로 향하게 하면 아기가 유두만 물게 되므로, 유두를 아기의 코끝으로 향하게 하고 유륜이 아기의 아랫입술에 닿게 하여 아기의 입을 연다.

c. 유두와 유륜을 아기에게 물린다. 유방을 잡고 있던 엄지손가락으로 유방을 아래쪽으로 살짝 밀면서 아기 입속으로 재빨리 물린다.

d. 아기가 한 번에 유륜을 물 수 있도록 엄마가 유두를 아기의 턱 방향으로 밀어 넣어 준다.

e. 아기는 턱을 움직이면서 젖을 빨게 된다.

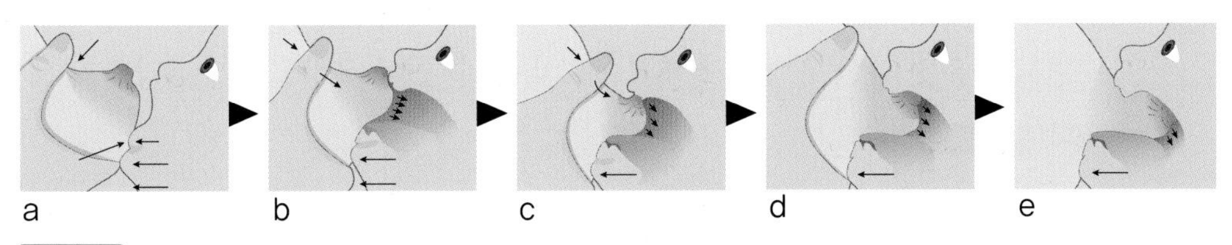

Fig 9-9 젖 물리는 방법

④ 아기가 유륜를 빨다가 놓치지 않도록 엄마가 손으로 유방을 잡아준다.

⑤ 아기의 빠는 힘에 의해 유두가 아기의 연구개 부위까지 빨려 들어가면 제대로 물린 것이다.

⑥ 젖을 빠는 올바른 상태에서 숨쉬기에 방해되지 않도록 코가 유방에 눌리지 않도록 한다.

⑦ 아기가 유두만 물었을 경우 엄마의 손가락을 넣어 살짝 눌러 젖을 빼고 다시 젖 물리기를 시도한다.

(3) 모유수유 자세

① 신생아 시기에는 아기가 작기 때문에 수유쿠션을 이용한 교차 요람식 자세가 아기와 엄마가 밀착이 잘 되어 모유수유에 용이하다. 한 가지 자세로 수유하지 말고 자세를 바꾸면서 수유를 하여야 유방이 전체적으로 잘 비워지는데, 신생아 시기에는 교차 요람식 자세와 풋볼 자세로 번갈아 가면서 수유하는 것이 권장된다.

② 아기가 5개월 정도 크거나 젖 분비가 많으면 아기가 앉은 자세로 수유할 수도 있

고 제왕절개수술을 받아 움직이기가 불편한 산모는 누워서 수유하기도 한다. 쌍둥이의 경우, 다양한 자세로 동시에 모유수유를 할 수 있다.

(4) 모유수유 자세 바꾸기

① 교차 요람식 자세에서 풋볼 자세로 수유 자세를 바꾸려고 아기를 들어 급히 방향을 돌리면 토하기 때문에, 아기를 들어 자세를 바꾸는 것이 아니라 아기와 수유쿠션을 같이 반대쪽 가슴으로 돌리면 반대편 유방의 풋볼 자세가 된다.

② 1차 수유 시 왼쪽 유방을 교차 요람식 자세 → 오른쪽 유방을 풋볼 자세로 하고 그 다음 2차 수유 시 오른쪽 유방을 교차 요람식 자세 → 왼쪽을 풋볼 자세로 바꾸면서 수유를 하면 유방을 전체적으로 비울 수 있어 유방울혈의 걱정을 덜 수 있다(Fig 9-10).

A. 교차 요람식 자세

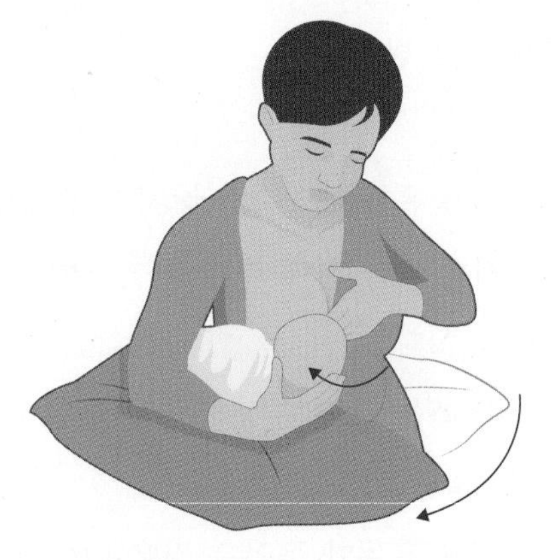

B. 풋볼 자세

Fig 9-10 모유수유 자세

a. 교차 요람식 자세는 수유하려는 유방의 반대쪽 손으로 목과 머리를 잡아 자유롭게 조절할 수 있는 장점이 있다. 반대쪽 손은 유방을 지지하면서 수유하게 된다.

b. 풋볼 자세는 풋볼 공을 옆구리에 낀 모양의 수유 자세로, 젖을 물리려는 쪽과 같은 쪽 팔 안쪽으로 아기를 가슴 높이로 안아서 수유하는 방법이다. 풋볼 자세는 아기가 작을 때, 엄마가 젖몸살이 심할 때, 유두가 짧거나 가슴이 작을 때

나 오히려 가슴이 클 때도 효과적인 수유 자세이다.

c. 아기의 코끝 방향의 모유가 잘 비워지고 다른 방향의 유방은 상대적으로 잘 비워지지 못한다. 유방이 전체적으로 잘 비워지기 위해서 교차 요람식 자세에서 유방이 충분히 비워졌으면 풋볼 자세로 수유 자세를 바꿔 모유수유를 진행한다.

d. 풋볼 자세에서는 수유 쿠션을 엄마 다리로 지지하지 못하기 때문에 수유 쿠션 아래에 베게를 받쳐 수유 쿠션을 지지하면 편안한 자세를 유지할 수 있다.

(5) 트림시키기

① 아기가 충분히 먹으면 스스로 유방에서 입을 뗀다. 수유를 하면서 들이 마신 공기는 배앓이나 구토의 원인이 되므로 트림을 시켜 공기를 빼 준다. 수유 후 갑자기 아기를 들어 올리면 아기가 토할 수 있으므로 주의한다.

② 아기를 엄마 무릎에 앉히거나 어깨에 안고 다른 손으로 아기의 등을 문지르거나 가볍게 두드려 트림을 시킨다. 아기의 머리가 가슴보다 높게 유지하며 무릎 위에 엎드리게 하여 트림을 시킬 수도 있다.

③ 트림을 하지 않으면 무리하게 시키지 말고 약 20분 정도 아기를 안고 있다가 눕힌다.

5_ 신생아 목욕시키기

목욕은 아기 전신 몸 상태를 체크하며 아기와 교감할 수 있는 시간이다. 더불어 아기의 몸과 마음을 안정시키고 혈액순환을 도와줄 뿐 아니라, 식욕을 증진시키며 기분 좋게 잠들게 하는 효과가 있다. 배꼽이 떨어지지 않아도 통목욕을 할 수 있으나 배꼽의 염증이 걱정된다면 혹은 엄마, 아빠가 아직 신생아 목욕시키기를 어려워한다면 출생 후 1~2주간 배꼽이 떨어질 때까지는 부분 목욕을 해도 무방하다. 신생아들은 활동이 많지 않아 땀이 많이 나지 않기 때문에 매일 목욕을 시키지 않아도 되고 일주일에 2~3회 정도면 된다.

1) 신생아 목욕 시 주의사항

(1) 목욕은 엄마와 아기가 편안한 시간에 하면 되지만 수유 직전이나 직후, 예방접종을 한 날, 아기 컨디션이 좋지 않은 날에는 하지 않는다.

(2) 목욕은 방문을 닫고 실내 온도를 따뜻하게 유지한 후 한다. 실내 온도는 24~27 ℃가 적절하다. 목욕물의 온도는 여름철은 30 ℃ 전후, 겨울철은 40 ℃ 전후가 되도록 한다. 팔꿈치를 물에 담갔을 때 따뜻하게 느껴지면 된다.

(3) 아기가 춥지 않도록 물속에 있는 시간은 5~10분 이내로 한다.

(4) 목욕하면서 사용하게 되는 모든 물품은 가까운 곳에 두어 목욕시키는 사람의 팔에 닿을 수 있게 한다.

2) 준비물품

아기 욕조 2개, 따뜻한 목욕물, 비누(약한 중성비누), 거즈 손수건, 수건 2개(큰 것, 작은 것), 알코올 솜(제대 소독), 기저귀, 갈아입힐 옷

3) 목욕 순서

(1) 보온을 유지하고 아기 팔이 버둥거리는 것을 피하기 위해 아기 옷과 속싸개를 한 채로 목욕을 시작한다. 한 손으로 아기의 머리를 받치고 거즈에 물을 묻혀 얼굴을 닦는다. 비누는 사용하지 말고 거즈의 각각 다른 면을 이용하여 눈을 안쪽에서 바깥으로 닦고 눈, 코, 입, 귀, 목 순서로 닦는다.

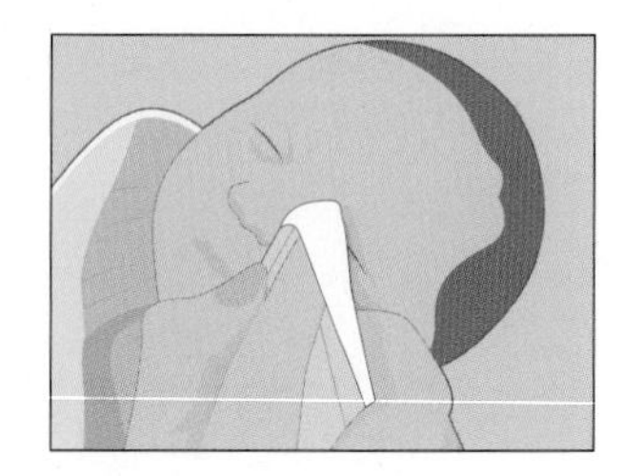
얼굴 닦기

(2) 아기 귀를 막고 머리를 감기는데 이 때, 엄마 손가락으로 막아도 되고 엄마 손이 작으면 아기 귀를 접어서 막아도 된다. 거즈에 비누를 묻혀서 머리를 감기고 헹군다. 비누가 눈에 들어가지 않도록 주의한다.

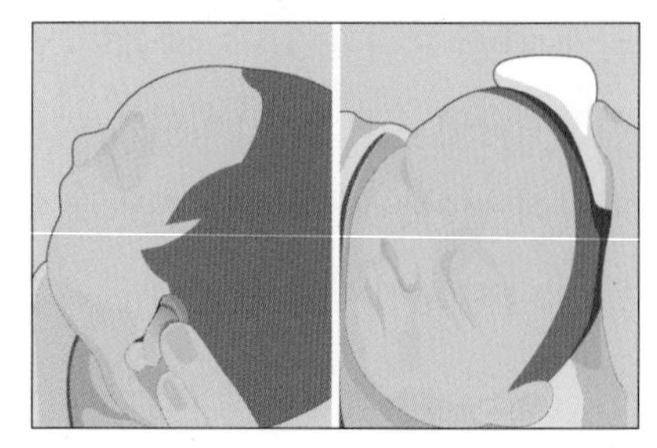
귀를 막고 머리 감기

(3) 춥지 않게 머리의 물기를 작은 수건으로 닦아 주고 옷을 벗긴다.

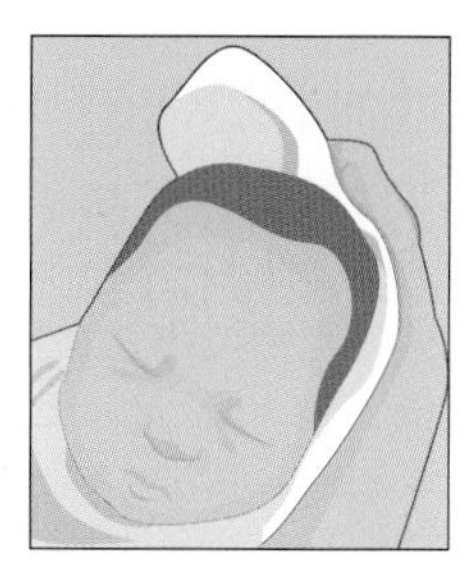
머리 말리기

(4) 아기를 안전하게 들고 아기 욕조에 넣은 뒤 몸을 씻긴다. 한 손은 아기 겨드랑이를 단단하게 잡고 팔로 아기의 등과 목 부위를 받쳐 준다. 거즈에 비누를 묻혀 목을 제일 먼저 씻기고, 겨드랑이, 배, 하지의 순으로 씻긴다. 살이 접히는 부분은 특히 잘 씻긴다.

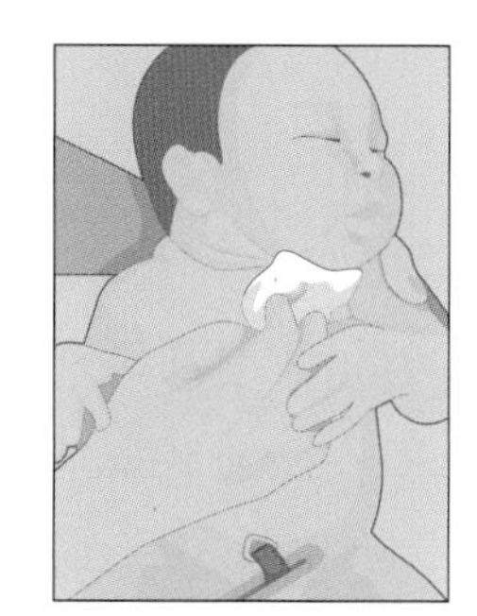
욕조에 넣고 씻기기

(5) 아기가 놀라지 않게 발부터 천천히 욕조에 담근다. 목욕 시 비누를 사용하면 아기는 미끄럽다. 비누는 소량 사용하고 아기를 놓치지 않게 잘 잡는다. 신생아 시기에는 몸을 씻길 때 비누를 꼭 사용하지 않아도 된다.

(6) 아기가 잡지 않은 자신의 반대 팔을 움직이며 버둥거릴 때, 작은 수건을 물에 적셔서 움직이는 팔에 걸쳐 놓으면 아기가 팔을 덜 움직이게 된다.

(7) 목욕을 시작한 뒤 아기가 울면 놀라지 말고 서둘러 목욕을 마무리한다.

(8) 아기의 앞쪽을 씻긴 후 엄마의 반대쪽 손으로 아기의 겨드랑이를 악수하듯이 잡고 천천히 뒤집어 아기의 가슴을 엄마의 팔로 지지하여 아기의 등이 나오게 한 뒤 등 쪽을 씻긴다. 목 뒤, 등, 엉덩이, 항문과 생식기를 씻긴다.

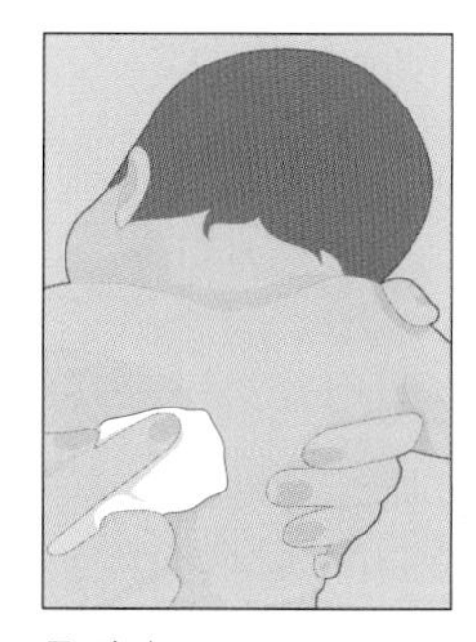
등 닦기

(9) 미리 준비해 두었던 깨끗한 헹굼물로 몸을 다시 헹군다.

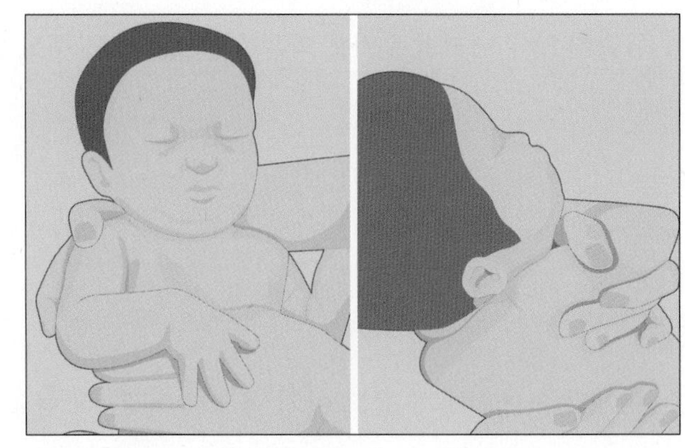

몸의 앞과 뒤를 다시 깨끗한 물로 헹군다.

(10) 다 씻긴 아기는 수건으로 감싸서 닦아주고 전신상태의 이상 유무를 관찰한다. 살이 접히는 부분은 수건으로 누르듯이 닦아 잘 건조시킨다.

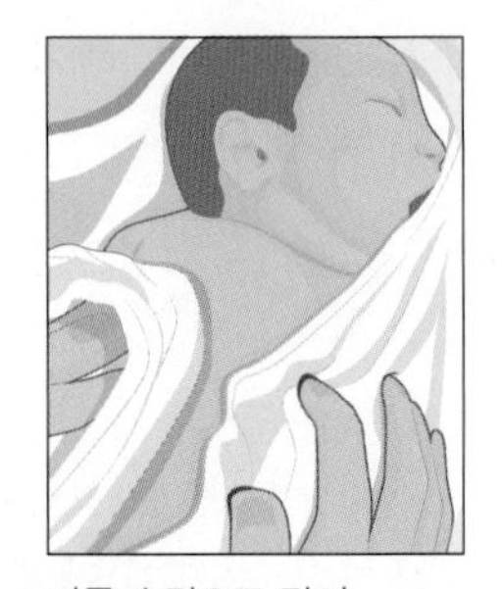

마른 수건으로 닦기

Fig 9-11 신생아 목욕시키기

4) 배꼽 소독

(1) 목욕 후 알코올 솜으로 깨끗이 닦아주고 건조시킨다.

(2) 제대가 떨어진 후에도 상처가 남을 수 있으므로 상처 부위가 아물 때까지 매일 소독하고 잘 말려 준다.

(3) 건조가 중요하므로 기저귀를 채울 때도 제대가 아직 떨어지지 않았거나 떨어진 후 아직 상처가 남아 있다면 기저귀를 접어서 기저귀가 상처에 닿지 않게 한다.

(4) 배꼽에서 진물이 많이 나고 고름이나 피나 나고 냄새가 날 때, 배꼽에서 살이 자라 덩어리가 생길 때, 2주가 지나도 제대가 떨어지지 않을 때는 소아과 진료를 보도록 한다.

참고문헌

1. 김미애 외 21인, 최신 아동건강 간호학, 개정판, 수문사, 2015.
2. 김용구, 허지원, 김계현, 오강섭, 신영철: 한국판 Edinburgh Postnatal Depression Scale의 임상적 적용. J Korean Neuropsychiatr Assoc, 47(1):36-44, 2007.
3. 대한산부인과학회, 산과학, 제6판, 군자출판사, 2019.
4. 박지원 외 11인 지음, 상급가정간호 지침과 실제 2, 군자출판사, 2010.
5. 안효섭, 신의영, 홍창의 소아과학, 제11판, MiraeN, 2016.
6. 양재석, 김수경, 전영미, 홍서유, 박철홍, 신정환: 후기 분만 후 자간증 1례. 대한주산의학회, 14(3):327-331, 2003.
7. 여성건강간호교과연구회 편, 모성간호학 여성건강간호학II, 제8판, 수문사, 2016.
8. 이상락: 신생아 황달, Korean Journal of Pediatircs, 49(1):6-13. 2006.
9. 이순선, 산후조리에서 신생아 돌보기까지, 효성출판사, 2004.
10. 임상술기교육연구회, 임상술기, 군자출판사, 2012.
11. 임상적 적용. J Korean Neuropsychiatr Assoc, 47(1):36-44, 2007.
12. 전은미: 산욕부와 신생아의 가정간호 사례연구. 모자간호학회지, 4(1):3-11, 1994.
13. 조결자 외 7인 편저, 가족중심의 아동간호학I, 개정3판, 현문사, 2005.
14. 채미영: 가정간호기반 모성역할강화 프로그램이 초산모의 모성정체성과 모성역할수행 자신감에 미치는 효과, 가정간호학회지, 18(2):88-98, 2011.
15. 최유덕 편, 새임상 산과학, 제2판, 고려의학, 2001.
16. American Academy of Pediatrics. Subcommittee on Hyperbilirubinemia, Mana Hourieh Shamshiri Milani, Parastoo Amiri, Maryam Mohseny, Alireza Abadi, Seyyed Mohammadreza Vaziri, and Marjan Vejdani: Postpartum home care and its effects on mothers'health: A clinical trial, Journal of Research in Medical Sciences, 22:96, 2017. PMID: 28900452 DOI: 10.4103/jrms.JRMS 319 17,

참고 사이트

1. 공공보건포털 G-health
   https://www.g-health.kr/portal/index.do

2. 국민건강지식센터
   http://hqcenter.snu.ac.kr/

3. 한눈에 보는 복지정보
   http://www.bokjiro.go.kr

4. Postpartum preeclampsia
   www.mayoclinic.org/diseases-conditions

제 10 장

정서문제 관리

Emotional problem management

I 우울 관리 (Depression management)

1_ 우울

우울장애는 일시적인 슬픔이나 우울한 감정을 느끼는 것을 넘어 수면, 식사, 활동, 생각, 신체 등 개인과 생활 영역 전반에 영향을 주어 의미 있는 일상생활을 수행하기 어려운 병적 기분장애이다.

1) 원인

(1) 생물학적 원인

① 유전

우울장애의 발병 요인에 있어 염색체나 유전적 이상이 명확하게 밝혀지지는 않았으나, 일반인보다 주요 우울장애 가족의 경우 2~10배 높은 발생 빈도를 나타낸다.

② 신경전달물질

우울장애는 세로토닌(serotonin), 노르에피네프린(norepinephrine), 도파민(dopamine), 아세틸콜린(acetylcholine), 에피네프린(epinephrine) 등의 조절 이상과 관련이 있다.

③ 신경내분비계

시상하부-뇌하수체-부신피질 축(hypothalamic-pituitary-adrenal axis, HPA axis)의 활성화로 인해 코티솔(cortisol) 분비가 증가되면서 심한 우울과, 불안, 자살충동의 상태를 유발한다.

④ 신경해부계

기분장애는 변연계(limbic system), 기저핵(basal ganglia) 및 시상하부(hypothalamus) 등을 연결하는 회로 이상과 관련이 있을 것으로 추측하고 있다.

(2) 심리사회적 요인

① 정신분석 및 정신역동 이론

프로이드(Freud)는 실제 또는 상징적 대상의 상실을 경험했을 때, 상실에 대한 분노와 무력감 등을 극복하지 못하고 자신에게로 향하게 되는 것이 우울장애를 유발한다고 설명하였다.

② 대상상실 이론

보울비와 스피츠(Bowlby & Spitz) 등은 유아기나 아동기의 초기에 모자간 애착관계에서의 이별 경험이 우울의 소인이 된다고 보았다.

③ 인지 이론

벡(Beck)은, 우울장애 대상자는 불행한 사건을 개인의 결점으로 인식하고 과거의 경험을 통하여 자기 자신을 부정적으로 생각해 미래에 대한 비관적 인식을 가지게 되며 자신과 환경에 대한 왜곡된 해석을 내린다고 하였다.

④ 행동 이론

우울장애 대상자는 삶의 사건을 통제할 수 없는 개인의 무능력을 경험하게 되고 이러한 무능력 상태를 반복적으로 경험하는 과정을 통해 '학습된 무력감'이 나타난다고 보는 것이 행동이론의 관점이다.

⑤ 환경 및 스트레스 이론

스트레스 상황이 단독적인 요인은 아니지만, 애착 상실, 역할 변화, 부정적 생활 사건들이 우울장애를 유발한다고 보고 있다.

2) 행동 특성

(1) 신체: 수면장애, 식욕저하, 성 장애

(2) 정서: 슬픔, 불쾌감, 죄책감, 수치심, 불안

(3) 인지: 주의집중력 저하, 기억력 감퇴, 우유부단함, 자기비난, 흑백논리

(4) 행동: 수동적, 회피적, 비활동적

3) 관련 장애

(1) 주요 우울장애: 우울한 기분이 최소 2주 동안 지속되는 것이 특징이다.

(2) 지속성 우울장애(기분 저하증): 우울한 기분이 최소 2년 이상 지속되는 것이다.

(3) 파괴적 기분 조절 곤란 장애: 아동기나 청소년기에 불쾌한 기분을 조절하지 못하여 분노발작을 자주 보이고 상황에 비해 심한 언어적 또는 행동적 폭발을 일으킨다.

(4) 월경 전 불쾌장애: 생리 시작 1주 전에 나타나고, 생리가 시작되면 며칠 내에 증상이 호전되거나 사라진다.

(5) 기타 장애: 다른 의학적 상태로 인한 우울장애는 신부전증, 파킨슨병, 알츠하이머병과 같은 특정 질환들과 직접적으로 연결된 변화의 결과이다.

2_ 간호 사정

1) 정서: 슬픈 표정, 무표정, 무기력한 기분 양상, 개인위생 무관심, 구부정한 자세, 낙담한 얼굴 표정
2) 사고: 자기비난, 죄의식, 후회, 자살사고
3) 지각과 감각: 강한 정서 상태 왜곡, 세상을 낯설고 부자연스러운 것으로 인식, 환각
4) 인지: 기억력, 집중력, 학습능력 저하, 판단 능력과 의사결정 능력 약화
5) 생리, 정신운동 행동: 성적·건설적·생산적인 활동이 감소, 식욕·체중 증가 또는 감소, 변비, 월경불순이나 무월경, 성 기능부전, 피곤함, 무기력, 위축 등

Table 10-1 한국판 역학연구센터 우울 척도(Center for Epidemiologic Studies Depression Scale, CES–D)

아래에 적혀 있는 문항을 잘 읽으신 후, 지난 1주 동안 귀하가 느끼시고 행동하신 것을 가장 잘 나타낸다고 생각되는 숫자에 V 표시를 해 주십시오.
0점: 극히 드물게(1일 이하), 1점: 가끔(1일~2일), 2점: 자주(3일~4일), 3점: 거의 대부분(5일~7일)

번호	지난 일주일간 나는	극히 드물었다	가끔 있었다	종종 있었다	대부분 그랬다
1	평소에는 아무렇지도 않던 일들이 괴롭고 귀찮게 느껴졌다.				
2	먹고 싶지 않고, 식욕이 없었다.				
3	어느 누가 도와준다 하더라도, 나의 울적한 기분을 떨쳐버릴 수 없을 것 같았다.				
4	무슨 일을 하든 정신을 집중하기가 힘들었다.				

번호	지난 일주일간 나는	극히 드물었다	가끔 있었다	종종 있었다	대부분 그랬다
5*	비교적 잘 지냈다.				
6	상당히 우울했다.				
7	모든 일들이 힘들게 느껴졌다.				
8	앞일이 암담하게 느껴졌다.				
9	지금까지의 내 인생은 실패작이라는 생각이 들었다.				
10*	적어도 보통 사람들만큼의 능력은 있었다고 생각한다.				
11	잠을 설쳤다(잠을 잘 이루지 못했다).				
12	두려움을 느꼈다.				
13	평소에 비해 말수가 적었다.				
14	세상에 홀로 있는 듯한 외로움을 느꼈다.				
15*	큰 불만 없이 생활했다.				
16	사람들이 나에게 차갑게 대하는 것 같았다.				
17	갑자기 울음이 나왔다.				
18	마음이 슬펐다.				
19	사람들이 나를 싫어하는 것 같았다.				
20	도무지 뭘 해 나갈 엄두가 나지 않았다.				

* 역산 문항
지역사회역학연구의 일차 선별 목적으로 21점을 절단점으로 설정

[출처: 조맹제, 김계희, 주요 우울증 환자 예비평가에서 The Center for Epidemiologic Studies Depression scale(CES-D)의 진단적 타당성 연구. 신경정신의학. 1993;32:381-399.]

3_ 간호 문제

1) 영양 불균형: 신체 요구량보다 적음(또는 많음)
2) 수면양상 장애
3) 자기 돌봄 결핍
4) 절망감
5) 만성적 자존감 저하
6) 비효과적 역할 수행

7) 사회적 상호작용 장애

8) 비효과적 대처

9) 슬픔

10) 무력감

11) 불이행

12) 자살 위험성

4_ 간호 목표

대상자의 증상과 현재의 문제 및 그와 관련된 스트레스원에 근거한 직업적, 사회적, 심리적 기능을 재충전하고 삶의 질을 회복하는 것이며 재발을 최소화하는 것이다.

5_ 간호 수행

1) 간호사-대상자 관계

(1) 간호사는 대상자를 침착하며 따뜻한 수용적인 자세로 일관성 있게 대해야 한다.

(2) 대상자가 현재 상황에서 부정적 감정 표현을 할 수 있도록 격려하고, 불쾌하고 고통스런 감정을 구체적인 언어로 묘사하도록 돕는다.

(3) 대상자가 슬픔과 분노의 감정을 대체물이나 대리인에게 표현하도록 하여 정화시킨다.

(4) 대상자가 망상과 자기비판에 소비하는 시간을 감소시키고, 긍정적인 면을 보도록 도우며, 생산적인 일에 참여시킨다.

(5) 대상자가 할 수 있는 활동의 예는 일상생활 프로그램, 오락 프로그램, 운동 프로그램, 집단 프로그램, 산책·소풍·쇼핑 등에 참여하기, 텔레비전 시청, 라디오 듣기, 음악 감상 등이다.

2) 신체적 건강과 안전

(1) 자살 위험성 감소

① 일대일로 지속적으로 관찰하며, 잠재적 위험이 없는 안전한 환경을 조성한다.

② 대상자가 복용하는 약에 신경을 쓰고, 약을 먹지 않고 모아 두어 치사량이 될 약물을 수집할 가능성이 있음에 주의한다.

③ 정신병동에서는 '자살예방 지침서'와 같은 명문화된 책자를 구비하고, 모든 직원은 내용을 숙지한다.

④ 자살의 위험성이 있는 대상자를 혼자 있게 해서는 안 된다.

⑤ 대상자의 스트레스 상황을 이해하고 충동 조절에 대한 도움과 지지를 제공한다.

⑥ 자살을 시도하겠다고 말한 대상자와는 반드시 자살을 시행할 것이라는 생각을 가지고 관계를 맺어야 하며, 그들의 위협과 시도는 신중히 다뤄져야 함을 명심한다.

⑦ 대상자들이 자살을 할 것인지 삶을 수용할 것인지에 대해 이야기하고 생각할 수 있는 기회를 충분히 주어야 한다.

(2) 신체적 건강

① 식욕 저하와 체중 감소가 있다면 섭취·배설량, 체중을 측정 및 기록하며 음식을 소량으로 자주 제공하거나 식사 동안 옆에서 권하는 중재가 필요하다.

② 전반적인 건강 상태가 좋지 않고 탈수 등이 있으면 충분한 영양과 수분 공급이 필요하며, 우울성 혼수 때는 소변 정체나 변비에 대처해야 한다.

③ 대상자가 자신을 관리할 수 없다면 자존감을 유지시키기 위해 목욕을 시키고, 머리와 손톱 손질 같은 몸치장을 도우며, 적당한 옷 선택을 돕는 것이 필요하다.

④ 수면장애가 있을 경우 낮잠을 줄이거나 활동 수준과 휴식시간을 적절히 배정하는 것이 중요하다.

⑤ 불면증이 심하면 카페인이 함유된 음식은 제한한다.

⑥ 요통, 흉통, 소화불량, 오심, 구토, 근육통, 월경 변화, 발기부전 등의 신체 증상을 돌보아야 한다.

(3) 신체활동 관리

① 낮 동안의 신체활동을 돕는다.

② 대상자의 에너지를 신체적 안녕과 조절에 사용하여 성취감을 느낄 수 있도록 돕는다.

③ 대상자가 원치 않더라도 잘 설득하여 전에 해왔던 산책, 조깅, 테니스, 집안일과 같은 신체활동에 참여시킨다.

④ 대상자의 활동은 단독 활동에서 다른 사람과 비경쟁적 활동으로, 그 후에 경쟁적 활동으로 발전시킨다.

3) 약물치료

• 항우울제

	적용 대상	부작용	독성 효과	금기
선택적 세로토닌 재흡수 억제제 (Selective Serotonin Reuptake Inhibitors, SSRIs)	• 우울증의 첫 번째 치료제 • 우울장애뿐만 아니라 불안장애, 특히 강박장애 및 공황장애에 처방	초조, 불안, 수면장애, 진전, 성 기능장애(주로 성불감증) 또는 긴장성 두통, 자율신경계 반응(입 마름, 발한, 체중 변화, 가벼운 오심 및 설사)	• 과다복용 또는 다른 약물과의 상호작용으로 발생 • 심한 경우 고열, 심혈관계 쇼크 혹은 사망에까지 이를 수 있음	
삼환계 항우울제 (tricyclic antidepressants, TCAs)	기면과 피로감, 초조나 안절부절 못하는 증상이 있는 대상자에게 적절함	요정체, 변비, 기립성 저혈압, 빈맥, 부정맥, 심근경색의 심혈관계 부작용으로 고령자와 심장질환자 주의	MAOIs, 페노티아진, 바비튜레이트, 디설피람, 경구 피임약, 항응고제, 항고혈압제, 레세르핀, 벤조디아제핀계, 알코올 등과 함께 복용 시 치명적일 수 있어 의학적 허가 필요	심장 문제나 심근경색증을 최근 경험한 사람, 협우각 녹내장이나 발작의 병력이 있는 사람, 임산부는 극도의 주의와 주의 깊은 모니터링 없이 TCA 치료를 받아서는 안 됨
MAO 억제제 (monoamine oxidase inhibitors, MAOIs)	공황장애, 사회공포증, 범불안장애, 강박장애, 외상후 스트레스장애 및 신경성 폭식증 대상자에게 효과적	기립성 저혈압, 체중증가, 부종, 심장박동수와 리듬의 변화, 변비, 요 정체, 성 기능장애, 현기증, 과잉활동, 근육경련, 경조증과 조증 행동, 불면증, 허약감 및 피로 등	가장 심한 반응은 혈압 상승이나, 뇌출혈, 고열, 경련, 혼수 상태 및 사망에까지 이르게 할 수 있다.	뇌혈관질환, 고혈압 및 울혈성 심부전증, 간질환, 티라민과 트립토판 및 도파민을 함유한 음식 섭취, 특정 약물 사용, 재발성 또는 심한 두통, 10~14일 전 수술 이력, 16세 미만의 연령에서는 사용해서는 안 됨

(1) 임산부의 항우울제 사용

임신 중 우울증을 앓는 임산부는 항우울제의 득과 실에 대해서 정보를 제공받아야 하고, 산모는 증상의 심각함과 우울증이 얼마나 본인과 태아에 영향을 미치는지 파악하여 약을 복용할지 복용하지 않을지를 결정해야 한다.

(2) 아동 및 청소년의 항우울제

우울증이 있는 아동과 청소년이 항우울제를 복용하지 않을 경우 자살 위험이 더 높다. 항우울제를 복용하는 사람의 자살 위험을 최소화하려면, 전문가의 면밀한 감독과 교육이 대상자와 그 가족에게 필수적이다.

(3) 고령자의 항우울제 사용

과량투여와 노화에 의한 신진대사 과정은 노인들에게 항우울제 처방을 할 때 고려해야 할 사항이다. SSRIs는 노인들에게 최우선 치료법이지만, 이것은 노인들에게 심각한 부작용을 초래할 수도 있다. 저혈압이나 진정작용 등의 부작용이 있는 약물들은 노인들이 복용했을 때 낙상 위험을 증가시킨다.

(4) 약물치료를 하고 있는 환자의 투약 이행 여부, 상태, 부작용 등을 잘 관찰하며 이상 증상 시 병원을 방문하도록 안내한다.

4) 신체치료

(1) 전기경련 치료

뇌의 한쪽 또는 양쪽에 70~150 volt의 전압으로 0.1~1초 동안의 자극을 주는 치료이다.

(2) 광선치료

계절성 정동장애(seasonal affective disorder, SAD)의 1차 치료법으로, 낮 시간에 자연적 혹은 인공적 일광에 노출하여 치료하는 방법이다.

(3) 대체요법

마사지, 명상과 요가, 침술, 약초 등을 사용하는 치료이다.

5) 정신사회적 중재

(1) 인지치료

부정적인 인식을 긍정적인 인식으로 전환하고 인식의 왜곡을 수정하는 것이다.

(2) 행동 변화와 대인관계 치료

학습된 우울장애를 체계적으로 교정하여 증상을 해소하고 건설적인 행동으로 다시 학습하게 하며 자신감의 회복이나 왜곡된 사고의 교정, 사회기술 훈련 등을 다룬다.

(3) 집단치료

다른 사람들도 유사한 감정을 가질 수 있다는 것을 알게 하거나 공유하여 죄의식을 감소시킬 수 있으며, 현실감을 갖게 할 수 있고 지지그룹이나 자조모임도 효과적이다.

(4) 감정 표현 장려

부정, 분노, 타협, 우울, 수용, 희망의 단계까지 이끄는 것이 중요하며, 적극적으로 경청하고 대상자가 전달하는 감정이나 생각이 무엇이건 간에 받아들인다는 것을 나타낸다.

(5) 자존감 강화

수용과 소속감, 그리고 자신이 유용하고 필요한 존재라는 느낌과 성취감을 느낄 수 있도록 돕는다.

6) 치료적 환경 관리

(1) 자율성과 자아실현 기회 제공

간호사는 대상자가 회복될 때 그들이 자신의 요구에 따라 많은 결정을 하도록 격려한다.

(2) 사회화 촉진 환경 제공

스트레스를 감소시켜 줄 수 있는 지지체계를 활성화시키는 것이 치료자의 주요 역할이다.

7) 대상자 교육

(1) 질병의 이해

우울장애의 정의, 원인, 증상, 애도의 단계와 각 단계에 따른 증상을 설명한다.

(2) 질병관리

약물 관리, 자기표현 기술, 스트레스 관리 기술, 자존감 증진 방법, 슬픔 작업 촉진 방법을 설명한다.

tip 지역사회 활용 가능한 서비스

- 자살예방 상담전화: 1393
- 희망의 전화: 129
- 청소년 전화: 1388
- 한국 생명의 전화(자살유가족 상담): 1588-9191
- 자살 및 정신건강 위기 상담 전화: 1577-0199

불안 관리 (Anxiety mamagement)

1_ 불안

전문가와 집단마다 조금씩 차이는 있지만, 공통된 내용은 내·외적 자극에 대한 모호하고 두려운 감정으로 불확실성과 무력감이 동반되며 신체적·정서적·인지적·행동적 증상을 수반하는 것이다. 불안(anxiety)은 불특정, 알려지지 않은 위험과 관련된 모호한 감정인 반면, 공포(fear)는 특정 위험에 대한 반응(response)이다.

1) 불안의 수준

(1) 경증 불안

일상생활의 정상적인 경험에서 발생하며, 이 상태에서는 의식이 명료해지고 지각(perception) 범위가 증가한다. 신체적으로는 약간의 불편함, 안절부절, 과민성 또는 가벼운 긴장완화 행동(손톱 물기, 발 또는 손가락 두드리기, 손장난)을 보일 수 있다.

(2) 중등도 불안

중증도 불안 상태에서는 유쾌하든 불쾌하든 스트레스 상황을 성공적으로 극복할 수 있지만 지각 영역이 좁아지고 일부 세부사항을 관찰하지 못하기 쉽다. 신체적으로는 교감신경계 증상, 즉 긴장, 두근거림, 맥박 및 호흡 증가, 발한, 경미한 신체증상(예 위장 불편감, 두통, 절박뇨)을 경험하거나 떨리는 목소리 등이 눈에 띈다.

(3) 중증 불안

경험하는 사람은 지각 영역이 현저히 저하된다. 환경 극복을 위해 에너지를 사용하기보다 먼저 불안을 감소시키는 데 사용하여 개인 기능 수준에 장애가 나타난다. 불안 감소를 위해 비효과적인 자동적 행동이 나타나고 신체증상(예 두통, 오심, 현기증, 불면증)이 증가한다. 자율신경계 중 특히 교감신경계가 활성화되므로 맥박과 혈압, 호흡이 증가하고, 에피네프린 분비와 혈관수축이 증가되며, 나아가 체온까지 상승하는 등 여러 방면의 생리적 변화가 나타난다.

(4) 공황

극단적인 수준의 불안으로, 공황을 나타내는 개인은 두렵고 공포감을 경험하며, 주위에서 일어나고 있는 일을 처리할 수 없을 뿐 아니라 이인증이나 비현실감과 같은 지각의 왜곡, 환각 등을 경험할 수도 있다. 신체적으로는 서성거리기, 달리기, 소리지르기, 비명지르기 등 변덕스럽고 조절이 잘 안 되며 충동적인 행동이나 지나치게 위축된 행동을 보인다.

2) 행동 특성

(1) 생리반응: 자율신경계 항진이 나타나며 교감신경계 반응이 더 두드러진다. 심박동을 증가시키고 혈압을 상승시키며, 호흡률과 심박동 수를 증가시킨다.

(2) 인지 반응: 주의력 장애, 집중력 저하, 기억력 감소, 판단 장애, 몰두, 사고 단절, 지각영역 감소, 창조성과 생산성 저하, 혼란, 과도한 자아의식, 객관적 태도 결핍, 조절력 상실에 대한 두려움, 상해와 죽음에 대한 공포, 플래시백(flashback), 악몽 등이다.

(3) 정서반응: 인내심 저하, 불안정감, 긴장감, 공포, 좌절, 무력감, 두려움, 신경과민, 무감각, 죄의식, 수치심, 절망감 등이 관찰된다.

(4) 행동반응: 안절부절 못함, 신체적 긴장감, 진전, 놀람 반응, 과민한 행동, 말이 빨라짐, 근육 조절력 결핍, 다칠 가능성이 높음, 대인관계의 위축, 욕구 억제, 도피 등의 행동을 보일 수 있다.

3) 관련 장애

(1) 공황장애

주 증상인 공황발작 동안에는 극심한 불안과 공포로 인해 정상적인 기능 수행이 어렵고 지각 영역은 극도로 제한되며 비현실감이 나타날 수 있다.

(2) 광장공포증

피하기 곤란하거나 도움을 받을 수 없는 장소 및 상황에 혼자 있는 것에 대한 과도한 두려움이다.

(3) 범불안장애

거의 모든 것에 불안을 느끼지만 근거를 찾기 어렵고 조절하기 힘든 부동불안(free floating anxiety) 및 자율신경계 과민 증상이 특징적이다.

(4) 사회불안장애

지나칠 정도로 타인과의 관계를 계속 회피하고, 사람과 접촉할 일이 있어도 심한 예기불안을 느끼면서 접촉할 상황을 기피하고, 이로 말미암아 일상생활에 지장을 받는다.

(5) 특정공포증

과거 단순공포증(simple phobia)이라고 부르던 장애로, 광장공포증이나 사회공포증을 제외한 특정한 대상이나 상황에 대한 공포를 모두 합쳐서 일컫는다.

(6) 분리불안장애

주요 특징은 집이나 애착 대상과의 분리에 대한 과도한 공포와 불안이며, 대상자의 일상생활을 방해하고 중요한 사람이 가까이 있지 않으면 수면 장애와 악몽을 겪는다. 종종 위장장애나 두통과 같은 신체적 증상을 나타내기도 한다.

(7) 선택적 함구증

분리불안이나 불안이 있는 아동의 경우에 평상시에는 정상적인 언어능력이 있지만 불안이 야기되는 상황에서 말을 전혀 하지 않는 것으로, 흔히 말 대신 몸짓, 고개 끄덕임, 머리 흔들기, 몸 잡아끌기 등으로 의사를 표시한다.

(8) 강박 및 관련 장애

강박장애, 신체 이형 장애, 수집광, 발모광(털 뽑기 장애), 피부 뜯기 장애 등의 세부 질환이 포함된다.

2_ 간호 사정

1) 생리적 측면

교감신경계의 활성화로 인한 동공 산대, 침샘 억제, 심박동 수 증가와 혈압 상승, 호흡 수 증가, 소화불량, 간에서 당 분비 자극, 에피네프린 분비 증가, 방광 이완으로 인한 소변 횟수 증가, 손에 땀이 나는지, 전율, 입 마름, 목이 메는 듯한 느낌, 성 기능장애 등을 사정한다.

2) 인지적 측면

대상자는 불안할 때 논리적 사고에 어려움을 겪게 되며, 인지 영역이 좁아지거나 왜곡될 수 있고, 선택적 부주의나 해리로 인하여 주의 집중 결여 및 초점 맞추기 결여가 나타날 수 있는데, 이는 불안의 수준이 높을수록 더 강하게 나타날 수 있다.

3) 정서·행동적 측면

대상자는 불안정하고 화를 내며, 철회하고 가만히 있지 못하며, 울 수도 있다. 감정적 반응은 종종 대상자의 주관적인 기술을 통하여 사정이 가능하다.

Table 10-2 해밀턴 불안 측정 도구

0: 없음 1: 경함 2: 중등도 3: 장애 4: 극심함, 장애가 뚜렷함

번호	항목	증상	점수
1	불안한 기분	걱정, 최악의 상황을 예상, 두려움 예상, 불안정감	
2	긴장	긴장감, 피로도, 놀람 반응, 쉽게 우는 경향, 떨림, 안절부절 못함, 긴장을 풀 수 없음	
3	공포	어두움, 낯선 사람, 혼자 있는 것, 동물, 차가 밀리는 것, 군중에 대한 공포	
4	불면증	잠들기 어려움, 자다 자주 깸, 만족스럽지 않은 수면과 각성 시 피로감, 꿈, 악몽, 야경증	
5	인지 증상	집중력 장애, 기억력 저하	

번호	항목	증상	점수
6	우울한 기분	흥미 상실, 취미생활에서 즐거움 상실, 우울, 조기 기상, 기분 변화	
7	신체(감각) 증상	이명, 시야 흐림, 냉열감, 허약감, 살을 에는 듯한 느낌	
8	신체(근육) 증상	통증, 경련, 강직, 간대성 근경련, 이갈이, 불안정한 음성, 근육톤(muscle tone) 증가	
9	심혈관 증상	빈맥, 심계항진, 불규칙한 심박동, 흉통, 혈관 약동, 현기증	
10	호흡기 증상	흉부압박감, 질식감, 한숨, 호흡곤란	
11	위장관계 증상	연하곤란, 속이 부글거림, 복통, 작열감, 복부팽만감, 오심, 구토, 장의 가스 이동으로 인한 복명, 설사, 체중 감소, 변비	
12	비뇨기계 증상	빈뇨, 긴박뇨, 무월경, 월경과다, 불감증, 조루, 성욕감퇴, 성 불능	
13	자율신경계 증상	구강 건조, 안면홍조, 창백, 발한, 현기증, 긴장성 두통, 기립 체모	
14	면담 시 행동	안절부절 못하여 서성거림, 불안정한 걸음걸이, 손의 진정, 미간의 주름살, 긴장된 표정, 한숨 또는 빠른 호흡, 창백한 얼굴, 침 삼킴, 트림, 건 반사 활발, 산동, 안구돌출	

* 결과 해석 → 14~17점: 경미한 불안, 18~24점: 중등도 불안, 25~30점: 심한 불안

[출처: Hamailton M. The assessment of anxiety states by rating. British Journal of Medical Psychology. 1959; 32:40–55p]

3_ 간호 문제

1) 두려움
2) 비효과적 대처
3) 불안
4) 방어적 대처
5) 무력감
6) 외상후 증후군
7) 불면증
8) 비효과적 호흡 양상
9) 자해

4_ 간호 목표

1) 상해로부터 안전하다.
2) 감정을 말로 표현한다.
3) 효과적인 대처 기전을 설명한다.
4) 불안 관리 및 효과적인 사용방법을 설명한다.
5) 개인적인 통제감을 말로 표현한다.
6) 적당한 영양학적 공급을 회복한다.
7) 매일 밤 적어도 6시간의 잠을 잔다.
8) 의식적인 행동 내에서 일상적인 활동을 완전하게 수행한다.
9) 이완 기술의 효과적인 사용에 대해 적절하게 설명한다.
10) 행동치료 기술의 효과적인 사용을 설명한다.
11) 의식적인 행위 시간이 감소된다.

5_ 간호 수행

1) 신뢰관계 형성

간호사의 일관성 있는 태도, 적극적인 경청, 수용적 태도, 무비판적인 태도, 공감, 대상자에 대한 존중과 안정적인 태도가 있어야 한다.

2) 간호사의 자기인식

불안은 상호 소통되므로 간호사가 안정적인 심리 상태를 유지하는 것이 중요하며, 대상자와의 관계에서 간호사가 불안을 부정하면 치료적 관계를 저해하고 대상자에 대해 방어적이 될 수 있으므로, 간호사 스스로 또는 필요하다면 적절한 자원을 이용하여 해결해야 한다.

3) 대상자 보호

대상자 스스로 견뎌낼 수 있는 불안 정도를 확인하여 대상자가 감당할 수 없는 상황에 노출되는 것을 피하도록 돕고, 대상자의 대처 기전 또는 증상을 공격하거나 비웃거나 논쟁해서는 안 된다.

4) 문제의 명료화

대상자가 불안과 관련된 구체적 문제를 분명하게 표현할 수 있도록 돕기 위해 간단명료하게 질문한다.

5) 불안에 대한 대상자의 자아인식 증가

(1) 자신이 언제 불안을 느끼며, 불안을 느낄 때는 어떤 일을 하며, 무슨 생각을 하고, 누구와 같이 있는지를 일지에 기록하고 보관하도록 요청한다.

(2) 대상자에게 시간대별로 하루 동안의 불안 정도를 그래프로 그리고 보관하게 한다.

(3) 대상자가 가족 집담회에 참석하도록 요청하고, 가족들이나 대상자에게 중요한 사람도 동시에 참여하게 한다.

6) 환경 수정

불안이 극심한 경우 다른 대상자와의 교류를 제한할 필요가 있는데, 그 이유는 불안은 대인관계를 통해 전달되고 그로 말미암아 불안이 증가할 수 있기 때문이다.

7) 활동 참여와 지지

대상자가 활동에 참여하는 것은 불안에 빠지거나 강박행동을 수행할 기회를 제한하고 다른 생산적 활동의 즐거움을 알 수 있게 해주므로 의미가 있다.

8) 불안에 대한 자조 기술과 대처 기법

자기표현 훈련, 독서치료, 자조집단, 문제 해결과 대처 기술, 이완법 등이 있다.

9) 약물치료

약물은 불안을 중재하는 데 매우 효과적인 방법이다.

항불안제인 벤조디아제핀을 사용할 때는 다음과 같은 지침을 따른다.

(1) 증상을 완화시키려면 최소량의 약물을 사용한다.
(2) 진정 효과와 대상자의 상해 위험을 관찰한다.
(3) 최대한 투약 기간을 짧게 한다.
(4) 약물 사용 장애 기왕력이 있는 대상자에게는 신중히 투약한다.
(5) 약물 사용을 갑자기 중단하지 않는다.

약물치료를 하고 있는 환자의 투약 이행 여부, 상태, 부작용 등을 잘 관찰하며 이상증상 시 병원을 방문하도록 안내한다.

10) 정신치료

(1) 불안 경감: 이완법, 호흡 훈련, 바이오피드백, 체계적 둔감법(탈감작요법), 지속적 노출 치료(prolonged exposure, PE), 자극 감응 노출(interoceptive exposure), 홍수법(flooding or implosion), 안구 운동 둔감화 및 재처리법(eye movement desensitization and reprocessing, EMDR), 사고 중지 기법(thought stopping) 등이다.

(2) 인지 재구성

대상자의 인지 왜곡을 확인하고 교정하며 재구성하는 것이 전체 인지치료의 목적이며, 학파마다 접근 방법이 조금씩 차이가 있지만 대부분 자동적 사고(automatic thoughts) 또는 인지적 왜곡 확인 및 검증, 부적응적 가정의 확인 및 타당성 검증 4단계로 구성된다.

(3) 새로운 대처 행동 학습

모델링(modeling), 자기주장 훈련(assertive training), 행동 형성(shaping), 토큰 경제(token economy), 사회기술 훈련(social skills training), 혐오치료(aversion therapy), 행동 계약법(contingency contracting), 긍정적 재강화(positive reinforcement) 등이다.

섬망 관리 (Delirium management)

1_ 섬망

섬망(delirium)이란, 여러 가지 원인에 의해서 갑자기 발생한 의식 수준의 변화, 주의력 저하, 언어력 저하 등 인지 기능의 전반적 장애로, 주변 상황을 잘못 이해하며 생각의 혼돈이나 방향상실 등이 일어나는 정신적 혼란 상태이다.

1) 분류

(1) 섬망: 단기간에 발생하는 의식 장애와 인지 변화이다.

(2) 치매: 기억력 장애를 포함하는 복합적인 인지 결손이다.

(3) 기억장애: 다른 심각한 인지 장애 없는 기억력 장애이다.

(4) 기타 인지장애

① 일반적 의학적 상태나 물질 사용으로 인한 것을 말한다.

② 추정은 되지만 위의 유형과 맞지 않는 인지장애를 뜻한다.

2) 특징

(1) 급성으로 발병한다.

(2) 주의력, 기억력, 사고, 지남력, 지각 및 정신운동성 행동의 장애가 동시에 발생한다.

(3) 하루 동안에도 인지기능의 장애가 예측할 수 없는 변화를 일으킨다.

(4) 행동 특성

최초 증상 시작 시간	주로 밤에 시작
증상 발현시간	주간보다 야간이 심하다.
증상 지속시간	• 단기간 진행되고 하루 동안에도 변화가 심함 • 수 시간에서 수일 지속된다.

최초 증상 시작 시간	주로 밤에 시작
수면 장애	밤에 초조하고 못 자며 낮에 조는 증상
감각장애	착각, 환각
감정 변화	매우 빠르고 공격적인 극단의 감정

3) 증상

불안, 초조, 빛이나 소리에 대한 과민성, 논리적인 사고의 곤란, 불면증, 야간에 일어나는 생생한 꿈이나 일시적인 환시 현상을 경험한다.

4) 원인

(1) 생리적 요인

출혈이나 심한 피로, 악성 빈혈, 장기간의 스트레스, 수면 부족, 감각 박탈 등이 있을 때 섬망이 나타난다.

(2) 대사성 질환

요독증이나 당뇨병의 산중독, 점액수종, 크레틴병, 저혈당증, 쿠싱증후군, 유행성 출혈열, 악성빈혈, 포르피린증, 펠라그라, 베르니케 증후군

(3) 감염

급성뇌증후군, 유행성 뇌염, 홍역, 이하선염, 회백수염, 뇌막염, 무도병과 같은 두개골내 감염, 열성 질환이 있거나 뇌진탕, 외상성 혼수, 외상성 섬망, 코르사코프 증후군, 외상후 결핍 상태, 신경인지 장애, 지주막하혈종, 외상후 교통성뇌수종, 외상후 간질, 뇌진탕증후군, 외상성 신경증, 꾀병, 외상후 정신병과 같은 뇌외상이 있었을 때 올 수 있으며, 두개강내 종양이 있을 때도 올 수 있다.

(4) 약물 관련 문제 등

진정제, 최면제, 약한 정온제, 항우울제, 중추신경 자극제 등을 포함하는 향정신성 약물, 일산화탄소, 화공 약물, 납과 같은 중금속, 살충제 등이나 알코올 중독에 따른 비타민 장애 시 섬망이 나타난다. 또는 환각성 약물 사용 시에도 나타날 수 있다.

2_ 간호 사정

1) 건강력: 질병, 알콜, 약물 복용
2) 감정 상태: 감정의 변화 빠름, 극단의 감정과 공격성
3) 사고 과정: 지리멸렬, 조직적이지 못함, 단편적, 언어가 비논리적, 이해하기 어려움, 주의력, 집중력 장애, 야간에 심해짐
4) 수면양상: 불면, 악몽
5) 자가 간호의 문제: 배고픔, 목마름, 배뇨, 배변의 욕구를 인지 못함
6) 장기적인 자아개념의 문제: 죄책감, 수치심, 굴욕감, 절망, 무력감

3_ 간호 문제

1) 급성 혼돈
2) 신체 손상 위험성
3) 영양부족의 위험성
4) 체액 부족
5) 수면 변화
6) 감각지각 변화
7) 사고과정의 변화
8) 자가간호 결핍

4_ 간호 목표

1) 환자에게 신체적 손상이 없다.
2) 환자의 지남력이 향상된다.
3) 환자의 영양이 적절히 유지된다.

5_ 간호 수행

1) 신체 간호

(1) 생명을 유지하는 간호가 가장 우선적이어야 한다.
(2) 적절한 영양공급(고 열량, 고 비타민 음식) 및 수분 섭취가 이루어져야 한다.
(3) 다량의 수분 섭취가 불가능하면 소량씩 자주 섭취한다.
(4) 섭취량, 배설량을 측정한다.
(5) 경구 수분 섭취가 불가능할 때 정맥주사, 비경구 영양공급을 한다.
(6) 진정제 투여는 섬망의 원인을 밝히는 데 방해가 된다. 등 마사지, 따뜻한 우유 한 잔, 부드러운 대화를 통해 충분히 수면을 취하게 한다.
(7) 적절한 환기를 하고 실내 온도를 조절한다.
(8) 구강위생, 개인위생을 간호한다.
(9) 고열 시 얼음이나 찬물 마사지를 한다.

2) 안전 간호

(1) 가족이 곁에서 세심하게 돌보고 환자와 같이 있어준다.
(2) 안정제는 혼동과 낙상 위험을 증가시키므로, 환자를 수시로 확인하고 위험한 행동을 하는지 관찰한다.
(3) 억제대는 사려 깊게 사용한다.
(4) 어두운 방 그림자는 착각을 유발할 수 있으므로 방의 조명을 밝게 한다.
(5) 섬망 상태의 환시가 있을 때 안전 스크린을 설치하거나 다칠 수 있는 물건을 치운다.
(6) 환시가 있을 때, 환시의 대상(벌레 등)을 같이 치우는 척 해준다. 그러나 그 환각이 진짜라는 의미는 주지 않는다.
(7) 과도한 자극을 감소시키고, 조용한 환경을 유지한다.
(8) 간호하는 사람을 최소화하고 방문객을 줄이며 동일한 간호사가 간호하도록 한다.
(9) 낯익은 사람이 간호하여 안정감을 주고, 일관성 있게 가족이 간호하는 것이 좋다.
(10) 환자의 두려움을 감소시키기 위해 간호 전에 설명하고 협조를 얻는다. 또한 환자를 과도하게 다루거나 움직이게 하지 않는다.

(11) 모든 처치와 치료는 신속하게 제공한다.

(12) 기억력의 왜곡을 감소하기 위해 글자가 분명한 시계나 달력을 제공한다.

(13) 회복될 때까지 제한된 사람만 접촉시키고, 그 후 대인 관계를 넓히며 집단 활동에 참여시킨다.

3) 의사소통

(1) 확고하고 긍정적인 태도로 안정시킨다.

(2) 지남력 저하 시 반복적으로 시간, 장소를 알려준다.

(3) 환자의 이름을 불러 타인과 자기 자신을 인식하게 한다.

(4) 섬망이 회복되는 환자의 경우, 무슨 일이 있었는지 환자에게 설명해준다.

(5) 문제의 원인, 유발 요인, 치료의 필요성, 재발 가능성, 예방법을 환자가 이해하는지 사정 후 반복 교육이 필요하다.

4) 약물치료

(1) 약물치료를 하고 있는 환자의 투약 이행 여부, 상태, 부작용 등을 잘 관찰하며 이상 증상 시 병원을 방문하도록 안내한다.

(2) 항 정신병약인 할로페리돌 0.5~1 mg을 복용한다.

(3) 신경안정제나 벤조디아제핀은 섬망을 악화시킨다.

환각 관리 (Hallucination management)

1_ 환각

외부로부터 아무 자극이 없는데 자극이 있다고 생각하는 것

1) 분류

(1) 환시

잘못된 시각적 지각으로, 사람이나 동물처럼 형태가 있을 수도 있고 없을 수도 있음. 죽은 사람과 같은 형상, 사람 형태의 이미지나 귀신, 저승사자, 벌레 등 좋지 않은 것들이 보이는 경우가 많음. 환시는 환청보다는 덜 흔하게 나타남

(2) 환청

가장 흔하며 음성으로 경험되는데, 그 음성은 익숙할 수도 있고 생소할 수도 있으며 비난, 명령의 형태를 취함

(3) 환촉

① 신체 환각: 자신의 몸에 어떤 느낌이 있다고 경험하는 것

② 소주감(formication): 피부에 벌레가 기어가듯이 몸이 가렵거나 스믈거리는 증상

③ 환상지 현상: 존재하지 않는 신체 부분에 대한 환각

(4) 환미

맛을 다르게 지각하는 것으로, 그 맛은 금속성이거나 불쾌한 맛, 상한 음식 맛 등이 있음. 환취와 함께 나타나는 경우가 많음

(5) 환취

냄새에 대한 잘못된 감각으로, 악취와 같은 역겨운 냄새가 많음

(6) 입면 시 환각

잠이 들 때 경험하는 환각

(7) 출면 시 환각

잠에서 깰 때 경험하는 환각

2) 원인

(1) 정신질환: 정신병의 40%가 시각이나 청각 환각을 경험함. 우울증, 외상 후 증후군

(2) 신경장애: 신체 질환, 알츠하이머 치매, 국소 간질

(3) 안과 질환: Charles Bonnet Syndrome

(4) 간부전, 신부전

(5) 건강한 사람에서도 나타날 수 있음

(6) 섬망 환자

(7) 마약, 외상후 증후군, 성적 학대

2_ 간호 사정

1) 환각의 기간, 빈도, 강도

2) 정기적인 시력 및 청력 검사

3) 질병, 감염, 만성 통증 또는 장 매복

4) 약물이나 음주

5) 갑작스런 각성 수준 변화 시 낙상, 멍, 찰과상 관찰

3_ 간호 문제

1) 자가간호 결핍
2) 자신 또는 타인에 대한 폭력 위험성
3) 사회적 고립
4) 언어적 의사소통 장애
5) 감각지각 장애

4_ 간호 목표

1) 환자는 환각에서 자유로워진다.
2) 환자는 자신이나 타인을 해치지 않는다.
3) 환자는 그들의 증세보다 강해진다.

5_ 간호 수행

1) 증상 조절

(1) 환각은 실제적인 것이 아님을 밝힌다.
(2) 환각을 어떻게 경험하는지 살핀다.
(3) 환각을 유발하는 불안을 감소시킨다.
(4) 대화는 간단하고 기본적이며 현실을 제시하고 명료하게 한다.
(5) 환자가 한 번에 한 가지 생각에 집중하도록 돕는다.
(6) 환자를 현실 기반 활동에 참가시킨다.
예 그리기, 음악 듣기, 운동, 카드놀이, 회상요법 등
(7) 환각이 시작될 때 환자와 함께 있어준다. "환각은 떠나라"라는 말을 하도록 도와주고 사실적인 말을 반복하도록 한다.

(8) 필요한 경우 약물을 투여하거나 일대일 격리를 한다.
(9) 불안감을 줄이는 활동을 하도록 안내한다.
(10) 잘못된 생각에 대해 논쟁하거나 직접적으로 반대하지 않는다.
(11) 신체적 요구가 충족되었는지 확인한다.
(12) 환자가 자신의 환각에 대해 다른 환자와 이야기 나누는 것을 피하도록 격려한다. 다른 환자에게 혼란을 야기할 수 있기 때문이다.
(13) 텔레비전 시청을 모니터한다.
 – 일부 프로그램(예 공포영화는 환각을 유발할 수 있다) 시청에 주의한다.
(14) 환자가 위험해질 수 있는 명령 환각이 있는지 관찰한다.
(15) 환자가 실제로 존재하는 사건이나 사람들에 대해 이야기할 수 있도록 직원들은 이용 가능한 치료실을 확보한다.
(16) 자살이나 타살에 대한 명령 환청이 있으면 안전조치와 예방이 중요하다.
(17) 무언가에 시선이 따라가고, 중얼거리고, 혼잣말을 하거나 산만해 보이고, 허공을 쳐다보며 웃는 행위와 같은 환각 경험 신호를 관찰한다.
(18) 환각의 지각경험에 대해 부정하지 않고 있는 그대로 언급하며 수반되는 고통에 대해 공감을 표현한다.

2) 환경조절

(1) 환경적인 자극을 줄인다.
(2) 너무 밝고 눈부신 환경을 피한다.
(3) 환각으로 인한 자해의 위험이 있는 경우, 환경 관리를 한다.
(4) TV 시청 프로그램을 모니터한다. 일부 프로그램(공포영화)의 경우 환각을 유발할 수도 있다.

6_ 대상자 교육

1) 환각의 증상과 사회적 환경의 스트레스원에 대해 교육한다.
2) 약물의 부작용과 상호작용, 투여 일정을 포함한 약물요법에 대해 교육한다.
3) 약물 부작용으로 인해 약물 복용을 중단할 수는 있지만, 질병의 증상이 더 이상 느껴지지 않거나 분명하지 않아도 약물 복용을 지속해야 함을 교육한다.
4) 가족 정신교육을 통해서 사회 적응 증진과 재발 감소, 가족 삶의 질 증진을 도모한다.

가족 간호
(Family Nursing care)

1_ 가족 간호

가족이란 인간 발달의 근원적 집단으로, 가족 구조가 어떤 형태이든지 간에 연대 의식을 가진 근원적 집단이며, 이익을 떠난 애정 집단이고, 같은 장소에 기거하고 취사하지 않아도 그들만의 고유한 문화를 갖는 집단이다. 가족 간호는 가족 구성원 개인과 가족 전체를 대상으로 가족 사회에서 요구하는 기능을 다하고, 원만한 관계를 형성할 수 있도록 함으로써 가족의 적정 기능수준을 향상시키도록 하는 간호학의 한 분야이다.

1) 가족의 특성

(1) 가족은 일차적 집단이다.
(2) 가족은 공동사회 집단이다.
(3) 가족은 폐쇄집단이다.
(4) 가족은 형식집단이다.
(5) 가족은 혈연집단이다.

2) 기능적 가족의 특성

(1) 기능적 가족은 중요한 생의 주기과업을 완성시킨다.
(2) 장기적인 역기능이나 가족 응집력의 분열 없이 어려움에 적응하고 갈등을 견디는 능력이 있다.
(3) 감정적 접촉은 필요한 권위 수준을 낮추지 않으면서 가족 구성원 간과 세대 간에 걸쳐 유지된다.
(4) 과잉 친밀이나 융합을 피하고 문제를 해결하거나 편을 드는 제3자를 데려오는 것을

억제한다.

(5) 가족 구성원들은 개인의 성장과 창의력을 증진시키는 데 고무적이다.

(6) 자녀들은 그들에게 맞는 적절한 책임을 지며, 부모와 자녀의 경쟁적 연합이나 방어적 권력투쟁이 없다.

(7) 긍정적이고 정서적인 분위기로 가족 구성원들 간의 경계를 잇고 자의식을 가지며 개성과 독립성을 인정해준다.

(8) 부모는 애정표현, 사려 깊은 합리적 사고, 보살핌이 균형을 이룬다.

(9) 개방적인 의사소통을 나누며 가족 구성원 사이에 상호작용이 행해진다.

3) 역기능적 가족의 공통적 패턴

(1) 과잉보호하는 어머니와 거리감 있는 아버지(일, 알코올, 육체적 결손)의 가족

(2) 과잉 또는 과소 기능하므로 수동적·의존적, 불평하는 배우자들의 가족

(3) 비효과적이고 감정적으로 압도당한 부모에 대한 보상으로 더 어린 형제자매에게 부모 노릇을 하고자 시도하는가 하면 학교에서 교우관계가 원만치 못한 아이가 있는 가족

4) 대상

(1) 전 가족(문제가족, 건강가족)이 대상

가족 간호의 대상이 전체로서의 가족이라는 개념으로 바뀌었으며, 문제가족은 가족이 급·만성 질환, 정신질환, 상해, 사망, 빈곤 등으로 정서적 혼란 또는 가족관계의 위험을 초래하는 경우, 가족생활 주기에 따른 출생, 군 입대, 결혼 등의 변화에 의해 정서적 혼란을 경험하는 경우, 그리고 영유아기 또는 청소년기 가족을 뜻한다.

(2) 가족이 스스로 문제 해결 능력이 있거나, 완전히 무기력한 상태에서 가족을 대신하여 간호사가 일을 하거나, 가족이 거부하는 경우는 제외

5) 가족 간호 접근 방법

(1) 배경으로서의 가족

개인이 중요하고 가족이 배경이 되는 접근법

(2) 대상자로서의 가족

가족이 중요하고 개인이 배경이 되는 접근법

(3) 체계로서의 가족

상호작용하는 가족에 초점을 둔 접근법. 한 명의 가족 구성원에 문제가 생기면 다른 구성원이 영향을 받는 것을 의미한다.

(4) 사회구성원으로서의 가족

가족을 건강, 교육, 종교, 경제가 관련된 사회의 여러 조직 중 하나로 보고, 가족과 지역사회 기관과의 상호작용에 초점을 둔다.

2_ 간호 사정

1) 가족 사정의 기본 원칙(김모임 등, 2002)

(1) 가구원보다는 가족 전체에 초점을 맞춘다.
(2) 정상가족이라는 일반적인 고정 관념이 아닌 가족의 다양성과 변화에 대한 인식을 가지고 접근한다.
(3) 가족이 함께 사정에서부터 전 간호과정에 참여함으로써, 함께 간호진단을 내리고 중재방법을 결정하는 데 참여하도록 한다.
(4) 가족의 문제점 뿐 아니라 강점도 사정한다.
(5) 가구원 한 사람에게 의존하지 않고 가구원 전체, 친척, 이웃, 의료기관이나 통·반장 등 지역 자원 및 기존 자료를 통해서 자료를 수입한다.
(6) 가족 정보 중에는 이중적 의미의 정보가 가능하다. 따라서 한 가지 정보나 단면적인

정보에 의존하기보다는 복합적인 정보를 수집하여 정확한 해석을 통해 판단한다.

(7) 대부분의 가족사정 자료들은 질적 자료도 필요하기 때문에 충분한 시간을 할애해야 한다.

(8) 수집된 자료 중에 의미 있는 자료를 선택하여 기록한다.

(9) 사정된 자료 자체는 가족의 문제가 아니며 원인도 아니다. 즉, 사정된 자료는 진단이 아니다.

2) 가족 사정 방법

(1) 일차적인 자료

- 간호사가 직접 가족 및 가족 환경과 접촉하여 얻은 자료
- 면담, 관찰, 신체 사정 및 환경 조사 등

(2) 이차적인 자료

- 가족과 관련 있는 타인, 기관, 건강기록지 등 다양한 자료원에서 얻은 자료
- 보건의료 기관이나 구청 사회사업 기관에 이미 수집되는 자료를 이용하는 것은 효율적이다.
- 이차적인 자료 이용 시 구두 및 서면 동의서를 받는 것이 필요하다.

(3) 가족과 접촉하는 방법

① 가정방문

a. 가족 상황을 직접 볼 수 있으므로 가족관계, 시설, 능력에 대한 정확한 판단이 용이하다.

b. 시간과 비용이 많이 든다.

c. 사전에 약속 후 방문한다.

d. 한 번에 너무 많은 정보를 얻으려고 하지 않는다.

e. 1회 방문 시간은 30분 내외로 한다.

f. 대상자가 자기의 느낌이나 생각을 표현할 수 있도록 분위기를 조성한다.

② 집단 모임

- 구성원들 간의 경험 교환 및 서로 도움주기에 용이하다.
- 같은 문제를 가진 동질 집단을 구성하는 것이 유용하다.

③ 전화

시간과 비용이 적게 든다. 또한 자주 접촉하는 장점이 있다.

④ 편지

비용이 적게 들지만 가족의 상황을 판단하지 못한다.

⑤ 인터넷

이용하기 편리하나 활용 능력이 있는 가족에게만 적용 가능하다.

3) 가족 사정

(1) 가족 구조 및 체제 유지

① 가족 형태

② 발달 주기와 발달과업

③ 재정: 직업, 재정 자원, 수입의 분배, 경제적 협동

④ 관습과 가치관: 일상생활과 관련된 습관, 종교, 여가

⑤ 자존감: 교육 정도, 관심과 목표, 삶의 질 또는 만족도

(2) 상호 작용 및 교류

① 의사소통 방법: 방법, 빈도, 유형

② 역할: 역할 만족, 업무의 위임과 분배, 업무 수행의 융통성

③ 의사 결정과 권위: Power 관계, 가족 구성원의 자율성 정도, 유형

④ 사회 참여와 교류

(3) 지지

① 정서적·영적 지지: 가족 밀착도

② 지지 자원: 가족 내외, 친족이나 이웃, 전문 조직, 사회적 지지도

(4) 대처와 적응

① 문제 해결: 문제 해결 과정, 참여자와 지도자

② 생활의 변화

(5) 건강관리

① 가족 건강력: 유전 질환 등 가족 질병력, 심리적 문제에 대한 가족력, 질병 상태

② 생활양식: 위험 행위(영양, 운동, 수면, 흡연, 술, 스트레스, 약물 남용)

③ 자가 간호 능력(예방법, 응급처치 등 질병의 원인과 치료에 대한 지식)

④ 건강관리 행위

(6) 주거 환경

① 주거지역: 주거 상태 및 주위 환경, 환경적 소음이나 공해, 안전

② 생활공간: 적합성, 효율성, 사생활 보장

③ 위생 : 화장실, 상하수도, 환기, 조명, 부엌, 쓰레기 시설, 방충망 등

(7) 강점

① 가족의 물리적, 정서적, 영적 요구를 충족시켜 주는 능력

② 가족구성원의 요구를 감지하는 능력

③ 효과적으로 의사소통하는 능력

④ 지지, 보호 및 격려를 제공해 주는 능력

⑤ 가족 내외에서 생성되는 관계와 경험을 시작하고 유지하는 능력

⑥ 이웃, 학교, 정부와 건설적이고 책임 있는 지역관계를 유지하고 창조하는 능력

⑦ 어린이와 함께, 또 어린이를 통하여 성장하는 능력

⑧ 가족 역할을 융통성 있게 수행하는 능력

⑨ 자기관리 능력과 적절할 때 도움을 수용할 수 있는 능력

⑩ 가족 구성원 개개인에 대한 상호 존경

⑪ 위기나 부정적 경험을 성장의 수단으로 사용하는 능력

⑫ 가족 화합, 자신의 가족에 대한 긍지, 가족 상호 협동에 대한 관심도

3_ 간호 문제

1) 지역사회와의 상호작용 부족
2) 사회적 고립감
3) 지역사회 지지체계 부족
4) 부모 역할 장애
5) 부부역할 장애
6) 성생활 불만족
7) 의사소통 장애
8) 부적절한 가족 대처
9) 가족의 친밀감 부족
10) 부적절한 권력 구조
11) 가족 학대
12) 부적절한 생활양식
13) 비효율적 재정관리
14) 부적절한 질병관리
15) 부적절한 주위 환경
16) 부적절한 가정위생 관리
17) 부적절한 주거 관리

4_ 간호 목표

1) 대상가족은 스스로 자가간호 능력이 향상된다.
2) 대상가족은 올바른 질병관리를 할 수 있다.
3) 대상가족은 청결하고 안전한 주거환경을 유지한다.
4) 대상가족은 개인위생을 청결히 한다.
5) 대상가족은 적절한 부부생활을 한다.

6) 대상가족은 역할을 효율적으로 분담한다.

7) 대상가족은 정상적인 가족을 이룰 준비를 한다.

8) 대상가족은 가족 발달 단계에 따른 적절한 발달 과업을 이룬다.

5_ 간호 수행

1) 간호 수행 전략

(1) 문제 하나보다는 가족 전체의 취약점에 초점을 맞춘다.

(2) 표면화된 문제 아래 더 큰 문제가 있음을 기억하고 문제들과의 연계, 자료들과의 상호 관련성을 검토한다.

(3) 가족 문제는 도미노 현상을 가지고 있는데, 중재 계획 시 도미노의 첫 단계가 무엇이 될 수 있는 지 파악하여 중재한다.

(4) 간호계획 시에는 가족들이 참여하여 가능한 한 대상자 문제를 스스로 해결하도록 한다.

(5) 가족 간호는 많은 경우 사정, 자료 분석, 진단, 수행, 평가의 연속선상에서 계속되는 과정으로 각 단계의 순서나 구분이 모호하다.

(6) 가족의 강점을 확인해서 활용한다.

2) 간호

(1) 가족사정 및 대상 가족을 발견한다.

가족사정 도구 활용, 개인 건강문제 확인

(2) 검사를 시행한다.

소변검사, 혈당검사, 빈혈검사, 기타 관련된 검사 실시

(3) 투약, 투약관리를 한다.

약물을 직접 투여하거나 약물 투여와 관련된 건강교육 제공

(4) 처치를 한다.

상처 관리, 배뇨 및 배변 관리, 개인위생서비스 등

(5) 환자 및 증상 관리를 시행한다.

관절 운동, 통증 관리, 재활, 만성질환자 관리, 치매 환자 관리, 정신질환자 관리, 산전 관리, 산욕부 관리, 신생아 관리, 영유아 관리, 호스피스 관리, 갱년기 장애 관리 수행

(6) 교육 및 상담을 한다.

가족 문제, 부부 갈등, 부모와 자녀 갈등, 가족계획, 성 상담, 청소년 상담, 모유 수유, 생활습관, 시력 관리, 환경 위생 관리, 감염, 사고, 경제적 불안정, 지역사회 주민의 참여 유도와 기타 교육 및 상담 수행

(7) 의뢰 및 지원을 한다.

지역사회 자원을 충분히 활용하고 해당 기관에 가족이나 개인을 의뢰

(8) 주거환경 관리를 한다.

(9) 가족건강기록부 작성 및 보관을 한다.

(10) 추후 관리를 한다.

의뢰 및 지원 결과 확인, 지시 이행, 간호만족도 조사

(11) 지속적인 자원의 발굴 및 개발을 한다.

6_ 대상자 교육

1) 가족이 습득하기에 적절한 매체를 이용하여 교육한다.
2) 가족의 교육적 문화적 배경에 맞는 교육을 한다.
3) 교육시간을 적절히 배분하여 교육한다.
4) 가족에게 필요한 건강교육을 하기 위한 환경과 시간을 맞추도록 가족에게 양해를 구한다.
5) 노인 대상자의 경우, 너무 많은 것을 한 번에 교육하지 않는다.
6) 반복 교육과 질문, 피드백을 적절히 활용한다.
7) 가족에게 진지한 격려를 해주는 것도 좋다.
8) 꼭 필요한 적은 분량을 교육하며 학습자가 서술, 설명하고 나열하는 시간을 준다.
9) 교육 중 중요한 사항은 잠시 멈추거나 억양을 변화시켜 예를 들거나 제시해주고, 필요하다면 시범을 보이고 반복한다.

참고 문헌

1. 공성숙 외: 정신건강 간호학, 7판, p165-322, 군자출판사, 2021.
2. 김용순 외: 가정간호 총론,1판, p136-182,군자출판사, 2008.
3. 이광자 외: 정신간호총론, 6판, p191-225, 수문사, 2011.
4. 이미형 외: 정신건강간호학, 6판, p212-242, 현문사, 2019.
5. 이미형 외: 정신건강간호학, 6판, p273-564, 현문사, 2019.
6. 이숙 외: 정신건강간호학, p253-267, 신광출판사, 2019.
7. 이숙 외: 정신건강간호학, p270-279, 신광출판사, 2019.
8. 임숙빈 외: 정신간호총론, 제7판, p477-485, 수문사, 2017.
9. 최연희 외: 지역사회보건간호학2, p822-870, 수문사, 2016.
10. 편집부: 정신 간호학, p245-248, 수문사, 2011.
11. 한금선외: 정신건강 간호학, 개정5판, p225-235. 수문사, 2017.
12. 황혜정(2017). 노인 섬망 환자의 간호학적 고찰. 예술인문사회융합멀티미디어논문지, p395-403.
13. Gonçalves, P. D. B., Sampaio, F. M. C., da Cruz Sequeira, C. A., & Paiva e Silva, M. A. T. D. C. (2019). Nursing process addressing the nursing focus "hallucination": A scoping review. Clinical nursing research, 1054773819877534.

참고 사이트

1. Regional Dementia Management Strategy - Pathway Overview
   http://www.dementiamanagementstrategy.com

2. Schizophrenia Care Plan Interventions For Nurses
   https://www.nursebuff.com/schizophrenia-care-plan

제 11 장

감염 및 안전 관리

Infection & Safety Management

다제내성균 (Multi-drug resistant bacteria)

가정으로 방문하는 간호사의 간호 수행에서 감염관리는 중요한 업무 중 하나이다. 면역기전이 약한 대상자와 전염성이 강한 미생물은 감염에서의 불가분 관계이다. 그러므로 대상자와 가족, 그리고 의료진 모두에게 감염관리는 무엇보다 우선시되어야 하는 업무이다.

다제내성균이란 다양한 항생제에 대하여 내성을 가진 병균으로, 보통 4종류 이상의 항생제에 대해 내성을 가진 병균을 이른다.

1_ 다제내성균

항생제 내성은 세균이 항생제의 효과에 저항하여 생존 혹은 증식할 수 있는 능력을 갖게 되는 현상이다. 항생제 내성 균주가 출현하면서 감염질환 치료가 점점 어려워지고 있다. 다제내성균은 여러 종류의 항생제에 내성을 가지고 있어 치료할 수 있는 항생제가 몇 안 되는 세균이다. 일반적으로 세 가지 계열 이상의 항생제에 내성을 가지면 다제내성(mutidrug resistant), 1~2가지 계열을 제외한 모든 항생제에 내성을 가지면 광범위내성(extensively drug resistant), 모든 계열 항생제에 내성을 가지면 범약제내성(pandrug resistant, 좁은 의미의 슈퍼박테리아)으로 생각한다.

국가에서 지정한 대표적인 다제내성균은 메티실린 내성 황색포도알균(MRSA), 반코마이신 내성 장알균(VRE), 반코마이신 내성 황색포도알균(VRSA), 카바페넴 내성 장내세균속균종(CRE), 다제내성 녹농균(MRPA), 다제내성 아시네토박터 바우마니균(MRAB) 등 6가지이다.

1) 항생제내성균 질환은 항생제에 내성을 가진 균에 의해 발생하는 감염질환을 의미하

며, 특히 다제내성은 여러 종류의 항생제에 내성을 보이는 것을 의미한다.

2) Antibiotic resistance (항생제 내성)는 감염을 일으키는 세균의 항생제 내성을, antimicrobial resistance (항균제내성, 이하 AMR)는 보다 넓은 의미로 세균을 포함하여 감염을 일으키는 미생물(Maiaria 등 기생충, HIV 등 바이러스, Candida 등 균류)이 치료제에 내성이 있는 것을, multidrug-resistance (다제내성)는 여러 종류의 항생제에 내성을 보이는 것을 의미한다.

3) 글로벌 이동성의 증가로 항생제내성은 전 세계적인 문제로 대두되고 있다. 항생제 내성으로 인한 인적·경제적 피해도 발생하고 있으며, 피해 규모도 증가할 것으로 예상된다.

4) 다제내성균*의 출현은 인류의 건강에 심각한 문제를 일으킬 수도 있다.

* 내성균

- 항생 물질이나 약물을 견디는 성질이 강한 세균
- 물리적 영향이나 박테리오파지 따위에 대한 감수성이 낮은 균

2_ 다제내성균 발생 원인

우리 몸에는 감염을 일으키는 세균이 침입할 수도 있지만, 정상적으로 피부, 장 속에 공생하는 상재균(정상 집락균)도 있다. 항생제를 사용할 경우, 항생제에 민감한 정상 집락균은 사멸하고 일부 내성 세균이 살아남아 결국 강한 내성균이 증식하게 된다. 따라서 항생제 오남용을 피하고 반드시 필요한 경우에만 항생제를 사용해야 한다.

다른 경로로는 가축 사육 과정에서 항생제를 사용하여 동물의 장내 세균이 내성균으로 변하고, 부적절하게 조리·처리된 소, 돼지, 닭의 고기를 통해 내성균이 사람에게 전파되는 경우이다. 그 밖에도 동물의 배설물이나 내성균에 오염된 비료·물을 통해 농작물이 오염되고, 이런 농작물을 깨끗이 조리하지 않아 잔류한 내성균을 사람이 섭취하면 감염될 수 있다.

다제내성균은 토양이나 하천 등 자연에서 서식하는 세균으로 인체에 감염이 되는데, 대개 면역력이 약한 환자들에 영향을 많이 미친다. 감염 경로는 손에 묻는 세균이 입 등

호흡기 기관으로 들어가 감염된다. 1970년대 이후 MRSA (메티실린 내성 황색 포도상구균) 였던 것이 2000년대에 들어가서 다제내성 결핵균 등으로 변종되어 세계 각국에 확산된 것으로 알려져 있다.

다제내성균은 항생제의 과도한 사용에서 비롯된 것인 만큼 근본적인 대책은 항생제에 대한 오남용을 줄이는 것이다. 우리나라 항생제 평균 사용량은 OECD 회원국의 평균 사용량보다 초과하고 있다. 항생제를 쓰면 쓸수록 더 강한 박테리아가 생성된다. 다제내성균은 강력한 항생제로도 치료되지 않은 박테리아로서, 예방만이 최선인 것으로 전해지고 있다.

전문가들은 몸에 저항력이 떨어졌을 때 슈퍼박테리아에 감염될 가능성이 크다고 강조한다. 이 경우엔 항생제도 듣지 않아 치료가 어려워지는 것으로 알려졌다. 슈퍼박테리아는 살모넬라 등 식중독을 일으키는 세균을 없애는 방법처럼 열에 가열하거나 알코올 등으로 박멸이 가능하다.

해외에서는 슈퍼박테리아의 감염 경로에 대해 음식물이나 물을 통해 소화기관이 감염되거나, 동물 및 모기, 진드기 등으로 인한 감염 등도 보고 되고 있는 것으로 알려져 있다. 전문가들은 "면역력이 약해진 환자의 경우, 해외에 나가게 될 때에는 양치질이나 화장실 사용 등 위생관리를 철저히 하고 모기나 진드기에 물리지 않는 것 등에 유의해야 한다"고 강조했다.

3_ 다제내성균의 종류

1) VRSA: 반코마이신 내성 황색포도알균(Vancomycin-Resistant Staphylococcus aureus)
2) VRE: 반코마이신 내성 장알균(Vancomycin-Resistant Enterococci)
3) MRSA: 메치실린 내성 포도알균(Methicillin-Resistant Staphylococcus aureus)
4) MRPA: 다제내성 녹농균(Multidrug-Resistant Pseudomonas aeruginosa)
5) MRAB: 다제내성 아시네토박터바우마니균(Multidrug-Resistant Acinetobacter baumannil)
6) CRE-CPE (-): 카바페넴 내성 장내세균속 균종, CRE (Carbapenem-Resistant Enterobacteriaceae)
   – CPE (+) 카바페넴 분해효소 생성 카바페넴 내성 장내 세균속 균종

– CPE (Carbapenemase producing Carbapenem-Resistant Enterobacteriaceae)

4_ 역학 및 통계

1928년 페니실린이 발견된 이후, 많은 항생제가 개발되었다. 항생제는 인류의 건강에 크게 이바지했지만, 계속 사용량이 증가하여 최근에는 국내뿐만 아니라 전 세계적으로 다제내성균주의 출현이 늘어나는 추세이다.

아래 표는 질병관리청에서 발표한 대표적인 다제내성균 6종의 국내 표본감시 현황이다. 항생제 사용이 많은 국내 현실에서 다제내성균을 감소시키기 위한 대책으로 감염병 예방 및 관리에 관한 법률에 의거하여 6가지 다제내성균을 지정 감염병으로 분류하였다. 그리고 2019년 기준 총 268개 기관(상급종합병원, 150 병상 이상 병원급 의료기관, 공공병원으로서 감염관리실 설치 의료기관)에서 다제내성균이 분리된 경우를 수집하여 연도별로 추이를 확인하였다.

1) 메티실린 내성 황색포도알균(MRSA) 감염증

메티실린내성황색포도알균(MRSA) 표본감시 분리율							
구분	2013년	2014년	2015년	2016년	2017년	2018년	2019년
혈액 검체	0.16	0.14	0.15	0.13	0.12	0.11	0.10
혈액 외 검체	1.62	1.60	1.59	1.42	1.26	1.17	1.00

분리율: 재원 일수 1,000일 당
* 혈액 검체 분리율 = 혈액 검체에서 해당 다체내성균이 분리된 자 / 총 재원 일수 × 1,000
* 혈액 외 검체 분리율 = 혈액 외 임상 검체에서 해당 다체내성균이 분리된 자 / 총 재원 일수 × 1,000
(해당 월에서 중복을 제거한 것이므로 월간 중복은 발생될 수 있음)
[출처: 질병관리본부 감염병 포털, 2020년도 의료관련감염병 관리지침]

Fig 11-1 메티실린내성황색포도알균(MRSA) 국내 현황

2) 반코마이신 내성 장알균(VRE) 감염증

반코마이신내성장알균(VRE) 표본감시 분리율							
구분	2013년	2014년	2015년	2016년	2017년	2018년	2019년
혈액 검체	0.05	0.05	0.05	0.05	0.05	0.06	0.07
혈액 외 검체	0.30	0.34	0.40	0.42	0.42	0.48	0.52

분리율: 재원 일수 1,000일 당
* 혈액 검체 분리율 = 혈액검체에서 해당 다체내성균이 분리된 자 / 총 재원 일수 × 1,000
* 혈액 외 검체 분리율 = 혈액 외 임상검체에서 해당 다체내성균이 분리된 자 / 총 재원 일수 × 1,000
(해당 월에서 중복을 제거한 것이므로 월간 중복은 발생될 수 있음)
[출처: 질병관리본부 감염병 포털, 2020년도 의료관련감염병 관리지침]

Fig 11-2 반코마이신내성장알균(VRE) 국내 현황

3) 반코마이신 내성 황색포도알균(VRSA) 감염증

(1) 세계 현황

반코마이신 내성 황색포도알균 감염증은 2002년 미국에서 처음 분리 보고된 이후, 2015년 5월까지 세계적으로 14건의 사례가 보고되었다. 반코마이신 중등도 내성 황색포도알균 감염증은 1996년 일본에서 처음 보고된 이후 미국, 프랑스 등 전 세계적으로 분리되는 양상이다.

(2) 국내 현황

국내에서는 반코마이신 내성 황색포도알균 보고는 없으나, 1997년 반코마이신에 대한 감성이 저하된 균주에 감염되어 사망한 사례가 보고된 바 있다. 하지만 종합병원 이상에서 분리된 황색포도알균의 70% 이상이 메티실린 내성이며, 이들 감염증 치료에 반코마이신 사용 빈도가 증가하면서 반코마이신내성균의 발생 가능성이 있다. 반코마이신 중등도 내성 황색포도알균은 1998년 첫 증례 보고 이후 2000년 표본감시감염병으로 지정되었고, 2006년 진단 기준이 개정되면서 증가 추세를 보이고 있다.

(3) 카바페넴 내성 장내세균속균종(CRE) 감염증

항생제 사용 빈도가 늘면서, 카바페넴 내성 장내세균속균종은 국내뿐만 아니라 전 세계적으로 증가 추세이다. 표본감시에 의하면, 국내 카바페넴 내성 장내세균의 분리율

은 1% 미만이다. 특히 카바페넴 분해효소생성 장내세균속균종(Carbapenemase producing Enterobactericeae, CPE)에 의한 감염증은 1993년 첫 보고 이후 지속적으로 증가하고 있다.

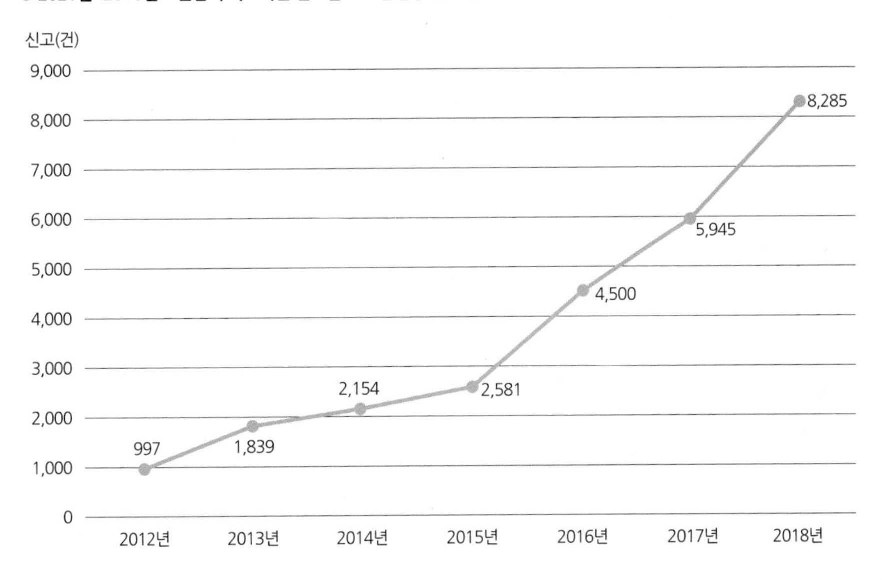

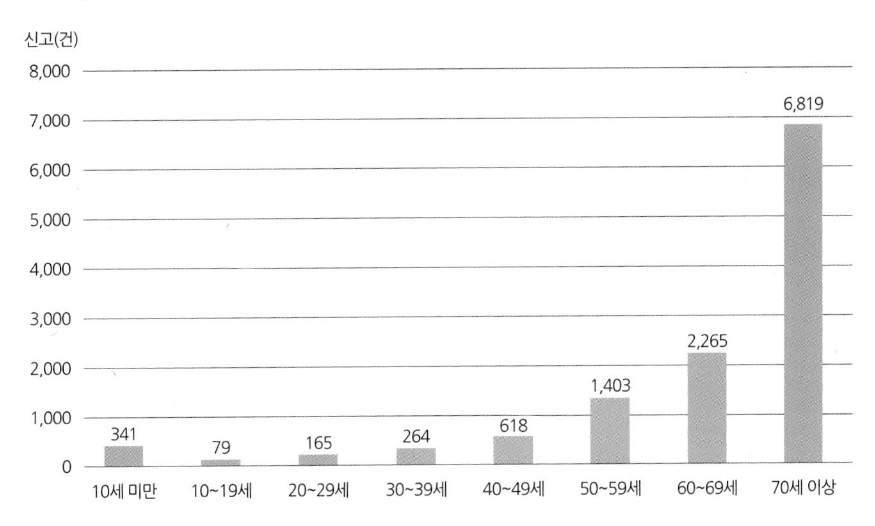

Fig 11-3 반코마이신내성장알균(VRE) 국내 현황

카바페넴내성 장내세균속균종(CRE) 표본감시 분리율							
구분	2013년	2014년	2015년	2016년	2017년	2018년	2019년
혈액 검체	0.01	0.01	0.01	0.01	0.01	0.02	0.01
혈액 외 검체	0.07	0.08	0.10	0.14	0.16	0.20	0.11

분리율: 재원 일수 1,000일 당
* 혈액 검체 분리율 = 혈액 검체에서 해당 다체내성균이 분리된 자 / 총 재원 일수 × 1,000
* 혈액 외 검체 분리율 = 혈액 외 임상 검체에서 해당 다체내성균이 분리된 자 / 총 재원 일수 × 1,000
(해당 월에서 중복을 제거한 것이므로 월간 중복은 발생될 수 있음)
[출처: 질병관리본부 감염병 포털, 2020년도 의료관련감염병 관리지침]

Fig 11-4 카바페넴내성 장내세균속균종(CRE) 국내 현황-2

4) 다제내성 녹농균(MRPA) 감염증

다제내성녹농균(MRPA) 표본감시 분리율							
구분	2013년	2014년	2015년	2016년	2017년	2018년	2019년
혈액 검체	0.01	0.01	0.01	0.01	0.01	0.02	0.01
혈액 외 검체	0.24	0.22	0.26	0.27	0.27	0.26	0.26

분리율: 재원 일수 1,000일 당
* 혈액 검체 분리율 = 혈액 검체에서 해당 다체내성균이 분리된 자 / 총 재원 일수 × 1,000
* 혈액 외 검체 분리율 = 혈액 외 임상 검체에서 해당 다체내성균이 분리된 자 / 총 재원 일수 × 1,000
(해당 월에서 중복을 제거한 것이므로 월간 중복은 발생될 수 있음)
[출처: 질병관리본부 감염병 포털, 2020년도 의료관련감염병 관리지침]

Fig 11-5 대제내성녹농균(MRPA) 국내 현황

5) 다제내성 아시네토박터 바우마니균(MRAB) 감염증

다제내성아시네토박터바우마니균(MRAB) 표본감시 분리율							
구분	2013년	2014년	2015년	2016년	2017년	2018년	2019년
혈액 검체	0.05	0.05	0.07	0.05	0.04	0.04	0.04
혈액 외 검체	0.89	0.99	1.06	0.95	0.81	0.79	0.65

분리율: 재원 일수 1,000일 당
* 혈액 검체 분리율 = 혈액 검체에서 해당 다체내성균이 분리된 자 / 총 재원 일수 × 1,000
* 혈액 외 검체 분리율 = 혈액 외 임상 검체에서 해당 다체내성균이 분리된 자 / 총 재원 일수 × 1,000
(해당 월에서 중복을 제거한 것이므로 월간 중복은 발생될 수 있음)
[출처: 질병관리본부 감염병 포털, 2020년도 의료관련감염병 관리지침]

Fig 11-6 다제내성아시네토박터바우마니균(MRAB) 국내 현황

5_ 증상

1) 메티실린 내성 황색포도알균(MRSA) 감염증

피부 및 연조직 감염, 골관절염, 균혈증, 폐렴, 식중독 등 감염 부위나 경로에 따라 다양한 감염증을 유발한다. 사람의 피부나 구강인후 점막의 상재균인 황색포도알균 중 메티실린이라는 강력한 항생제에 내성을 나타내는 메티실린 내성 황색포도알균에 감염되면서 화농성 염증, 식중독, 패혈증 등 다양한 감염증으로 나타낸다. 메티실린 내성 황색포도알균 감염증은 대개 사람 간 접촉을 통해 전파되며, 특히 병원 내 신생아실, 중환자실, 수술실 등에서 문제가 된다.

2) 반코마이신 내성 장알균(VRE) 감염증

장알균은 위장관과 비뇨생식계에 상재한다. 정상인에서는 쉽게 감염을 일으키지 않지만 노인, 면역저하자, 만성 기저질환자 또는 병원에 입원 중인 환자에서 요로감염, 창상감염, 균혈증 등 각종 기회감염증을 유발한다.

3) 반코마이신 내성 황색포도알균(VRSA) 감염증

황색포도알균 중 반코마이신에 대한 항생제 감수성이 중등도 또는 내성을 보이는 반코마이신 중등도 내성 황색포도알균(VISA) 또는 반코마이신 내성 황색포도알균(VRSA) 감염증 환자 및 병원체 보유자와 직·간접 접촉, 오염된 의료기구, 환경 등을 통해 전파된다. 당뇨병 및 신장병 등 기저질환자, 이전에 메티실린 내성 황색포도알균에 감염된 환자, 침습적 기구를 사용한 자, 최근 반코마이신 등의 항생제를 투여 받은 환자가 감염 위험이 높다. 균혈증, 피부 및 연조직 감염, 수술 부위 감염 등 다양한 감염증을 유발한다.

4) 카바페넴 내성 장내세균속균종(CRE) 감염증

환자에서는 요로감염, 위장관염, 폐렴 및 패혈증 등 다양한 감염증을 유발하며, 단순 보균자에서는 감염 소견 없이 장내세균이 카바페넴계 항생제에 대한 내성을 보이기도 한다. 고령, 인공호흡장치, 중심정맥관 등을 가지고 있거나 외과적 상처가 있는 중환자는 감염 위험이 높다. 카바페넴 계열 항생제에 내성을 나타내는 경우, 다양한 계열의 항생제에도 내성이 있는 경우가 많아 치료가 어렵다.

5) 다제내성 녹농균(MRPA) 감염증

요로감염과 인공호흡기 관련 폐렴 등 주요 의료 관련 감염의 원인균으로 피부 감염, 욕창, 폐렴, 균혈증, 패혈증, 수막염 등 다양한 감염증을 유발한다.

6) 다제내성 아시네토박터 바우마니균(MRAB) 감염증

건강인은 감염 위험이 매우 적으나 면역저하자, 만성폐질환자, 당뇨 환자는 감염에 취약하다. 입원 환자, 특히 인공호흡기구 사용 환자, 장기간 입원 환자는 감염 위험성이 높다. 감염 부위에 따라 폐렴, 혈류감염, 창상감염 등 다양한 감염증을 유발하는데, 폐렴의 전형적인 증상은 발열, 오한, 기침이다.

6_ 다제내성균의 진단·검사 기준(방법)

1) 혈액 및 기타 검체(객담, 소변, 대변, 피부, 상처, 농양, 뇌척수액, 기관흡입액, 체액)에서 다제내성균이 분리된 경우 진단한다(감염이나 균 집락에 상관없이 대상 항생제 내성균이 환자의 어느 부위에서든지 분리되는 경우 진단한다). 환자에서 분리된 세균이 항생제에 잘 듣는지(감수성이 있는지), 잘 듣지 않는지(내성인지)를 확인하는 것이 중요하다.

2) 혈액에서 다제내성균이 분리된 경우(균혈증)는 치료가 어렵고 경과가 좋지 않을 수 있다. 소변, 대변 같은 검체에서 다제내성균이 지속적으로 분리되나, 특정 부위 감염을 일으키지 않은 경우는 보균자로 간주하여 항생제 치료 없이 경과만 관찰하면서 내성 패턴이 사라지기를 기다린다.

3) 1주 간격으로 원래 분리되던 부위와 보균소 검사(비강, 인후 및 직장 swab) 시행, 한 환자에게 균이 두 가지 이상 나온 경우 각각 해당 보균 검체 검사를 시행한다. 격리 해제까지는 연속 3회 이상 음성일 경우이다.

4) 검사 종류

(1) 비강도말: VRSA, MRSA, MRPA, MRAB (인후 도말 불가 시)

(2) 인후도말: MRPA, MRAB

(3) 직장도말: VRE, CRE

5) 검사 방법

(1) 오염을 막기 위해 검체 채취 직전 손위생을 시행한다.

(2) 청결 장갑을 착용한다.

(3) 검체 겉봉투를 개봉하고 면봉을 봉투에서 빼지 않은 채 수송 배지 뚜껑을 연다.

(4) 면봉을 빼서 수송 배지액에 적신다.

(5) 비강도말 시 1개 면봉을 한쪽 비강에 삽입 후 부드럽게 천천히 3~4회 돌려 검체를 채취한다. 남은 1개 면봉은 다른 비강에 동일하게 채취한다.

① 인후도말 시 입을 크게 벌리게 하고 Posterior pharynx tonsil area 사이의 부위를 부드럽게 천천히 3~4회 돌려 검체를 채취한다.

② 직장도말 시 한 손으로 엉덩이를 벌리고 항문에 2.5~4 cm 정도 삽입 후 부드럽게 천천히 3~4회 돌려 검체를 채취한다.

(6) 면봉이 오염되지 않게 주의하여 즉시 수송배지에 넣는다.

(7) 가능한 즉시 검사실로 운송한다. 만일 시간이 1시간 이상 지체될 경우 검체를 냉장고에 보관하고, 적어도 3~4시간 이내에 검사실로 운송한다.

7_ 치료

다제내성 그람양성 균주인 MRSA, VRE가 보균이 아닌 감염을 일으킨 경우, 항생제 감수성 결과를 고려하여 특정 항생제를 치료제로 사용할 수 있다. 보균자는 감염된 것이 아니므로 항생제 치료를 하지 않고 경과를 관찰한다. VRSA에 대한 항생제 치료법은 정립되지 않았고, 항생제 감수성 결과를 고려하여 여러 가지 항생제를 조합하여 치료한다.

다제내성 그람음성 균주인 CRE 보균자는 역시 치료하지 않고 장내세균의 내성 패턴이 변하기를 기다린다. CRE가 감염의 원인균이거나, MRPA, MRAB 감염이 있는 경우 아직까지 정립된 치료는 없으며 항생제 감수성 결과를 근거로 여러 가지 계열 항생제의 복합 치료를 시도한다.

8_ 다제내성균의 예방 및 예방접종

다제내성균 감염을 예방하기 위해서는 불필요한 항생제 오남용을 줄여 체내 상재균이 항생제 내성을 획득하지 않도록 주의해야 한다. 또한, 감염관리의 기본 수칙인 표준주의 지침을 준수하는 것이 중요하다. 감염된 환자, 감염원과 접촉한 의료인의 손 또는 오염된 의료기구 등을 통해 다제내성균이 전파될 수 있으므로 손 위생을 철저히 하고, 의료기구의 멸균·소독에 주의해야 한다. 시술이나 수술 시에도 무균술을 준수해야 한다.

환자에게서 CRE 또는 VRE 다제내성균이 분리되었다면 격리, 철저한 개인 보호구 사용, 접촉자 검사 등의 감염관리를 통한 확산 방지에 노력해야 한다.

1) 항생제에 대한 오남용을 줄이는 것이다.
2) 병원에서도 현장 위생관리를 철저히 해야 한다. 위생관리를 철저히 하여 의료진이 손 씻기를 잘 하고, 의료 도구 등을 철저히 소독하고, 감염된 환자들을 위한 격리 병동을 운영하도록 하여 이미 감염된 환자에 의한 집단감염을 막도록 해야 한다.
3) 메티실린 내성 황색포도알균은 피부감염 시 직접 접촉으로 전파되므로, 환자의 환부와 직접 닿지 않도록 주의해야 한다. 특히 호흡기 감염자와 접촉할 때는 일회용 마스크와 장갑을 착용하도록 해야 한다.
4) 의료진들뿐만 아니라 환자들과 건강한 일반인들도 위생관리에 신경 써야 한다.
5) 감염 환자와 접촉한 후에는 일반 비누나 소독제, 비누, 손 소독제 등으로 손을 철저히 씻고 면역력이 떨어지지 않도록 규칙적인 생활과 운동을 한다.

9_ 다제내성균 환자 접촉 시 유의사항

1) 손 위생 철저히 실시
2) KF 보건용 마스크 착용
3) 보호구 착용
4) 환자 처치 시 일회용품 사용 후 바로 폐기

감염관리
(Infection Management)

감염관리는 신체의 방어기전이 미생물의 번식을 막고, 병을 유발하는 미생물이 체내에서 성장 번식하는 것을 막는 것이다. 가정간호 실무에 있어 감염관리는 매우 중요하다. 이는 면역기전이 손상된 가정에 있는 대상자뿐 아니라 가족 그리고 지역사회 전파에 위험요인이 되기 때문이다. 그러므로 감염의 예방과 관리는 의료기관은 물론 가정에서 여러 가지 간호를 수행함에 선행되어야 할 것이다.

1_ 감염 기전

사람이 감염되기 위해서는 감염원, 병원소, 탈출구, 전파 방법, 침입구, 감수성 있는 숙주 6가지 요소가 필요하다.

- 감염원: 숙주에 달라붙어 병을 일으키는 병원체
- 저장소: 병원체가 살림을 차리는 장소(사람, 동물, 물건, 대소변 등)
- 탈출구: 병원체가 숙주 밖으로 나가기 위해 이용하는 통로(구강, 혈액, 피부, 소화계통, 비뇨계통)
- 전파 방법: 감염원이 숙주 몸을 나선 뒤 다른 생물체를 감염시키기 위한 수단(직접 접촉, 재채기, 기침, 보균자의 물품 접촉, 주사기 등의 의료기구, 모기 등의 곤충으로 간접 감염)
- 침입구: 저장소와 비슷하지만 이것은 들어가는 통로라는 것이 차이점(피부가 1차 방어선. 개방 상처, 수술실 감염관리 중요)
- 감수성 있는 숙주: 감염원에 대항하는 자연 방어기전이나 면역계가 약해진 경우, 가정에 있는 대상자는 대부분 약화된 면역체계를 가진 노인이기 때문에 관심이 필요하다.

1) 감염

감염은 몸 안이나 피부 점막 등에서 원하지 않는 미생물이 비정상적으로 번식되어 임상적인 증세를 나타내는 경우이다.

(1) 감염의 위험요인

① 내적인자: 나이, 기저질환, 영양 상태, 면역 상태, 임신, 약물중독 등

② 외적인자: 사회 경제적 상태, 침습적 시술, 치료 기구, 생활양식, 직업, 결혼 상태, 수술, 화상, 화학요법, 방사선 치료, 상해 등

③ 가정에서의 환경적 요인
불량한 위생 상태, 하수 시설, 불량한 개인위생, 오염된 물품, 곤충, 물질(열, 냉, 공기, 물, 오염물) 노출, 부적절한 감염관리 방법 등

(2) 감염관리 원칙

① 숙주의 저항성 차단[예방접종, 전신 상태의 개선, 환자 관리(조기진단 및 치료)]

② 전파 차단(격리, 신속한 환자 발견 및 치료, 청결한 위생 상태, 유지 및 매개체 관리, 개인위생 교육)

③ 병원체의 불활성화(온·냉 등 물리적 방법, 살균 소독 등 화학적 방법)

2) 전파

배출된 병원체가 새로운 숙주에 운반되는 과정을 전파라 한다.

표준주의는 환자를 대상으로 하는 처치와 간호를 하는 데 기본 지침이다. 환자를 간호할 경우 표준주의에 따라 하여 간호사 자신을 보호하고 환자의 안전을 보호한다. 전파 경로별 주의는 접촉주의, 비말주의, 공기주의가 있다.

(1) 표준주의

모든 환자는 표준주의를 준수한다. 혈액, 체액, 분비물, 배설물, 손상된 피부와 점막을 다룰 때 적용한다.

① 호흡기 예절

환자와 가족을 대상으로 손 위생과 호흡기 예절을 교육한다.

기침과 재채기를 할 때는 입과 코를 휴지로 가린다. 사용한 휴지는 바로 휴지통에 버리고, 휴지가 없다면 옷소매를 이용한다. 다른 가족들이 있다면 고개를 돌려 기침을 하도록 한다. 마스크를 착용한다.

② 치료 장비와 기구 관리

혈액이나 체액으로 오염될 수 있는 장비와 기구를 다룰 때에는 오염 수준에 따라 개인 보호구를 착용한다.

③ 환경 관리

접촉 수준과 오염 정도에 따라 환경 청소 계획을 수립한다.

환자가 만지는 물건과 환경 표면은 병원균에 오염될 가능성이 높아 자주 청소를 해야 한다. 가정환경은 병원 환경보다 깨끗하게 유지하도록 하여, 필요하지 않은 물건이나 장비를 정비하고 물품이나 환경 표면에는 먼지와 흙이 없어야 한다. 하지만 각 가정마다 보호자의 성향에 따라 청소가 잘 안된 가정도 많이 있다. 간호사는 위생적이고 안전한 가정환경을 유지하는 것의 중요성에 대해 교육받고 환경과 장비의 청소 및 오염 제거에 책임을 다하도록 한다. 가정환경 오염이 감염의 확산 원인이 되거나 원인이 됐다고 의심될 경우 청소 수준을 높인다.

(2) 경로별 주의

① 접촉주의

a. 일반 원칙

환자나 가정환경과 직·간접적 접촉으로 병원균이 전파될 경우 표준주의와 함께 접촉주의를 추가로 적용한다. 접촉주의를 필요로 하는 질병은 아데노바이러스(Adenovirus)감염, 아메바성 이질(Amebiasis), 콜레라(Cholera), 클로스트리움디피실(Clostridium difficile), 이(Pediculosis), 파라인플루엔자(Parainfluenza), 소아마비(Poliomyelitis), 옴 진드기(Scabies), 농가진(Impetigo), VRE(vancomycin-resistanr enterococci), MRSA(Methicillin-resistant staphylococcus aureus) 등이다[부록].

b. 개인보호구 사용

접촉주의가 필요한 환자를 볼 때 손위생 수행 후 장갑을 착용하고, 옷이 오염될 것으로 예상될 때에는 가운을 착용한다. 접촉주의에 필요한 개인보호구는 방문 집 입구에서 제공되어야 한다. 환자 집에서 나올 때는 장갑과 가운을 벗어 버리고 손 위생을 수행한다. 환자, 환경 혹은 사물에 팔이나 옷이 직접 닿을 것이 예상되는 경우 긴팔 가운을 착용한다. 가운을 벗은 후에는 옷이나 피부가 주변 환경에 오염되지 않도록 주의한다. 개인보호구는 환자 집마다 교체하고 손 위생을 수행한다.

c. 치료 장비와 기구 관리

접촉주의 환자가 사용한 장비, 기구 및 장치의 관리는 표준 주의에 따른다.

필요한 장비와 기구는 환자 개인 것을 사용하도록 한다. 치료를 위한 물품은 일회용품을 사용하고, 만약 공유해야 할 물품이 있다면 깨끗이 세척하고 소독 후 사용하도록 한다.

d. 환경 관리

환자의 침대와 주위 물품은 철저히 청소하고 소독한다. 유행 상황에서는 하루 최소 2번 이상 청소하게 하고, 육안으로 오염이 확인되면 바로 소독하도록 보호자를 교육한다. 가족이나 간병인에게 현재 적용 중인 주의와 격리 기간, 손 위생과 같은 전파 예방법에 대해 교육한다. 지인이나 친척의 방문을 최소화하도록 한다. 환자 방문 시 가장 마지막 방문을 하도록 한다.

② 비말주의

a. 일반 원칙

기침, 재채기, 대화 중 비말로 병원체가 전파되는 경우 표준주의에 추가로 비말주의를 적용한다. 비말주의를 필요로 하는 병원체의 종류는 디프테리아(Diphtheria), 유행성이하선염, 풍진, 독감, 폐렴 등이 있다[부록]. 표준주의에 입각한 손 위생, 환자 1 m 이내 마스크 착용, 기침 에티켓, 환자에게는 외과용 마스크를 착용시킨다.

가정방문 시 자가 오염을 방지하기 위해 자신의 눈, 코, 입 점막을 손으로 만지지 않는다.

유행성이하선염이나 풍진 면역이 없는 가정으로 방문하는 간호사는 이러한 감염을 앓고 있는 환자의 방문을 하지 않도록 한다.

b. 개인보호구

비말주의가 필요한 환자는 수술용 마스크를 사용한다. 비말주의를 위한 개인보호구는 환자 집 입구 또는 환자 방 앞에서 제공되어야 한다. 환자가 마스크를 잘 착용하고 있으면 안면보호구를 사용하지 않아도 되지만 환자가 호흡기 예절을 지키기 어렵다면 안면 보호구를 사용한다.

c. 이동, 격리 해제

비말주의가 필요한 환자는 가급적 이동을 제한한다. 감염 증상이 호전되었을 경우 또는 병원체에 따른 권고사항에 따라 비말 격리를 해제한다. 환자의 증상이 지속되거나 면역이 저하된 환자는 개별 상태에 따라 격리 기간을 결정해야 한다.

d. 가족과 방문객 관리

가족에게는 현재 적용 중인 비말주의와 격리 기간, 손 위생과 같은 예방법을 교육한다. 간병을 하는 보호자는 개인 보호구 착용의 적응증과 올바른 사용 방법에 대해 교육을 받도록 한다. 풍진, 유행성이하선염이 면역력이 있는 보호자는 수술용 마스크를 착용할 필요가 없다. 만약 면역이 없다면 꼭 필요한 경우가 아니면 방문하지 않도록 한다. 만약 반드시 방문을 해야 한다면 수술용 마스크를 사용한다. 지역사회에서 호흡기 감염이 유행하는 경우에는 방문을 고려한다.

③ 공기주의

5 ㎛ 보다 작은 비말이 공기를 타고 전파되는 것을 차단하기 위한 격리 방법이다.

a. 일반 원칙

사람 간 공기전파가 가능한 병원체에 감염되었거나 의심되는 경우에는 표준주의와 함께 공기전파주의를 적용한다. 공기주의가 필요로 하는 질병은 폐결핵, 수두, 홍역이 있다[부록]. 공기주의를 지켜야 하는 감염병은 충분한 환기를 해야 하고 방문하는 간호사는 N95 마스크를 착용한다. 가능하면 폐쇄형 기도 흡인을 시행한다.

b. 가정에 있는 대상자 배치

공기주의가 필요한 환자는 음압격리실이 원칙이나, 가정에서는 해당 처치가 불가능하므로 다른 공간과 공기의 흐름이 연결되지 않은 방에 배치하도록 한다. 방은 환자의 개별 화장실, 세면대, 샤워실이 있는 방이 좋으며, 손 위생을 할 수 있는 시설이 있어야 한다. 홍역이나 수두처럼 각 감염병마다 바이러스가 동일한 경우 코호트 격리를 할 수 있다. 활동성 폐결핵은 균주의 특성과 전염력이 다를 수 있어 방을 공유하지 않는다. 공기주의가 필요한 환자는 수술용 마스크 착용과 호흡기 예절 준수를 안내한다. 환자는 공기주의 격리실에서는 마스크를 벗을 수 있지만 밖에서는 마스크를 착용해야 한다.

c. 개인보호구

공기로 전파되는 병원체에 감염이 의심되거나 확진 환자의 가정을 방문하는 간호사는 N95 마스크를 철저히 착용한다. 피부 결핵 치료 시에도 N95 마스크를 착용한다. 홍역이나 수두, 대상포진을 앓았던 과거력, 백신 접종력, 혈청검사에서 면역 형성이 확인된 가정을 방문하는 간호사의 경우, 홍역이나 수두, 파종성 대상포진이 의심되거나 확진된 환자를 치료하거나 간호할 때에는 개인보호구를 착용하지 않아도 된다.

d. 가정으로 방문하는 간호사의 관리

백신으로 예방이 가능한 공기 전파 감염병을 앓고 있는 환자를 치료하거나 간호할 경우 면역형성이 되어 있지 않은 간호사는 업무 배제가 원칙이나, 불가피하게 방문을 하게 될 경우 N95 마스크를 사용하고 올바른 보호구 착용을 준수한다. N95 마스크를 착용하기 전에는 손 위생을 하고, 마스크 착용 후에는 제대로 착용되었는지 확인한다. 마스크를 사용하거나 버릴 때 마스크의 표면에 손이 오염되지 않도록 주의하고, 끈을 이용하여 조심스럽게 벗는다. 사용하지 않을 때에는 목에 걸어 두지 않는다. 젖었거나 오염되었을 경우, 그리고 호흡이 어려울 경우에는 마스크를 교체한다. 사용하고 나서 버리고 바로 손 위생을 수행한다.

e. 가족과 방문객 관리

가족과 간병인에게 전파를 예방하기 위해 격리 기간과 주의사항, 예방법에 대해 안내한다. 간병인은 개인보호구 착용의 적응증과 방법, 그리고 N95 마스크를 올바르게 착용하는 방법을 교육받는다. 활동성 결핵 환자의 경우 방문객의 출입을 제한한다.

2_ 가정에서 감염관리 적용

가정환경에서 이루어지는 일반적인 감염은 폐렴, 옴, 이, 연쇄상 구균성 인두염, 농가진, 요로 감염, HIV 감염으로 인한 피부의 변형, 진균, 위장관계 감염, 다양한 경구적·분변성 병원균으로 인한 위장계 감염, 상처, 장루, 개구부, 정맥주사 부위에 감염된 녹농균과 포도상구균이 포함된다. 감염성 질환의 관리는 가정에서 매일 간호 제공의 필수가 된다.

1) 감염관리의 예방

(1) 필요한 장비

① 개인보호구 일반 원칙

a. 환자의 혈액이나 체액과 접촉할 경우 개인보호구를 착용한다.

b. 개인보호구를 벗는 과정에서 옷이나 피부가 오염되지 않도록 주의한다.

c. 방문한 환자 방에서 나가기 전, 개인 보호구를 벗고 해당 물품을 버리고 나와야 한다.

d. 개인보호구는 환자에게 병원체가 전파될 위험성과 간호사의 옷으로 오염될 가능성을 고려하여 선택한다.

e. 필요하다고 판단되는 경우 언제라도 착용이 가능하도록 개인보호구를 준비한다.

f. 개인보호구는 장갑, 앞치마 또는 가운, 고글, 마스크 순서로 벗는다(Fig 11-11). 개인보호구를 제거한 후에는 손 위생을 수행한다.

② 장갑

a. 장갑은 손 위생을 대체할 수 없다.

b. 소독과 무균술이 필요한 경우 장갑을 착용하기 전에 손 위생을 수행한다.
c. 혈액이나 체액에 오염된 물건, 점막, 손상된 피부, 오염된 피부를 접촉할 가능성이 있는 경우에는 장갑을 착용하고 1회용으로 사용한다.
d. 장갑은 환자를 직접 접촉하거나 필요한 시술을 시행하기 직전에 착용한다.
e. 장갑을 제거한 후 바로 손 위생을 수행한다.
f. 무균 시술 시에는 멸균 장갑을 착용한다.
g. 천연 고무 라텍스에 알레르기가 있는 경우 대체 용품을 사용할 수 있도록 준비한다.
h. 오염된 부위에서 청결 부위로 이동하여 접촉해야 하는 경우에는 장갑를 벗고 손 위생을 시행한 후 새 장갑으로 교체한다.
i. 장갑은 반드시 매 환자마다 교체해야 하며, 장갑을 재사용하지 않는다.
j. 사용한 장갑은 즉시 버린다.

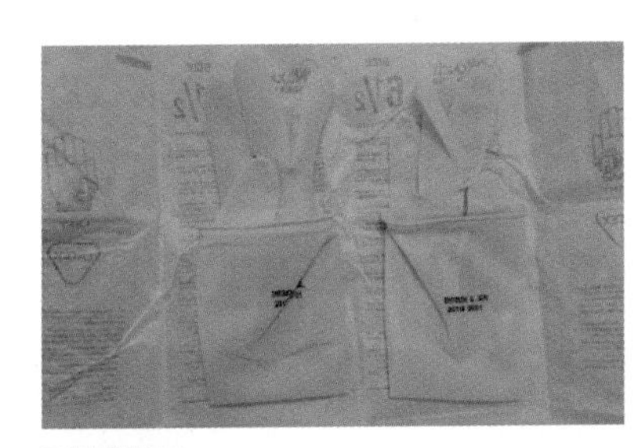
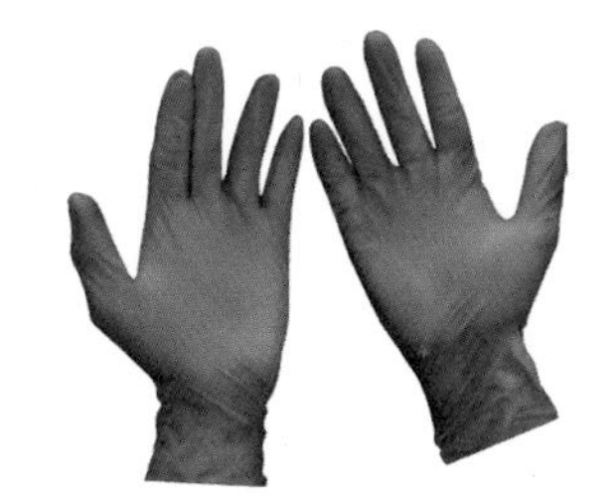

Fig 11-7 장갑

③ 가운

a. 혈액, 체액, 분비물, 삼출물과 접촉이 예상되는 경우에는 적합한 가운을 착용하여 피부를 보호하고 옷이 오염되지 않도록 한다.
b. 환자를 치료하는 중 혈액, 체액, 분비물, 삼출물에 옷이 노출될 위험이 있을 때에는 일회용 비닐 앞치마를 입고, 광범위하게 튈 수 있는 경우에는 긴팔의 방수 가운을 입는다.
c. 환자의 방에서 나오기 전, 가운을 벗고 손 위생을 시행한다.
d. 일회용 앞치마나 가운은 매 시술 또는 환자마다 갈아입는다.

Fig 11-8 가운

④ 안면 보호구/고글

a. 안면 보호구를 착용하기 전에 손 위생을 수행한다.

b. 환자를 치료하거나 간호하는 동안 손으로 자신의 얼굴을 만지지 않도록 한다.

c. 시술 또는 환자 처치 중 혈액, 체액, 분비물, 삼출액이 튈 것으로 예상되는 경우에는 눈, 코, 입의 점막을 보호하기 위하여 개인보호구를 착용한다. 마스크, 고글, 안면 보호구 등을 작업 종류에 따라 적절히 사용한다.

d. 병원체의 종류, 예상되는 업무, 노출시간을 고려하여 적합한 마스크를 착용한다.

e. 안경으로 충분히 보호가 되지 않을 것으로 예상된다면 안경 위로 고글을 착용한다.

f. 자가 오염을 피하기 위해 고글과 안면 보호구를 사용한 후, 바로 벗고 손 위생을 수행한다. 다음 사용을 위해 목에 걸거나 머리 위에 걸어 놓지 않는다.

g. 일회용 고글이나 일회용 안면 보호구는 사용 후 바로 벗고 폐기한다.

h. 고글 또는 안면 보호구를 재사용할 경우에는 기관 내 규정에 따라 수집, 세척, 소독한다.

Fig 11-9 고글 안면 보호구

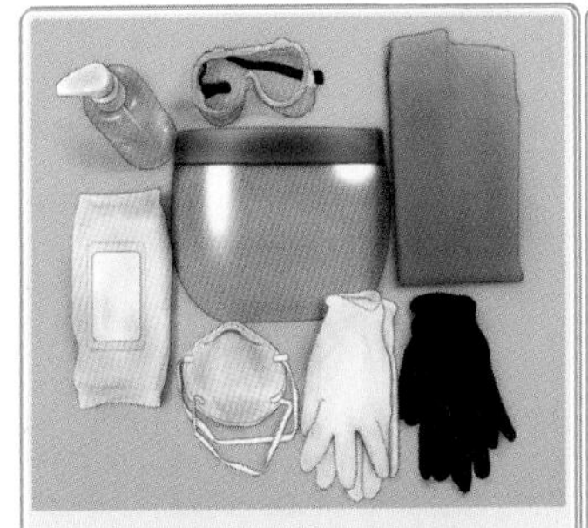

1. 개인 보호구를 준비한다.

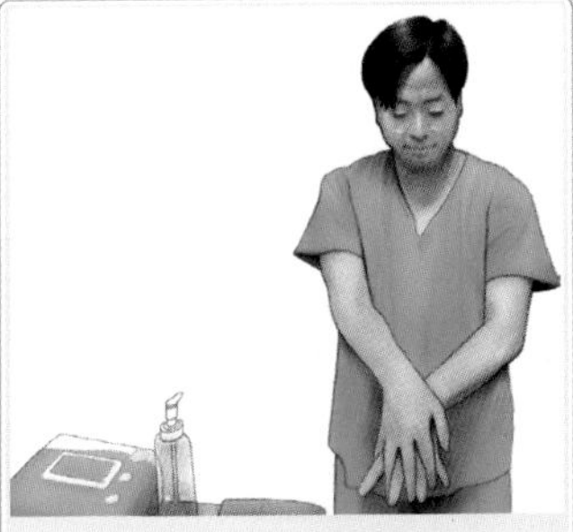

2. 손 위생을 시행한다.

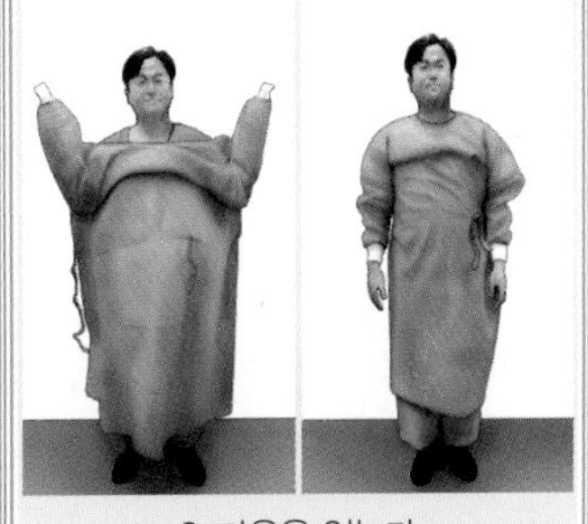

3. 가운을 입는다.

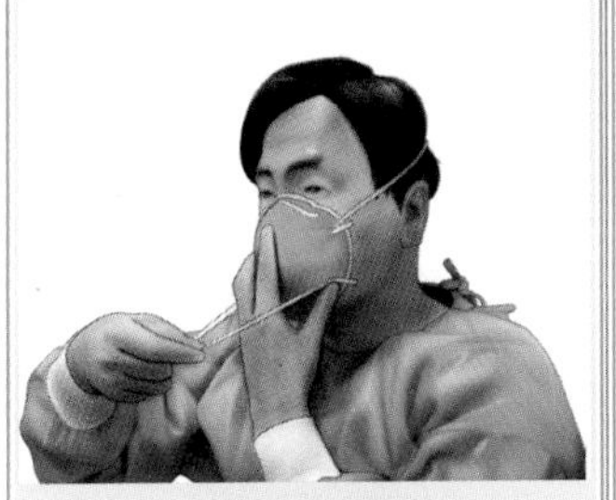

4. 마스크를 착용한다.

5. 손가락으로 마스크의 코 접촉 부위를 눌러 밀착시킨다.

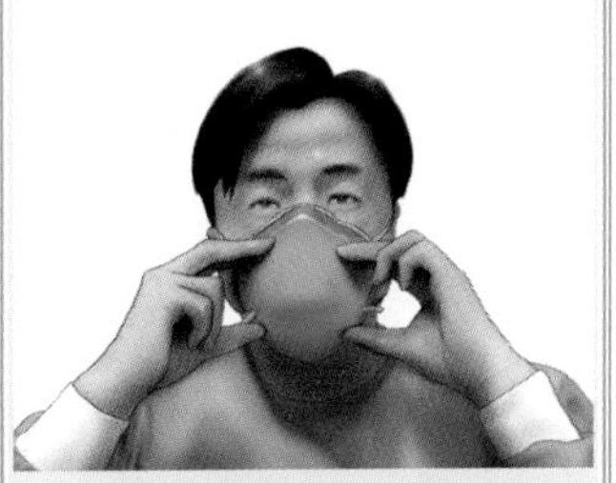

6. 양손으로 마스크를 움켜쥐고, 흡입/배기하면서 새는 곳이 없는지 확인한다.

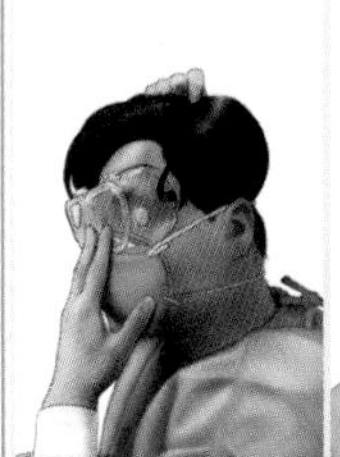

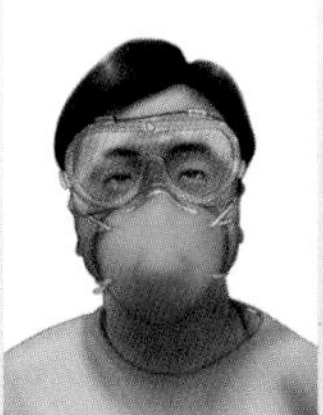

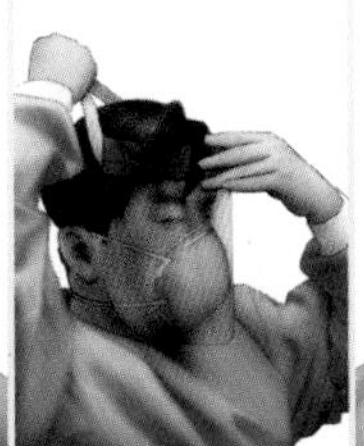

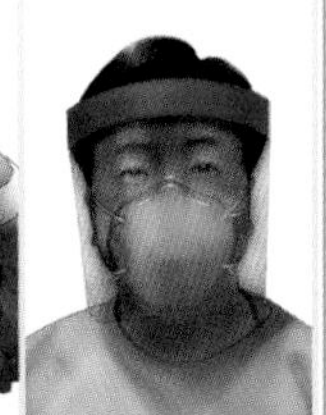

7. 고글이나 안면보호구를 착용한다.

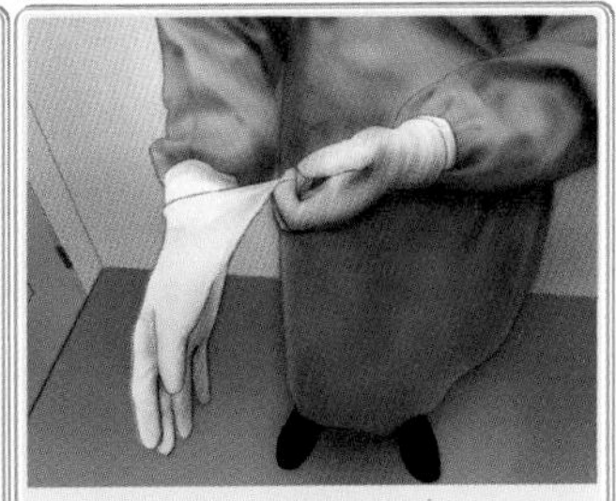

8. 장갑을 끼고 옷소매 위를 덮도록 주의하여 착용한다(경우에 따라 장갑을 한 벌 더 착용할 수 있다).

Fig 11-10 개인 보호구 착의 예시 순서

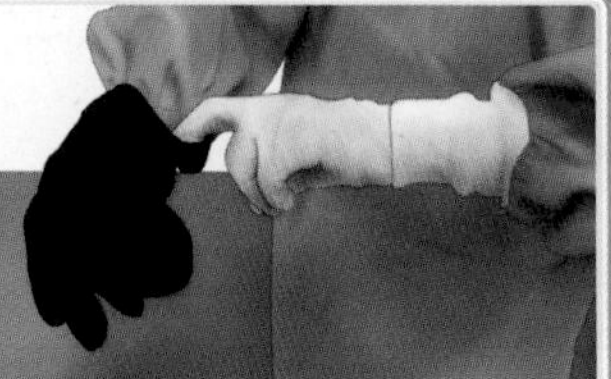

1. 장갑을 벗는다. 한 손으로 반대편 장갑을 벗겨 손에 쥐고 장갑이 벗겨진 손으로 남은 장갑을 조심스럽게 벗겨 말아서 버린다.

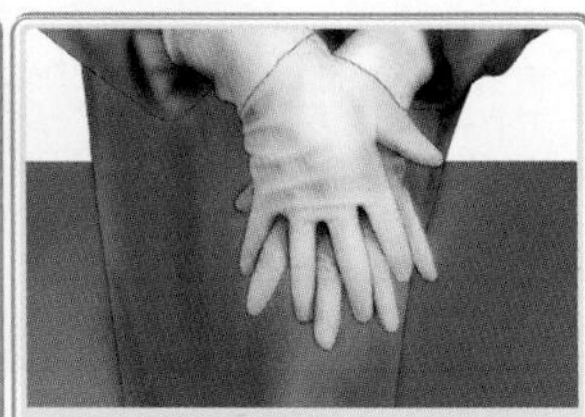

2. 속 장갑을 착용한 경우 속 장갑을 소독하고, 속 장갑을 착용하지 않은 경우 손 위생을 시행한다.

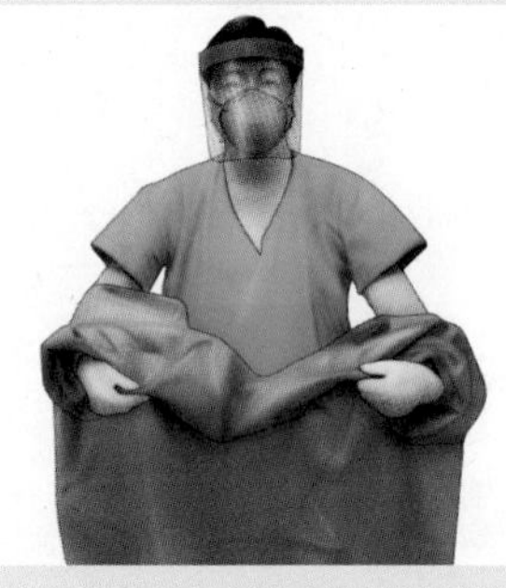

3. 가운의 환자 접촉 부위를 안으로 말아주면서 신체에 오염되지 않도록 주의하여 탈의한다.

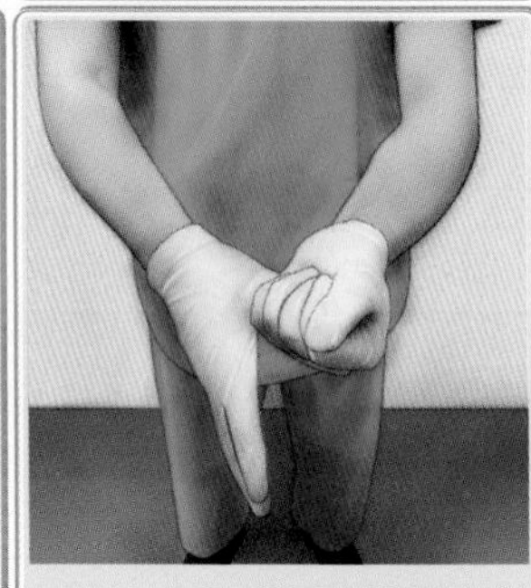

4. 손 위생을 시행한다.

5. 고글 혹은 안면 보호대 옆면을 만지지 않고 제거한다.

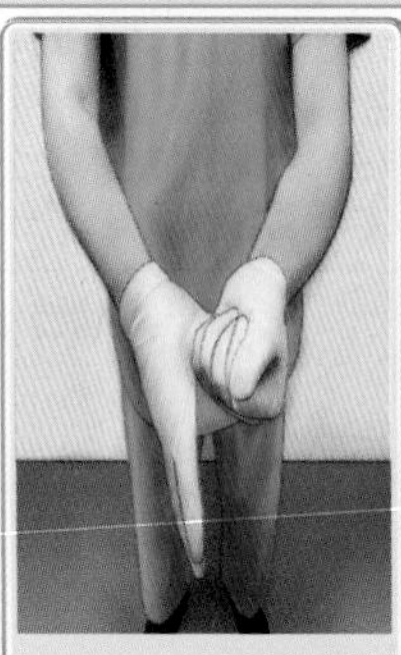

6. 손 위생을 시행한다.

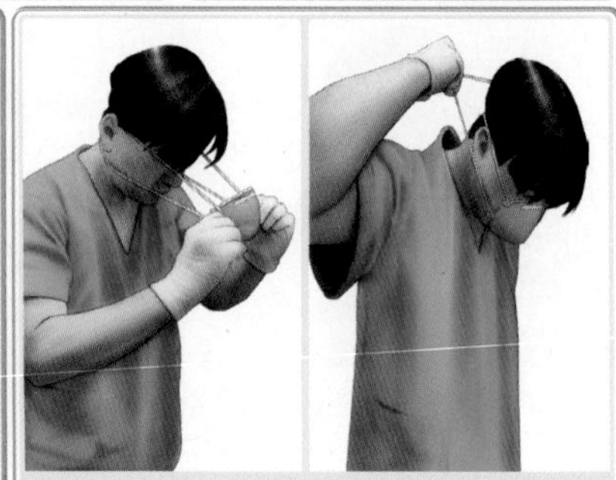

7. 마스크를 제거한다.

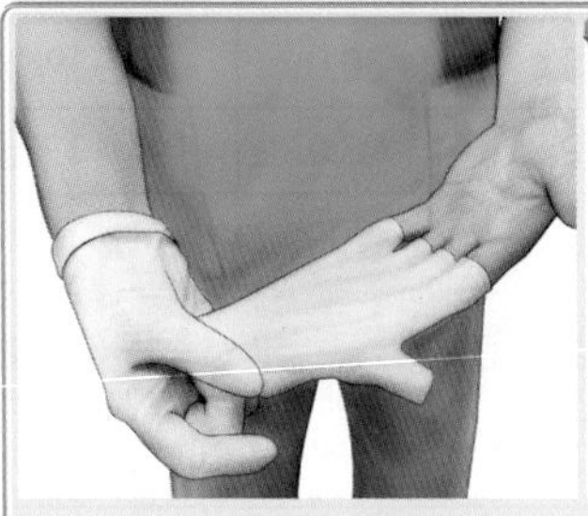

6. 손 위생을 시행한다.

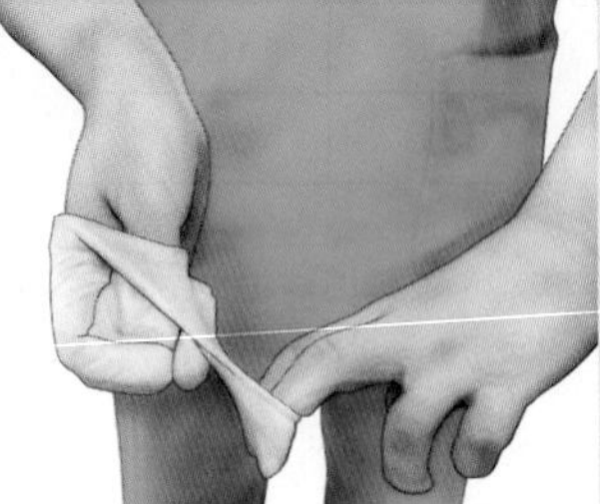

9. 속 장갑(착용한 경우)을 제거한다.

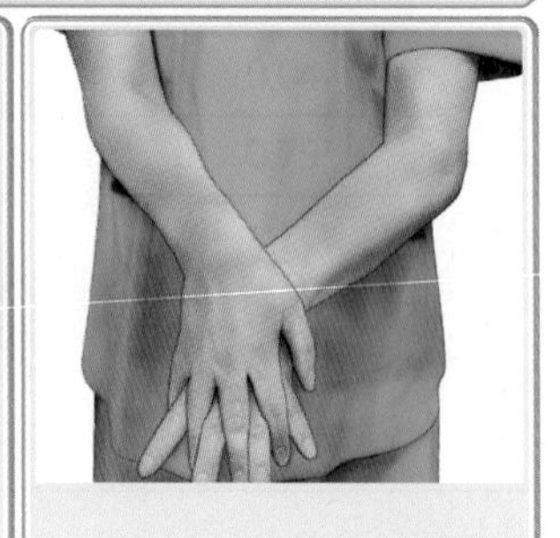

Fig 11-11 개인 보호구 4종 탈의 순서

(2) 손 위생 시행 절차

① 손 위생

손은 환자의 분비물에 직접 노출되거나, 오염된 가정환경의 간접 접촉으로 오염될 수 있다. 오염된 손은 환자나 환자의 가족들에게 병원균을 전파하여 감염이 발생될 수 있다. 환자와 환자, 또는 한 부위에서 다른 부위로의 병원균 전파를 예방하기 위해 의료 행위 준비나 환자 접촉 전후로 손 위생을 한다.

a. 손 위생이 필요한 경우

- 환자 접촉 전과 후
- 치료적 행위(시술) 시행 전
- 한 환자의 오염된 신체 부위에서 다른 부위 접촉 전
- 치료적 행위 또는 체액에 노출되었을 가능성이 있는 행위 후
- 환자의 주변 환경 접촉 후
- 장갑을 벗은 후
- 투약과 음식 준비 전

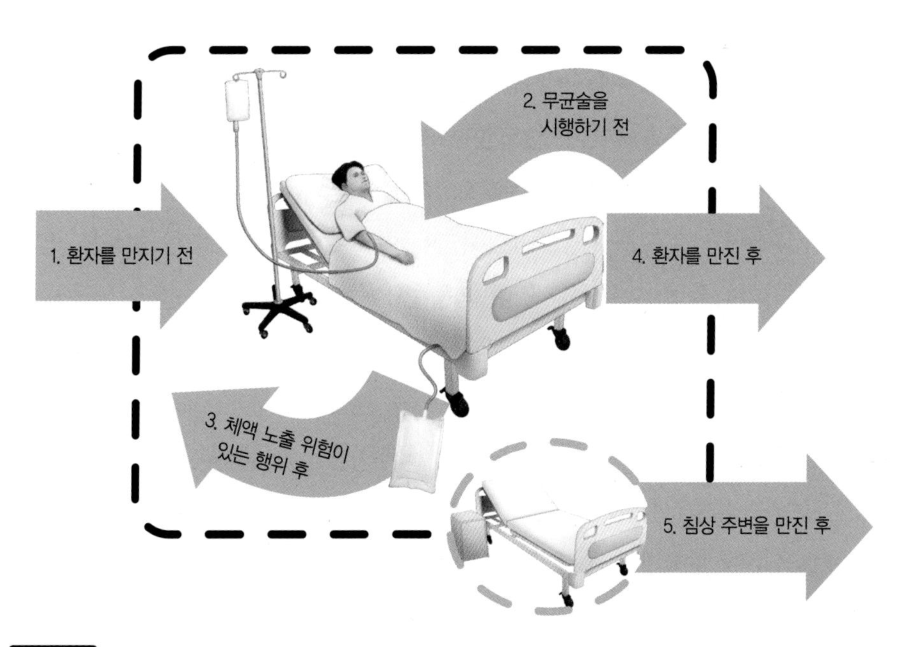

Fig 11-12 손 위생이 필요한 경우

b. 물과 비누의 손 위생이 필요한 경우
- 혈액이나 체액 등의 유기물과 아포 형성의 경우, 손 소독제는 유기물 내로 침투하여 병원균을 사멸시킬 수 없기 때문에 흐르는 물을 이용한 손 씻기로 제거해야 한다.
- 손에 혈액이나 체액이 묻거나 눈에 보이는 오염이 있는 경우
- 화장실을 이용한 후
- Clostridium difficlile 등 아포를 형성하는 세균에 오염되었을 가능성이 있는 경우
- 눈에 보이는 오염이 없는 경우(손 소독제 이용)

② 손 위생 방법

a. 물과 비누를 이용한 손 위생 방법
- 깨끗한 흐르는 물에 손을 적신 후 비누를 충분히 사용한다. 뜨거운 물을 사용하면 피부염 발생 위험이 증가하므로 미지근한 물을 사용한다.
- 손의 모든 표면에 비누액이 접촉하도록 15초 이상 문지른다.
- 물로 헹군 후 손이 재오염되지 않도록 일회용 타올로 건조시킨다.
- 수도꼭지를 잠글 때는 사용한 타올을 이용하여 잠근다.
- 타올은 반복 사용하지 않고 여러 사람이 공용하지 않는다.

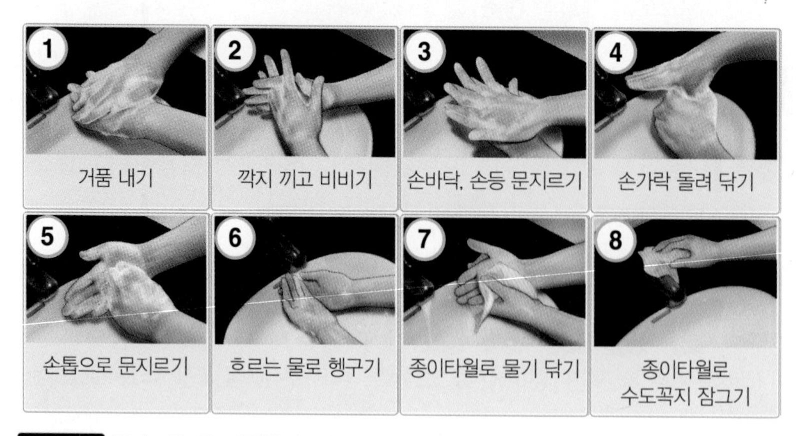

Fig 11-13 물과 비누를 이용한 손 위생 방법

b. 물 없이 적용하는 손 소독 방법

[출처: 클레시스]

Fig 11-14 **손 소독제**

- 손이 마른 상태에서 손 소독제를 모든 표면을 다 덮을 수 있도록 충분히 적용한다.
- 손의 모든 표면에 소독제가 접촉되도록 한다. 손의 모든 표면이 마를 때까지 문지른다.
- 손을 씻을 때는 피부 손상을 유발할 수 있는 뜨거운 물을 피한다.
- 손을 씻은 후 건조시키기 위해서 사용하는 타올은 교차 감염 위험이 있다.
- 재사용하거나 다른 사람과 함께 사용하지 않는다.
- 가정방문 시 개인 종이 타올을 휴대하도록 한다.
- 손 소독제는 적절하게 손을 소독할 수 있는 충분한 양을 사용한다.
- 휴대용 손 소독제는 내용물이 남아 있는 상태로 보충하지 말고 사용 후 폐기한다.

c. 장갑 착용 시 손 위생

장갑을 착용하더라도 손 위생을 수행한다. 혈액이나 체액 등에 노출될 위험이 있거나 점막과 손상이 있는 피부와 접촉할 경우 장갑을 착용한다. 한 환자의 오염된 부위에서 다른 부위로 접촉할 경우 장갑을 교체한다. 감염전파를 예방하기 위한 목적으로 장갑을 착용하지만, 장갑에 구멍이 난 경우도 있으므로 벗은 후 손 위생을 한다.

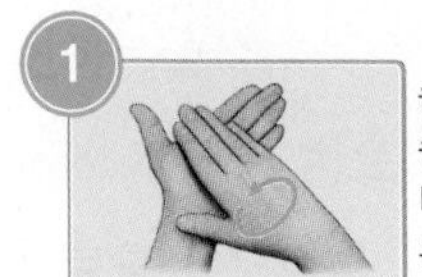

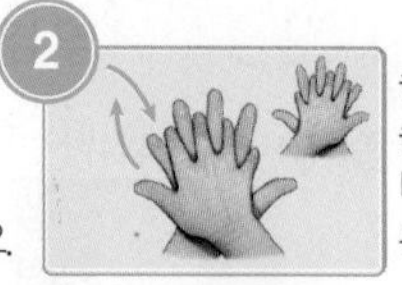

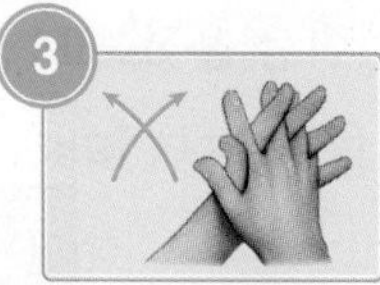

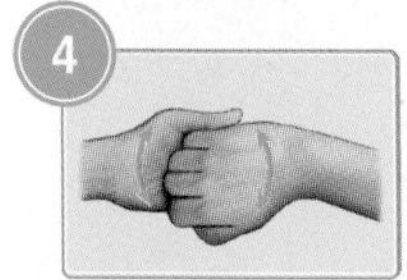

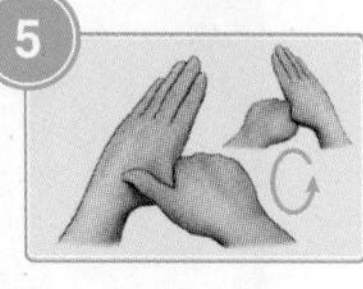

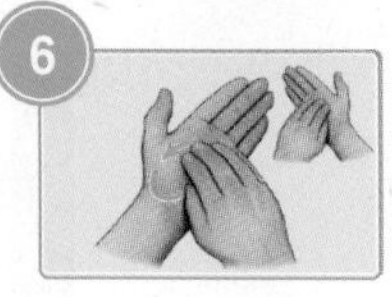

Fig 11-15 손 소독 방법[출처: 질병관리 본부]

d. 손 위생 시 주의사항

- 손을 씻을 때는 피부 손상을 유발할 수 있는 뜨거운 물을 피한다.
- 손을 씻은 후 건조시키기 위해서 사용하는 타올은 교차 감염 위험이 있다. 그러므로 재사용하거나 다른 사람과 함께 사용하지 않는다.
- 가정방문 시 개인 종이 타올을 휴대하도록 한다.
- 손 소독제는 적절하게 손을 소독할 수 있는 충분한 양을 사용한다.
- 휴대용 손 소독제는 내용물이 남아 있는 상태로 보충하지 말고 사용 후 폐기한다.

2) 가정방문 시 감염관리

(1) 사정

환자의 면역 상태, 과거와 현재의 감염 질환 여부, 연령, 영양 상태, 중독, 약물, 재정 상태, 사용 기구와 물품, 교육에 대한 동기, 교육 욕구, 의식 상태, 전체적인 신체 사정 등을 사정한다. 더불어 집안의 청결 상태, 함께 사는 가족들의 건강 상태, 수돗물 사용, 화장실 시설, 애완동물, 냉난방시설 등 가정 내 환경을 전반적으로 사정한다.

(2) 방문 시 기본 관리

방문 시마다 손을 씻는다(타올, 비누, 손 소독제 준비). 환자 기침, 재채기 등에 대비한다. 분비물, 오염물, 기구 등에 의한 의복의 오염을 방지한다. 오염 물품을 바닥에 떨어뜨리지 않고 먼지가 나지 않도록 관리한다. 오염된 장소는 청결히 소독한 후 비닐, 신문지 등으로 보호한다. 멸균 물품은 깨끗한 장소에 보관하고, 오염된 물품은 적절한 용기에 버린다. 오염된 액체는 튀지 않도록 조심하여 버린다. 감염 환자는 마지막으로 방문한다.

(3) 방문 가방 관리

가방은 항상 깨끗한 것으로 취급한다. 차 안에 보관 시 지정장소에 가방을 둔다. 환자 집에서는 가장 깨끗한 곳에 두고, 소독되지 않거나 오염된 물품은 별도의 가방에 분리한다. 그리고 손 씻을 물품은 가방의 맨 위에 두고, 꼭 필요한 물품만 꺼내고 닫아 두며, 사용한 물품은 다시 가방에 넣지 않는다.

가방은 뜨겁거나 추운 온도에 노출되지 않도록 한다. 또한 차 안에 오래 두지 않으며, 매 방문 시 가방은 환경 소독제로 닦는다. 가정에 가져가서 사용하는 물품은 보조 가방이나 일회용 가방에 청결하게 유지하고, 오염된 물품은 가방에 넣지 않도록 하며 일회용 비닐봉지나 다른 가방에 분리해서 운반한다.

(4) 방문 차량

정기적인 세차 등의 관리를 시행한다. 소독 물품과 방문 가방, 오염 물품은 별도 지역을 나누어 구분·관리하고, 차량 상태, 물품 보관함, 유효기간 등을 확인하고 점검한다.

(5) 환자와 돌봄 제공자 교육

교육은 가정간호를 제공할 때 주요한 간호 수행이다. 감염성 질환에 대해 교육할 내용은 간호사에게 보고해야 될 감염의 증상과 증후, 감염 발생을 감소시키는 환경, 보건, 개인위생 습관, 구체적인 감염관리 예방인 손 씻기, 주사바늘 처리, 감염성 쓰레기 처리에 대한 올바른 기술 등이 있다. 기침을 한다면 자신의 입을 막거나 마스크를 사용하도록 교육한다. 간호사가 무균법을 사용할지라도 환자와 돌봄 제공자들은 최소한의 청결 기술을 교육해야 한다.

① 세탁물

환자의 침대에 세탁물 봉투를 두고 따로 수집한다. 오염된 면직물과 다른 가족들의 세탁물이 혼합되지 않도록 한다. 세탁기 청소를 위해 돌봄 제공자는 시판하는 소독제와 표백제를 넣고 세탁기를 돌린다. 세착기 청소 시 고무 장갑을 사용한다.

② 욕실

다른 사람과 욕실을 사용할 때에는 소변·대변으로 전염될 수 있다. 환자가 사용 시 수도꼭지와 손잡이를 화장지로 감싸고 만지도록 교육하고, 환자 전용 개인용품을 사용하도록 한다. 욕실 청소 시 고무장갑을 사용하고 젖은 수건은 빨리 치우도록 한다.

③ 주방

감염성 환자의 음식을 같은 그릇에 나눠먹는 것을 금지한다. 또한, 경구적·분변적 병원균을 가진 환자가 음식을 준비하는 것을 금한다. 환자의 수저와 식기류는 철저히 관리한다.

④ 환자의 방

매일 청소하도록 권한다. 물건은 알코올로 닦아 사용한다. 쓰레기통은 시판하는 소독제를 뿌려 둔다. 방은 가능한 자주 환기를 시킨다.

3_ 소독의 종류와 특성

1) 화학소독제

(1) 과산화수소

① 작용기전

과산화수소는 세포막의 지질, DNA, 기타 세포 필수 구성요소 등을 파괴한다. 세균, 진균, 바이러스, 아포, 결핵균 모두 유효하다. 과산화수소 용액은 불안정하므로 안정제를 첨가하여 사용한다.

② 사용 범위

3~6%의 농도로 콘택트렌즈(3%, 2~3시간), 인공호흡기, 린넨, 내시경 소독을 한다.

③ 주의사항

a. 차광 용기에 보관되면 일반 환경에서 안정적이다.

b. 3% 농도 제품은 환경 표면 소독제 사용 시 안정적이고 효과적이다.

c. 3% 과산화수소로 인한 위막성 결장염이 발생하기도 한다.

d. 사용 후 충분한 헹굼이 되지 않은 경우 각막 손상, 위막성 결장염이 보고되고 있다.

e. 최소 유효 농도를 확인하기 위해 모니터링이 필요하다.

(2) 과초산

① 작용기전

단백질 변형, 세포벽 투과율을 방해, 단백질, 효소, 다른 대사물질과 결합한 설퍼하이드릴(sulphurhydryl)과 (유)황(sulfur)을 산화시킨다. 유기물 제거 기능이 강하고 잔류물이 없으며, 모든 미생물에 단시간에 효과가 있다. 그람양성 및 그람음성균주, 곰팡이, 효모 등은 100 ppm 미만 농도에서 5분 이내에 비활성화 시킬 수 있다. 유기물이 있으면 200~500 ppm 정도가 되어야 한다. 바이러스에 대하여는 12~2,250 ppm에서 사멸력이 넓으나, 효모추출물 내에서 폴리오바이러스의 사멸은 1,500~2,250 ppm에서 15분 정도가 요구된다. 0.26% 과초산은 결핵균을 20~30분 내에 사멸시킨다.

② 사용 범위

수술 기구, 치과 기수, 내시경 기구의 화학멸균제로 사용한다.

③ 주의사항

구리와 황동 철과 아연을 부식시킨다. 희석 시 불안정해 진다(40%의 과초산은 한 달이 지나면 유효성분이 1~2% 감소한다).

(3) 알코올

① 작용기전

알코올은 단백질을 변성시켜 살균시킨다. 적정 농도는 60~90%이다. 알코올은 실험에서 다제내성균을 포함한 증식형 그람양성 및 음성균, 결핵균, 다양한 바이러스에 효과적인 것으로 증명되었으며, 지질피막 바이러스에도 효과적이다. 세균에 대한 효과는 좋지만 세균의 아포, 원충의 난모세포, 비피막바이러스에는 효과가 떨어진다. 알코올은 피부에 적용 시 효과를 가져오지만 잔류효과가 없다. 그러나 미생물이 다시 자라는 속도는 지연된다.

② 사용 범위

앰플/바이알 표현, 물과 세제를 이용해 청소한 깨끗한 표면, 일부 기구 표면(청진기), 일부 기구 건조, 주사 전 피부 소독, 물 없이 사용하는 핸드럽

③ 주의사항

증발이 쉽고, 농도가 떨어질 경우 살균력이 감소된다. 유기물이 남아 있을 시 비활성화되므로 사전에 세척이 필수이다. 세척제로 좋지 않고 단백물질 오염 시 알코올 제제 사용은 권장하지 않는다. 증발되고 난 후 잔류효과가 없다. 점막에는 사용하지 않는다. 고무, 플라스틱 등의 물질은 손상되고 안과 기구, 특히 렌즈 등은 깨질 수 있다. 인화성 물질로 화기나 고열의 장소를 피해서 보관해야 하며, 휘발성이므로 최소로 사용할 용기에 담는다.

(4) 염소/염소화합물

① 작용기전

유리염소가 미생물을 파괴하는 정확한 기전은 아직 명료하게 설명하지 못한다. 액체나 고체 형태가 있으며 광범위한 항균작용이 있고, 독성이 잔존하지 않으며, 표면에 남아 있는 세균이나 바이오 필름을 제거할 수는 있지만 경수, 잔존한 유기물질 등에 의해 불활성화된다. 유기물이 없는 상태에서는 일반 세균은 5 ppm 미만에서, 마이코플라즈마는 25 ppm에서 수초 안에 사멸한다. 결핵균을 죽이려면 1,000 ppm이 필요하다.

② 사용 범위

낮은 농도의 치아염소산나트륨은 표면을 신속하게 청소 및 소독하는 데 유용하다. 의료 환경에서 환경소독제로 사용되며, 검체 접수대나 마루의 얼룩 소독 등에 사용한다. 혈액이 쏟아지거나 묻은 곳에는 유효염소량 500~1,000 ppm으로 희석하여 사용한다. 수치료 욕조, 세탁물, 치과 기구, 혈액 투석에 사용하는 물, 기계 및 환경 표면 등에 주로 사용한다.

③ 주의사항

유기물질에 비활성되기 때문에 사전 세척은 필수이다. 염소는 천과 직물의 탈색 및 손상을 일으키고, 스테인리스 기구를 부식시킨다. 희석액은 불안정하여 밀봉

하였더라도 실온 방치 시 30일이면 유효염소량이 40~50% 이상이 감소하기 때문에, 사용 시 바로 희석하는 것을 권장하고 희석액의 유효기간은 24시간 이내로 한다. 가격이 저렴하고 살균 효과가 빠르다.

(5) 요오드, 아이오도퍼

① 작용기전

요오드는 미생물 세포벽을 뚫고 아미노산과 불포화 지방산 결합을 통해 세포를 불활성화시켜 단백질 합성 저해와 세포막 변성에 의한 소독 작용을 한다. 아이오도포는 요오드와 아이오다이드 혼합물로 분자량이 크다. 요오드에 액화시키는 물질을 첨가하여 수용액 상태에서 유리요오드가 방출되어 미생물과의 직접 결합과 산화에 의해 살균 작용을 한다. 그람양성균, 그람음성균과 아포, 바이러스, 진균, 원충까지 살균 범위가 넓다. 진균과 아포에 대한 살균 효과를 보려면 오랜 시간 침적이 요구된다.

② 사용 범위

피부 및 점막 소독, 10% 용액은 창상치료나 침습적 시술 전 피부 준비에 사용한다. 2% 용액은 구강 함수에 사용, 7.5%용액은 세척 성분과 혼합해 수술실, 중환자실 등 수술 전 손 위생에 사용한다.

③ 주의사항

소독력은 pH, 온도, 노출 시간, 총 유효 아이오다인 농도, 유기물 및 무기물 존재량에 영향을 받는다. 금속을 부속시키며 고무나 플라스틱 제품을 손상시키고 착색이 되는 단점이 있어 기구 소독이 가능하나 제한점이 있다. 아이오도퍼는 아이오 다인에 비해 피부 자극이나 알레르기 반응이 적으나, 다른 소독제에 비하여 접촉성 피부염을 일으킬 수 있다. 임부나 수유부에게 장기간 사용하지 않으며, 요오드 과민증 환자나 갑상선 기능 이상 환자, 신부전 환자, 신생아에게는 사용하지 않는다. 자연분만 시 사용한 경우, 신생아 눈을 멸균 증류수로 닦아 내도록 한다.

(6) 클로로헥시딘 글루코네이트

① 작용기전

양전하인 클로르헥시딘이 음전하를 띤 세포막에 결합하여 살균 효과를 낸다. 즉각적 효과는 알코올에 비해 느리다. 그람양성균에 효과가 좋고 그람음성균과 진균에 다소 효과가 느리다. 결핵균에 대해 최소 효과만 가진다. 입안에 세균을 만드는 플라그와 결합하여 세균을 치아로 흡수되는 것을 방해한다.

② 사용 범위

피부의 자극이 작고 피부에 잔류효과가 있어 피부 소독제로 사용한다. 생후 2개월 미만 신생아 사용은 아직 논란이 있다. 0.5%, 0.75%.1% 클로르헥시딘 제제는 일반 비누보다 소독 효과가 좋지만 4%보다는 효과가 떨어진다. 잔류효과가 높다.

③ 주의사항

혈액과 같은 유기물질에 의한 효과 감소가 크지 않다. 식염수와 희석하면 염을 생성한다. 증류수와 희석할 경우 오염 가능성이 있어 오염되지 않도록 보관 및 사용 시 주의한다. 클로로헥시딘은 안전한 소독제지만 드물게 피부를 통한 흡수가 있을 수 있다. 1% 이상 농도는 결막염이나 각막 손상을 발생할 수 있으므로 눈에 직접 접촉하지 않도록 주의한다. 또한 내이독성을 유발할 수 있으므로 중이수술에 사용하면 안 되고, 뇌조직이나 수막에 직접 접촉을 피한다. 소독 효과가 좋은 4% 농도로 자주 손을 씻으면 피부염을 유발할 수 있다.

2) 물리적 소독방법

(1) 자외선 소독법

자외선 파장은 328 nm에서 210 nm이며, 240~280 nm일 때 세균 사멸 효과가 가장 크다. 티민2자체 유도를 통해 핵산을 파괴하여 미생물을 불성화한다. 음용수나 공기, 티타늄 임플란트, 콘택트렌즈에 사용된다. 자외선 살균력은 유기물, 파장, 부유물 유형, 온도, 미생물의 종류, 자외선의 강도에 따라 영향을 받는다. 지속 효과가 없고 투과력이 낮으며 유리나 플라스틱, 금속에 흡수되므로 표면이나 액체 적용에 제한적이다. 피부 화상이나 눈 조직을 파괴하므로 적용에 신중을 기해야 한다.

(2) 마이크로파

의료 환경에서는 소프트 콘택트렌즈, 치과 기구, 틀니, 우유, 간헐적 도뇨관 소독에 사용된다. 마이크로파는 무선 주파수인데 2450 MHz의 주파수가 사용된다. 세균, 결핵균, 바이러스, 아포 사멸에 대한 연구 결과가 보고되고 간헐적 도뇨관 소독 방법으로 제안하고 있다. 가정용 전자레인지의 경우, 온점과 냉점이 있을 수 있어 온점은 물품을 손상, 냉점은 미생물 사멸이 일어나지 않아 소독과 멸균을 확신할 수 없다.

(3) 끓이기

대부분 세균은 55~60 ℃에서 사멸하지만 아포는 100 ℃에서도 사멸하지 않는다. 때문에 높은 수준의 소독은 가능하나 멸균은 기대할 수 없다. 10~60분까지 100 ℃ 온도가 필요하며, 기구의 손상과 화상의 위험, 소독 후 보관 등의 문제로 인해 의료기관에서의 기구 소독 방법보다는 가정에서의 사용을 고려할 수 있다.

가정에서 의료 서비스를 받는 대상자들인 감염성 질환, 많은 침습 기구, 면역 약화 및 만성질환을 가진 노인 등은 감염에 취약하다. 가정으로 방문하는 간호사가 감염의 매개체로 감염원이 될 수 있으므로 감염관리가 중요하다.

안전 관리 (Safety Management)

1_ 안전의 정의

안전이란 위험이 생기거나 사고가 날 염려 없이 편안하고 온전한 상태를 말한다. 가정에서 일어나는 사고는 주의 소홀로 일어날 수 있는 안전사고가 대부분이며, 이는 예방이 가능하다. 가정에서 사고를 예방하는 것이 안전한 환경을 유지하고, 대상자, 가족, 가정으로 방문하는 간호사를 위해 매우 중요하다.

1) 환자 안전

수용할 수 있는 최소 수준에서 보건의료와 관련된 불필요한 위험을 감소시키는 것이다. '수용할 수 있는 최소 수준(acceptable minimum)'이란, 치료하지 않는 것 혹은 다른 치료의 위험에 대해 현재의 지식, 이용 가능한 자원, 의료가 제공되는 체계의 맥락과 관련된 것이다. 환자 안전은 의료와 관련되어 환자에 대한 오류와 부작용을 예방하기 위함이다.

2) 가정에 있는 대상자의 안전

안전사고는 예방될 수 있는 것들이 대부분으로, 가정에서는 개인적인 일상에 대한 개인의 습관 개선이 필요하다. 가정간호 대상자 관리 지침에 감염 및 안전관리가 포함되어야 한다. 안전한 환경의 유지는 대상자와 가족, 간호사를 위하여 중요하다.

3) 가정으로 방문하는 간호사의 안전

가정으로 방문하는 간호사는 집으로 방문하여 환자 가까이에서 의료 서비스를 제공하게 된다. 그렇기 때문에 업무 관련 폭력을 경험할 위험이 매우 높고, 위험에 직접적으로 노출이 된다. 기후(폭염, 폭한) 노출, 감염 위험(감염성 질환을 앓고 있는 대상자), 교통사고 등 다양한 위험에 노출되며 안전을 위협받는 상태가 되므로 가정으로 방문하는 간호사의 안전(safety)은 위험(risk)관리와 직결된다. 위험이란, 바람직하지 않은 결과가 발생할 확률 또는 확률을 높일 수 있는 요소이고(WHO World Health Report, 2002), 자연 또는 인위적 위해와 취약성의 상호작용의 결과로 발생하는 부정적인 결과나 예상되는 손실이다. 이러한 위험을 예방하기 위해선 안전한 환경 유지와 안전을 위한 교육, 그리고 대비책이 준비되어야 한다.

2_ 가정에 있는 대상자의 안전 관리

1) 안전에 영향을 미치는 요인

(1) 신체적 요인

① 연령

영아 및 유아기는 위험에 대한 자각이 제한되어 낙상, 중독, 화상, 감전, 익사 등의 사고가 빈번하다. 학령기는 활동적인 시기, 놀이 관련 부상이 많다. 청소년은 도전적인 활동, 스포츠 관련 부상, 약물중독, 교통사고 등이 많다. 성인은 안전 불감증, 피로, 사고가 많다. 노인은 질병, 감각 변화로 인한 손상, 낙상이 흔하다.

② 생활양식

안전하지 못한 환경에 노출되는 경우에 사고나 뜻하지 않은 손상이 발생한다.

③ 운동장애

마비, 근육 허약, 균형이나 조절 장애 등으로 인한 움직임 장애가 있는 경우 영향을 미친다.

④ 감각 지각의 변화

시각, 청각, 후각, 미각, 촉각의 손상은 환경에 대한 민감성을 감소시킨다.

⑤ 인지 수준

무의식, 혼돈 상태, 약물 복용, 수면 부족 등의 인지 손상이 있을 때 영향이 있다.

⑥ 의사소통 능력

언어장애, 실어증, 문맹자 등에 영향이 크다.

⑦ 정신사회적 상태

스트레스, 우울, 혼돈, 사회적 고립으로 집중력 저하, 판단 착오, 지각 감소 유발 시 사고 위험이 있다.

(2) 환경적 요인

① 대상자의 침실

낙상(낙상사정도구 Table 11-1 참조)이 자주 발생하는 장소, 부적절하거나 희미한 조명, 고정되지 않은 가구나 장애물, 정리되지 않은 커튼, 침구 또는 의류

② 욕실

부적절한 냉수·온수의 표시, 바닥과 욕조의 미끄러운 표면, 물 가까이에 위치한 전기 콘센트, 변기의 불안전한 설치와 변기 높이

③ 주방

주방에서 사용하는 부적절한 도구, 열기구와 가까이 있는 가연성 물건들, 표시지가 없는 합성세제, 청소 용액, 표백제 등, 작동이 불가능한 주방기구(열 조리기구, 냉장고, 전자레인지)

④ 가정에서 기타의 구역들

흔들리는 물건이나 가구, 고정되지 않은 바닥 깔개, 보행로에 있는 전깃줄과 전화선, 즉시 닦지 않은 채 엎질러진 액체, 여러 개의 플러그가 꽂힌 콘센트

Table 11-1 낙상 위험 사정 도구

가정에서의 낙상 위험 평가 도구

아래 낙상 고위험군에 해당되면 □에 체크하시고 낙상 위험 사정을 적용합니다.
□ 입원 전 6개월 이내에 1회 이상 낙상을 경험
□ 프로토콜에 따라 낙상 위험이 높은 것으로 간주(예 발작 예방조치),
낙상 저위험군에 해당되면 낙상 위험 점수 계산을 안 하셔도 됩니다.
□ 완전마비, 부동 상태

낙상 위험 점수 계산: 해당 상황을 V 체크하시고 점수의 합을 구합니다(해당 없음: 0점).			점수
나이	□ 60~69세	1	
	□ 70~79세	2	
	□ 80세 이상	3	
낙상 경험	□ 입원 전 6개 이내 낙상 1번 경험	5	

가정에서의 낙상 위험 평가 도구			
배설(대/소변)	□ 실금	2	
	□ 긴박 또는 빈뇨	2	
	□ 긴박 / 빈뇨&실금	4	
약물 복용 (PCA/아편제, 항경련제, 항고혈압제, 이뇨제, 수면제, 완하제, 진정제 및 항정신성제)	□ 1개 해당	3	
	□ 2개 해당	5	
	□ 24시간 이내에 진통제를 이용한 시술 시행	7	
환자에게 연결된 기구 (e.g.IV 주입, 흉관, 유치 카테터, 산소)	□ 1개	1	
	□ 2개	2	
	□ 3개 이상	3	
보행 능력 (1개 이상 선택 가능)	□ 보호 기구를 이용하여 걷거나 이동	2	
	□ 불안정한 걸음걸이	2	
	□ 시력, 청력 장애로 보행에 영향을 미친 경우	2	
정신 상태 (1개 이상 선택 가능)	□ 신체 환경의 변동에 즉각적으로 대처 미숙	1	
	□ 충동적	2	
	□ 자신의 신체적, 인지적 한계에 대한 이해 부족	4	
6~13점: 중낙상 위험군 14점 이상: 고낙상 위험군		합	

[출처: Johns Hopkins Fall Risk Assessment Tool for Home Health Care]

2) 안전 규칙

(1) 일반적인 안전 규칙

① 안전한 가정환경을 유지하기 위한 기본 규칙

적절한 조명이 필요하다. 바닥의 깔개는 제거하고, 천장에 연기 탐지기를 설치한다. 가정의 물건 등은 정리 정돈하며, 엎질러진 액체류는 즉시 닦는다. 가스, 석유, 전기기구의 정기 점검을 실시하고, 화상을 감소시키기 위해 자동 온도를 설정한다.

(2) 장비 사용 시 안전 수칙

사용하는 모든 장비를 점검한다. 장비의 사용법을 모르는 경우 담당자에게 문의한다. 손상되거나 결함이 있는 장비는 사용하지 않는다. 기구나 장비 작동 시 소리가 나거나 냄새가 나는 경우 즉시 끄고 담당자에게 문의한다.

(3) 이동식 가정용 난방기 사용 수칙

물에서 멀리 둔다. 커튼이나 이불 등으로부터 멀리 둔다. 집을 비울 때나 잘 때는 난방기를 끈다. 사용 시에는 적절한 연료, 적절한 전압을 사용한다. 건조용 선반이나 음식물 가열 용도로 사용하지 않는다. 난방기를 이동 시에는 반드시 사용하지 않을 때 이동한다.

(4) 특별한 상황에서의 안전 규칙

① 노인

모든 전화기 옆에 응급전화 번호를 적어 놓는다. 방문이 안에서 잠길 것을 대비하여 열쇠를 미리 준비한다. 미끄럼 방지 장치가 부착된 양말이나 신발을 착용하게 한다. 위험한 행동을 할 때 천천히, 조용히 접근하여 관심을 다른 곳으로 유도한 후 위험한 물건을 정리한다.

② 어린이

위험한 물건들은 아동 손에 닿지 않게 놓는다. 얇은 플라스틱 재료를 아이들로부터 멀리 놓는다. 모든 전기 기구는 사용하지 않을 때 전원을 꺼 놓는다. 사용하지 않는 전기 콘센트는 안전 덮개로 씌워둔다. 창문으로부터 멀리 있게 하고, 가구를 창문 옆에 가까이 두지 않는다.

③ 혼돈 상태의 대상자

계단이 있는 곳의 문을 잠근다. 최근에 찍은 사진을 가지고 있게 하고, 신분을 증명할 수 있는 팔찌를 채워준다. 언제든지 대상자가 있는 곳을 알고 있어야 한다. 낱말과 그림을 이용하여 문에 표시를 붙인다. 날카로운 물건, 무기, 화학약품, 유해한 물질 등을 안전한 장소로 옮긴다. 흡연, 면도, 요리, 목욕 등 잠재적 위험 상황에서 대상자를 밀착하여 관찰한다.

④ 산소를 사용하는 대상자

집안의 모든 문에 '금연' 표시를 부착한다. 산소통을 사용하는 경우 항상 잔량을 확인한다. 화재 시 산소를 끄는 방법과 화재 시 대처 방법을 알아야 한다. 화염에 노출되거나 불꽃이 발생하는 물건 가까이에 산소 배치를 금지한다.

⑤ 흡연

침대 위에서는 담배를 피우지 않는다. 쓰레기 더미에 담배꽁초와 담뱃재를 버리지 않는다. 연기탐지기 장치 설치와 정상 작동을 정기적으로 확인한다. 성냥, 라이터, 점화기, 담배 등을 아이들과 혼돈 상태 대상자의 손에 닿지 않게 한다. 담배꽁초와 담뱃재가 바닥에 떨어지는 것을 방지하기 위하여 넓은 재떨이를 사용한다.

⑥ 낙상(Table 11-1)

낙상은 넘어지거나 떨어져 몸을 다치는 것으로 추락, 미끄러짐, 넘어짐 모두 포함한다. 낙상은 노인에게서 발생률이 높다. 낙상은 사망뿐만 아니라 중증 손상으로 장기 입원에 따른 불편감과 후유증이 길어져 삶의 질을 저하시킨다. 그러므로 낙상 예방관리는 중요하다. 낙상 예방 방법으로는 침대 난간을 항상 올려놓고, 미끄럼 방지 슬리퍼를 신는다. 어두울 때는 밝은 조명을 사용하며, 욕조 안에는 미끄럼 방지 매트를 깔아 놓는다. 의자는 바퀴가 없고 팔걸이가 있는 것을 사용한다. 가족이나 돌봄 제공자에게 낙상 예방법에 대해 교육하고, 가족이나 돌봄 대상자는 침대를 오르내리거나 걷거나 화장실에 갈 때 도움을 요청하도록 한다.

3) 안전사고에 대한 응급대처 방법

(1) 화재

화재는 자연적 발생도 있지만 가정에서의 사소한 부주의로 발생한다. 화재 발생의 원인은 전기, 가스, 방화, 불장난, 흡연, 유류(석유, 기름 등) 등 여러 가지가 된다. 가정에 있는 대상자들은 거동이 불편한 분들이 대부분이므로 화재 시 인명 피해가 된다.

① 화재 예방 습관

진화 요령, 화재 시 본인의 역할을 알고 있다. 전열기구와 화기 사용 시 반드시 안전 수칙을 준수한다. 콘센트 하나에 여러 개의 전열 기구를 사용하지 않는다. 음식을 조리하는 중에는 주방을 떠나지 않는다. 특히 기름을 사용하는 요리 시 주방을 떠나지 않는다. 성냥, 라이터, 양초 등은 노인과 어린이의 손이 닿지 않게 한다. 난로 곁에는 불이 붙는 물건을 치우고 빨래를 널어 두지 않는다. 방문 시 소화기 비치 장소를 알고 있어야 한다.

② 화재 시 대처 방법

빨리 대상자와 함께 빠져 나온다. 소방서(119)에 이름, 위치 등을 신고한다. 호흡하기 쉽게 젖은 천으로 코와 입을 가린다. 연기와 맞닥뜨린다면 가장 가까운 출구를 향해 자세를 낮춘 후 탈출한다. 출입문이 뜨거운지 감지하고 차가우면 문이 열리는 방향의 먼 쪽으로 얼굴을 돌리고 문을 연다. 문으로 열기와 연기가 들어오지 못하게 젖은 수건이나 담요로 바닥의 틈새를 틀어막는다. 대상자를 창문이 있는 방으로 이동시키고 코와 입을 젖은 헝겊으로 가린다. 창문에 위치를 알리기 위한 이불보, 수건 등을 걸어둔다.

③ 화재 시 금지사항

불타는 구조물 안으로 되돌아가지 않는다. 불을 끄려고 애쓰면서 시간을 낭비하지 않는다. 옷에 불이 붙었을 때 뛰지 않는다(누워서 몸을 굴린다). 승강기를 이용하지 않는다(연기가 위로 상승하여 승강기의 수직 통로가 굴뚝의 역할을 한다).

(2) 가스 누출

창문과 출입문을 열어서 환기시킨다. 냄새가 너무 진하게 나는 경우 집에서 나온다. 냄새가 나는 곳으로부터 멀리에 있는 전화기를 이용하여 가스회사에 전화한다. 스토브, 오븐, 난방용 온열기구, 온수가열기 등의 점화용 보조 연소기가 켜져 있는지 점검한다. 불을 발생시킬 수 있는 것(전기 스위치, 온도 조절 장치를 켤 때, 성냥 사용 시)과 폭발을 일으킬 만한 것을 사용하지 않는다.

(3) 전기관리

① 일상 전기관리

하나의 콘센트에 많은 전기코드를 꽂지 않는다. 전기기구를 사용하기 전에 사용 설명서를 숙지한다. 전기기구의 세척 시나 수선 시에는 전기를 연결하지 않는다. 어린이의 보호를 위하여 벽에 있는 콘센트에 보호용 커버를 씌운다. 코드를 사용하기 전에 전선이 벗겨지거나 다른 파손이 있는지 확인한다. 물을 사용하는(세면대, 욕조, 샤워장 등) 곳에서 전기기구를 사용하지 않는다.

의료기기를 사용하는 경우 정전 시 사용할 수 있는 보조 전원장치 등을 준비한다. 의료기기를 사용하는 경우 정전 시 비상전력을 사용할 수 있도록 아파트 관리실 등에 사전에 알린다. 전기기구 사용 시 전기가 통하는 듯한 느낌이 있거나 소음, 냄새가 나면 즉시 사용을 중지하고 확인한다. 의료기기는 반드시 접지용 3핀 플러그를 사용, 콘센트에서 플러그를 뺄 때 플러그를 꼭 잡고 똑바로 뺀다.

② 정전

전기회사에 연락한다. 모든 전기기구를 끄고 정기 공급 계기판 도는 퓨즈 단자를 점검한다. 사용 중인 의료기기의 충전상태를 확인하고 비상 전원으로 공급을 바꾼다.

(4) 수도배관

평소 수도 배관 밸브의 위치를 확인한다. 수도관에서 물이 샌다면 본선 밸브의 위치를 확인하여 잠근다. 누수가 있다면 아파트 관리실, 상수도 사업본부 등에 신고한다.

3_ 가정으로 방문하는 간호사의 안전 관리

1) 안전에 영향을 미치는 요인

(1) 환자/보호자의 폭력

가정으로 방문하는 간호사에 대한 대상자의 폭력은 매우 심각한 직무관련 위험으로 나타난다. 이인숙 등(2012)의 연구에서 방문 전문인력 중 71.5%, 김희걸, 남혜경(2017) 연구에서 방문간호사의 74.7%가 폭력을 경험하였다. 언어적 괴롭힘, 성적 괴롭힘, 신체적 공격, 기물파손 등의 형태로 방문 인력에게 신체적, 물질적, 재정적 피해를 준다.

① 대상자 요인

a. 약물(알코올/약물) 사용

b. 의학적 문제에 대한 순응도와 치료 결과

c. 정신건강 문제 진단, 자기 통제, 폭력의 이력, 가정폭력, 어린시절 학대 경험

② 환경적 요인

a. 사회적 지지체계 부족

b. 상황적 스트레스(실직, 재정적 곤란, 가까운 사람의 상실 등)

c. 대상자 지역사회의 특성 및 거주지의 안전성

(2) 감염[II. 감염관리(p478~) 참조]

가정으로 방문하는 간호사는 감염성 질환을 앓고 있는 대상자로부터의 감염에 노출될 수 있다. 손정연(2017)의 연구에서 방문간호사의 4.4%가 감염을 경험을 나타냈다. 또는 방문인력이 감염의 매개가 될 수 있다.

① 공기 감염

사람의 호흡기로 들어갈 만한 크기인 비말핵은 일정 기간 동안 감염력을 유지하며 공기 중에 떠다니다 전파된다. 결핵, 수두, 홍역, 파종성 대상포진 등이 있다.

② 비말 감염

파편의 입자가 커서 공기 중에 떠 있을 수는 없으나 가까운 거리(보통 1 m 이내) 내로 이동하여 전파된다. 수막염, 폐렴, 백일해, 풍진, 인플루엔자 등이 있다.

③ 접촉 감염

a. 직접 접촉: 피부 혹은 점막의 접촉을 통해 미생물이 직접 전파되고 환자의 체위 변경 활동, 목욕, 혈압, 체온 측정 및 드레싱 등 간호 활동으로 전파된다.

- 환자와의 직접 접촉(악수 등)

b. 간접 접촉: 매개 물체에 미생물이 옮겨져 있다가 다른 사람이 접촉하여 전파된다. 환자 주변 물품, 부적절하게 살균·소독 처리된 의료기기 등으로 전파된다(구강 경로로 전파되는 미생물에 감염된 변실금 혹은 기저귀 착용 환자: 이질, 로타바이러스, 노로바이러스, A형 간염 등 감염성으로 의심되는 급성설사 환자, 머릿니나 옴에 감염된 환자).

④ 혈액매개 감염

혈액을 매개로 하여 전파된다. 침습적인 처치(예 혈당 체크, 채혈, 예방접종 등) 시 혈액에 노출되어 오염된 주사침, 날카로운 물체에 찔리거나 베이는 경우, 환자의 혈액이나 체액이 직원의 점막에 튀는 경우 감염되며 B형 간염, C형 간염, HIV 등이 있다.

(3) 교통사고

① 가정으로 방문하는 간호사는 직접 운전하여 환자를 간호하러 다니므로 교통사고 발생 위험이 크다.

② 도로 상황(도로 파손, 도로 결빙 등), 기상 상황(태풍 및 호우 등)에 따라 영향이 있다.

③ 교통사고 발생 시 처리하는 과정이 수립되지 않은 경우 지속적으로 업무에 영향을 준다.

④ 가정으로 방문하는 간호사에게 신체적, 정신적, 물질적, 재정적 피해가 된다.

(4) 반려동물 사고

가정으로 방문하는 간호사들은 반려동물 공격을 경험하게 된다. 이는 방문 인력에 신체적, 정신적, 물질적, 재정적 피해를 준다.

(5) 기상재해

가정으로 방문하는 간호사들은 기상변화의 영향을 받는다. 예를 들면 폭염, 폭설, 혹한 등의 위험 인자가 도사리고 있다.

2) 안전 규칙

가정간호는 환자의 집으로 방문하여 의료 서비스를 제공하는 서비스이다. 때문에 다양한 요인으로 위험에 노출되는 상황이다. 가정이나 지역사회에서 건강을 유지하고 활동 수준을 평상시 상태로 유지하기 위해선 위험을 관리하는 예방적 활동과 위험관리의 과정이 필요하다. 위험관리 4단계는 위기상황이 발생하기 이전 위기상황을 예방(prevention)하고 평상시 대비(preparation) 체제를 구축하여 위기 상황 발생 시 대비하고 있는 시나리오에 맞추어 적절히 대응(response)하며 피해를 최소화하고 상황 종료 후 복구(recovery)하는 것이다(Fig 11-16).

(1) 위험관리 과정

위험관리란, 예기치 못한 부정적인 상황이나 사건 사고 발생 시 일어날 수 있는 영향을 미리 예방하고 대비하며 위기상황에 빠르게 대처함으로써 손해를 최소화하는 관리 활동이다.

- **위험관리의 4단계**
  - 위기상황 발생 이전: 위기상황 발생을 예방(prevention), 평상시 대비(preparation) 체제 구축
  - 위기상황 발생 이후: 발생 시 대비하고 있는 시나리오에 맞추어 적절하게 대응(response), 피해를 최소화하고 상황 종료 후 복구(recovery)

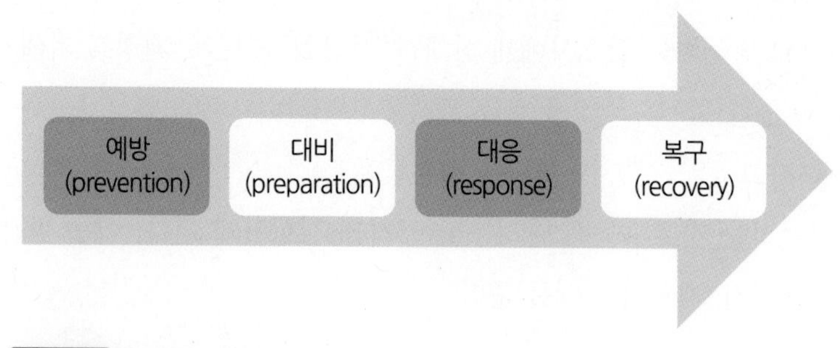

Fig 11-16 **위기관리 4단계**

(2) 위험관리의 필요성

① 가정으로 방문하는 간호사는 위험을 경험한다.

② 방문하여 의료 행위를 하는 간호사의 안전을 확보하고 근로 환경을 향상시킨다.

③ 지역사회 기반 가정을 방문하는 사업의 유지 및 발전에 필요하다.

(3) 위험관리 방법

① 위험의 인식/확인: 위험의 실태 파악

② 위험의 분석/평가: 발생한 사건·사고의 상황이나 사건·사고에 의한 영향을 분석 및 평가

③ 위험 대응 처리 방법 선택/수행: 사건·사고 위험에 대하여 신속 정확한 대응

④ 위험의 재평가/재발방지: 동일한 사건·사고가 일어나지 않도록 재평가, 재발방지 대책 고려 및 제안

(4) 위험관리 방법 세부 내용

Step 1. 위험의 인식 / 확인 (Identify risk)	Step 2. 위험의 분석 / 평가 (Evaluate risk)	Step 3. 위험 대응 처리 방법 선택 / 수행 (Selecting the risks treatmemt devices)	Step 4. 위험의 재평가 / 재발방지 (Reviewing the risk and checking recurrence)
· 위험요소 파악 · 동종의 경상 사건, 사고 · 부상 없는 작은 사건, 사고 · 보고서, 피해 사례, 출판물	· 보고서의 내용 분석 · 사건, 사고의 원인 파악 · 사건, 사고의 경향 분석 · 재발 방지 위한 기본 자료	· 위험 대책에 대해 인지 · 실행 습관 및 자세 · 보험처리 방법 활용 · 즉각적, 조직적, 문서화	· 정보 공유 · 위험의 재평가 · 재발방지 교육 · 전체 직원에 지속적 교육

Fig 11-17 위험관리 세부 내용

(5) 방문 시 안전의 기본 원칙: 방문인력

① 방문 전

a. 2인 1조 동반 방문을 한다.

b. 방문 전 방문 대상자에 대한 안전사정(Safety Assessment)을 한다.

c. 방문 일정을 관리자와 팀원에게 공유한다.

② 방문 시

a. 방문에 맞는 복장, 안전 용품, 소지품을 지참한다.

b. 보호 장구(마스크, 장갑)를 착용한다.

c. 안전을 위한 가정방문 면담 시 고려사항을 숙지한다.

d. 대상자 폭력 및 감염, 반려견 공격 등에 대한 적절한 대처 방안을 숙지한다.

e. 가정방문 연기, 바로 복귀해야 하는 상황, 방문 거절 상황을 숙지한다.

③ 방문 후

a. 사건·사고 발생 시 보고하고 필요한 조치를 취한다.

b. 사건·사고에 대해 자책하지 말고, 전문적인 도움을 받는다.

c. 반복될 경우 담당자를 교체하고 교체 사유를 알린다.

(6) 방문 시 안전의 기본 원칙: 기관

① 방문 전

a. 2인 1조 동반 방문한다.

b. 예방접종을 실시한다.

c. 감염병 대상자 방문 시 예방수칙을 준수한다.

d. 사건·사고 발생 시 조직 내 보고체계를 구축한다.

e. 파출소, 지구대, 119 응급구조대와의 업무 연계 체계를 사전에 구축한다.

f. 안전한 방문을 위한 사전 예방 교육을 실시한다.

g. 자연재해(폭염, 혹한, 대설, 미세먼지 등으로 인한 기상청 특보 발령) 시 방문 업무는 자제하도록 권고한다.

② 방문 시

a. 방문인력의 방문 업무 시작 및 복귀 시간을 확인(복귀 시간이 지연될 시 연락)한다.

b. 위험 상황 발생 시 즉시 인근의 파출소, 지구대, 119 응급구조대 등 전문기관에 도움을 요청한다.

③ 방문 후

a. 조직 내 보고체계에 따라 사건·사고를 기록하고 관리한다.

b. 환자에 대한 조치 및 대응 방법을 협의한다.

c. 사건·사고 발생 후 치료 및 보상(정신건강 상담, 치료비 지원, 업무상 재해 보상 등)은 기관의 원칙에 따른다.

d. 감염이 의심되면 해당 질환의 검사를 시행하고 감염이 확인되면 빠르고 적절한 조치를 취한다.

e. 업무 분리 조치를 한다.

3) 안전사고에 대한 대처 방법

(1) 환자/보호자의 폭력

① 방문 전

a. 방문 전 대상자의 의학적 특성, 주 간호자, 현재 상황 등을 확인한다.

b. 다른 동료에게 행선지와 돌아올 예정 시간을 알린다.

c. 방문 전 인근 지역의 주요 도로, 지하철 혹은 전철 역, 관공서 건물 등의 위치를 파악한다.

② 방문 시

a. 가능하다면 첫 방문은 2인 1조 동반 방문한다.

b. 자동차 열쇠는 가방보다는 주머니에 보관한다.

c. 호신용 장비(예 신호용 호루라기, 호신용 스프레이, 경보기 등)를 지참한다.

d. 밀폐된 공간보다 문, 거실 등 외부와 연결된 개방적인 공간에서 업무를 수행한다.

e. 머릿속에 주변 환경을 기억해두어 실제 위급상황에서 주변 환경을 최대한 활용한다.

f. 차량을 주차할 때는 긴급사항 시 바로 출발할 수 있도록 주차, 응급대피 길목을 파악한다.

g. 사람들이 없거나 외진 곳을 회피, 외진 곳에서 낯선 사람과 함께 엘리베이터에 동승하지 않도록 한다.

h. 가정방문 시 집안에 알 수 없는 사람들이 대거로 몰려있을 때는 방문을 취소하고 약속시간을 재조정한다.

i. 휴대폰을 반드시 휴대(항상 충전, 여분의 배터리 준비)하고, 호신용 호루라기(Fig 11-18)를 소지하며, 'SOS 서비스'를 설정(Fig 11-19)하고, 단축번호에 112를 설정한다.

Fig 11-18 호신용 호루라기

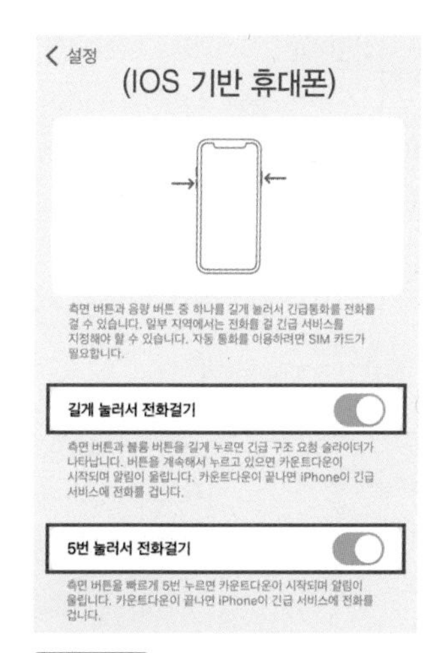

Fig 11-19 SOS 서비스

j. 신체적 위험 상황에 처했을 때 즉각적 대응이 가능하도록 발을 발꿈치와 발가락이 바닥에 닿도록 하고, 대상자에게 주의를 기울이고 있다는 느낌을 갖도록 몸은 대상자를 향해 앞으로 약간 기울인 자세를 취한다. 서 있는 자세에서 발은 어깨 넓이로 벌리고 한쪽 발은 다른 쪽 발보다 조금 뒤로 놓는다. 그런 다음, 뒤쪽 다리에 몸의 힘을 싣고 무릎은 조금 구부리며 손은 배나 가슴 아래쪽에 올려놓아 깍지를 끼거나 팔짱을 끼지 않도록 하여 신체적인 위협에 즉시 대응할 수 있도록 한다.

k. 대상자 혹은 보호자가 음주로 취한 상태에 있다고 판단되면 가급적 방문을 빨리 마치고 복귀하여 반드시 기록한다.

- **폭력적인 대상자와 대화 시 주의해야 할 물리적·신체적 표현**
  - 물리적 접근과 위치

    갑작스럽게 접근하지 않도록 한다. 대상자에게 접근할 때는 뒤나 정면에서 다가가지 않는다. 대상자가 갑작스럽게 공격할 때 피할 수 있으며, 신체를 공격하는 것으로 오해하지 않도록 하기 위해 적정한 거리를 유지한다. 잠재적 폭력 성향의 대상자를 기다리게 하거나 혼자 자유롭게 움직일 수 있도록 내버려두지 않는다.
  - 눈 맞춤(eye-contact)

    오랫동안 시선을 고정하거나 한 곳을 지적하는 것은 자제한다. 적절한 정도의 눈 맞춤은 대상자에게 관심과 신뢰를 갖도록 하는 데 도움이 된다. 잠재적인 폭력이 발생 가능한 상황에서의 눈 맞춤은 적대감을 가진 것으로 인식하게 하거나 공격성을 자극시킬 수 있으므로 똑바로 응시하는 것은 피하는 것이 좋다.
  - 신체 동작 반영하기

    대상자의 신체 언어에 보조를 맞춘다(예 대상자가 앉아 있다면 간호사도 앉아 있는 것이 좋음). 대상자가 서 있고 신경질적으로 소리를 지르고 있는 상황이라면 함께 서서 움직이되 대상자보다 부드럽게 이야기하고 움직이는 것이 좋다.

- **폭력적인 대상자와 대화하기**

보통의 목소리 억양, 크지도 않고 너무 부드럽지도 않고 자극적이지 않게 중립적인 말로 시작한다. 대상자와 가정으로 방문하는 의료인 사이의 적당한 공간을 확보하고 눈높이를 맞춘다. 대상자에 대한 존중은 언어적, 비언어적인 메시지로 지속적으로 전달한다.

대상자와의 지속적인 시선 접촉은 폭력을 자극하는 도전으로 해석할 수 있기 때문에 주의하고, 대상자의 눈 사이 한 지점을 응시한다. 대상자가 말하기 시작하면 공감적이고 사려 깊으며 비심판적인 태도로 경청한다. 정직하게 말해야 하며, 지키지 못할 약속은 피한다.

• **폭력적인 대상자에게 공감하기**

진정한 공감은 대상자의 폭력 가능성을 감소시킬 수 있다. 또한 대상자로부터 정보를 얻는 것은 대상자와의 초기 친화관계를 형성하는 데 도움이 되며, 초기 라포 형성에 유익하다. 대상자가 방문인력에게 분노하게 되더라도 안전을 유지하는 데 도움이 된다. 대상자와 접촉을 유지할 수 있도록 도우며, 폭력의 전조가 되는 감정과 행동의 변화 감지에 용이하다. 대상자의 오해, 혼란, 두려움, 또는 불안을 바꾸는 것을 도우며, 분노와 공격성 조절에 도움이 된다. 대상자에게 도덕적으로 가르치는 것은 피한다.

• **위험상황에서 대상자와의 효과적인 의사소통**

- 감정과 사건·사고 표현을 촉진하기

  의료인은 대상자의 감정을 이해하고 감정에 대해 경청하며 반영한다. 대상자가 분노할 경우, 분노의 감정을 말로 표현하도록 하여 강도를 낮출 수 있다.

- 말이나 행동에 간단명료하게 반응하기

  언어적 반응은 짧고 간단하며, 중요한 이야기에 대해서는 직접적으로 언급한다. 길고 두서없는 이야기는 대상자를 더 혼란스럽게 만들 수 있다. 중얼거리거나 성급하게 말하거나, 본인이 말하는 것을 대상자가 이해하지 못할 정도로 너무 낮은 목소리로 말하지 않아야 한다. 한두 번의 표현으로는 초점을 맞추거나 메시지를 전달하기 어려운 경우에는 대상자에게 반복해 준다. 지나치게 사무적인 태도보다는 온화한 태도로 자신의 의견을 분명히 전달한다. 모르는 사항에 대해 질문을 하면 솔직하게 모른다고 대답한다.

- 문제 해결 방안 모색하도록 독려하기

  대상자가 작은 과업부터 극복하고 해결할 수 있도록 돕는다. 모호한 말을 하거나 모든 것을 다 안다는 듯 말하지 않도록 주의한다.

- 초점 전환하기

  대상자의 감정에 초점이 맞추어지면 감정의 방향을 전환하기 위해 관심 주제를 바꾸는 것이 필요하다. 대상자가 강하게 반론할 때, 너무 사소한 문제를 갖고 논쟁하지 말아야 한다.

- 언성이 높을 때 대처 방법

  최대한 대상자를 자극하지 않는 단어와 어투를 사용하고, 조용하고 공손한 목소리로 천천히 대화한다. 절대로 언쟁에 휘말리지 않도록 한다. 언성이 높을 때는 유머를 사용하지 말아야 한다. 대상자가 상담을 중단하려 할 경우 일단 중단한다. 언성이 높을 때, 물이나 음료수를 권하여 상담 속도를 조절한다. 대상자가 화가 나거나 자신의 관점을 이야기할 때 이를 경청하는 태도를 취하고, 특히 부정적인 감정을 충분히 표현할 수 있도록 돕는다. 위협을 느낀다고 생각되면 상담을 중단하고 기관으로 복귀하도록 한다.

- 전화 상담 시 언어폭력이 발생하는 경우 대처 방법

  언어폭력 시 개인적인 감정으로 변하지 않도록 유의한다. 대상자의 표현이 언어폭력에 해당함을 강하게 주지시킨다. 상대에게 녹취한다고 알리고 "더 이상 통화가 어려워서 끊겠습니다"라고 말한 뒤 전화를 끊는다.

- 폭력 문제 발생 시
  기관의 정책에 따라 경위 및 조치 내용을 보고하고 기록을 보관한다. 퇴록을 결정하는 경우 퇴록 사유에 대하여 명확히 기록하고 퇴록한다.

(2) 감염[II. 감염관리(p478~) 참조]

① 방문 전

a. 손 씻기, 손 소독의 생활화

손 씻기는 가장 기본적이고 효과적인 감염 예방 방법이다.

b. 보호장구 착용 준비

– 감염의 위험이 있는 대상자를 방문할 때는 보호장구(장갑, 마스크 등)를 착용한다.

– 전염성 질환에 대한 정보 확인이 불가능한 경우, 예방적 접근을 위해 필수적이다.

c. 방문 대상자 관련 사전 스크리닝

– 대상자 및 가족의 질병(감염병 중심으로) 관련 사전 스크리닝을 한다.

– 사전 스크리닝 결과에 따라 감염 종류에 따른 방문 시 대처 방법을 수립한다.

d. 예방접종력 확인

– 환자의 예방접종력은 기관의 의무 기록, 질병관리 본부에서 연령별 예방접종력으로 확인한다.

– 직원의 예방접종은 연령별 예방접종, 기관의 원칙에 따른다.

② 방문 시

a. 손 씻기

– 손 소독제를 사용하여 20~30초 동안 손 씻기를 한다.

– 물을 사용하여 40~60초 동안 손 씻기를 한다.

b. 보호 장구 착용(장갑, 마스크)

– 보호 장구를 착용하기 전에 환자에게 감염 예방(환자 본인, 방문 직원)을 위한 것임을 설명한다.

– 마스크 착용: 공기 전염, 혈액, 체액 등이 튀거나 분무될 가능성이 있는 대상자의 방문 시 착용한다.

– 마스크 착용 시 주의사항: 마스크는 입과 코를 가려야 한다. 1회만 사용하며 일단 입이나 코에서 떼면 재사용하지 않는다. 목에 걸치거나 주머니에 넣지 않는다. 습하게 되어 세균이 증식할 우려가 발생하지 않도록 미리 교환한다. 마스크의 위 끈은 양측 귀의 상부를 지나가도록 하며 머리 뒤 쪽에서 맨다. 아래 끈은 머리 뒤쪽 아래에서 맨다. 안경을 낀 사람의 경우, 마스크는 코를 가리고 안경 하단 밑을 지나가도록 한다. 마스크를 착용한 다음에는 마스크에 손을 대지 않는다. 손을 댄 경우에는 곧바로 손을 씻어야 한다.

– 장갑 착용: 혈액이나 잠재적인 감염 물질이 손상된 피부에 접촉 시 착용한다. 또는 대변이나 소변과 같은 배설물이 오염된 피부와 접촉할 때 착용한다. 장갑을 제거할 때는 손이 오염되지 않도록 주의하여 벗는다. 한 환자와 접촉한 후 다른 환자를 접촉할 때마다 장갑을 교환한다. 일회용 장갑은 재사용하지 않는다.

c. 손상성 폐기물(주사바늘, 혈당 검사침 등) 용기 사용

주사바늘 등을 사용할 때는 보관 통과 폐기물 통을 따로 구분하여 지참하고, 사용 후에는 찔리지 않도록 주의하며 폐기물 통에 폐기한다.

[출처: 서울대학교병원]

Fig 11-20 손상성 폐기물

d. 방문 가방 사용법

대상자의 가정을 방문하면 가방을 내려놓을 안전한 장소를 확인한다. 가방을 내려놓을 때는 청결한 비닐이나 부직포 등, 깔개를 깔고 그 위에 놓는다. 가방

에서 기구를 꺼내기 전 손 위생(Fig 11-13, Fig 11-15)을 한다. 기구를 꺼내 놓을 때는 환자의 집안 바닥이 아닌 깔개 위에 청결한 구역을 정하여 꺼내 놓고, 기구를 꺼내 놓은 후에는 가방을 반드시 닫아 둔다. 모든 간호가 끝나면 손 위생을 한다. 사용하고 난 청진기, 혈압계, 체온계 등, 기구의 표면은 소독제 와이프나 알코올 솜으로 닦는다. 기구들을 가방에 넣고 가방을 닫는다. 바닥에 깔았던 비닐이나 부직포는 준비해 간 비닐봉지에 넣어서 버린다. 사용 후 오염된 기구를 다시 가져와야 하는 경우, 오염 가방을 따로 준비하여 넣어온다. 가능하다면 일회용 용품을 사용하고 가정 발생 폐기물은 두 번 포장하여 환자의 집에 버린다. 그 이유는 폐기물관리법 시행규칙 제 2조 제3항에 의거해 가정에서 발생하는 폐기물은 의료폐기물이 아닌 생활폐기물에 해당되기 때문이다.

> 폐기물관리법 시행규칙 제2조
>
> **▣ [의료폐기물/폐기물] 가정 방문·치료 과정상 발생된 폐기물의 분류 기준**
>
> **질문)** 재택 환자로부터 발생되는 의료폐기물은 생활폐기물로 분류되는 것으로 알고 있는데, 간호사가 직접 재택 환자를 방문(가정간호)하여 발생되는 의료폐기물 등도 동일하게 생활폐기물로 분류되나요?
>
> **답변)** 폐기물관리법 시행규칙 제2조제3항 별표3에서 정한 의료기관, 시험·검사기관 또는 조직은행 등에 해당되지 않는 가정에서 발생하는 폐기물은 의료폐기물(구. 의료폐기물)이 아닌 생활폐기물에 해당됩니다.
>
> [별표 3] 〈개정 2013.5.31〉
> 의료폐기물 발생 의료기관 및 시험·검가시관 등(제2조제3항 관련)
> 1.「의료법」제2조에 따른 의료기관
> 2.「지역보건법」제7조 및 제10조에 따른 보건소 및 보건지소
> 3.「농어촌 등 보건의료를 위한 특별조치법」제15조에 따른 보건진료소

e. 응급처치

– 바늘이나 날카로운 기구에 찔린 경우

즉시 흐르는 물에 씻고, 알코올이나 베타딘 등의 소독제로 충분히 닦아내도록 한다.

– 방문 대상자의 혈액이나 체액 등이 피부에 튄 경우

흐르는 물과 비누로 충분히 닦아 내도록 한다. 눈이나 점막에 튄 경우에는 소독된 생리식염수로 1~2분간 세척한다.

③ 방문 후

- **감염원에 노출된 경우**
  - 소속 기관의 감염관리 절차에 따라 감염의 징후 등을 관찰한다.
  - 사건이 발생하면 담당자에게 알리고 기관의 형식에 맞는 보고서를 작성한다.
  - 노출된 방문 인력은 감염되었을 가능성을 고려하여 새로운 감염원이 되지 않도록 주의한다.

(3) 교통사고

① 방문 전

a. 차량 운행 전후로 차량 상태(정비 상태, 연료 상태, 자동차 보험 등)에 대해 점검을 한다.

b. 휴대폰 충전 상태를 확인한다.

c. 동료, 상급자, 가족이 당신의 이동경로를 알도록 한다.

d. 매일의 기상 상황(폭우, 호우, 폭설 등)을 참고하여 차량 운행을 한다.

e. 교통 안전교육(예 도로교통공단 사이버교통학교 운전자 교육)은 매년 받는다.

② 방문 시

a. 안전벨트를 꼭 착용한다.

b. 방어 운전, 서행 운전을 한다.

c. 운전 중 차 문을 잠그고 유리창을 닫고 다닌다.

d. 운전 중에는 핸드폰 사용 등을 금한다.

e. 교차로나 혼잡한 도로에서는 주의한다.

f. 기상상황을 잘 주시하여 때에 맞는 안전운전을 실시한다.

g. 자동차는 정기점검을 실시하여 타이어 압력, 부동액, 엔진오일, 배터리 등의 상태를 항상 확인한다.

h. 조명이 밝은 장소에 주차하고 항상 차 문을 잠근다.

i. 자동차 열쇠를 지니고 다닌다.

j. 교통사고 발생 시 조치법

- 즉시 정차

교통사고가 발생하면 즉시 정차하고(그냥 진행 시 뺑소니로 처벌될 수 있다), 비상등을 켠 뒤 휴대폰을 이용해 도움을 요청하는 전화를 한다.

– 피해자 구호 현장 보존

피해자가 있으면 구호를 한다(도로교통법 제50조1항). 사고 현장을 보존하고 증거를 확보하며, 사고 현장의 교통질서를 회복 조치한다.

– 보험회사 사고 접수

피보험 자동차 번호, 운전자의 인적 사항, 사고 일시, 장소, 사고 경위, 피해자 인적 사항 및 상대 자동차 번호, 치료 병원명과 전화번호, 정비공장명과 전화번호

– 소속된 기관의 관련 부서에 알림

k. 교통사고를 낸 경우 조치사항

당황하여 일방 과실을 인정하거나 손해배상을 약속하지 않도록 한다. 사고 상황의 증거와 증인을 확보한 후 보험회사와 의논하여 사고를 처리한다.

– 구호 의무

현장에서 사상자에 대한 구호조치를 하지 않고 가면 도주 차량으로 취급되어 처벌 받는다(특정 범죄 가중처벌 등에 관한 법률 제5조 3항). 인사 사고의 경우 피해자로부터 다친 곳이 없다는 확인서를 받아놓거나 이를 거절할 경우 병원에서 부상 여부를 확인하고 부상이 없다는 의사의 소견서를 받아놓는다.

– 신고의 의무

사상자 구호조치를 한 후에는 즉시 경찰관이나 경찰서에 사고 장소, 사상자 수 및 부상 정도, 파손 물건과 그 정도, 조치 상황 등을 신고해야 한다(도로교통법 제50조 2항). 시내나 고속도로에서는 3시간 이내, 시외에서는 12시간 이내에 신고를 해야 하고, 피해자가 먼저 신고를 할 경우 미신고 또는 신고 지연으로 형사상의 처벌을 받게 된다(20만원 이하의 벌금, 구류형으로 처벌).

– 신고 의무가 없는 경우

가벼운 접촉 사고로 서로 합의하고 각자 차량을 몰고 간 경우, 도로가 아닌 운동장 등의 장소에서 사고가 나서 합의가 이루어진 경우

l. 교통사고를 당한 경우 조치사항

– 사고현장 보존

사고현장의 보존이 중요하다(민·형사상 재판의 근거). 스프레이 등으로 사고 차량의 위치를 표시하고 카메라로 차량 파손 부분, 신호 상태 등의 사진을 찍은 뒤, 사고 현장 및 상황을 잘 기억해 두고 목격자 2~3명과 인적 사항을 확보하여 사고 당시에 관한 진술서를 받아 두는 것이 좋다.

또한 가해자의 음주 여부 등을 확인하고, 사고 즉시 경찰에 신고하여 정확한 상황 조사서를 작성한다. 상황을 잘 기억하여 사건·사고에 대한 경찰 기록이 정확한지 확인하고, 기록을 확인하여 잘못된 부분은 담당자에게 재조사 및 정확한 조사를 요청한다.

– 사고 현장 보존 요령

교통 소통에 방해가 되어 사건·사고 현장을 보존할 수 없을 때는 목격자를 확보, 연락처 등을 알아둔다. 경찰관에게 현장조사를 요청해서 조사가 끝난 뒤에 경찰관의 지시가 있은 후 사건·사고 차를 이동시킨다. 카메라나 스프레이로 사건·사고 차량, 피해자, 파손된 물건 등의 위치를 표시해 두고 차량을 이동시킨다.

(4) 반려동물 사고

① 방문 전

a. 방문 계획 시 환자의 가정에 반려 동물이 있는지 확인한다.

b. 방문에 대해 사전 안내 시 대상자에게 반려동물 격리에 대해 협조를 요청한다.

② 방문 시

a. 친숙하지 않은 반려동물에게 절대 가까이 다가가지 않는다.

b. 반려동물을 보고 겁에 질리거나 놀라서 소리를 치거나 도망가지 않는다.

c. 반려동물이 달려들려는 기세를 보이면 눈 맞춤을 피하고 서서히 뒤로 물러나 차량이나 안전한 장소로 피하도록 한다.

d. 대상자에게 협조를 요청하여 방문 시 반려동물을 격리시킬 수 있도록 한다.

③ 방문 후

a. 반려동물로 인한 사고 발생 시 즉시 병원으로 가서 응급처치를 받도록 한다(반려동물 물림 사고 발생 시 해당 반려동물의 파상풍 예방접종 여부를 확인하고 병원에 방문).

b. 출혈이 심하지 않은 경우, 비누와 물로 5~10분간 깨끗이 씻는다.

c. 소독된 거즈나 수건을 이용하여 출혈 부위를 직접 압박한다.

d. 기관의 담당자에게 보고하고 사건 발생 기록을 남긴다.

(5) 기상재해

① 방문 전

매일의 기상상황(폭우, 호우, 폭설 등)을 숙지한다. 기상 상황에 따른 방문 업무, 차량 운행 업무의 변화에 대한 사전 계획이 필요하다. 최근 폭우, 호우, 폭설 등이 있어 방문이 어렵거나 차량 운행이 어려운 경우 방문을 조정한다. 방문 당일 폭우, 호우, 폭설 등의 예보가 있는 경우에는 방문을 조정하거나 내근으로 업무를 조정한다.

② 방문 시

a. 폭염 시

오전 11시부터 오후 4시까지의 가장 더운 시간대에 방문 시 주의한다. 커튼이나 천을 이용하여 차량으로 들어오는 햇빛을 최대한 차단한다. 갈증을 느끼지 않아도 규칙적으로 물이나 스포츠 음료 등을 마셔 수분을 유지한다.

b. 폭우, 호우 시

TV나 라디오를 수신하여 실시간의 기상 상황을 숙지한다. 물에 잠긴 도로로 걸어가거나 차량을 운행하지 않는다. 천둥·번개가 칠 경우 건물 안이나 낮은 곳으로 대피한다. 전신주, 가로등, 신호등을 손으로 만지거나 가까이 가지 않는다. 건물의 간판 및 위험시설물 주변으로 걸어가거나 접근하지 않는다. 아파트 등 고층건물 옥상, 지하실과 하수도 맨홀에 접근하지 않는다. 하천 근처에 주차된 자동차는 안전한 곳으로 이동하고, 침수가 예상되는 건물의 지하공간에는 주차를 하지 않는다.

c. 폭설 시

간선도로를 이용하고 지름길이나 뒷길을 피한다. 도로의 결빙에 대비하여 스노우체인 등 예방조치를 마련한다. 평소보다 저속 운행하고, 차간 거리를 확보하는 등 안전운전을 한다. 시트를 높이고 앞 유리 성에를 완전히 제거하여 빙판길 등 돌발 사태에 대비한다. 커브 길을 돌 때는 미리 속도를 줄이고 기어 변속을 하지 않도록 한다. 빙판에서 멈출 때는 엔진브레이크로 속도를 완전히 줄인 후 풋 브레이크를 사용하여 멈춘다. 미끄러운 길에서 가속기를 서서히 밟아야 하며, 바퀴가 헛돌지 않도록 앞바퀴는 직진 상태로 출발한다. 염화칼슘, 삽 등 월동물품을 준비하고 부동액, 축전지, 각종 윤활유 등 자동차 상태를 사전점검한다.

4) 안전사고(위험관리)에 대한 교육

(1) 사전예방 교육

신규 교육과정과 연 1회 이상 정기적인 교육을 하고, 안전 관리와 관련하여 예방교육 및 직무스트레스 등에 관한 교육을 한다. 각 기관의 안전 관리 교육 매뉴얼과 외부 기관의 매뉴얼을 이용하여 교육을 한다.

① 주요 교육 내용

a. 위험과 위험관리에 대한 이론적 이해

b. 위험관리의 중요성 파악

c. 일반적인 위험관리 예방대책 및 사건·사고 발생 후 보고 시스템과 사건·사고 대책 이해

d. 각 사례별 사건·사고 기본 예방지침 및 사건·사고대책 이해

e. 개인 직무 스트레스 관리 및 해결 방안

f. 각 기관의 비상 연락망

(2) 사후대처 교육

① 주요 교육내용

a. 사건·사고보고서 작성 방법과 보고 절차에 대한 설명

b. 법적 보상 절차 및 내용

c. 현재 담당하고 있는 업무에 대한 고충 상담

d. 위험 발생에 따른 처리 과정 및 결과, 코멘트를 기록하여 문서화한 후 보관 관리

(3) 위험 책임 관리자 선정 필요성

① 방문인력에 대해 위험관리 교육 담당

② 위험관리 매뉴얼 비치, 보고 양식 및 필요 서류 준비

③ 위험관리 책임자 선정을 통해 사건·사고보고 체계 명확화

④ 사건·사고의 조치 및 예방대책이 원활히 이루어지도록 하기 위함

⑤ 방문인력의 위험 요인에 대한 고충 상담, 위험에 따른 소진과 이직 예방 상담

(4) 위험요인에 대한 상담 및 고충처리

① 방문인력들이 위험 발생 시 겪는 어려움에 대한 원활한 의사소통 필요

② 각 기관의 직무상 스트레스, 소진과 관련한 상담 부서 연계, 외부 기관 연계

③ 신체적 손상, 위험 발생 및 징후 등과 관련하여 상담 부서 연계, 외부 기관 연계

④ 고충 상담 결과를 반영하여 적극적 중재, 업무에 반영, 필요 시 관계자 및 관리자에게 보고

가정에서 이루어지는 간호는 병원이나 기관에서의 안전이 보장된 장소가 아니기 때문에 안전관리가 매우 중요하다. 실무에 임할 때 안전에 영향을 미치는 요인을 알고 간호사 자신의 안전 인식이 중요하다. 가정이나 운전 시 상황을 인지하고 안전 수칙을 알아야 하며, 안전사고 발생 시 대처 방안과 수행 내용을 숙지하는 것이 필요하다. 이를 위해 정규적인 교육이 시행되어야 한다.

[부록] 감염병 별 잠복기, 전염 기간 및 환자 관리 방법

	감염병 명	잠복기	전염 기간	환자 관리 및 격리기간
제1급	에볼라바이러스병	2~21일	증상 발현 후 증상 기간 동안 (회복 후 전염기간은 불명확)	• 환자 관리: 격리입원치료(음압) • 격리 기간: 임상증상이 호전되고 72시간 이상 경과 후, 24시간 이상 간격으로 혈액 Realtime RT-PCR 검사에서 2회 연속 음성 시까지 • 사례 분류에 따른 상세 격리 방법 및 기간은 대응 지침 참고
	마버그열	2~21일		
	라싸열	2~21일		
	크리미안콩고출혈열	1~13일		
	남아메리카출혈열	2~21일		
	리프트밸리열	2~6일	사람 간 전파 보고 없음	
	두창	7~19일 (평균 10~14일)	발열 발생 시부터 가피가 완전히 떨어질 때까지	• 격리입원치료(음압) 및 접촉주의(피부 병변 및 환자 사용 물품) • 모든 가피의 탈락이 완료될 때까지 격리(3~4주 이상)
	페스트	1~7일 (평균 1~4일)	객담이나 림프절 종창에서 균이 배출되는 기간 동안	• 격리입원치료(음압) 및 접촉주의(림프절 종창) • 항생제 치료 개시 후 48시간이 경과하고 임상적 호전이 있을 때까지
	탄저	• 피부탄저 1~12일 (평균 5~7일) • 위장관탄저 1~6일 • 흡입탄저 1~60일 (평균 5일)	사람 간 전파 보고 없음	• 격리입원 치료, 표준 주의 및 접촉 주의(피부 병변) - 세부사항은 해당 지침에 따름
	보툴리눔독소증	• 식품매개형 1~8일 • 상처형 4~14일 • 영아형·장내 정착형 3~30일	사람 간 전파 보고 없음	• 격리입원 치료, 표준주의 - 세부사항은 해당 지침에 따름
	야토병	1~14일 (일반적으로 3~7일)	사람 간 전파 보고 없음	• 격리입원 치료, 표준주의 및 접촉 주의(피부병변) - 세부사항은 해당 지침에 따름
	중증급성호흡기증후군(SARS)	2~10일	증상 발생 시부터	• 음압격리, 비말주의 -호흡기 증상이 소실되고 검사 결과 감염성이 없는 경우까지 격리
	중동호흡기증후군(MERS)	2~14일	증상 발생 시부터	• 음압격리, 비말주의 - 증상이 모두 사라진 다음 48시간이 지나고, 호흡기 검체(검체 종류는 임상상태에 따라 결정) PCR 검사 결과 24시간 간격으로 2회 음성 확인 시까지 격리

	감염병 명	잠복기	전염 기간	환자 관리 및 격리기간
	동물인플루엔자 인체감염증	2~7일 (최대 10일)	증상 발생 1일전부터 회복까지 (사람 간의 전파가 의심되는 사례가 드물게 보고)	• 음압격리, 비말주의 - 항바이러스 투약이 완료된 후 호흡기 검체 PCR 검사 결과 24시간 간격으로 2회 연속 음성 확인 시까지 격리
	디프테리아	1~10일 (평균 2~5일)	2~4주	• 항생제 치료 종료 후 24시간 이상이 경과한 이후로 총 2회(24시간 이상의 간격) 채취한 비강과 인두 부위의 검체에서 균이 모두 배양 음성일 때까지 격리 • 배양이 어려울 경우, 적절한 항생제 치료에 필요한 14일 기간 동안 격리
제 2 급	결핵	명확하지 않음	전염성 결핵이 의심되었을 시점부터 치료 시작 후 2주 이상	일반적으로 2주 이상 효과적인 항결핵제들을 복용하고, 호흡기 증상이 소실되며, 객담 항산균 도말검사에서 음전될 때까지 격리
	수두	10~21일 (평균 14~16일)	발진 1~2일 전부터 모든 피부 병변에 가피가 생길 때까지	• 모든 피부 병변에 가피가 생길 때까지(발진 발생 후 최소 5일간) 격리 • 단, 예방접종을 시행한 사람에게서 발생해 가피가 생기지 않은 경우: 24시간 동안 새로운 피부 병변이 생기지 않을 때까지 격리 • 수두에 걸린 엄마에게서 출생한 신생아가 입원 중인 경우: 생후 21일까지(면역글로불린 투여 받았다면 생후 28일까지) 격리
	홍역	7~21일 (평균 10~12일)	발진 4일 전부터 4일 후까지	발진 발생 후 4일까지 격리
	콜레라	수 시간~5일 (보통 2~3일)	• 환자의 균 배출 기간: 회복 후 약 2~3일 • 무증상 환자의 대변 오염에 의한 감염 가능 기간 - 7~14일 정도이며 드문 경우에 수개월간 간헐적으로 균을 배출	설사 증상 소실되고, 항생제 치료 완료 48시간 후 24시간 간격 대변배양검사를 실시하여 2회 연속 음성 확인 시까지 격리

	감염병 명	잠복기	전염 기간	환자 관리 및 격리기간
제 2 급	장티푸스	3일~60일 (평균 8~14일)	• 환자의 균 배출 기간: 수일에서 수주까지 대·소변으로 균이 배출될 수 있으나, 보통 증상 회복 후 1주일까지도 배출 • 치료하지 않는 경우 약 10%의 환자는 발병 후 3개월까지 균을 배출하며, 2~5%는 만성 보균자가 됨	설사 증상 소실되고, 항생제 치료 완료 48시간 후 24시간 간격 대변배양검사를 실시하여 3회 연속 음성 확인 시까지 격리
	파라티푸스	1일~10일	• 환자의 균 배출 기간: 수일에서 수주까지 대·소변으로 균이 배출될 수 있으나, 보통 증상 회복 후 1주일까지도 배출 • 치료하지 않는 경우 약 10%의 환자는 발병 후 3개월까지 균을 배출하며, 2~5%는 만성 보균자가 됨	설사 증상 소실되고, 항생제 치료 완료 48시간 후 24시간 간격 대변배양검사를 실시하여 3회 연속 음성 확인 시까지 격리
	세균성이질	12시간~7일 (평균 1~4일)	• 이환기간 및 증상 소실 후 대변에서 균이 검출되지 않을 때까지 전파 가능하며, 보통 발병 후 며칠~4주 이내 전염력이 소실 • 드물지만 보균 상태가 수개월 이상 지속 가능	설사 증상 소실되고 항생제 치료 완료 48시간 후 24시간 간격 대변배양검사를 실시하여 2회 연속 음성 확인 시까지 격리
	장출혈성대장균 감염증	2~10일 (평균 3~4일)	• 이환기간 및 증상 소실 후 대변에서 균이 검출되지 않을 때까지 전파 가능하며, 보통 성인에서 1주일 이하, 어린이의 1/3은 3주가량 균 배출 • 드물지만 보균 상태가 수개월 이상 지속 가능	설사 증상 소실되고 24시간 후, 항생제 치료 완료 48시간 후 24시간 간격 대변배양 검사를 실시하여 2회 연속 음성 확인 시까지 격리
	A형간염	15~50일 (평균 28일)	증상 발현 2주 전부터 황달이 있는 경우 황달 발생 1주일까지, 황달이 없는 경우 최초 증상 발생일로부터 14일간	• 황달이 있는 경우: 황달 발생 1주일이 경과하고, 발열 및 설사 증상이 소실될 때까지 격리 • 황달이 뚜렷하지 않은 경우 빌리루빈 상승 시점 기준 • 황달이 없는 경우: 최초 증상 발생일로부터 14일간 격리

	감염병 명		잠복기	전염 기간	환자 관리 및 격리기간
제 2 급	백일해		4~21일 (평균 7~10일)	카타르기 시작~발작성 기침 시작 후 3주 (또는 적절한 항생제 투여 시작 후 5일까지)	• 항생제 치료 기간 5일까지 격리 • 치료를 받지 않은 경우 기침이 멈출 때까지 최소한 3주 이상 격리
	유행성이하선염		12~25일 (평균 16~18일)	이하선염 부종 발현 3일 전부터 5일 후까지	이하선염 발현 후 5일까지 격리
	풍진	선천성	해당 없음	체액에 바이러스 배출되는 동안 전파 가능	• 생후 1년까지, 선천성 백내장 수술의 경우 생후 3년까지 격리(입원 시 적용) • 단, 생후 3개월 이후 1개월 간격으로 얻은 2번의 임상 검체(매번 호흡기, 소변 모두 채취)에서 바이러스 분리배양 검사 음성일 경우 격리 해제 • 임산부와의 접촉 금지
		후천성	12~23일 (평균14일)	발진 7일 전부터 7일 후까지	• 발진 발생 후 7일까지 격리 • 임산부와의 접촉 금지
	폴리오		3~35일	증상 발생일 11일 이전부터 6주 이후까지	• 매주 채취한 대변 검체의 바이러스 분리·배양검사 결과가 2회 연속 음성일 때까지 격리 • (감염관리) 최종 음성 판정 시까지 대변, 체액 등 감염물에 대해 적절한 관리 시행
	수막구균 감염증		1~10일 (평균 3~4일)	적절한 항생제로 치료 시작하면 24시간 후 전염력 소실	적절한 항생제 치료 시작 후 24시간까지 호흡기(비말) 격리
	b형헤모필루스 인플루엔자		명확하지 않음	호흡기 분비물에 균이 존재하는 동안 전파 가능	• 주사용 항생제 치료를 시작한 후 24시간까지 격리 • (예방 요법) 환자가 2세 미만이거나 가족 중에 감수성이 있는 접촉자가 있고 cefotaxime 또는 ceftriaxone 이외의 약제로 치료한 경우에는 침습성 감염 치료 마지막에 예방요법을 시행
	폐렴구균 감염증		명확하지 않음	호흡기 분비물에 균이 존재하는 동안 전파 가능	• 표준 주의 지침에 따라 환자 관리 - 단, 입원실이나 병원에서 전파 증거가 있으면 비말 주의 적용
	한센병		명확하지 않음	명확하지 않음	• 격리 필요 없음 • 한센 전문치료기관에 치료 연계

	감염병 명	잠복기	전염 기간	환자 관리 및 격리기간
제 2 급	성홍열	1~7일	• 적절한 항생제로 치료 시작하면 24시간 후 전염력 소실 • 치료하지 않는 경우 수주에서 수개월동안 전염 가능	적절한 항생제 치료 시작 후 24시간까지 호흡기(비말) 격리
	반코마이신내성 황색포도알균 (VRSA) 감염증	명확하지 않음	환자 또는 병원체 보유자와의 접촉, 체액 등에 오염된 기구나 물품 및 환경 표면 등을 통해 전파 가능	격리(코호트 격리 포함) 및 접촉주의 시행
	카바페넴내성장내세균속균종 (CRE) 감염증	명확하지 않음	환자 또는 병원체 보유자와의 접촉, 체액 등에 오염된 기구나 물품 및 환경 표면 등을 통해 전파 가능	격리(코호트 격리 포함) 및 접촉주의 시행
제 3 급	파상풍	3~21일 (평균 8일)	사람 간 전파 없음	• 표준 주의 지침에 따라 환자 관리 • (상처 치료 시 파상풍 예방) 백신 접종, 면역글로불린 투여: 예방접종 여부와 상처 오염 정도에 따라 결정
	B형간염	45~160일 (평균 120일)	HBsAg 양성인 사람의 경우 감염이 가능함	• 표준 주의 지침에 따라 환자 관리 • 혈액 및 체액 격리는 필요
	일본뇌염	7~14일	사람 간 전파 없음	• 환자의 별도 격리는 불필요 • 혈액 및 체액 노출 예방을 위한 표준주의 준수
	C형간염	2주~6개월 (평균 6~10주)	혈액에서 RNA가 검출되는 시기	혈액 및 체액 격리
	말라리아	• 삼일열 - 단기 잠복기 (평균 14일), - 장기 잠복기 (6~12개월) • 열대열: 9~14일 • 사일열: 18~40일 • 난형열: 12~18일	사람 간 전파 없음	• 혈액 격리(치료 종료 후 3년간 헌혈 금지) • 확인 검사(현미경검사, 유전자 검출검사)에서 음성 시까지 모기에 물리지 않도록 주의
	레지오넬라증	• 레지오넬라폐렴: 2~10일 • 폰티악 열: 5시간 ~3일 (대부분 24~48시간)	일반적으로 사람 간 전파는 없음	격리 불필요
	비브리오패혈증	12~72시간	사람 간 전파 없음	격리 불필요
	발진티푸스	6~15일(평균 7일)	사람 간 전파 없음	격리 불필요
	발진열	1~2주	사람 간 전파 없음	격리 불필요

	감염병 명	잠복기	전염 기간	환자 관리 및 격리기간
제3급	쯔쯔가무시증	1~3주	사람 간 전파 없음	격리 불필요
	렙토스피라증	2~14일(평균 10일)	사람 간 전파 없음	혈액 및 체액 격리는 필요
	브루셀라증	2~4주	사람 간 전파 없음	• 격리 불필요, 표준주의 준수 • 혈액 및 체액 격리(치료 종료 후 2년간 헌혈 금지)
	공수병	5일~수년 (평균 2~3개월)	사람 간 전파 없음	• 격리 불필요, 표준주의 준수 • 혈액 및 체액 격리(공수병 예방접종 후 24시간 이내/치료 종료 후 1개월 간 헌혈 금지)
	신증후군출혈열	2~3주	사람 간 전파 없음	격리 불필요
	후천성면역결핍증 (AIDS)	평균 8~10년		혈액 및 체액 격리
	크로이츠펠트 - 야콥병(CJD) 및 변종크로이츠펠트 - 야콥병(vCJD)	2~30년 이상	사람 간 전파 없음	• 감염 위험이 있는 고위험 조직, 장기 등에 대해 접촉 주의 • 혈액 및 체액 격리(영구 헌혈 금지)
	황열	3~6일	사람 간 전파 없음 - 발열 직전 및 증상 발현 3~5일간 모기에 대해 감염성 있음	• 혈액 및 체액 격리 • 회복될 때까지 모기에 물리지 않도록 주의
	뎅기열	3~14일 (평균 4~7일)	사람 간 전파 없음 - 발열 직전부터 발열 지속 기간 동안(평균 6~7일간) 모기에 대해 감염성 있음	• 혈액 및 체액 격리(치료 종료 후 6개월간 헌혈 금지) • 회복될 때까지 모기에 물리지 않도록 주의
	큐열	3일~1개월 (평균 2~3주)	사람 간 전파 없음	• 혈액 및 체액 격리(영구 헌혈 금지) • 성 접촉, 수유를 통한 전파 가능성 교육
	웨스트나일열	2~14일 (평균 2~6일)	사람 간 전파 없음 - 발열 직전부터 발열 지속 기간 동안(평균 3~6일간) 모기에 대해 감염성 있음	• 혈액 및 체액 격리(치료 종료 후 6개월간 헌혈 금지) • 회복될 때까지 모기에 물리지 않도록 주의
	라임병	3~30일	사람 간 전파 없음	격리 불필요(헌혈 금지)
	진드기매개뇌염	4~28일 (평균 8일)	사람 간 전파 없음	격리 불필요(단, 수혈, 장기이식, 출산, 모유수유 등 전파 가능성에 주의)
	유비저	1~21일	사람 간 전파 가능성은 있으나 극히 드묾	• 격리 불필요 • 표준주의 준수(호흡기 분비물, 혈액 및 체액)

	감염병 명	잠복기	전염 기간	환자 관리 및 격리기간
제3급	치쿤구니야열	1~12일 (평균 4~7일)	사람 간 전파 없음 - 발열 직전부터 발열 지속 기간 동안(평균 2~7일간) 모기에 대해 감염성 있음	• 혈액 및 체액 격리(치료 종료 후 6개월간 헌혈 금지) • 회복될 때까지 모기에 물리지 않도록 주의
	중증열성혈소판감소증후군 (SFTS)	4~15일	일반적으로 발생하지 않음 (환자 혈액 및 체액 노출에 따른 전파 가능성 존재)	일반적으로 격리 불필요 - 환자의 혈액 및 체액의 노출이 예상되는 심폐소생술 등이 필요한 중환자는 선택적으로 격리(표준주의, 비말 및 접촉 주의 지침 준수)
	지카바이러스감염증	1~12일 (평균 2~14일)	사람 간 전파 없음 - 발열 직전부터 발열 지속 기간 동안(평균 3~7일간) 모기에 대해 감염성 있음	• 혈액 및 체액 격리(치료 종료 후 6개월간 헌혈 금지, 회복 후 6개월간 임신 연기) • 회복될 때까지 모기에 물리지 않도록 주의
제4급	인플루엔자	1~4일 (평균 2일)	증상 발생 1일 전부터 발병 후 약 5~7일까지	발병 후 5일 경과하고, 해열제 없이 체온 회복 후 2일이 경과할 때까지 격리
	매독	평균 3주(10일~3개월)		혈액 및 체액 격리
	회충증	충란 섭취 후 60~70일	사람 간 전파 없음	격리 불필요
	편충증	1개월~3개월	사람 간 전파 없음	격리 불필요
	요충증	단시간	충란은 속옷, 침구에 붙어서 2~3주 감염력 유지	• 격리 불필요 • 접촉 감염성으로 주의 필요
	간흡충증	감염 후 3주~4주	사람 간 전파 없음	격리 불필요
	폐흡충증	감염 후 6주	사람 간 전파 없음	격리 불필요
	장흡충증	감염 후 7~8일후 성충	사람 간 전파 없음	격리 불필요
	리슈만편모충증	1주~수개월	사람 간 전파 없음	• 격리 불필요 • 내장 리슈만편모충증에 한해 혈액과 체액 관리
	바베스열원충증	1주~4주	사람 간 전파 없음	혈액 및 체액 격리
	아프리카수면병	3일~수주	사람 간 전파 없음	격리 불필요
	주혈흡충증	2주~6주	사람 간 전파 없음	격리 불필요
	샤가스병	1주~2주	사람 간 전파 없음	• 격리 불필요 • 혈액 및 체액 격리
	광동주혈선충증	1일~30일	사람 간 전파 없음	격리 불필요
	악구충증	2일~35일	사람 간 전파 없음	격리 불필요

	감염병 명	잠복기	전염 기간	환자 관리 및 격리기간
제4급	사상충증	1개월~수년	사람 간 전파 없음	• 격리 불필요 • 미세사상충혈증 환자는 모기에 물리지 않도록 함(매개 모기가 환자를 물지 않도록)
	포충증	12개월~수년	사람 간 전파 없음	격리 불필요
	톡소포자충증	2주~수년	사람 간 전파 없음	격리 불필요
	메디나충증	약 감염 후 10개월	사람 간 전파 없음	• 격리 불필요 • 병변 부위 충체 분리가 중요, 감염에 대한 전신적, 국소적 알레르기 반응을 유의하게 관찰

[출처: 질병관리본부]

참고문헌

1. 감염병 관리 지침 (2020). 질병관리본부.
2. 근로복지공단 인천병원 간호부. 임상간호 실무지침서(2019). 69.
3. 근로복지공단 인천병원. 감염성 질환의 격리 및 면역저하 질환의 보호격리 지침.
4. 김경미, 김연희, 송경애, 송말순(2005). 환자안전간호. 대한간호협회, 서울.
5. 김희걸, 남혜경(2017). 방문간호사가 경험하는 폭력의 특성과 예방대책. 가정간호학회지, 24(3), p243-254.
6. 대한감염학회(2014). 감염학. 군자출판사.
7. 대한의료관련감염관리학회(2017). 의료관련감염표준예방지침.
8. 대한의료관련감염관리학회(2017). 의료기관의 감염관리 제5판. 한미의학.
9. 박상기, 김희, 유두한, 차태현(2017). 한국어판 가정안전 자가 평가도구(K-HSSAT)의 타당도 및 신뢰도 연구. 대한작업치료학회지, 25(3), p117-130.
10. 보건복지부(2010). 의료기관 가정간호사업 업무편람.
11. 서울대학교병원 가정간호사업팀(2019). 2019년도 가정간호 실적보고.

12. 서울특별시(2019). 찾아가는 동주민센터 업무메뉴얼.
13. 서울특별시.(2017). 서울특별시 방문건강관리사업 전문인력을 위한 가정방문 위험관리 매뉴얼 - Home Care Risk Management Manual.
14. 손정연(2017). 찾아가는 동주민센터 방문인력 안전실태 및 정책 방안 마련 연구.
15. 오명돈, 최강원 (2000). 감염질환. 한의학. p254-261.
16. 윤은자 외(2019). 성인간호학. 수문사.
17. 이인숙, 이광옥, 강희선, 박연환(2012). 보건소 방문보건인력들이 경험하는 폭력 실태와 폭력 후 반응 및 대처양상. 대한간호학회지, 42(1), p66-75.
18. 이주실, 송원근. 질병관리본부 국립보건연구원(2014).
19. 정윤섭, 이경원, 김현숙, 김신무, 신종희, 정석훈, 용동은(2014). 최신진단미생물학.
20. 질병관리본부. 의료관련감염 표준예방지침. 충북(2017).
21. 질병관리본부. 의료관련감염병 관리지침. 충북(2020).
22. 카톨릭대학교 인천성모병원 감염관리실. 의료관련 감염병 표본감시기관 권역 중심 및 참여.병원 워크숍(2017).
23. 한국의료질향상학회(2016). 환자안전과 의료 질 향상. 범문에듀케이션.
24. Harris, Marilyn D.(2017). Handbook of home health care administration. Burlington, MassachusettsJones&Bartlett Learning.
25. Harris, Marilyn D.(2017). Handbook of home health care administration. Burlington, MassachusettsJones&Bartlett Learning.
26. Hayashi, Jennifer L editor&Leff, Bruce editor(2016). Geriatric Home-Based Medical Care. Cham Springer International Publishing. Home-Safety-Self-Assessment-Tool. University at Buffalo. 2020.
27. National Institute for Occupational Safety and Health(2010). Occupational Hazards in Home Healthcare. Atlanta: National Institute for Occupational Safety and Health.

색인

ㅅ